김재홍 문학전집 ⑧

한국현대시인비판

국학자료원

일러두기

1. 전집은 단행본 발행연도를 기준으로 삼았으나, 학위논문인 『한용운 문학연구』는 1권에, 편저는 9권과 10권에 각각 수록했다.

2. 출판 당시 저자의 집필의도를 살리기 위해, 일부의 보완 원고는 그대로 두었다. 단, 내용이 중복된 것은 삭제하여 전집의 전체성을 유지했다.

3. 원문을 최대한으로 살리되, 의미와 어감을 해치지 않는 범위에서 현행 맞춤법에 따라 고쳤다.

4. 한문과 외국어는 괄호 안에 병기하는 원칙으로 하되, 필요한 부분은 노출하였다. 단, 제1권 『한용운 문학연구』는 원문 그대로 수록하였다.

5. 본문의 '인용' 부분은 필요에 따라 한글 표기를 했으며, 이외의 것은 원문에 충실하려고 노력했다.

한국현대시인비판

金載弘 著

1994年

시와시학회

머 리 말

　한국 현대문학을 전공하는 저자가 주로 관심 깊게 공부하고 있는 것은 한국현대시인 연구와 한국현대시문학사 분야에 대한 연구이다. 이러한 관심의 한 소산으로 지금까지 저자는 『한용운 문학연구』(일지사, 1982)에서 시작하여 일제강점기의 시인들을 살펴본 『한국현대시인연구』(일지사, 1986), 프로 시인 연구서로 『카프시인비평』(서울대 출판부, 1990)을 펴내고, 근자에는 몇 실종 시인들을 추적한 『한국현대문학의 비극론』(시와시학사, 1993) 등을 발간한 바 있다. 아직도 일제강점기와 해방기에 이르는 기간의 몇몇 시인들 연구가 미진한 채로 있지만, 오늘의 시인들에 대한 논의도 활발하게 전개되고 있어 이제 그 비평성과를 차츰 정립해 갈 필요가 있기에 이번에 부족하나마 『한국현대시인비판』을 상재한다.

　저자는 이 책에서 오늘날 활동적인 원로들로부터 60년대 말경까지 등단한 중견 시인들까지를 함께 다루어 보았다. 이 글의 대부분은 청탁에 의해 쓰여진 것들이어서, 이 시기의 중요시인들이 여러 분 빠져 있고 일관성이 부족한 아쉬움이 있다. 이 점은 추후 보완해 나아가기로 한다. 그렇지만 저자의 문학관에 비추어 정리해보니 나름대로의 체계가 서는 것도 같아 그런대로 다행스러운 마음이 든다. 즉, 저자는 시란 것이 기본적인 면에서 개인적·실존적 삶의 층위, 사회적·역사적 층위, 미학적 층위, 자연적 층위, 그리고 신성사적 층위 등 삶의 제반 층위를 총체적으로 포괄하는 장르라고 생각한다. 그것은 대략

'실존적 삶/사회적 삶/역사적 삶/미학적 삶/철학적 삶/종교적 삶/자연적 삶'의 범주로 묶어 볼 수 있으며, 크게 보아 그것은 생명사랑, 인간사랑, 자유사랑이라는 인간구원의 길로 열려 있는 것이라고 하겠다. 그만큼 삶과 세계의 시작에 어머니와 고향을 사랑하는 시심으로서 시가 있고, 그 끝에 역시 인간과 하늘을 존중하는 것으로서 시심이 놓인다는 뜻이 될 수도 있으리라. 그렇기에 여기에서 다루고 있는 시인들에게서 우리는 자아발견에서 시작되어 자기 극복의 길을 거쳐 마침내 세계의 본질과 만나게 되고 자기 구원을 성취해가는 이 시대 프로메테우스들의 모습을 찾아볼 수 있으리라 믿는다.

차제에 한 가지 개인적인 소회를 피력해 보고 싶다. 근년에 저자는 지난 30년 가까운 학창생활과 교단생활을 통해 배워온 시와 시학에 관한 지식을 사회적으로 실천하면서 작게나마 사회에 이바지해 보고자 1991년 계간 『시와 시학』을 창간하여 지금까지 4년 가까이 고군분투해 왔다. 짧다면 짧고 길다면 길다고 할 그 사이 나는 시와 학문, 삶과 세상에 있는 소중한 기회를 가졌다. 그 결과 지난 20여 년 동안 연구실과 강의실만을 오갈 줄 알던 백면서생이 현실의 한 가운데 뛰어들어 삶이란 무엇이고, 진실이란 무엇이며 또한 그것을 노래하는 시란 과연 무엇인가를 구체적으로 공부하는 동안 적지 않은 고통과 외로움을 겪을 수밖에 없었다. 그러면서 70여 년 전 적수공권으로 『유심(惟心)』지를 펴내면서 절집에서 나아가 세상을 배우고 사회와 역사 속으로 뛰어들게 되었던 만해의 얼굴을 언뜻언뜻 보게 되었다면 지나친 표현이 될 것인가?

그렇다! 내가 깨달은 것은 그것이다. 시를 쓰는 것이 바로 시를 공부하는 일이요, 시를 공부하는 것이 또한 시 사랑하는 마음을 세상에 퍼뜨리는 일과 하나임을 알았다. 학교의 안에서 밖으로 걸어가 보고 다시 밖에서 안으로 걸어 들어가 보니 그것이 서로를 바르게 알기 위한 노력이었고 안과 밖이 바로 하나임을 비로소 알았다. 세상이 바로 교실이었고 삶이 연구실이었으며, 연구실이 바로 강의실이요 『시와시학』의 강의실이 바로 세상과의 통로였음을 나이 50에 비로소 알게 되다니!!

앞으로 계간 『시와시학』의 운명이 어떻게 될지는 모른다. 그렇지만 세상에서 제일 소중한 것이 바로 시를 사랑하는 마음이며, 그 시를 사랑하는 마음이란 바로 생명을 사랑하는 일이고 인간을 사랑하는 일이며 자유를 사랑하는 길에 다름아님을 확인할 수 있었던 것이 커다란 공부가 되었다. 그 어떤 시인의 표현대로 "하늘이 세상을 내일 적에 그가 가장 귀해하고 사랑하는 것들은 모두/가난하고 외롭고 높고 쓸쓸하니 그리고 언제나 넘치는 사랑과 슬픔 속에 살도록 만드신 것이다"라고 하지 않던가.

지상의 영위 중에서 아무런 현실적 보상이 없는 일, 그러면서도 가장 죄 없는 일, 순수한 일로서 시를 사랑하는 일에 나의 삶에 있어 가장 중요한 한 시기라 할 이 40대 후반의 깨끗한 열정과 성심성의를 바쳐온 데 대해 기쁨과 보람을 느낀다. 그렇지만 나의 천직은 역시 공부하고 가르치는 일, 『시와시학』의 일이 이것들과 결코 다른 길은 아니지만 역시 나는 연구실과 강의실에 놓일 때가 제 모습인 것이 분명하다. 새삼 그곳이 이 세상에서 가장 소중하고 아름다운 곳임을 깨달은 것만 해도, 또한 삶을 사랑하는 좋은 이들을 여러분 만나 함께 길을 갈 수 있게 된 것만 해도 큰 보람을 얻은 것이고 공부가 된 것이 분명하다.

특히 이 책을 내는데 대한교육보험㈜에서 출연 설립된 대산재단의 문학인 창작기금지원을 받았는바, 이에 애써 주신 대산재단 관계자 여러분께 깊이 감사하는 바이다. 이 작은 책이 내 학문의 도정에 있어 새로운 출발의 한 이정표가 될 것을 믿어 의심치 않으며 격려해주시는 모든 분들께 깊이 감사한다.

1994 새봄에 김재홍(金載弘)

차 례

제1부
사회·역사와의 만남

『백두산』과 『만인보』, 고은의 문학사상

1. 왜 고은인가

정치인가? 사랑인가? 투쟁인가? 화해인가? 아니면 허무인가? 자유인가? 일초(一超) 고은(高銀), 그는 분단 후 이 땅 문학사와 정신사에 있어 하나의 커다란 물음표에 해당한다. 6·25의 참화 속에서 삶을 찾아 출가하고 다시 문학을 찾아 방황하다가 환속하여 4·19와 5·16의 소용돌이 속을 통과하고 70년대 유신폭압정치와 맞서 싸우면서 역사의 한가운데로 육박해 들어갔던 그, 그리고 80년대 죽음의 시대를 뚫고 다시 문학의 시대를 맞이하기까지 그의 피나는 삶의 과정은 그대로 이 땅 문학과 역사의 전개 과정과 등가를 이룬다. 그만큼 우리가 고은의 문학과 인간을 제대로 알기 위해서는 분단 후 이 땅의 불교와 문학, 문학과 사회, 정치와 역사를 함께 이해하지 않으면 안 된다는 뜻이다.

확실히 불교나 문학, 그리고 역사 참여의 각 부문에 있어서는 고은보다 뛰어난 인물이 얼마든지 있을 수 있다. 그러나 이 세 가지가 함께 혼융되어 불러일으키는 웅혼함이랄까 심원함은 쉽게 찾아보기 어려운 것이 사실이다. 이러한 입체성이 통일되는 데서 뿜어나오는 정신적 에너지는 오늘날 현대정신사에 있어서 하나의 추동력이 되어온 것이 분명하다. 마치 만해(萬海)가 일제강점하의 궁핍한 시대를 온몸으로 살아가면서 종교와 문학, 문학과 역사, 정치와 사랑을 꿰뚫어서 민족사에 꺼지지 않는 봉화불을 치켜올린 것처럼 이 시대의 고은도 해방 후 격동과 수난의 고통스러운 시대에 문학과 정신의 활화산으로 타오른 것이다.

이런 까닭에 고은론(高銀論)을 전개한다는 일은 쉬운 작업이 아니다. 우선 그의 생애사적 족적의 파란만장함에 놀라게 되며, 방대한 저술체계와 양에 주눅들리고, 또한 호한한 사유의 넓이와 깊이에 압도당하기 때문이다. 실상 그간 고은에 대한 논의는 많은 경우 이러한 우상화의 압력으로부터 쉽게 자유로울 수 없었는지도 모른다. 이 점에서 우리는 한 가지 분명히 해둘 필요가 있다. 그것은 고은이 처음부터 어떤 전범적 인물 또는 완성형 인물이 아니었다는 점이다. 그는 이 땅 역사의 폭풍 속에서 수난과 역경을 헤쳐가면서 조금씩 자신을 깨치고 종교와 문학, 사회와 역사 속으로 다가감으로써 그 대가적 풍모가 이루어지게 된 형성형 인물 또는 진행형 인물로서의 성격을 지닌다. 가문도, 학벌도, 크게 가진 것도 없는 한 인간으로서 여러 차례 자살 기도가 암시하듯이 죽음을 걸고 자신과 사회, 역사에 정면으로 맞닥뜨림으로써 운명의 극복, 존재의 초월을 성취하려 노력해온 진행형 시인이라는 뜻이다.

지금까지 고은의 시론은 초기시에 지나치게 비중이 주어져 온 감이 없지 않다. 물론 그가 불교에 처음 입문하고 젊은 날의 문학적 열정을 기울였던 초기시들이 나름대로 의미를 지니는 것은 사실이다. 그러나 시인 고은의 참 의미는 70년대 수난의 시대와 80년대 폭압의 시대에 더욱 달구어지고 벼리어짐으로써 이 땅 현대시의 한 순금부분을 열어젖힌 데서 드러난다.

따라서 본고에서는 고은 시세계의 전모를 고찰하고자 의도하지 않는다. 그것은 제한된 지면에서 쉽지 않은 일이고, 또 필자의 능력에 비추어 보아도 쉬 가능한 일이 아니다. 필자는 고은 시세계의 집대성이자 결정판이라 할 『백두산』과 『만인보』를 살펴보고, 나아가서 그의 문학사상을 조감해 보고자 한다.

이 작은 작업은 오랜 세월을 고난과 역경 속에서 이 땅의 문학과 역사에 헌신한 한 선배 시인에 대한 외경심에서 비롯됨을 부기해둔다.

2. 『백두산』, 통일지향 문학의 한 이정표

장편서사시집 『백두산』은 아직 진행 중인 작품으로서 역시 진행 중인 장편연작시집 『만인보』와 함께 짝을 이루는 대작이다. 『만인보』가 이 땅에서 살아온 온갖 사람들의 삶을 하나하나 총체적으로 묘사해가는 인간탐구의 기록이라면, 『백두산』은 1900~1940년대 사이의 길고 험난한 민족해방투쟁의 역정이 파란만장하게 형상화되고 있는 역사적 웅전력의 작품이라고 하겠다. 그만큼 『만인보』와 더불어 『백두산』은 종과 횡, 날줄과 씨줄을 형성하는 고은 문학사의 한 절정이자 완결판으로서의 상징적 의미를 지닌다.

『백두산』은 1980년 광주민중항쟁에 연루되어 남한산성 육군교도소에 수감됐던 그 절망의 시대에 착상되어 85년경부터 집필이 시작된 전 4부작 8권 예정의 작품으로 현재 제2부에 해당하는 4권이 간행되었다. 아직 진행 중인 작품이지만 현재까지의 내용이나 스케일 면에서만 보더라도 그 전모를 개략이나마 짐작할 수 있으며 근대시사 최대의 서사시로 평가될 수 있을 만큼 의욕적인 면모를 과시한다.

1) 백두산의 서사시적 성격

우리 민족에게 백두산이란 과연 무엇인가?

> 장군봉 망천후 사이 억겁 광풍이여
> 그 누구도 다스리지 못하는 광풍이여

조선 만리 무궁한 자손이 이것이다.
보아라 우렁찬 천지 열여섯 봉우리마다
내 목숨 찢어 걸고
욕된 오늘 싸워 이 땅의 푸르른 날 찾아오리라
— 「서시」 전문(『백두산』 1권, 7쪽)

　　우리에게 백두산이란 민족혼과 기상이 서려 있는 민족역사의 발원지이며
동시에 신화적인 성소에 해당한다. 천지창조의 신화적인 공간으로서 백두산
은 신령스러운 생명력의 상징이자 역사적 삶의 현장으로서의 의미를 지닌다.
그렇기에 일제강점기에는 모진 역사의 수난과 시련 속에서 국난극복의 원천
으로서 그 신비스러운 표상성을 더욱 강하게 지니게 되었으며 분단의 오늘에
도 분단극복과 통일 염원의 상징으로서 지속적인 의미를 지니고 있다.
　　이 시의 중심 내용은 구한말 외세 침탈기와 일제강점기로 이어지는 시기를
배경으로 전개된다. 그러나 이 서사시는 1980년대 어두운 군사 폭압 정치 아
래에서 쓰여짐으로써 일제강점기로부터 오늘날까지 계속되는 진정한 민족
해방, 민중해방, 인간해방의 역사적 테마를 실현하고자 하는 문학적 응전방
식으로서의 의미를 지닌다.
　　그렇다면 『백두산』의 서사시적 요건은 어떠한가? 필자는 연전에 서사시의
요건을 ①서사적 구조를 지닐 것, ②역사적 사실과 연관 대응될 것, ③사회적
비판 기능을 지니고 있을 것, ④집단의식을 바탕으로 할 것, ⑤창작된 당대 현
실과 암유적 관계를 지닐 것, ⑥노래체의 율문으로 짜여질 것, ⑦길이가 비교
적 길어야 할 것 등으로 요약한 바 있다.1) 이 점에서 비추어 『백두산』은 대체
로 이러한 요건들에 부합한다. 일정한 질서를 지닌, 있을 수 있는 이야기를 바
탕으로 한다는 점에서 ①과 합치된다. 또 일제강점하 민족수난사와 항일투쟁

---

1) 졸고, 「한국근대서사시와 역사적 대응력」, 『현대시와 역사의식』, 인하대 출판부,
　　1988.

이라는 역사적 사건을 내용으로 한다는 점에서 ② 및 ③과 연결되고, 1960년
대 군사독재의 억압상황에서 민족·민중해방 운동에 박차를 가하고자 하는 의
도에서 집필되기 시작했다는 점에서는 ④ 및 ⑤ 항목과도 부합된다. 마찬가
지로 ⑥, ⑦과도 그대로 대응된다는 점에서『백두산』은 근대서사시로서 하나
의 전범적인 모습을 갖추고 있음이 분명하다. 구한말 이후 외세가 창궐하고
민족역사가 위난에 처했던 수난의 시대에 조국광복과 독립을 전취해 나아가
려는 이 땅 민중들의 항일 민족·민중투쟁의 모습이 파란만장하게 펼쳐짐으로
써 민족·민중서사시의 한 전형성을 확보해가고 있는 데서 이 작품의 소중한
의미가 드러난다.

2)『백두산』의 구성 내용과 주제

　『백두산』의 서사적 구정 전개는 양반 태생인 한양아씨와 상머슴 출신인
추만길 부부 및 그 가족의 행적을 중심축으로 하여 구한말·일제강점하 이 땅
민중들의 고난에 찬 삶과 항일무장투쟁을 형상화하고 있다. 크게 보아 이 서
사시는 의병전쟁 시기와 독립투쟁 시기로 양분해 볼 수 있으며, 다시 그 하위
구분은 이들 가족의 공간적 이동과정을 기준으로 하여 ①한양아씨와 추만길
이 결합하여 도망치며 쫓기는 시기, ②삼지연투쟁 시기, ③북간도 내두촌과
밀산 저항 시기 등으로 제2부까지를 정리할 수 있다. 다시 1·2권에 걸친 제1
부의 서사적 내용은 의병투쟁을 중심으로, 3·4권의 제2부는 항일무장투쟁으
로 초점이 이동된다.
　먼저 제1부는 14개의 서사적 사건 전개에 입각한 소제목을 중심으로 짜여
지는 바, 그 서두는 한양아씨와 머슴 추만길 부부가 되는 과정의 이야기로
부터 시작된다.

① 며칠 뒤 몰매맞아 죽을 머슴
　멍석말이로 죽을 머슴
　백마강 느린 물에 수장지낼 머슴
　바깥마당 별채 광에 꽁꽁 묶여 갇힌 머슴
　그 열명길 머슴 풀어낸 아씨
　서슬 시퍼런 어머니 잠든 틈에 쇳대 훔쳐
　잠긴 광문 따 묶인 머슴 풀어낸 아씨
　그 길로 도망쳐온 아씨

— (1권, 17~18쪽)

② 긴 겨울 부황나 죽어가는 사람 보고
　어허 북망산천
　헌 가마니때기 덮여 죽어가는 사람 보고
　조감사댁 일곱 머슴 중 혼자 나서서
　주인네 곳집 털어
　벼 열 가마 묵은 보리 열한 가마
　주린 창자에 몰래 나누어주니
　집집마다 굴뚝에 누런 연기 났다
　밥 한 그릇에
　입에 백일홍 핀다고
　입에서 양반 상놈 녹아야 한다고

— (1권, 19쪽)

③ 부여땅 낙향한 조감사 외동딸 한양아씨
　백마강 봄바람 명주바람에
　살구꽃인가
　그 봄 지나 목단꽃인가
　그런 아씨
　하늘 같은 아씨
　하룻밤에 불상놈 불상년 되었구나
　이 어인 일이냐

그 머슴놈 내일 당장 요절낼 것이로되
외동딸 한양아씨
바로 이 한양아씨 대롓날이라
쉬쉬쉬 광 속에 가둔 머슴
혼례 마친 뒤 요절낼 판이었는데

— (1권, 18쪽)

　인용 ①부분은 광에 갇힌 머슴을 아씨가 풀어내는 장면, ②부분은 머슴이 광에 갇힌 까닭, ③부분은 머슴과 아씨가 부부 되어 달아나는 사연을 제시한다. 서사시의 기본축인 두 사람의 결합과정이 극적 긴박감으로 형상화된 것이다. 그렇다면 시 전체의 한 핵심이 선명하게 암시된다. 바로 반계급 사회해방으로서 신분해방이며 반봉건 민주해방으로서 인간해방이 그 한 핵심고리가 되는 것이다. 시 ②에서 "밥 한 그릇에/입에 백일홍 핀다고/입에서 양반 상놈 녹아야 한다고"하는 구절이 바로 그것이다. 양반 세도가 조감사 딸인 한양아씨와 천출 머슴 추만길이 결합한다는, 당대로서는 쉽게 생각하기 어려운 파격적 사건은 오랜 봉건 역사 속에서 짓눌려온 민중들의 한풀이이자 신분해방의 한 상징에 해당한다. 이들 부부의 탄생은 이미 『춘향전』에서 암시되었던 신분 이동 현상이 신분 해방으로 전화하는 한 상징적 사건이 되는 셈이다. 그렇다! 아씨와 머슴이라는 상·하 주·종의 고리를 과감히 끊어버리고 인간 평등의 길로 나아가려는 신분 해방 운동의 한 구체적인 선언인 것이다. 봉건적인 사회제도의 대표적인 모순으로서 계급모순에 대한 고은 민중해방 정신의 한 선전포고가 이들의 결합으로 전형화된 것이다.

　그렇지만 이들 부부의 결합은 바로 피나는 고행과 수난의 시작을 의미한다. 체제 모순에 대한 저항은 그 이상의 대가를 희생으로 필요로 하기 때문이다. 그래서 추만길은 심억만, 김일남, 유만길, 유만석 등으로 변성명하면서 조감사 등이 보낸 왜놈낭인패들의 추적을 피하게 된다. 이 쫓겨가는 길에서 이들은 의병 등 수많은 사람들과 만나면서 차츰 '세상과 나 둘 아닌 도리'를 깨치게 된다. 말하자면 사회화되고 역사화해 감으로써 개인적 존재가 사회적 존재, 역사적 존재로서의 상승적 깨달음을 획득해가기 시작한다는 뜻이다. 이 고난의 도피과정에서 바위굴 속에서 아이를 낳아 바우라 이름짓고, 좀도둑질하다가 몰매 맞은 어린아이를 만나서 새로 네 식구가 되어 일가족을 형성한다.

제1부의 두 번째 부분은 백두산 삼지연으로부터 전개된다. 계속 쫓기던 이들 바우가족은 왜놈들의 손이 못 미치는 백두산 삼지연 근처에 화전을 일구며 정착한다. 이때 사냥길에 추만길은 아라사놈들에게, 청국마적들에게 시달리다 탈출한 서필노인을 구조하고 이분을 의붓아버지 겸 스승으로 삼아 혁명투쟁의식을 더욱 강고화해 가게 된다. 서노인은 이들 가족들에게 역사의식을 일깨워줌으로써 이들이 혁명가족으로 성장해갈 수 있도록 고양하고 뒷받침한다. 말하자면 백두산을 중심으로 하여 민족의식과 역사의식을 일깨우고, 수많은 유이민(流移民)들의 참상을 통해 민중의식을 제고하고자 하는 시인의 숨은 뜻을 반영하고 있는 것이다.

> 하늘에 상투 찌르고
> 장군봉 디디고 선 투만이
> 내 조상대대의 만고!
> 조선의 기쁨과 울음 먹어
> 역사의 만고!
> 그 울음 토해 울었다
> 아무리 엉엉 울음 끊어도 울음 토해 울었다
> 투만이 바람에 몸 날리며
> 이제까지의 투만이 아니다
> 마음 크게 뚫려
> 나라의 역사 다 보였다
> 서필노인이 투만이 대신 부르짖었다
> 여기서 비롯하나이다

대대로 망한 역사
만단 고생의 역사 다시 살려내어
망한 조선 다시 살려내어
여기서 비롯하나이다
여기서 어린아이의 나라
아침해의 나라 비롯하나이다
노인의 늙은 울음에 투만의 울음 뒤따랐다
바람 속에서 어린 바우 울지 않았다.

— (1권, 157~158쪽)

　서필노인과 김투만으로 개명한 추만길, 그리고 그 아들 바우가 백두산 천지에서 액땜의식을 거행하면서 새로운 주인공 바우를 탄생시킨다. 이 천지의 식으로부터 김투만은 "우리식구 다섯이나 여섯/우리 집만으로는/나라없이/우리만으로는 우리가 안되오/이 나라 이어져오는 역사/힘차게 일으켜 세워야겠소"라고 다짐하면서 항일투쟁 대열, 민족해방투쟁 대열에 능동적으로 참여하게 된다. 이 무렵 의병들이 삼지연으로 몰려들게 되면서 '백두산 의병대'로 발전해 가는바 여기에 김투만과 바우도 적극 참여한다. "이 벽지 궁민들의 이 일편단심!/여기에 어느 양반 척사론이 버금하느냐/그 양반들이야 제것 지키려고 들고 일어났거니/이 벽지 화전꾼 의병이야/무엇이 제나라였고 무엇이 제것이었더냐/하물며 이들이야 아침이슬 한가지로/싸움에 나가면 맨먼저 개죽음 아니더냐/허나 바로 그 개죽음이 쌓이고 쌓여/한나라가 엉겨 붙지 않겠느냐"라는 이들의 절규 속에는 바로 민중사관으로서 고은의 역사의식이 선명하게 드러난다. 항일독립 투쟁이야말로 민중 자신들이 주체가 될 때 비로소 참된 것이 될 수 있으며, 또 그래야만 한다는 당위적인 깨달음을 제시하고 있는 것이다. 역사 전개의 주체이자 추진력으로서 민중의, 민중에 의한, 민중을 위한 역사의 필연성과 당위성을 분명히 하고 있다는 뜻이다. 말하자면 이 부분은 고은의 역사의식의 뼈대로서 민족사상과 그 핵심으로서 민중사상이 함께 얽혀 제시된 곳이라 하겠다.

작품의 제2부는 북간도 내두촌으로 옮겨져서 전개된다. 거듭되는 의병투쟁으로 차츰 인명이 손실되고 물자가 궁핍화하여 삼지연의 의병운동은 붕괴된다. 때마침 북간도로 떠났던 바우의 전갈로 가족들은 삼지연을 버리고 새 삶을 찾아 북간도로 옮겨가는 것이다. 북간도란 어떠한 곳이던가? 한마디로 그곳은 두만강 건너간 이 땅의 유이민들이 청나라 지주의 착취와 마적 떼의 약탈에 시달리면서 소작의 고된 삶을 영위하던 망명의 땅이자 개척의 땅에 해당한다. 그만큼 민족의 시련과 고통을 상징하는 장소라고 할 것이다. 이곳에서 김투만은 한때 평범한 농민의 삶을 갈망하기도 하나 아내의 단호한 설득으로 다시 독립투쟁의 길로 들어선다.

> 우리가 농사짓는 것으로 마칠 바에는
> 삼지연의 메밀밭으로 족할 것이요
> 우리가 삼지연을 두고 온 것은
> 오직 나라를 위한 것 아닙니까
> 어찌 바깥 남정네 뜻이
> 그렇게 함부로 잠겨
> 오동잎 지는 듯 하시는지요
> 단풍들지 마시오 단풍들지 마시오
> 부디 바우 아부지
> ……중략……
> 하지만 한 사람 한 사람 이렇게 되면
> 장차 조선은 없어져요
> 하고 오금박아
> 지아비의 한 생각을 단호히 끊어놓았다
>
> ― (3권 203~204쪽)

여기에서 우리가 읽을 수 있는 것은 민족해방·민중해방 투쟁에 있어서는 남녀노소·빈부귀천 없이 모든 민족 구성원이 하나가 되어야 한다는 당위적 사실이다. 특히 한양아씨의 경우에는 조대감의 딸에서 항일투사 김투만의 아내가 되기까지 이 작품의 밑바탕을 전개하는 정신적 매개고리이자 구조적 견인력으로 작용한다. 어쩌면 여기에서 우리는 고은 특유의 여성주의의 한 모습을 발견할 수 있을지도 모른다. 인류 역사가 남자들에 의해 전개되는 것 같지만 사실은 어머니로서 여성의 힘이 그 근본 동력이 된다는 뜻이다. "눈물이야 처음에는 어머니의 눈물이며/아득하기만 한 것은 아승기겁(阿僧祇劫)에는 눈물 한방울이/내 어머니인 줄 누가 모르랴"(시「병후(病後)」부분)라는 한 구절처럼 그것은 모든 것의 시원이자 원동력이 되기 때문이다. 이 땅의 험난한 역사 속에서 모성으로서의 여성이 그 극복과 추진의 원천이 됐다는 뜻이다. 실상 여기에는 남녀평등사상으로서 또 다른 인간해방의 정신이 자리 잡고 있는 것으로 풀이할 수 있을 것이다. (이 점은 뒤에 『만인보』를 논하는 자리에서 다시 상론된다.)

이 무렵부터 항일무장독립투쟁이 본격적으로 전개되기 시작한다. 바우는 홍범도 장군의 정예의병대에 가담하여 다시 소만 국경 밀산으로 떠나가고 모든 가족들이 다 함께 항일투쟁 대열에 참여한다. 이 과정에서 일제의 만주침탈이 시작되고 궁핍한 가운데 새로운 독립전쟁이 불붙기 시작한다. 국내 의병운동은 거의 소강상태에 접어들게 되고 북만주를 근거로 하는 항일독립투쟁이 본격화하게 되는 것이다. 홍범도 장군을 중심으로 한 대한독립단이 형성되고 상해 임시정부가 새로운 독립운동의 거점이 된다. 이때부터 바우 또한 부상을 당하는 가운데에도 투쟁의 불길을 더욱 점화해가게 된다. 이런 가운데 한양아씨이던 김투만의 아내, 바우의 어머니가 임종을 맞이한다. 좋은 환경에서 유복하게 태어났으면서도 머슴과 결혼하여 한평생을 쓰린 고난과 신산 속에서 살다가 한양아씨는 마침내 이역 땅에서 쓸쓸한 죽음을 맞이하게 된 것이다. 김투만에게 인간평등사상을 점화하고, 다시 바우에게 민족사상·

민중사상의 불길을 지펴주다가 비참하게 죽어간 이 한양아씨의 모습이야말로 기실은 이 땅 수난기에 있어 '민중의 어머니'로서 전형적 의미를 지닌다고 하겠다. 민족해방과 민중해방, 인간해방의 매개고리로서 지속적으로 작용하면서 민족·민중 수난사의 한 상징성을 지니기 때문이다.

3) 통일지향문학의 한 가능성

이렇게 본다면 『백두산』은 민족서사시·민중서사시로서의 성격을 분명하게 드러낸다. 민족의 파란만장한 수난사를 담고 있다는 점에서는 민족서사시가, 민중들의 고난에 찬 삶을 묘파하고 있다는 점에서는 민중서사시가 될 수 있기에 그러하다. 진행 중인 이 『백두산』을 총체적으로 평가하거나 문학사적으로 결론을 내리기에는 아직 시기상조이다. 그러나 그 내용과 스케일 및 주제의 측면에서 『백두산』은 이제까지의 서사시에서 한 걸음 더 진전해 있는 것으로 받아들여진다. 신분이 다른 두 남녀의 극적인 사랑을 토대로 형성된 전위적 가족을 내세워서 민족해방, 민중해방, 인간해방이라는 근대사 최대의 핵심 테마를 방대한 스케일로 형상화한 것은 그 유례를 찾아보기 어렵기 때문이다. 김동환의 「국경의 밤」이나 「승천하는 청춘」, 또한 조기천의 「백두산」이나 신동엽의 「금강」, 그리고 신경림의 「남한강」, 김지하 「오적」 등에서 다루어졌던 여러 내용과 테마들이 하나로 통합되면서 보다 큰 스케일과 주제의식으로 상승되어 감으로써 이 땅 서사시에 새로운 지평을 열어가고 있기 때문이다.

물론 부분적인 면에서 의식과 주제가 형식이나 표현을 압도하여 주제의식의 과잉을 드러낸다든지, 부분적 독자성과 전체 구성이 서로 어긋나는 경우가 발견된다든지, 무리한 상황설정으로 인해 상황이 인물을 압도하거나 무갈등성으로 떨어지는 경우가 적지 않다. 또한 객관적인 상황과 사건이 보다 깊이 있고 내밀하게 검증되고 여과되지 못한 채 주관성으로 함몰되거나, 주제를 향해 사건이 치달음으로써 인물 성격이 자동인형화할 위험성도 적지 않음을 발견할 수 있다.

이러한 점들이 적극 보완되어 간다면 서사시집 『백두산』은 근대시사 최대의 문학사적 사건이 될 것이다. 무엇보다도 남쪽에서 전무하다 할 항일무장 투쟁사를 문학적으로 형상화함으로써 분단극복을 통한 통일지향문학의 큰 실마리를 열어갈 것으로 기대된다는 점에서 백두산은 이 땅 서사시의 한 분수령이자 새로운 이정표가 될 것이 분명하다.

3. 『만인보』와 만인평등사상

1) 『만인보』 무엇인가

대하연작시집 『만인보』는 시인이 80년대 초 광주민중항쟁에 연루되어 남한산성 육군교도소에 수감되었을 때 『백두산』과 함께 계획되어 1986년 첫째 권이 간행되기 시작한 대작이다. 최근까지 아홉 권이 간행된 이 『만인보』는 시인의 말대로 시인이 "이 세상에 와서 알게 된 사람들에 대한 노래의 집결"이면서 "사람에 대한 끝없는 시적 탐구이자 이름 없는 역사 행위"(제1권「작자의 말」)라 할 수 있다.

그렇다! 『만인보』는 시인 고은이 세상살이에서 만난 개인적·사회적·역사적 인물들을 두루 형상화하여 삶의 총체성을 탐구하고자 한 회심의 역작이자 80~90년대 시단의 커다란 성과에 해당한다. 70년대 김지하의 일련의 '담시'를 중심으로 한 이 땅의 민족문학은 특히 80년대 들어서면서 광주항쟁과 연결되면서 더욱 그 열기를 고조시켜 갔다. 그 과정에서 많은 민중시들이 도시

빈민과 노동자, 농민들의 척박한 삶과 그것을 둘러싸고 있는 구조적 폭력에 대해 소리 높은 분노와 저항을 펼쳤던 것이 사실이다. 바로 이 점에서 『만인 보』의 위치가 드러난다. 『만인보』는 일부 민중문학의 격앙된 목소리와 도식화한 유형성에서 벗어나서 낱낱의 삶이 지니는 구체적 진실에 대한 밀도 있는 응시와 애정을 다양하게 또한 깊이 있게 탐구해가기 시작했다는 점에서 의미를 지닌다. 시집 『만인보』는 개인적 삶의 구체적 현장성과 그 진실을 통해 비로소 사회적 삶, 역사적 삶의 진정한 방향성과 그 지평을 열어갈 수 있다는 소중한 깨달음 및 그 실천적인 노력을 보여주기 시작한 데서 그 주목에 값하는 것이다.

2) 『만인보』의 세 층위

『만인보』에는 만인에 대한 기록이라는 말뜻 그대로 무수히 많은 사람들이 등장한다. 아직도 진행 중이기에 앞으로 등장하는 총 인물 수는 작품이 완결되어야 그 전모를 알 수 있겠다. 이 점에서 어느 면 체계가 없이 나열되고 있는 감이 없지 않다. 그러나 등장하는 인물군을 자세히 살펴보면 거기에는 삶의 몇 가지 층위가 드러나고 있어서 흥미롭다. 시인이 개인적으로 만난 실존적 인물들의 층위, 사회 속으로 뛰어들어 만난 사회적·역사적 인물군으로서의 사회·역사적 층위, 그리고 종교체험에서 만난 초월적·신성사적 층위의 세 가지가 그것이다. 그리 보면 이 세 층위는 그대로 시인이 살아온 삶의 역정을 반영하는 것이 아닐 수 없다. 고향에서 살면서 또 세상살이에서 만난 가족, 친척, 친지들이 그 첫 번째 층위의 인물군이고, 문학을 하면서 차츰 사회·역사 속으로 뛰어들어 만나고 알게 된 이들이 두 번째 층위의 인물군이며, 불문에 들어 만나고 깨친 이들이 주로 이 세 번째 인물군에 해당한다.

따라서 『만인보』는 시로 쓴 시인 자신의 생애사이며, 사회사·종교사이자 인물 한국사로서의 한 성격을 지닌다. 아울러 낱낱의 삶이 지닌 존재론적 중요성에 착목하면서 바람직한 삶의 길이 어떠하며 역사적 방향성이 어떠한 것인가를 탐구한다는 점에서 형이상적 의미를 지닌다.

(1) 개인적 · 실존적 층위

『만인보』는 먼저 삶이란 개체적으로 존재하면서 동시에 만남에 의해 끝없이 확대되고 서로 연결되는 거대한 연쇄체계로서 사회적·역사적 존재성을 지닌다는 데 대한 깨달음을 분명히 한다.

> 너와 나 사이 태어나는
> 순간이여 거기에 가장 먼 별이 뜬다
> 부여땅 몇천 리
> 마한 쉰네 나라 마을마다
> 만남이여
> 그 이래 하나의 조국인 만남이여
> 이 오랜 땅에서 서로 헤어진다는 것은 확대이다
> 어느 누구도 저 혼자일 수 없는
> 끝없는 삶의 행렬이여 내일이여
> 오 사람은 사람 속에서만 사람이다 세계이다
> ―「서시」 전문

이 시에는 『만인보』가 개인적·실존적 존재이면서 동시에 사회적·역사적 존재라는 점을 확실하게 제시한다. 또한 당대적 존재이면서 영원의 존재라는 시간적·공간적 존재성을 드러내고 있다. "너와 나 사이 태어나는/순간이여 거기에 가장 먼 별이 뜬다"라는 구절에는 인간이 너와 나의 존재이고 시간과 공간, 순간과 영원의 존재라는 데 대한 인식을 담고 있다. 그러면서 민족형성, 국가형성과정 자체가 모두 만남이며, 만남과 헤어짐이 삶의 한 본질이며 현상이라는 깨달음을 극명하게 드러낸다. 아울러 "어느 누구도 저 혼자일 수 없는/끝없는 삶의 행렬이여 내일이여"와 같이 삶이 단독자 원리에 기반하면서도 공동체 의식에 의해 완성되며, 인간이 현재적 존재이면서 또한 과거적 존재이고 동시에 미래적 존재임을 확실히 인식하고 있다. 따라서 "오 사람은 사람 속에서만 사람이다. 세계이다"라는 결구에서 보듯이 인간의 존재의미는 인간관계 속에서 드러나며 사회적 삶, 역사적인 삶에 의해 완성된다는 인간 인식을 담고 있는 것이다. 그러므로 이 『만인보』의 「서시」는 『만인보』 전체의 내용과 전개방향을 시사해준 작품으로 이해된다.

시집 『만인보』의 내용은 먼저 시인의 가족, 친척, 이웃 사람들과 같이 어린 시절 만났던 고향 언저리에서 시작된다.

① 아무리 인사불성으로 취해서도
　　입 안의 혓바닥하고
　　베등거리 등때기에 꽂은 곰방대는
　　용케 떨어뜨리지 않는 사람
　　어쩌다가 막걸리 한 말이면 큰 권세이므로
　　논두렁에 뻗어 끓아떨어지거든
　　아들 셋이 쪼르르 효자로 달려가
　　영차 영차 떼메어 와야 하는 사람
　　　　　　　　　　　　　　　　　　　　―「할아버지」 부분

② 강 건너 내포 일대
　　대천장 예산장 서산장
　　아무리 고달픈 길 걸어도
　　아버지는 사뭇 꿈꾸는 사람이었습니다
　　비오면 두 손으로 비 받으며
　　아이고 아이고 반가와하는 사람이었습니다.
　　　　　　　　　　　　　　　　　　　　―「아버지」 전문

③ 하루내내 뼈도 없고 뉘도 없는 만경강 갯벌에 가서
　그 아득한 따라지 갯벌 나문재 찾아 바록 빠지다가 오니
　북두칠성 푹 가라앉은 신새벽이구나 단내 나는구나
　곤한 몸 누일 데 없이 보리쌀 아시 방아 찧어야지
　도굿대 솟아 캄캄한 허공 치고 내려 찧어 땅 뚫는구나
　비오는 땀방울 보리쌀에 뚝뚝 떨어져 간 맞추니
　에라 만수 그 밥맛에 어린것 쑥 자라나겠구나
　……중략……
　우거진 풀 가운데서 가난 가운데서 그놈의 일 가운데서
　나의 어머니 나의 어머니 어찌 나의 어머니인가
　　　　　　　　　　　　　　　　　　　—「어머니」부분

　이 세 편의 시는 『만인보』가 가족사 시(詩)로서의 한 성격을 지님을 알 수 있게 해준다. 할아버지, 아버지, 어머니 등 시인의 직계는 물론, 고모, 왕고모, 당숙모, 외삼촌, 당숙모, 외삼촌, 외할머니, 고모부 등 무수한 친인척이 등장하면서 가족사적 기초환경이 드러난다. 한마디로 이들은 그 대부분이 아무 죄없이 땅을 파먹고 열심히 살아갈 줄밖에 모르는 민초들에 해당한다. 찢어지게 가난한 가운데서도 운명을 긍정하며 묵묵히 살아감으로써 이 땅 수난의 역사를 견디어내는 민중의 모습으로 제시된다.

　인용시에서도 할아버지는 할아버지대로, 아버지는 아버지대로, 또 어머니는 어머니대로 하나의 전형성을 이룬다. 할아버지는 술 취해 살면서 호기 부리는 사람으로서 또 아버지는 꿈꾸는 사람으로서, 이른바 고달픈 삶을 살아가면서도 넉넉함과 웃음을 잃지 않는 이 땅의 이른바 '호야형(好爺型) 인물'[2]에 해당한다. 이에 비해 어머니는 온갖 고난과 역경으로 이어지는 삶 속에서 운명을 긍정하며 끈질기게 살아감으로써 가정과 집안을 지키는 기둥이자 인고의 인물로서의 상징성을 지닌다.

---

2) 정병욱, 『한국고전시가론』, 신구문화사, 1977.

여기에서 남녀에 대한 기본 관점이 대조적으로 나타나서 관심을 환기한다. 많은 남자들이 생활에 대체로 무관심한 데 비해 대부분의 여자들은 삶에 대해 적극적이고 능동적인 것이 특징이다. 『만인보』의 여성상은 대체로 가난하며 평범한 모습으로 제시된다. 그렇지만 그들은 대부분 인용시 「어머니」에서처럼 가정을 지탱하고 힘겹게 집안을 이끌어가는 원천적인 힘으로 제시된다. 가난을 이기지 못하여 삼촌과 이별하고 친정으로 돌아간 작은어머니의 기구한 삶(1권, 48쪽)이라든지, 배가 고파 먹을 것을 찾다 이질에 걸려 일찍 세상을 등진 작은고모 이야기(1권, 75쪽), 남편에게 박대당하다 눈이 먼 여인(「판도 마누라」, 4권, 17쪽), 일제 때 징용으로 끌려간 아들을 기다리다가 실성한 할머니(「아들 생각」, 4권, 46쪽) 등 이 땅의 역사 속에서 수난당하고 박해받아온 수많은 여성상이 제시되는 것이다. 그야말로 여성의 수난사는 그대로 이 땅 역사의 수난사며 민중 수난사를 상징적으로 반영한다. 이 점에서 여성은 한 사람 한 사람이 개성적 인물이지만 이 땅의 험난한 역사과정과 하나씩 대응된다는 점에서 역사적 전형성을 지니는 것이 특징이다. 그런데 여기에서 또한 주목할 사실은 이들 여성들이 상처받고 수난당하는 가난한 모습으로 제시되지만 동시에 이 땅의 험난한 역사와 고통스러운 현실을 이겨내는 원동력으로서의 의미를 지닌다는 점이다. 앞의 『백두산』에서도 살펴보았듯 이 여성상은 소외당한 민중의 표상이자 박해받는 민초의 상징이면서도 동시에 역사 전개를 떠받치는 근원적 힘으로 작용한다. 어머니로 대표되는 여성상은 수난의 역사를 살아온 이 땅 민중들의 운명의 표정성을 반영하면서 현실극복의 원천으로서 전형성을 지닌다. 따라서 『만인보』는 전체적인 면에서 만인평등사상을 바탕으로 해서 인간해방이라고 하는 대주제를 펼쳐가고 있는 것으로 이해된다. 가족사에서 시작한 『만인보』는 차츰 가족, 친척을 둘러싼 이웃 주변의 삶에 대한 관심으로 확대되어 간다.

① 새터 관전이네 머슴 대길이는
　상머슴으로
　누룩도야지 한 마리 번쩍 들어
　도야지 우리에 넘겼지요
　그야말로 도야지 멱 따는 소리까지도 후딱 넘겼지요
　밥때 늦어도 투덜댈 줄 통 모르고
　이른 아침 동네길 이슬도 털고 잘도 치워 훤히 가리마 났지요
　그러나 낮보다 어둠에 빛나는 먹눈이었지요
　머슴방 등잔불 아래
　나는 대길이 아저씨한테 가갸거겨 배웠지요
　……중략……
　우르르 달려가는 바다 울음소리 들었지요
　찬 겨울 눈더미 가운데서도
　덜렁 겨드랑이에 바람 잘도 드나들었지요
　그가 말했지요
　사람이 너무 호강하면 저밖에 모른단다
　남하고 사는 세상인데

—「머슴 대길이」부분

② 옥정골 홀아비 애꾸 양반
　발채 넘실넘실
　고구마 넌출 한 짐 지고 가는데
　쌀잠자리도 따라가는데
　장난꾸러기 다목이가 따라가다가
　그만 고구마 줄기 하나 냉큼 잡아채어
　지게째 넘어뜨리고 달아나버렸다
　얼라 죽었나?
　한참 있다가 애꾸 양반 넌출 걸고 일어나서
　한마디
　젠장 대낮에도 도깨비 양반 장난이구만 그려

—「애꾸 양반」전문

『만인보』에는 그야말로 만인이 등장하는데 그 기본이자 주류는 역사과정에서 생산주체이면서도 소외된 삶을 살아가는 민중들이다. 머슴이거나 「쌍놈 기철이」(1권, 104쪽), 「땅꾼 도선이」(1권, 47쪽), 「천덕꾸러기」(3권, 70쪽), 「개마고원 사냥꾼」(3권, 130쪽), 「소반장수」(3권, 110쪽) 등 소외당하고 박해받는 인물군이 대거 등장하는 것이다. 이른바 민중적 생명력의 전형화를 도모하는 모습이라고 하겠다.

이들은 크게 보아 역사과정에서 고달픈 삶을 살아가는 소외의 인물군들이지만 인용시에서 보듯이 삶을 긍정하고 이겨 나아가려는 민족적 삶, 민중적 삶의 원초적 모습으로서 전형성을 지닌다. 시 ①에서처럼 천대받는 머슴살이 속에서 꿋꿋하게 일하며 남을 위해 넉넉한 마음을 갖고 사람을 사랑하는 인간상이야말로 이 땅 수난의 역사를 이겨오게 한 원동력이 아닐 수 없다. 그러면서도 시 ②에서와 같이 골계에 의해서 삶의 고달픔과 비애를 파괴하고 차단함으로써 삶을 긍정하려는 전통적인 민중리얼리즘의 미학[3])을 드러낸다. 말하자면 민족문학의 내면적 전통을 창조적으로 계승하고 있는 예라고 하겠다.

여기에서 한가지 주목할 것은 『만인보』에는 삶을 구성하는 거의 모든 부류의 개인적 인물들이 등장한다는 사실이다. 이들은 삶의 내용에 있어서 남녀노소는 물론 빈부귀천, 선악미추 등 모든 유형성을 함께 포괄한다. 진선미뿐 아니라 위선성이나 추악상까지도 묘파함으로써 삶을 부분적 독자성과 함께 또한 전체적 총체성의 측면에서 묘사하고자 한다. 그러면서 이들은 서로가 서로에 의지하고 관계 맺으면서 하나의 거대한 연쇄체계를 형성한다. 하나하나가 개별적 단독자이면서 공동체로서의 사회적 질서를 확대해 간다는 뜻이다. 이 점에서 이들은 하나의 전형이면서 동시에 총체성의 반영에 해당한다. 한 사람 한 사람은 그 모두가 이 세상에서 단 하나뿐이며 한 번뿐인 생

---

3) 조동일·김흥규 편, 『판소리의 이해』, 창작과비평사, 1983.

명이라는 점에서 그 스스로가 원본이자 유일자이고 세상의 주인이다. 바로 여기에서 『만인보』의 근본 성격이 드러난다. 그것은 만인평등사상의 발현이며 인간존중 사상의 구현을 목표로 한다는 점이다. 삶 앞에서 모든 인간은 평등하며, 단 한 번뿐 단 하나뿐인 유일무이의 원본이기에 모든 생명은 존중되어야 한다는 만인평등사상, 인간존중사상, 생명존중사상이 『만인보』의 대주제로서 제시된 데서 『만인보』는 고은 문학의 한 집대성이자 결정판이라고 할 수 있다.

(2) 사회적 · 역사적 층위

모든 사람의 삶이 평등하다는 것은 역사의 대전제에 해당한다. 모두가 밥을 먹고 잠을 잔다는 평범한 사실이 그러하며 나고 죽는다는 궁극적 사실이 또한 그러하기 때문이다. 그렇다고 해서 삶의 질이 모두 똑같은 것은 아니다. 삶 앞에서 모든 인간이 평등하다는 것은 대전제이지만, 사람은 그 깨침이나 삶의 실천과정에 있어서 천차만별일 수밖에 없다. 불교식으로 말해 자기만의 삶에 충실한 범부와 사회적 실천으로 나아가는 삶으로서의 나한, 그리고 스스로를 위하는 일과 남을 위하는 일이 궁극적으로 하나의 초월성을 획득하는 보살의 경지를 상정해 볼 수도 있을 것이다. 실존적 개인의 삶에 머무르는 경우와 이에서 한 걸음 더 나아가 사회적 삶, 역사적 삶으로 그 초월적 지평을 열어가는 경우를 뜻함이다.

이 점에서 『만인보』는 시인 자신의 고향에서 차츰 벗어나서 사회적 삶, 역사적 삶으로 그 시야를 확대해 간다. 공간적인 확대와 시간적인 확장에 의해 삶의 총체성을 확대하고 심화해 가고자 하는 것이다.

먼저 사회적 삶으로의 확대란 당대적 삶의 보편성으로 확장을 의미하며 시대정신의 당위성에 대한 가치부여로서 나타난다. 그렇지만 이러한 사회적 삶이란 시간적인 면에서 역사성을 지니며 전개되기에 역사적인 삶과 상호보완

되고 조정되는 모습을 지닌다. 사회적 삶과 역사적 삶이란 날줄과 씨줄 같아서 공간적 존재와 시간적 존재로서 개인적 삶을 확장해 놓은 형태인 것이다.

① 아베 쓰도무 교장
　뚱그런 안경에 고초당초같이 매서운 사람입니다.
　……중략……
　2학년 때 수신시간에
　장차 너희들 뭐가 될래 물었습니다
　아이들은
　대일본제국 육군대장이 되겠습니다
　……중략……
　아베 교장 나더러 대답해보라 했습니다
　나는 벌떡 일어나서
　천황폐하가 되겠습니다
　그 말이 떨어지자마자
　청천벽력이 떨어졌습니다
　너는 만세일계 천황폐하를
　황공하옵게도 모독했다 네놈은 당장 퇴학이다.
　　　　　　　　　　　　　　　　　　—「아베 교장」 부분

② 소작료 삼칠제라 하나
　착취는 복잡할 까닭이 없다
　수확률을 높이 잡으면
　사륙제는 커녕
　반타작이하인지라
　게다가 금비값 종자값 품값 무슨값 등
　영농 경비가 다 작인 차지니
　이런 시절에
　식민지 지주는 기생 판소리나 들으며
　무릎치며 얼 얼씨구 하면 된다

……중략……
이러는 중에서
못 먹는 풀뿌리
잘못 먹고
입에 거품 물고 쓰러진 아낙 있다

　　　　　　　　　　　　　　　　　　　 ―「화양」부분

③ 갈뫼 딸그마니네집
　딸 셋 낳고
　덕순이
　복순이
　길순이 셋 낳고
　이번에도 숯덩이만 달린 딸이라
　이놈 이름은 딸그마니가 되었구나
　딸그마니 아버지 홧술 먹고 와서
　딸만 낳는 년 내쫓아야 한다고
　산후 조리도 못한 마누라 머리 끄덩이 휘어잡고 가다가다
　삭은 울바자 다 쓰러뜨리고 나서야
　엉엉엉 우는구나 장관이구나
　그러나 딸그마니네 집 고추장맛 하나
　어찌 그리 기막히게 단지
　남원 순창에서도 고추장 담는 법 배우러 온다지

　　　　　　　　　　　　　　　　　　　 ―「딸그마니네」부분

　　인용한 세 편의 시에는 이 땅 근대사회를 바라보는 근원적인 시각이 자리
잡고 있어 관심을 끈다. 최근세 백 년이란 이 땅에서 수난과 역경, 오욕과 시
련으로 점철됐다고 해도 과언이 아니다. 그만큼 이 땅의 사회 현실이 모순과
불합리로 가득 찼으며 그 속에서의 삶이 고달팠다는 증좌가 될 수 있으리라.
　　최근세 사회의 전개 과정에서 가장 큰 모순의 원천은 일제의 강점이라고 할

것이다. 병자수호조약 이래 지속적으로 전개된 일제의 침탈과 강점은 마침내 8·15로 이어지고, 다시 외세 개입에 의한 분단시대라고 하는 불행한 결과를 초래한 것이 사실이다. 이 점에서 인용한 세 편의 시는 이 땅 100년간에 있어서 기본적인 해결과제라고 할 제반 모순과 불합리를 웅변해주고 있음이 분명하다.

먼저 시 ①은 일제의 강점으로 인한 민족모순을 첨예하게 제시한다. 강도 일본이 이 땅을 강점하고 민족을 억압하는 모습이 한 국민학교 교실에서 일어난 사건으로 요약되어 있기 때문이다. 내선일체를 강조하고 대화혼(大和魂)을 강요함으로써 황국신민의 길을 가야 하는 마당에 천황폐하가 되겠다고 하는 화자의 발언은 일인들에게는 그야말로 '신성모독'에 해당한다. 이러한 반체제적 발언은 그대로 민족모순에 대한 도전이자 항거로서의 의미를 지닌다. 그만큼 당대 사회의 핵심모순으로서 민족모순의 문제가 상징적으로 제시됐다고 할 수 있으리라. 이 시의 주안점이라 할 민족모순의 극복, 즉 반외세민족해방의식이란 일제강점기는 물론 오늘날 분단시대에서도 지속적인 의미를 지닌다는 점에서 중요성을 지닌다.

시 ②는 계급모순을 예리하게 반영하고 있다. 일제강점하 동척(東拓)을 내세운 조직적 착취와 수탈 및 그로 인한 계급모순이 사회적 갈등으로 제시되어 있는 것이다. 저 유명한 암태도 소작쟁의사건의 한 예에서 볼 수 있듯이 이 시에는 일제와 그 하수로서 악덕지주에 대한 울분이 "못 먹는 풀뿌리/잘못 먹고/입에 거품 물고 쓰러진 아낙"의 모습으로 형상화되어 있는 것이다. 일제의 한반도 강점과 그에 따른 조직적 수탈로 인해 날로 심각해가는 사회모순이 마침내 민중의 생존권마저도 위협하는 상황을 야기했다는 뜻이다. 이 점에서 이 시는 역시 오늘날까지도 작용하고 있는 반계급 사회해방의식을 형상화한 예라고 하겠다. 한편 시 ③은 봉건사회로부터 이어져 온 남녀차별에 대한 비판과 풍자를 담고 있다. 조선조 이래 특히 유가적 세계관에 의해 비롯된 각종 봉건모순에 대한 비판을 통해 인간해방을 강조하는 내용이 상징적으로 제시된 것이다. 다시 말해서 남녀차별로 표상되는 각종 봉건유제에 대한 비판을 전개하여 진정한 민주화의 길 또는 인간해방으로 나아가고자 하는 시인의 열린 정신이 담겨 있다는 뜻이다.

이렇게 본다면 『만인보』의 사회의식은 이 땅 저항정신의 주요 맥락인 반봉건적 인간해방의식, 반계급적 사회해방의식, 그리고 반외세 민족해방의식[4]을 근간으로 하여 전개되고 있음을 알 수 있다. 『만인보』에 무수히 등장하는 사회적인 인물 유형들은 대체로 이들 세 가지 범주에 묶여질 수 있다는 뜻이다. 이러한 민족해방의식, 사회해방의식, 인간해방의식의 세 가지 범주는 일제강점하에서는 물론 분단시대인 오늘날까지도 지속적으로 유효하게 작용하는 정신사적 지향성이 된다. 아울러 이러한 정신사적 지향성은 그대로 오늘날 민족문학·민중문학의 중심과제로 제시되고 있음은 물론이다. 농촌과 농민문제를 다룬다든지, 도시빈민과 노동자문제를 다룬다든지, 공해나 환경오염, 핵문제 등 각종 문명 비판적 문제를 다룬다든지 봉건 잔재나 비민주화 문제를 비판한다든지 또는 반외세민족주체성문제나 분단극복을 다루는 일 등이 바로 이러한 주요 내용이 되겠다. 바로 이 점에서 『만인보』에는 이 땅의 오랜 역사에 대한 주체적 인식이 역사적 삶의 제반 유형으로 갈래지어 나타난다.

① 가라
가서 네 나라를 세워라
한밤중 어머니는 아들을 보냈다
아 아들을 붙들지 않는 어머니여 벼랑이여

졸본 땅 비류수 기슭에 세운 나라여

---

4) 정창렬, 「백성의식·평민의식·민중의식」, 『한국민중론』, 한국신학연구소, 1984.

이 땅의 아들이거든
아들이여
가서 네 나라의 말로
말하라
아버지를 버려라
아버지를 버려라
아버지의 성을 버리고 네 성을 칭하라

—「고주몽」 전문

② 조선 양반의 자랑이거니와
　해동 주자이거니와
　이는 조선 만백성의 허깨비였느니라

　퇴계 성리학은 뭔가
　오 성리학도
　해와 달 누렇게 도는데
　백성은 도탄에 푹 빠졌는데
　사단이발칠정기발설이 뭔가
　배고파
　애기 먹은 에미나이
　……중략……
　도산 열두 굽이 막막하구나

—「이황」 부분

③ 백범 김구!
　이 사람 있어
　이 땅이 사람 태어나는 곳이구나
　남에도
　북에도
　우선 이 사람이 있어
　이 땅이 사람 죽는 곳이구나

8-15 이후 돌아와 70평생 그 걸음으로
윤봉길 댁 찾아가서
윤봉길 아내한테
넓죽 큰절 드리는 사람
오늘 따라 그리운 곳이구나
이 땅이 그리운 사람 있는 곳이구나
험한 오늘과 내일에도

—「김구」전문

④ 3·1 독립만세의 함성이
온 나라에 퍼져나갈 때
거지들도 가만히 있을 수 없어 태극기 들고 일어났도다
우리가 유리전전 문전걸식하게 됨은
왜가 우리의 재산을 빼앗은 데 있음이로다
우리 민족 2천만 동포가
왜의 압착에서 벗어나지 못하면
모두 구렁텅이에 빠짐이로다
누가 써준 대로 외치며
독립만세 독립만세 외치며
……중략……
독립만세 독립만세 독립만세

—「걸인독립단」부분

⑤ 일자 한자 늘어놓겠습니다 무식이 배짱입니다
성리학 주리노선은 천지 음양 귀천 상하의 계급노선입니다
그런데 좌파 주기철학은 일체 만물의 평등노선입니다
바로 이 화담 율곡 주기론을 이어 정여립은
그것은 더 발전시켜 허균의 자유주의와는 또 달리
앞장 선 천하 평등노선을 강화합니다
……중략……
어디 그뿐인가

인민에 해되는 임금은 살함도 가하고
인의 부족한 사대부 거함도 가하다
이런 칼 휘둘러치듯 하는 우렁찬 말 듣고
오종종한 재상 도학자들 한꺼번에 크게 감동키도 했습니다
—「정여립」부분

인용한 시편들은 『만인보』의 역사 인식을 상징적으로 제시한다. 현실의식을 뛰어넘어 역사적 층위로 상승해 간 것이다. 말하자면 "이제 『만인보』는 고향의 산야를 벗어났다. 아직도 더 천착해야 할 부분이 있으나 일단 생략하고 훨씬 뒤에 다시 돌아가 보겠다는 미련으로 남겨두어야 했다"(7권, 머리말)는 시인의 언술대로 개인적·실존적 상황에서 사회적·역사적 차원으로 공적 상승을 이루기 시작한 것이다. 사실 "'황토의 사람들'이라 일컬어 마땅한 촌사람들도 결코 역사와 무관하게 산 인간상으로 부각되지 않는다. 그들이 당시의 우리 역사였을뿐더러 어떤 면에서 아직도 우리의 역사임을 실감케 해주는 것이 『만인보』의 역사의식이자 시적 성취인 것이다"5)라는 적확한 지적처럼 인간의 시대는 바로 역사의 시대에 해당한다. 모든 인간은 개인적 존재인 동시에 사회적 존재이고 역사적 존재성을 지니기 때문이다.

『만인보』에서 역사적 인물의 층위는 참으로 다양하다. 인용한 시에서 보듯이 고주몽으로부터 3·1운동에 참여한 걸인독립단원은 물론 김구에서 단지 결사대원, 기생독립단원, 조병옥 등에 이르기까지 이 땅의 전 역사기간에 폭넓게 걸쳐 있다.

먼저 시 ①에서는 고주몽으로서 민족사의 정통성과 함께 민족주체사관을 강조한다. 고주몽으로서 신이(神異)에 가득찬 고구려 건국신화를 형상화하면서 민족적 자존심과 주체성의 고양을 강조하려는 뜻을 담고 있는 것이다. 이른바 그가 장시 「대륙(大陸)」에서 전개한 바 있는 고구려사관의 웅대한 모습을

---

5) 백낙청, 「『만인보』를 읽으며」, 『만인보』 3권, 창비, 1986, 184쪽.

오늘날에 다시 복원함으로써 민족적 기상을 펼쳐 보이고자 한다는 뜻이다.

시 ②에서는 성리학의 과도한 관념론에 빠져 공리공론을 일삼던 양반 사대부층에 대한 비판을 전개한다. "백성은 도탄에 푹 빠졌는데/사단이발칠정기발설이 뭔가/배고파/애기 먹은 에미나이/⋯⋯/도산 열두 굽이 막막하구나"라는 구절 속에는 주자주의 이데올로기에 의해 지탱되어오면서 온갖 모순과 부조리를 야기시킴으로써 민중을 도탄에 빠지게 한 조선조 역사에 대한 신랄한 비판을 펼치고 있다.

시 ③은 백범 김구를 통해 의인(義人)에 대한 그리움과 기다림을 표출한다. 민족모순과 계급모순을 함께 극복함으로써 민족의 앞날을 설계하고 도모하려던 김구의 삶을 통해서 이 땅 역사의 바람직한 방향성을 감지해내고자 하는 것이다. 시 ②에서 이황이 관념론자로서 이퇴계의 지식인적 한계를 논했다면, 시 ③에서는 김구를 통해 실천적인 인물의 소중함을 강조했다고 하겠다.

시 ④에서는 걸인마저도 역사에 참여함으로써 역사적 인물로서 편입되어 공적 상승을 거두고 있음을 증언한다. 1919년 음력 2월 17일 진주 장날에 있었던 걸인독립단이 일으킨 독립만세사건을 통해 이 땅의 민족구성원 모두가 역사 전개의 주체이자 그 추진력이 될 수 있음을 강조한 것이다. 특히 "우리가 유리전전 문전걸식하게 됨은/왜가 우리의 재산 빼앗은 데 있음이로다"와 같이 민족모순이 바로 계급모순의 원인이 됨을 통박한 것은 날카로운 역사인식의 소산이 아닐 수 없다.

시 ⑤에서는 정여립을 통해서 역사의 진전이 간단없는 부정정신과 비판정신 등 진보의식에 의해서 비로소 이루어질 수 있음을 제시한다. "인민에 해되는 임금은 살함도 가하고/인의 부족한 사대부 거함도 가하다"라는 반역의 정신이란 바로 역사 전개에 능동적인 추진력을 부여하는 진보의식의 적극적 발현으로 해석되기 때문이다.

이렇게 본다면『만인보』에는 민족사관, 민중사관, 진보사관으로서 고은의 주체적인 역사의식이 능동적으로 반영되어 있음을 알 수 있다. 임진왜란 때 의병을 일으켜 나라를 구하려다 홍주성 싸움에서 전사한 이봉학(「이봉학」, 5권, 26쪽), 조선이 중국의 변두리가 아니라 조선 자체로서 중심이 됨을 역설한 홍대용(「홍대용」, 5권, 60쪽), 반탁운동의 선봉이자 남북협상의 지도자였던 김규식(「김규식」, 6권, 46쪽)에서 부터 무명지 손가락 잘라 혈서로 왜적과 매국노 쐬죽이는 결사대 만든 무명의 단지결사대(「단지결사대」, 2권, 106쪽)에 이르기까지 모두가 이러한 민족사관, 민중사관, 진보사관의 적극적인 실천자에 해당한다. 아울러 역사상 큰일을 이룬 「광개토대왕」(6권, 56쪽), 「김춘추와 김유신」(5권, 44쪽), 「권율」(8권, 264쪽)은 물론 큰 뜻 이루었으나 비참하게 삶을 마친 「김정호」(9권, 30쪽) 유형, 그리고 역사적 삶의 허구를 비판한 「이광수」(6권, 72쪽) 등에 이르기까지 폭넓고 깊이 있게 역사적 인물을 탐구하고 있다. 이 점에서『만인보』는 다양한 사회적·역사적 인물의 유형화를 통해서 고은의 사회의식과 역사의식을 첨예하게 반영하고 있다고 하겠다.

(3) 종교적 초월적 층위

세 번째로『만인보』에는 종교적·초월적 인물에 대한 형상화가 지속되고 있어 관심을 환기한다. 말하자면 사회·역사적 층위가 외향적인 역사적 방향성을 지닌다면, 종교적·초월적 층위는 내향성·영원지향성을 지닌다고 할 수 있으리라.

　① 당나라에도 안 간 것이 아니다.
　　갔다
　　갔다 돌아와버렸다
　　돌아와
　　소위 승통불교

대승통불교 둥져
거리 거리 떠돌았다
상거지로 떠돌았다
진골 성골 따위밖에 성이 없으니
다 노예인지라 성이 없으니
중생인지라 성이 없으니
그대에게도 성이 있을 리 없다
대안 대안
그대에게 자유가 계율보다 더 엄숙하구나
백성이 왕보다 엄숙하구나
억조창생이 부처보다 거룩하고 엄숙하구나
⋯⋯중략⋯⋯
아쭈 염불도 한다
죽은 자
앓는 자 갇힌 자 위해
백제 위해
고구려 위해
어느덧 눈물 흘러내리며 염불한다

—「신라 대안」부분

② 포광 김영수
퇴경 권상노에 미치지 못할 바 아니었으나
늘 하심하여 이름 내기를 싫어하여
그저 완주 송광사 강주로 덧없어라

그 화엄경 통달한 강주
대추 물드는 때
얼굴 불그데데 물들어
팔십 화엄 주룩주룩 외워나가는데

마루 아래 섬돌에 놓인

그의 흰고무신 깨끗한 귀로 듣고 있는데

—「웅봉 스님」 전문

이 두 편의 시에는 『만인보』의 종교적·초월적 충위가 유감없이 드러나 있다. 한마디로 그것은 종교가 자유·평등 사상의 올바른 깨침과 실현을 통해 진정한 인간해방에 기여해야 함을 강조하는 내용이다. 시인 자신의 불가(佛家) 체험을 바탕으로 하여 올바른 종교의 길, 참다운 신앙의 길을 제시하려 한 것이다. 따라서 그것은 고승대덕들에 대한 찬양으로 나타나기도 하지만 동시에 신랄한 풍자와 비판으로 제시되기도 한다.

인용시 ①에서는 신라 괴승 대안으로서 민족불교, 민중불교, 통일 불교로의 길을 강조한다. 자유 평등의 완전한 실현이 불교의 참뜻이며 통일에 의한 민족화합이 시대적 과제라는 점을 인식하고 있기 때문이다. 그런가 하면 시 「자장」(3권, 95쪽)에서는 "그 몸 한번도 하계에 내려오실 때 없었도다/드높은 몸/깨끗하고 두려운 몸이신지라/더러운 백성 중생과 영영 동떨어지셨도다/뿐만 아니라 옛 신라 풍속이 미개하니/당제로 고치고/당나라 연호 쓰게 하셨도다/……/왕이 곧 부처라는 사상을 펴서/이윽고는 불교의 일체평등이/왕실의 불평등으로 바뀌었도다"라는 구절처럼 그의 사대주의 불교 귀족불교를 신랄하게 비판하고 있는 것이다.

시 ②의 경우에는 세속사를 뛰어넘으려는 데서 오는 명상의 그윽함과 청정함이 돋보인다. 그야말로 탈속의 초월적 지평이 두드러지는 것이다. "마루 아래 섬돌에 놓인/그의 흰고무신 깨끗한 귀로 듣고 있는데"라는 구절 속에는 세속사의 온갖 貪(탐)·瞋(진)·痴(치), 삼독(三毒)이 깨끗하게 씻겨진 청정한 정신의 내면 풍경이 담겨 있기 때문이다. 실상 그의 많은 선시(禪詩)에서도 확인할 수 있는 이러한 삶의 초월적 지평이란 그것이 세속사에 대한 치열한 응전과 그에 따른 각고의 반성을 통해서 얻어진 것이라는 점에서 비로소 값진 것으로 자리함은 물론이다.

『만인보』에서 이러한 초월적 지평은 그것이 실존적·개인적 층위에서 사회적·역사적 층위를 거쳐 마침내 획득한 것이라는 점에서 필연성을 지니는 것이 분명하다. 그것은 어쩌면 당연한 귀결인 듯이 보이지만 아무에게서, 어느 때나 흔히 발견될 수 있는 것은 아니다. 불교에서 문학으로 다시 사회·역사의 한가운데로 온몸을 던져 육박해 들어간 고은 그가 아니면 쉽게 성취될 수 없는 일이기 때문이다.

3)『만인보』의 문제적 의미

이렇게 보면『만인보』는 시인 고은의 전 생애사와 이 땅의 사회사·역사·불교사가 함께 혼융되어 파란만장한 인물한국사를 압축적으로 구성하고 있음을 알 수 있다. 달리 말해 고은의 문학·종교·역사 이해의 집대성이자 그 총량에 해당한다는 뜻이다. 그만큼 고은의 인간탐구 문학탐구, 역사탐구, 사회탐구, 종교탐구가 지닌 넓이와 깊이의 호한함을 단적으로 반영한다고 하겠다.

대하연작시집『만인보』는 첫째로, 그것이 이 땅 민족문학·민중문학의 총 역량을 반영한다는 점에서 의미를 지닌다.『만인보』를 관류하는 민족사상·민중사상이야말로 험난한 이 땅의 최근세 역사과정 속에서 고은이 실천적으로 획득한 역사의식의 소중한 집적으로 이해되기 때문이다. 70, 80년대 민족문학·민중문학의 성과를 섭수해들이면서 그 양적 확대와 질적 심화를 성취해 나아감으로써 민족문학의 역량을 한걸음 진전시킨 것이다.

둘째로,『만인보』는 낱낱의 삶이 지닌 실존적 의미를 사회적·역사적 층위로 확대하고 종교적·초월적 층위로 고양시킴으로써 바람직한 인간의 길이 어떠한 것인가 하는 데 대한 깊이 있는 성찰을 보여주었다는 점에서 의미를 지닌다. 모든 인간은 그 스스로가 전무후무, 유일무이한 존재로서 원본성을 지니기에 삶 앞에서 평등할 수 있다. 그렇기에 『만인보』는 만인평등사상의 구현을 통해 인간존중 또는 인간 사랑의 참뜻을 강조하고 있다는 점에서 돋보이는 역작이라고 하겠다.

셋째로, 『만인보』는 그 스케일의 방대함과 함께 민족어의 완성을 위한 각고의 노력을 보여주고 있다는 점에서 시사적 위치를 평가받을 수 있다. 『만인보』는 문자 그대로 만인의 삶을 대상으로 한다. 한껏 줄여 삼천 명만 쓰려고 한다는 사실 자체가 한국시사상 유례없는 일이며 파천황의 시도가 된다. 무엇보다도 『만인보』는 민족어의 완성을 한 목표로 하는 시인의 사명을 실천하고 있어 주목을 환기한다. 『만인보』에는 무수한 고유어, 방언, 사어, 토속어 및 개인시어들이 등장하여 역사인물 사전은 물론 생활어 사전 내지 민중어 사전의 역할을 겸행해가고 있다. 민족의 생활사 또는 민중의 생애사를 포괄하고 있어서 우리 '말광'의 모습을 찾아볼 수 있기 때문이다.

아직 『만인보』는 진행 중인 작품이기에 성급한 비판이나 총체적 결론은 시기상조에 속한다. 다만 앞으로 『만인보』는 인간에 대한 내면탐구에 있어 깊이 있는 성찰을 필요로 하는 것으로 이해된다. 사회·역사적 존재성도 중요하지만 심리적 존재, 미학적 존재, 자연적 존재로서의 내면적 의미탐구도 인간의 총체성 구현을 위해서는 반드시 필요한 일이기 때문이다. 아울러 이야기체에 의존하는 시방법도 보다 다양한 기법과 형태를 계발해냄으로써 시성을 더욱 담보해내는 일이 긴절한 것으로 판단된다. 열전식 인물묘사가 불러일으키는 도식성과 매너리즘을 극복하여 단순한 인물 이야기로서뿐만 아니라 한편 한 편의 아름다운 노래로서 독립성과 예술성도 지녀야 하기 때문이다.

그럼에도 불구하고 『만인보』는 인간 사랑의 정신을 바탕으로 만인평등사상을 입체적으로 탐구하고 형상화함으로써 인간존중사상을 실천적으로 보여주기 시작했다는 점에서 커다란 의미를 지닌다. 그것은 문학사의 일이면서 동시에 문학이 역사의 지평으로 진입해 들어가는 기틀을 마련했다는 점에서 근대시사상 돋보이는 풍경이 아닐 수 없다. 진정한 문학의 시대가 바로 진정한 인간의 시대이며 동시에 역사의 시대가 될 수 있는 소이가 여기에 놓여진다.

4. 문학사상의 한 고찰

앞에서 우리는 고은이 형성형 인물에 해당하고 그의 문학이 진행형임을 언급한 바 있다. 첫 시집 『피안감성(彼岸感性)』(1960) 이래, 『해변(海邊)의 운문집(韻文集)』(1964), 『제주가집(濟州歌集)』(1967), 그리고 『문의(文義)마을에 가서』(1974) 등에 이르기까지의 고은의 시는 감상적 우울과 허무주의, 죽음과 재생 모티브의 끊임없는 반복으로 이어져 왔다고 해도 과언이 아니다. 그만큼 고은의 초반기 문학이 분단 후 남쪽 문학의 관습이나 전통에 충실하게 뿌리내리고 있었다는 한 반증이 될 수도 있으리라. 그러나 그의 문학은 그의 환속과 그에 뒤이은 역사에의 능동적인 참여가 이루어지면서 사회·역사의 지평으로 확대되기 시작한다.

이러한 사회·역사적인 조망의 획득은 4·19혁명 이후 특히 70년대 전태일 분신 의거 및 유신독재로 인해 급격히 촉발되며, 그 문학적 성과는 시집 『새벽길』(1978) 및 『조국의 별』(1984) 등에 집약되기 시작한다. 초기시의 자유주의적·개인주의적·순수주의적 감수성과 시법이 전면적으로 해체되면서 이념지향성, 공동체 의식, 진보사상에 방향성을 둔 능동적인 역사의식이 대두하게 된 것이다. 말하자면 『새벽길』이나 『조국의 별』은 고은의 문학이 역사와의 전면전을 펼치기 시작하는 신호탄이 된 셈이다. 따라서 고은의 문학은 『새벽길』이나 『조국의 별』, 그리고 『그날의 대행진』(1986) 등을 거치면서 허무주의가 급격히 해체되고 역사주의가 생성되며, 마침내 『백두산』과 『만인보』에 의해 어느 정도 완성된 모습을 지니게 된다. 『백두산』과 『만인보』가 쓰여짐으로써 마침내 고은 문학은 이념적인 형상성을 획득하게 되고, 삶과 문학, 문학과 역사가 하나로 합일·고양되는 완성의 차원에 접어들기 시작했다고 할 수 있다. 비로소 고은은 나름대로의 문학사상을 형성하게 됨으로써 진정한 대가 시인의 반열에 놓여지게 됐다는 뜻이다.

고은의 문학 작품들을 관류하는 정신이나 의식의 체계를 문학사상이라 불러 볼 때, 그의 문학사상은 대략 자유사상·평등사상/민족사상·민중사상/통일사상·진보사상/생명사상 및 평화의 철학으로 요약해 볼 수 있다.

1) 자유사상·평등사상

고은의 문학사상뿐만 아니라 전체 사상에서 가장 핵심에 놓여지는 것은 자유사상이며 평등사상이다. 특히 자유사상은 죽음과 허무를 노래한 첫 시집으로부터 『만인보』에 이르기까지 그 근본 바탕을 이루면서 시를 전개시키는 원동력이자 한 이념으로 작용한다.

> 네가 망령이 아니거든
> 찾아라 네 자유를
> 여름 미류나무 바람소리의 자유를
> 아우야 그렇지 않으면
> 너는 사악하다
> 너는 사악하다
> 찾아라 네 붉은 단풍의 자유를
> 내장산의 자유를
> 네가 앞잡이거든
> 그 앞잡이 때려치우고
> 찾아라
> 눈보라 같은 자유를

삼천리 방방곡곡의 네 자유를
아 껍데기만이 춤추는구나
찾아라 바다 밑의 캄캄한 암초의 자유를
네 진짜 자유를
아우야 그렇지 않으면
너는 죽어야 한다
찾아라
찾아라 네 자유의 처녀가 온다

—「부락」 전문(『입산』)

이 한 편의 시에는 자유의 본성과 법칙이 잘 드러나 있다. 그것은 자유가 만물의 본성을 이루며, 그렇기에 소중한 것이고, 또 자유를 얻기 위해서는 죽음까지도 담보해야 한다는 내용을 뜻한다. 자유란 무엇인가? 한마디로 그것은 간섭 또는 압제가 없는 상태를 말한다. 그렇기에 자유는 인간 능력의 발전과 인간성의 가치 있는 창조에 장애가 되는 요인들을 제거한다는 측면에서 인간해방을 의미하며, 동시에 자기 결정과 행동의 원리로서 자율성·자발성·주체성의 원리를 지닌다. 또한 자유는 "여름 미류나무 바람소리의 자유", "붉은 단풍의 자유", "눈보라 같은 자유", "삼천리 방방곡곡의 자유", "바다 밑의 캄캄한 암초의 자유"와 같이 자연성의 법칙, 사회성의 법칙, 그리고 철학성의 법칙을 그 범주로 한다. 말하자면 자유란 사물이나 인간 삶의 원리이면서 법칙이고 그 본성에 속한다는 뜻이다.

따라서 자유란 그냥 주어지는 것이 아니라 능동적으로 찾고 획득하려 노력할 때 그 의미와 가치가 빛을 발한다. "찾아라 네 자유를/아우야 그렇지 않으면/너는 사악하다"라는 구절처럼 자유는 인간적인 선악 판단의 한 기준이 될 수 있을 만큼 중요한 의미를 지닌다. 그런데 현실은 "아 껍데기만이 춤추는구나"와 같이 온갖 허위와 위선, 폭력과 기만으로 가득 차 있는 것이다. 그러므로 "찾아라/네 진짜 자유를/아우야 그렇지 않으면/너는 죽어야 한다/찾아라"

라는 결구에서 보듯이 자유를 찾고 누리기 위해서는 목숨까지도 내던질 수 있어야만 한다. 자유란 인간의 목숨 이상으로 중요한 본성이기에 그 적극적인 확보를 위해서는 피어린 저항과 투쟁이 불가결하다는 뜻이다. 자유는 사회·역사를 지탱하는 힘이며 삶을 행복하게 하고 완성시켜주는 필요조건이고 충분조건에 해당한다.

① 보아라 민주주의의 바다 보아라
　　……중략……
　　보아라 보아라 모든 이름없는 개울과 강
　　낙동강 섬진 영산강들이
　　흐르고 흘러서 만든 이 남해바다는 무엇인가
　　이 푸른 바다의 자유와
　　이 푸른 바다의 무한 자유의 파도를 보아라
　　　　　　　　　　　　　—「바다에 가서」 부분(『입산 이후』)

② 국민학교 3학년 아이들
　　4학년 아이들
　　학교갔다 돌아오는 길
　　저희끼리 노느라고
　　등에 짐 진 채 노느라고
　　집으로 가는 길 꿈도 꾸지 않는다
　　그런 길 가생이 개망초꽃도
　　다 함께 노느라고
　　어디로 돌아설 줄 모른다
　　어느덧 하늘에 제비 없다
　　다 가벼렸구나 다 가버렸구나
　　　　　　　　　　　　　—「3학년 아이들」 전문(『아침이슬』)

③ 오늘 무등 앞에 악물고 서 있나니

오 말없는 무등이여
당신 아니거든
우리가 어찌 감당하였으리오
······중략······
우리가 흘린 피와 눈물로 영산강을 만들었으나
이제 우리가 세운 망월의 정의로
이로부터 압록강 두만강과 낙동강을 만들지어다
무등이여
일체 평등의 무등이여
일체 변혁의 무등이여

　　　　　　　　　　—「무등산」 부분(『아침이슬』)

　인용시들에는 자유와 그 표리를 이루는 평등의 모습이 잘 드러나 있다. 먼저 시 ①은 자유가 사회·역사의 이상적 원리로서 민주주의에 그 근간을 이룬다는 점을 말해준다. 자유란 모든 이름 없는 개울들이 모여 강을 이루고 마침내 바다가 되듯이 한 사람 한 사람으로서 개체의 진실이 모여 전체성을 형성한다. 부분과 자체가 서로 조화를 이룰 때 진실이 더욱 드러나듯이 개인의 자유와 전체의 자유가 서로 상보적인 정합성을 이루어야 한다는 뜻이다. 자유의 기본 법칙으로서 자연성의 법칙과 사회성의 법칙이 잘 어우러져서 시적 형상화를 성취하고 있는 경우라고 하겠다.

　시 ②에서는 자유의 참뜻이 잘 새겨져 있다. 학교를 파하고 집으로 돌아가는 어린아이들이 중간에서 해찰하고 노는 모습을 통해서 자유의 참뜻을 보여주고 있기 때문이다. 학교란 무엇이고 집이란 무엇인가? 이 시에서 그것들은 온갖 삶의 굴레 또는 목적론적 인생의 모습에 대한 한 상징성을 지닌다. "학교갔다 돌아오는 길/저희들끼리 노느라고/등에 책 짐 진 채 노느라고/집으로 돌아가는 길 꿈도 꾸지 않는다"라는 구절 속에는 학교나 집이 상징하는 제도나 인위 또는 구속의 굴레에서 잠시나마 해방되어 자유를 만끽하고 있는 모습이 무심하게 그려져 있는 것이다. 또한 "그런 길 가생이 개망초꽃도/함께 노느라고/어디로 돌아설 줄 모른다/어느덧 하늘에 제비 없다/다 가버렸구나" 라는 구절에서처럼 지상 위에 생명 있는 것들이 함께 어우러져서 자유를 구가하는 모습을 통해 자유와 함께 평등이 생명의 근본 원리에 해당한다는 점을 예리하게 상징해준다. 어린아이들과 함께 개망초꽃도 제비도 함께 어울려 놀다가 어디론가 스스로의 길을 찾아 떠나는 모습 속에는 만물 평등의 사상과 함께 자유사상의 원초적인 본성이 섬세하게 투영되어 있는 것으로 해석되기 때문이다. 이처럼 모든 사물들이 스스로의 생명 원리와 존재법칙에 따라 움직이고 존재하는 그것이 바로 자유와 평등의 소박한 실현에 해당한다고 하겠다.

시 ③에는 이러한 자유와 평등의 원리가 더욱 날카롭게 표출되어 있어 관심을 끈다. 그것은 무등산으로 표상되는 이 땅 자유와 평등이념 실현의 수난사를 함축하고 있다는 점에서 그러하다. 80년 초 저 참혹했던 광주항쟁을 모티브로 하여 이 세상에서 아니 이 땅에서 가장 소중한 명제가 자유의 올바른 실현이며 평등의 참다운 실천이라는 점을 강조하고 있기 때문이다. 평등이란 무엇인가? 한마디로 그것은 모두가 차별 없이 정치·사회·경제·문화상의 권리와 의무를 갖는다는 사실을 뜻한다. 그럼에도 불구하고 이 세상은, 아니 분단 이래 이 땅은 정치적·사회적·경제적·문화적 불평등이 계층적·시간적 공간적으로 심화되어 온 것이 사실이다. 이 점에서 "일체 평등의 무등이여/일체 변혁의 무등이여"라는 구절 속에는 자유와 평등을 올바로 획득하고 실천해 나아가려는 의지와 염원이 함축적으로 담겨져 있다고 하겠다.

자유와 평등이란 어느 민족이나 개인에게보다도 범인류적인 차원에서 논의될 성질이다. 그만큼 인간의 삶에 있어 본성을 이루고 인류사를 전개시켜가는 근본이념에 해당한다. 고은의 『만인보』란 이러한 자유사상·평등사상의 집대성이자 한 결정판으로서 의미를 지니는 것이 분명하다. 자유와 평등이 모든 삶의 본성이고 세계의 원리라는 점에서 인류사적 보편성을 지니듯이, 고은의 문학이 이러한 자유와 평등사상을 그 원천이자 근본정신으로 한다는 점에서 그 문학적 보편성을 확보할 수 있음은 물론이다.

2) 민족사상·민중사상

자유와 평등사상이 고은 사상의 날줄이라면 민족·민중사상은 그 씨줄을 이룬다. 자유와 평등이라는 인류사적 대의가 민족이 처한 특수성에 접합될 때 민족사상과 민중사상이 배태되기 때문이다. 인간의 본질로서 자유와 평등은 민족의 현실과 부딪치면서 민족의 자존성이나 주체성 그리고 조국 사상을 형성시키는 힘이 되는 것이다.

> 별 하나 우러러 보며 젊자
> 어둠 속에서
> 내 자식들의 초롱초롱한 가슴이자
> 내 가슴으로
> 한밤중 몇백 광년의 조국이자
> 아무리 멍든 몸으로 쓰러질지라도
> 지금 진리에 가장 가까운 건 젊음이다
> 땅 위의 모든 이들아 젊자
> 긴밤 두 눈 두 눈물로
> 내 조국은
> 저 별과 나 사이의 가득 찬 기쁨 아니냐
> 별 우러러보며 젊자
> 결코 욕될 수 없는
> 내 조국의 뜨거운 별 하나로
> 네 자식 내자식의 그날을 삼자
> 그렇다 이 아름다움의 끝
> 항상 끝에서 태어난다 아침이자

내 아침 햇빛 떨리는 조국
오늘 여기 부여안을 일체 결합의 젊음이자
—「조국의 별」전문

먼저 이러한 민족사상은 조국사상으로부터 시원을 이룬다. 민족이란 무엇인가? 민족이란 한마디로 혈연과 역사, 풍속과 언어·문화의 공통성에 기초하여 역사적으로 형성된 사회생활의 단위이며 운명공동체라고 할 수 있다. 따라서 하나의 민족이 자기 힘으로 자기의 운명을 개척해 나아갈 힘과 권리 및 의무를 지닌다. 다른 민족으로부터의 억압이나 예속을 거부하고 민족의 자주성과 주체성을 지키고 살려 나아감으로써 세계사의 한 주체이자 추진력이 될 수 있는 것이다. 이 점에서 한 개인이 자유의 주체이자 평등의 주체이듯이 한 민족은 그 스스로가 자유의 주체이면서 동시에 평등의 주체가 된다.

한 민족은 그 민족의 현실문제 및 운명과 관련된 모든 문제를 어떤 외부세력의 간섭을 받지 않고 자주적으로 결정할 수 있는 신성한 권리를 지니는 동시에 대세계적으로 그것을 지켜야 하는 의무를 지녀 마땅하다. 민족자결권과 민족 자존성을 지닌다는 말이다.

이러한 민족사상은 그 뿌리로서 조국사상을 바탕으로 형성되고 추동된다. 인용시에서 우리가 확인할 수 있는 것이 바로 이 조국사상이다. "긴밤 두 눈 두 눈물로/내 조국은/저 별과 나 사이의 가득 찬 기쁨 아니냐/…/내 조국의 뜨거운 별 하나로/네 자식 내 자식의 그날을 삼자/…/내 아침 햇빛 떨리는 조국/오늘 여기 부여안을 일체 결합의 젊음이자"라는 시구 속에는 조국에 대한 운명적 사랑이 뜨겁게 표출되어 있음이 분명하다. 일찍이 한용운이 말하지 않았던가!

월조(越鳥)는 남기(南技)를 사(思)하고 호마(胡馬)는 북풍(北風)을 시(嘶)하나니 차(此)는 기본(基本)을 망(忘)치 아니함이라. 동물(動物)

도 猶然(유연)하거든 황만물(況萬物)의 영장(靈長)인 人(인)이 어찌 기
본(其本)을 망(忘)하리오. 기본(基本)을 망(忘)치 못함은 인위(人爲)가
아니요 천성(天性)은 동시(同時)에 만유(萬有)의 미덕(美德)이라 고(故)
로 인류(人類)는 기본(其本)을 망(忘)치 아니할 뿐 아니라 망(忘)코저
하야도 득(得)치 못하나니! ……하략……

—「조선민족(朝鮮民族) 독립(獨立)에 대한
감상(感想)의 대요(大要)」 부분

　민족사상의 구성요소는 바로 이러한 조국사상이면서 동시에 민족자존성
이며 민족자주의식이라고 할 수 있다. 모든 사람이 그 태어난 근본을 잊지 않
는 것으로서의 조국사상이야말로 민족자존성을 성립케 하는 근원적 힘이자
민족자주의식의 밑바탕이 되기 때문이다. 민족자존성이란 마치 날짐승은 날
짐승끼리, 길짐승은 길짐승끼리, 사람은 사람끼리 혹은 같은 무리는 같은 무
리끼리 서로 어울려 살아가는 것처럼 한 민족은 그 민족끼리 타민족의 간섭
을 받지 아니하고 스스로 살아갈 권리가 있으며 또 그래야만 한다는 본성을
말한다. 그러므로 민족구성원은 누구나가 민족의 주인으로서의 책임과 의무
를 지닌다.

① 살보살에게도 나라 있나니
　나라 앞에서
　나라 보살이 되었나니

　의병 3천의 일 해내었나니
　남강 흘러

—「논개」 전문(『만인보』 3)

② 고구려 되놈의 침노와 싸우는 우리 조상입니다
　……중략……

우리는 조상을 새로 섬겨야 합니다
우리 조상밖에는 어느 놈한테도 머리 숙이지 말아야 합니다.
———「한식날 밤」 부분 (『만인보』 1)

③ 고향이 있는 한
   너는 자유롭지 못하다
   네 마음 속의 시베리아에서도
   고비사막에서도

———「고향」 부분(『가야 할 사람』)

④ 내 목 매달릴지라도
   동지섣달 눈보랏날
   목 매달려 대롱대롱 동태가 될지라도
   이 나라에 태어나서 죽는 것 감사하리라

———「행복」 부분 (『새벽길』)

  인용시들은 민족사상의 원천으로서 조국사상, 민족자존성, 민족자주의식
을 함께 포괄하고 있다. 민족의 운명성을 자각하고 민족 현실에 부딪쳐오는
문제들을 자신의 판단과 신념에 기초하여 민족의 이익에 맞게 자체의 힘으로
결정하고 해결해 나아가려는 민족자결권 또는 민족자주의식이 민족자존성
에 대한 자각으로 고양되어 있는 것이다. 실상 자유와 평등이란 만물의 본성
이고 만인의 생명이기에 하나의 유기체로서 민족자존성은 민족의 근원적 권
리이자 인류사적 양심의 발현이 아닐 수 없다. 그렇지만 아직도 분단 현실과
그로 인한 오랜 독재 통치로 인해 자유와 평등정신에 기초한 참다운 민족사
상은 꽃을 피우고 있지 못해 온 것이 현실이다. 여기에서 바로 민중사상이 태
동된다. 민족의 주체이자 역사 전개의 추진력으로서 민중사상은 민족사상과
그 표리를 구성하는 것이기 때문이다.

태순(泰洵)이 취해 말하기를 저 소나무를 꼭 민중같다기에
그렇다 나도 바라보니
경기도 화성 비산비야 니기다솔 잔소나무들
누구 말 듣지 않는 트레바리로
어둑어둑해 가는 중에 일제히 서 있구나 민중이구나
잔소나무들 그것들뿐 아니라
우리 문구(文求) 사는 발안마을
아 으악새 무논물에 내려온 밤하늘에도
민중 하나 하나 하나
한 아름드리 팔을 벌려 서 있구나
낮에는 구름이더니
또 이랴이랴 구름 모는 바람이더니
구름도 맞파람 따위도
한 세월 집을 짓다가 허물고 가는구나
진실로 말하노니
민중이란 나 하나 오래 사는 것 아니라
나 없으면 안 되는 것 아니라
나 하나 없어도
다른 나 또 다른 나 파도쳐 이어짐이여
겨울밤 깊다 이 밤에 배울 것 하나 있구나
민중에게 이기는 자 없음이여
민중에게 이기는 자 없음이여

　　　　　　　　　　　　　　　　　—「발안 가서」 전문(『입산 이후』)

　이 시에는 고은 문학사상의 또 다른 한 핵심으로서 민중사상이 핵심적으로
요약되어 있다. 민중이란 무엇인가? 간단히 말해서 민중이란 민족을 구성하
는 다수이며 민족사의 주체로서, 역사적으로 정치·사회·경제·문화적 피지배
계층 혹은 소외계층을 의미하며, 노동자·농민을 기간으로 하고 자신이 지닌
지식과 정보를 바탕으로 해서 사회·정치적 모순을 시정하기 위하여 노력하는

지식인 모두를 함께 포괄한다. 역사의 바람직한 방향성을 자각하고 실천해 나아가고자 하는 의식화된 다수를 의미할 수 있겠다.[6] 그러므로 민중사상이란 소수의 지배자가 역사를 움직이던 시대에서 민족사의 주체인 민중과 그 힘이 역사를 만들어가고 있으며 또 그래야만 한다는 생각의 체계를 말한다. 인용시에서 "민중이란 나 하나 오래 사는 것이 아니라/나 없으면 안되는 것이 아니라/나 하나 없어도/다른 나 또 다른 나 파도쳐 이어짐이여"와 같이 민중은 민족사상 및 공동체 의식을 실천하는 실질적 주체이며 기반이 된다. 아울러 "민중에게 이기는 자 없음이여"라는 결구에서 보듯이 민중 중심의 역사관, 즉 민중사관을 형성하게 되는 것이다.

따라서 민족·민중사상이란 자유·평등사상이 이 땅의 모순된 현실과 부딪치면서 그 구체적 현장성과 실천적 운동성을 획득한 모습이라고 하겠다. 70년대 이래 고은이 이 땅의 파행적인 정치 현실과 구조적인 모순 및 부조리와 맞서 싸워온 고난에 찬 역정 자체가 이러한 자유 평등사상을 민족 현실에서 실천함으로써 인류의 이상, 민족의 행복에 기여하고자 한 것임은 물론이다. 아울러 『만인보』와 『백두산』이라는 문학의 대역사(大役事)를 벌이고 있는 것도 이러한 이상을 문학적으로 완성하고자 하는 염원과 소망의 반영일시 분명하다.

3) 진보사상·통일사상

그렇다면 왜 우리 민족은 이민족 일본의 강제점거와 지배를 받지 않으면 안되었고, 8·15 이후에도 외세의 소용돌이를 겪고 끝내 분단이라는 처참한 상황에 놓여지게 되고 말았는가? 강도 일본의 폭력적 억압과 수탈 아래 희생

---

6) 김재홍, 「한국현대시와 민중의식의 전개」, 『현대시와 역사의식』, 인하대 출판부, 1988, 46~58쪽.

된 민족구성원이 그 얼마였으며, 분단상황의 비극으로 말미암아 죽고 인권을 박상당한 사람들이 무릇 기하이던가? 한마디로 그것은 일제강점하에서 만해가 비판했던 것처럼 우리 민족에게 진보사상이 부족했기 때문이라 할 수 있다.

> 반만년(半萬年)의 역사국(歷史國)이 다만 군함(軍艦)과 철포(鐵砲) 의 수(數)가 소(少)함으로써 타인(他人)의 유린(蹂躪)을 피(被)하여 역 사(歷史)가 단절(斷絶)됨에 지(至)하니 수(誰)가 차(此)를 망(忘)하리요.
> ─한용운, 앞의 글

만해가 당대 조선이 나라를 빼앗기게 된 까닭을 우리에게 진보의식이 부족했던 데서 기인했음을 지적하는 한 예문이다. 일제의 강탈로 말미암아 식민지 운명에 떨어지게 된 근본 요인은 우리에게 우리의 운명을 스스로 개척하고 극복해 나아가는 근원적인 힘으로서 자주적인 능력과 진보사상이 부족했음을 말해주는 것이다.

> 바람이여 바람이여
> 내가 치마 뒤집어 쓰고 울고 싶은 바람이여
> 내가 깃발 찢어지며 휘날리고 싶은 바람이여
> 노령 능선의 바람이여
> 나는 살아서 돌아가리라
> 역사가 단 한사람인 나에게까지
> 싸움을 주었다면
> 그 싸움 마치고 돌아가리라
> 불타버린 산등성이 밟고
> 다친 다리 나무껍질로 매고
> 매운 바람이여 바람이여
> 전우의 송장 하나 지고
> 나는 바람에 파묻히며 돌아가리라

역사는 싸움만이 만든다
바람이여 바람이여 역사여
　　　　　　　 —「바람과 함께」전문(『입산 이후』)

　　인용시의 핵심은 "내가 깃발 찢어지며 휘날리고 싶은 바람이여/역사는 싸움만이 만든다/바람이여 바람이여 역사여"라는 구절에서 발견된다. 한마디로 그것을 우리는 진보사상이라고 할 수 있다. 한 민족이 그 자존성과 자주의식을 높여가는 데 있어서 중요한 것은 사대주의나 민족 허무주의 등을 혁파하는 것과 함께 능동적인 진보사상을 발현하고 실천해가는 일이다. 진보사상이란 또한 무엇이라 하겠는가? 그것은 인류역사가 몽매와 쟁탈, 지배와 예속을 떨치고 사회적 변혁과 역사의 진전을 향해 나아가려는 각성된 의식이며, 열린 지향성을 말한다. 이러한 진보사상의 발현에 의해 민족은 비로소 당당한 역사의 주체가 될 수 있고 민중 또한 힘 있는 역사의 창조자가 될 수 있음이 자명하다. 실상 시인 고은이 문학으로부터 혁명가 고은이 되어 역사의 한가운데로 육박해 들어갈 수 있었던 힘도 바로 이러한 진보사상이 발현되고 있었기 때문이다.

그동안 반역의 시대였으나
……중략……
이제부터 그대와 나
사그리 없애버리고
우리여 우리여
힘껏 껴안아 부서지는 새로운 우리여
우리 노래여
외국놈들 몰아내고
우리 노래여
　　　　　　　 —「북의 시인에게 1」부분(『아침이슬』)

내일 모레 우리가 죽어서라도
진리는 우리 역사 해방일 뿐
완전한 해방일 뿐
……중략……
머슴살이 아버지 무덤에 바칠
진리는 우리 겨레 해방일 뿐
……중략……
왜놈 귀신 썩 물러가라
되놈 양놈 썩 물러가라
우리 할머니 잔밥 먹고
썩썩 물러가거라

― 「자화상」 부분(『새벽길』)

인용시에서처럼 민족해방·민중해방이란 외세의 온갖 억압과 현실의 제반
질곡을 무너뜨리고 진정한 자유사상과 평등사상 민족사상과 민중사상을 실
현하는 데서 획득될 수 있으며 그 현실적 추동력은 진보사상으로부터 획득
된다.

바로 여기에서 진보사상은 오늘의 분단 현실과 맞부딪치면서 통일사상을
형성한다. 이 땅에서 민족해방과 민중해방을 골간으로 하는 인간해방이 제대
로 실현되기 위해서는 오늘날 이 땅의 근본모순이라 할 민족분단이 극복되지
않으면 안 되기 때문이다. 분단 현실로서의 민족모순이야말로 오늘날 이 땅
에서 올바른 자유와 평등을 실천해 나아가는 데 가장 큰 장애이자 위협적인
요소로 작용하고 있다는 점에서 그러하다.

① 남북통일 안되면 아무 것도 뜻없습니다
  그리운 그리운 우리 민주주의도 뜻없습니다
  어느 뜻도 뜻이라면 통일이어요
  저문 산골 황소 앞세워 구시렁 구시렁 돌아가는 이

오늘밤 횃대 밑 깊은 잠 꿈에서나마
우리네 온전한 나라 그 나라에 살기 바랍니다
……중략……
남북통일 되는 날 내일입니다

　　　　　　　　　　　　　　　　—「산길」 부분(『새벽길』)

② 이제야말로
　우리 민족 완성될 때입니다
　재통일이 아니라
　첫통일입니다
　그래서 어렵고 어렵습니다
　이번 통일은
　남북뿐 아니라
　동서남북 남동동 북북서까지
　구석구석 잔뿌리까지
　4천년 이래 생전 처음이자
　온전한 통일입니다
　4천년의 미완성으로 완성합니다

　　　　　　　　　　　　—「역사에 대하여」 부분(『입산 이유』)

③ 불 끄고
　옷 벗고
　우리 부부 알몸으로 일어나
　살이란 살 다 내리도록
　껴안은 뼈 두 자루!

　분단 휴전선의 밤 밝힌 떠 두 자루!

　　　　　　　　　　　　　　　　—「어느 방」(『새벽길』)

그렇다! 남북통일 안 되면 아무것도 뜻이 없는 게 분명할 수 있다. "분단은 물고기가 토막 나서 죽은 상태입니다. 죽음의 45년이었던 것이죠. 통일지향이 분단 모두를 죽이는 것이라는 말은 통쾌하지만 실제로 통일의 길은 분단 모두를 살리는 것입니다"[7]라는 시인 자신의 언명은 통일사상의 정곡을 찌르는 말이라고 할 것이다. 온갖 외세침탈과 지배 및 분단비극으로 점철되어온 이 땅 한 세기의 수난사를 극복할 수 있는 길은 분단을 이기고 통일의 길로 나아감으로써 비로소 성취될 수 있다. 통일이야말로 이 민족과 민중으로 하여금 삶의 온전성과 역사의 총체성을 회복하게 하는 근원적 힘이 될 수 있기 때문이다.

이러한 진보사상과 통일사상은 시인 고은이 이 땅의 참담한 분단 현실과 독재 정치 아래서 외발적으로 깨치고 내발적으로 형성해온 정신의 체계라 할 수 있다. 그러나 근원적인 면에서는 고은이 일찍이 몸담았던 불교와 문학으로부터 알게 모르게 섭수된 것임에 분명하다. 자유와 평등을 근본이념으로 하는 불교와 문학의 원천이 있었기에, 그리고 불교의 변증법에 연원한 만해의『불교유신론』과『조선 독립의 서(書)』라는 민족사상과 민중사상이 선철로 있었기에 고은의 진보사상과 통일사상이 배태되고 발아되고 개화할 수 있었다는 뜻이다. 고은에게 있어 불교와 문학, 그리고 역사는 애초에 하나였고 궁극적으로도 하나로 귀일될 수밖에 없는 까닭이다.

4) 생명사상·평화사상

그렇다면 고은 문학이 궁극적으로 추구해온 핵심은 무엇일까? 한마디로 그것은 고은 문학의 성격과 성과를 결정짓는 관건이 된다. 시인 고은, 혁명가 고은, 인간 고은이 6·25로 촉발되어 기나긴 이 땅 수난과 시련의 역사를 헤쳐오면서 추구해온 것은 생명존중의 사상이며 평화의 철학이라고 여겨진다. 자

---

7) 이시영, 「시와 시인을 찾아서: 일초 고은편」, 『시와 시학』, 1992. 6.

유란 무엇이고 평등은 무엇이며, 민족과 민중사상, 진보와 통일사상은 과연 무엇을 위한 것인가? 이 모두는 이 세상에서 가장 존귀한 것으로서 인간을 인간답게, 또는 생명을 생명답게 만들어 주는 근본 원리이자 현실적인 힘으로서 의미를 지닌다. 아울러 생명이 싹트고, 꽃피고, 열매 맺게 하는 현실적·궁극적 여건으로서 평화의 실현과 유지가 긴절해지게 되는 것이다.

> 지난 여름내
> 땡볕 불볕 놀아 밤에는 어둠 놀아
> 여기 새빨간 찔레 열매 몇개 이룩함이여
>
> 옳거니! 새벽까지 시린 귀뚜라미 울음소리
> 들으며 여물었나니
>
> —「열매 몇 개」 전문(『아침이슬』)

> 그 사람이 그리울 때
> 모든 사람이 귀중하다
> 모든 것이 소중하다 돼지도 개벼룩도
>
> —「연인」 전문(『가야 할 사람』)

이 시편들에서는 고은 문학사상의 한 핵으로서 생명사상과 사랑의 철학이 돋보인다. 이 시는 새빨간 찔레 열매 몇 개를 통해서 생명의 소중함과 그 성숙 과정에 대한 외경심을 노래하고 있으며 아울러 그것을 소중히 여기는 사랑의 철학으로 고양시키고 있기 때문이다. "지난 여름내/땡볕 불볕 놀아 밤에는 어둠 놀아/여기 새빨간 찔레 열매 몇개 이룩함이여"라는 구절 속에는 땡볕과 불볕이 상징하는 수난과 시련, 어둠이 뜻하는 절망감과 인고 체험, 그리고 귀뚜라미가 표상하는 오랜 기다림이 오롯이 새겨져 있는 것으로 해석된다. 이러한 인고와 기다림 끝에 마침내 생명이 더욱 성숙해지고 단단해짐으로써 마침내 결실을 보게 된 것이다. 아울러 '한낮→밤→새벽'으로의 시간 전이는 '봄→여름→가을'과 연접되면서 생명의 원리가 시간의 흐름 또는 역사의 순환법칙과 호응 되는 것임을 암시해준다. 생명법칙이라는 개체원리가 역사적 전개 과정에서 역사법칙으로서의 공적 차원으로 상승된다는 것을 암시한다고 할 수 있으리라. 생명법칙과 역사법칙의 접합을 생명과 사랑이라는 매개원리로서 탁월하게 꿰뚫어낸 것으로 볼 수 있겠다. 아울러 "그 사람이 그리울 때/모든 사람이 귀중하다"라는 구절은 생명존중사상이 바로 사랑의 철학에 근거해야 한다는 점을 강조한 것으로 풀이된다.

이처럼 무심히 지나쳐버릴 수도 있는 찔레 열매 하나에서 생명의 원리와 그 구극적 의미를 찾아내고, 그 생명 하나를 온 세계와 등가로 여겨 존중하는 마음이 바로 생명사상이라고 할 수 있지 않겠는가? 실상 그의 시에 어린아이들이나 딸에 대한 사랑이 유독 빈번하게 등장하는 것 자체가 바로 이러한 생명사상의 한 발로라고 해석할 수 있음은 물론이다. 생명은 이 세상 모든 것의 시원이며 궁극적 목표이기에 이 세상에서 가장 귀하고 소중하며 아름다운 것이다. 바로 여기에서 생명을 보호하고 육성하고 유지시켜주는 힘으로서 평화사상의 의미가 드러난다.

> 나는 안다
> 아이들의 노는 소리가
> 만세소리보다 백번이나 귀중한 것을
> 십년 동안 만세 불러온 나는 안다
>
> 근대 이래 죽도록 만세 불러온 우리 겨레가 아니냐.
> ─「삼월(三月)」 부분(『조국의 별』)

> 오랜만에 학교에 가서
> 키 큰 포플러나무 흉내도 내다가

공치는 아이 사다리 오르는 아이
줄넘기 하는 아이들 보고
그 마당 가득하게
내 가슴 가득하게
우리 기쁨 덩어리는 거기뿐이다

아아 국민학교의 깃발 휘날리는 하루여 고향이여
　　　　　　　　　　　　　—「어린이 학교」 전문(『새벽길』)

은적사 어린 중
늙은 중하고
큰 방 뒹굴며 장난하다가
늙은 중 귀때기 잡고
이놈! 늙은 중이야
다만 흠 흠 흠
한평생 불러댄 관세음보살 마하살 다 까먹고
노소도 까먹고
　　　　　　　　　　—「은적사 어린 중」 전문(『만인보』 2)

　　이 세 편에는 생명과 사랑 그리고 평화의 원형적인 모습이 잘 형상화되어
있다. 아이들이 즐겁게 뛰노는 모습, 국민학교의 평화스러운 정경, 그리고 노
소가 한가로이 동락하는 모습 자체가 평화가 아니고 그 무엇이겠는가? 어린
생명, 약한 생명, 어진 이웃들이 서로 화해하고 사랑하며 사는 것이 그대로 참
된 평화의 실현임은 물론이다. 말로 평화를 외쳐대고 온갖 회담을 벌인다고
해서 평화가 쉽게 다가오는 것이겠는가? 오히려 어린 생명과 소외된 이웃들
의 목숨에 깊은 관심과 애정을 갖고 자기처럼 돌볼 때 진정한 평화가 싹트고
뿌리내릴 수 있는 것이다. "나는 안다/아이들의 노는 소리가/만세소리보다 백
번이나 귀중한 것을/십년 동안 만세 불러온 나는 안다/근대 이래 죽도록 만세

불러온 우리 겨레가 아니냐'라는 시 속에는 세상에서 가장 존귀한 것으로서의 생명사랑의 정신과 그 바탕으로서의 평화사상이 요약적으로 제시되어 있다고 하겠다.

그러고 보면 시인 고은이 오랜 생애에 걸쳐 목소리 터져라 만세 부르며 싸워온 까닭이 자명하게 드러난다. 그것은 싸움을 위한 싸움, 저항을 위한 저항이 아니다. 참답게 생명을 사랑하며 인간을 존중하고 평화 속에서 모두 함께 자유와 평등을 누리려는 데 궁극적 목표를 갖는다. 이것을 우리는 생명사랑, 인간사랑, 자유사랑의 철학이라고 불러 볼 수 있으리라.

지금까지 논의한 그의 문학사상을 다음과 같이 도표로 정리해 볼 수 있으리라.

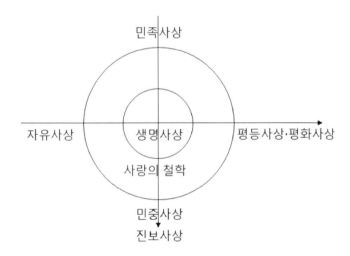

결론: 생명사랑 또는 자유에의 길

이육사는 일제강점의 암흑 속에서 희망과 기다림의 노래를 불렀다. "지금 눈내리고/매화향기 홀로 아득하니/내 여기 가난한 노래의 씨앗을 뿌려라"고

하면서 그 언젠가 반드시 해방의 날이 오고 역사의 초인이 나타날 것을 확신하였다. 그러면 육사가 끝없는 절망 속에서 애타게 기다려온 초인이란 과연 어떤 인물이었을까? 육사가 기다리던 초인이란 그 어떤 초월적인 힘을 지닌 초능력자나 슈퍼맨이 아니다. 그의 초인이란 이 땅의 현실에 뿌리박고 살면서 부단히 억압을 가해오는 제반 모순과 질곡에 맞서 싸우고 그로 인한 수난과 고통을 이겨냄으로써 마침내 자기를 극복하고 인간승리를 성취해낸 의지의 인물이자 실천형 인간형을 의미한다. 그렇게 보면 고은이야말로 육사가 어둠 속에서 목놓아 불러 보던 초인의 한 모습이 아닐 수 없다.

그렇다! 고은은 분단 후 이 땅 문학과 역사를 온몸으로 부딪침으로써 존재의 한 초극을 이뤄가고 있는 시인이라는 점에서 니체가 말한 위버맨쉬, 즉 초인지향적인 한 인물에 해당한다. 지금까지 시인 고은을 만들어온 것은 이 땅 수난의 역사이며 험난한 사회 현실이다. 그에게 이 땅 현실사회는 하나의 학교였으며, 분단의 역사는 교과서였고, 고통받는 이 땅의 민중은 참된 스승이 되었을 것이 분명하기 때문이다.

시인 고은의 출발은 6·25라는 처참한 폭력 상황에서 비롯됐고 그에 이은 출가에서 싹이 트고 개화하기 시작했다. 그의 초기시를 관류하는 허무주의는 전후의 폐허에서 배태되고 불교적인 허무사상으로 길러져 왔다는 점에서 고은에게 그것은 실존적인 생존의 몸부림이자 세계인식의 한 방법이었고 역사의식을 반영한 것이 된다. 그가 젊은 날을 의지하던 불교는 엄격한 계율로 인해서 문학을 통해 자유에 대한 마약 같은 동경과 환상을 맛본 고은에게 영원한 안주의 세계가 되긴 어려웠다. 그는 체질적으로도 선사보다는 원효나 만해처럼 혈기왕성한 점액질의 낭만적 혁명적 자유주의자에 가까웠기 때문이다. 따라서 그는 삶을 찾아 절로 들어갔듯이, 마치 「심우도(尋牛圖)」의 귀결처럼 입니입수(入泥入水), 즉 삶을 찾아 다시 세속으로 돌아올 수밖에 없었다. 6·25에 뒤이은 4·19와 5·16을 겪고 다시 폭압의 유신독재와 부딪치면서 그와 그의 문학은 다시 새로운 돌파구를 열어가게 되었다. 불교와 문학을 넘어서서 사회·역사로 진입해 들어가게 된 것이다. 불가의 스승 경봉으로부터, 문학의 스승 미당으로부터 사회의 스승 전태일로 상징되는 민중으로 다가가 마침내 만해가 그랬던 것처럼 사회·역사 속으로 뛰어들게 됨으로써 새롭게 시인 고은, 혁명가 고은이 태어나게 된 것이다.

문학사적으로 볼 때 고은은 분단 이래 남쪽의 주류인 문학주의에서 출발하여 역사주의를 섭수해 들임으로써 바람직한 민족문학의 길을 열어젖힌 데서 그 의미가 드러난다. 『만인보』와 『백두산』이 그 성과에 해당한다. 그것은 근원적인 면에서 생명사랑, 인간존중사상의 구현에 목표를 두며, 현실적인 의미에서 통일지향의 실현으로 귀착된다. 그만큼 인류사적 양심과 대의를 민족사적 특수성·구체성과 접합시킴으로써 문학의 길을 고양시키는 데 이바지했다는 뜻이다. 무엇보다도 고은의 문학적 역정은 참된 삶의 길이란 바로 문학의 길이며, 역사의 길이고, 신앙의 길일 수 있다는 점을 일깨워주는 데서 의미를 지닌다. 정치와 사랑, 허무와 자유, 문학과 역사가 궁극적으로 하나의 길임을 제시함으로써 참된 문학의 시대가 역사의 시대라는 점을 강조한 것이다.

부분적인 면에서 고은의 시에서는 몇 가지 아쉬운 점도 발견된다. 방대한 창작량과 호한한 작품세계에 따르는 비슷비슷한 내용이나 표현, 비유, 이미지가 자주 발견되는 것이 그 하나이다. 또한 어법적인 무리나 시상의 부자연스러움이 나타나기도 하며, 감탄사나 돈호법의 남발 등 의식의 과잉이 적지 않게 발견된다. 무엇보다 응축도나 완성도가 떨어지는 경우가 많고, 서술이나 교술성에 의존함으로써 시성을 감쇄하기도 한다. 이 점에서 앞으로는 한 작품 한 작품에 전력투구하여 대가의 작품답게 더욱 완성도 높은 작품을 발표하는 것이 바람직하지 않을까 생각된다. 이제부터는 양보다도 질을, 넓이보다도 밀도를, 높이보다도 깊이에 심혈을 기울여 전작품세계에 일관성을 부여하고 완결성을 확대·심화해 나아가야 할 것으로 판단되기 때문이다.

화갑을 맞이하면서 고은의 문학과 삶은 이제 새로운 출발 선상에 서 있는 것으로 이해된다. 최근의 시집『내일의 노래』(1992) 와『아직 가지 않은 길』 (1993)이 그 단적인 증좌이다. 그는 허무와 죽음의 바다를 건너서 투쟁과 시련의 소용돌이 속을 말달리다가, 마침내 생명사랑, 인간사랑, 자유사랑으로서 새로운 문학의 꽃을 피우고 열매 맺어가기 시작한 것이다. 따라서 그의 문학이 충격하기를 소망하는 것은 과거가 아니라 현재이고, 동시에 미래이다. 시인 고은, 그가 삶 앞에서 언제나 자유인이듯이 시 앞에서 영원히 신인으로 살아남아 우리의 삶에 활력을, 문학에 충격을, 역사에 벅찬 생명력을 끊임없이 던져주길 희망한다.

(『고은문학의 세계』, 창작과 비평사, 1993)

김지하, 반역의 정신과 인간해방사상

　김지하는 분명히 70년대 이 땅의 신화에 속한다. 그는 길고 어두운 유신정권의 폭압에 맞서서 온몸으로 싸우면서도 끝내 절조를 변치 않았으며, 정치와 문학이라는 두 가지 모순명제를 하나로 꿰뚫어냄으로써 이 땅 운동사와 문학사에 일대 활로를 타개하였기 때문이다. 70년대 내내 영어 생활로 이어지는 그의 피나는 정치투쟁은 이후의 민주화운동을 점화하고 지속시키는 촉매로써 작용한 것이 사실이다. 이와 더불어 그의 문학이 지닌 혁명적 파격성과 실천적 운동성은 이 땅의 문학사에 싱싱한 변혁의 기운을 제고시키는 결정적 계기가 되었다. 실상 일제강점하의 암흑 속에서 만해가 그랬던 것처럼 그는 목숨을 건 투쟁을 전개하는 한편 끈질긴 자신과의 싸움, 문학과의 싸움을 통해서 인간사에서의 대립과 투쟁을 마침내 생명사상을 핵으로 한 사랑의 철학, 평화의 사상으로 이끌어 올림으로써 이 땅의 정신사와 문학사에 사라지지 않는 빛과 향기를 던져준 것이다.

　그럼에도 불구하고 그의 문학은 독재정권하에서 오랫동안 탄압과 금기의 대상이 되어왔다. 그와 그의 문학은 외신에 의해 역수입되거나 밀수입되어 풍문으로 들려올 뿐이었다. 그만큼 그와 그의 문학에 가해진 억압이 자심하였으며, 70년대의 상황 자체가 파행성과 불모성 그리고 왜곡으로 가득찬 시대였음을 반증하는 사실이 될 수 있으리라. 그렇지만 역설적인 면에서 이처럼 길고 오랜 고통과 수난이 파행성과 불모성 그리고 왜곡으로 가득 찬 시대였음을 반증하는 사실일 수 있게 하는 계기가 됐는지도 모른다는 점에서 새삼 역사의 아이러니가 놓여진다고 하겠다. 인류사에서 볼 때 고독 속에서 천재가 길러지고 수난 속에서 위대성이 길러져 온 것이 사실이기 때문이다.

그가 어둠 속에서 예언한 대로 오랜 군사독재정권이 무너지고 그의 문학이 햇빛 속에 놓여진 지금, 아직 그에 대한 논의가 부진한 채로 있음을 본다. 그의 문학세계가 호한한 것도 원인이 되겠지만, 아직도 무언가 이 땅에 어둠의 기운이 말끔히 가시지 않은 까닭도 있을 것이다. 이에 소략하게나마 그의 문학세계를 살펴보기로 한다.

1. 『황토(黃土)』, 대결구조와 반역의 정신

김지하의 문학 활동은 1964년 이른바 6·3사태 당시 대일 굴욕외교 반대 투쟁에 참가하여 적사(吊辭) 「극(哭)! 민족적(民族的) 민주주의(民主主義)」 및 행진가 「최루탄가(催淚彈歌)」를 작사한 데서 비롯된다. "탄아 탄아 최루탄아 팔군(八軍)으로 돌아가라/우리 눈에 눈물나면 박가분(朴家粉)이 지워진다/꾸라 꾸라 사꾸라야 대학가(大學街)에 피지마라/네가 피어 붉어지면 삼미선(三味線)이 들려온다"와 같이 민요 「파랑새요(謠)」를 차용하여 일본과의 굴욕외교를 반대하고 있는 것이다. 이때 그가 계엄령선포로 인해 투옥되고 이 무렵부터 80년대 초까지 계속되는 도피 생활, 체포, 수감, 석방, 재수감, 잠행 등 신산스러운 생활이 시작된다.

그렇지만 김지하의 본격적인 문학 활동은 그가 1969년 『시인(詩人)』지에 「황톳길」 등 다섯 편을 발표하고, 1970년 『사상계(思想界)』지에 담시 「오적(五賊)」을 발표하는 데서 출발한다. 특히 시 「오적」은 '북괴의 선전 활동에 동조한' 이유로 반공법에 연루, 시인을 체포·투옥당하게 함으로써 국내외에 커다란 파문을 불러일으키는 계기가 되었다. 폐결핵 악화로 인해 3개월여 후인 11월 보석되어 12월 첫 시집 『황토(黃土)』(한일문고, 1970.12.20.)를 간행함으로써 파란만장한 그의 시인으로서의 생애가 시작되는 것이다. "어머님께 바칩니다"라는 헌사 아래 3부로 나뉘어 「황톳길」 등 32편의 시와 발문들이 실린 시집 『황토』는 분단 이래 이른바 순수주의 또는 예술주의에 경사되어 온 이 땅의 시단에 정치적 상상력을 기폭시키는 결정적 계기를 마련하였다. 70년대 초의 이 땅은 박정희 정권의 3선개헌과 유신추진의 정치적 음모에 맞서서 지식인들의 민주화운동이 가열화해 가는 것과 함께 졸속한 근대화정책으로 인한 부익부 빈익빈 현상의 노골화 및 이에 따른 노동자계층의 생존권 쟁취 노동운동이 점화되기 시작한 시기였다. 바로 김지하의 등장 및 구속사건(1970.5.)과 평화시장 근로자인 전태일 분신자살사건 (1970.11.)이 70년대 이후 이 땅에 반독재 민주화운동 및 반불평등 노동인권운동의 시발을 알리는 신호에 해당한다. 그만큼 가열된 시대상황이 시집 『황토』에 반영되어 있다는 뜻이 되겠다.

시집 『황토』에 전반적으로 관류하고 있는 것은 비판적인 현실 인식이며 부정정신이라고 할 수 있다. 그의 대학 생활이 4·19혁명의 불길과 더불어 타오르기 시작했으며 뒤이은 5·16군사쿠데타로 인해 깊은 좌절을 맛보게 됐다는 사실이 그로 하여금 비판적인 현실 인식과 함께 비판적이면서도 부정적인 세계관을 형성하게 만들었기 때문이다. 무엇보다도 이 땅의 오랜 수난의 역사와 그 속에서의 한스러운 삶이 그 기저로서 작용했음은 물론일 것이다.

① 여기서부터
　저기까지는
　아무도 없다

검은
개천 위에 달빛이 몰락하는 돌다리 위에
이 이상스럽도록 아름다운
하이얀 입김 서린 집 속엔
아무도 없다

캄캄하고
달 속을 둔주하는 은전(銀錢)에 짓눌려
뒤틀리는 사지의 낡은 꿈 속은 캄캄하고

푸르게 물드는
뇌(腦) 속에서 죽어가는 나의
나로부터 길에는 아무도 없다.

—「아무도 없다」 전문

② 간다
울지 마라 간다
흰 고개 검은 고개 목마른 고개 넘어
팍팍한 서울길
몸팔러 간다

언제야 돌아오리란
언제야 웃음으로 화안히
꽃피어 돌아오리란
댕기 풀 안쓰러운 약속도 없이 간다
울지 마라 간다
모질고 모진 세상에 살아도
분꽃이 잊힐까 밀 냄새가 잊힐까
사뭇사뭇 못 잊을 것을
꿈꾸다 눈물 젖어 돌아올 것을
밤이면 별빛 따라 돌아올 것을

간다
울지 마라 간다
하늘도 시름겨운 목마른 고개 넘어
팍팍한 서울길
몸팔러 간다

—「서울길」전문

③ 무성하던 삼밭도 이제
　기름진 벌판도 없네 비녀산 밤봉우리
　외쳐 부르던 노래는 통곡이었네 떠나갔네

　시퍼런 하늘을 찢고
　치솟아오르는 맨드라미
　터질 듯 터질 듯
　거역의 몸짓으로 떨리는 땅
　어느 곳에서나 어느 곳에서나
　옛 이야기 속에서는 뜨겁고 힘차고
　가득하던 꿈을 그리다
　죽도록 황토에만 그리다
　삶은
　일하고 굶주리고 병들어 죽는 것

　삶은 탁한 강물 속에 빛나는
　푸른 하늘처럼 괴롭고 견디기 어려운 것
　송진 타는 여름 머나먼 철길을 따라
　그리고 삶은 더나가는 것
　아아 누군가 그 밤에 호롱불을 밝히고
　참혹한 옛 싸움에 몸바친 아버지
　빛바랜 사진 앞에 숨죽여 울다
　박차고 일어섰다
　입을 다물고

마지막 우러른 비녀산 밤봉우리
부르는 노래는 통곡이었네 떠나갔네

　　　　　　　　　　　　　　　　　　－「비녀산」부분

　인용한 시구에는 바로 이러한 비관적 현실 인식과 부정정신이 선명하게 나타난다. 먼저 시 ①에는 '아무도 없다/죽어가는 나'라는 구절 속에 비관적인 현실 인식이 단적으로 담겨 있다. 아울러 '검은/몰락하는/캄캄하고/짓눌려/뒤틀리는/죽어가는'과 같은 관형어 속에 시대의 어둠에 대한 좌절과 절망을 제시하고 있는 것이다. '없음'과 '어둠', 그리고 '죽음'으로 표상되는 비관적인 시대인식이 관류하고 있다고 하겠다.

　시 ②에는 한스러운 삶에 대한 고통과 비탄이 제시되어 있다. 여기에서 삶은 "검은 고개 목마른 고개/모질고 모진 세상"과 같이 고달프고 모진 것으로 나타난다. 그렇기에 이 시에서도 '울음/어둠/없이/시름/눈물' 등의 비관적인 심상과 '검은/목마른/팍팍한/안쓰러운/모진/시름겨운' 등과 같은 하강시어가 습용되고 있는 것이다. 무엇보다도 이 시는 "간다/울지 마라 간다/돌아오리란 약속도 없이/서울로 몸팔러 간다"에서 비극성이 고조된다. 뿌리 없는 삶, 뿌리뽑힌 삶이 도시빈민으로 유민화해 가는 안타깝고 서러운 모습이 담겨 있기 때문이다. 그러면서도 "간다/울지 마라 간다/몸팔러 간다"와 같이 의지적인 점층구문을 통해서 절망으로부터 일어서려는 안간힘을 제시하고 있는 것이다.

　시 ③에서는 비관적인 현실 인식이 심화되면서 부정정신으로 연결된다. 이 시에서도 '없네/떠나갔네/찢고/죽은것/괴롭고/참혹한/울다' 등과 같이 비관적인 현실 인식이 드러나고, "삶은/일하고 굶주리고 병들어 죽는 것/괴롭고 견디기 어려운 것/떠나가는 것"처럼 절망적인 삶의 인식이 제시되는 것은 마찬가지이다. 그렇지만 이 시에서는 "참혹한 옛 싸움에 몸바친 아버지/빛바랜 사진 앞에 숨죽여 울다/박차고 일어섰다"와 같이 부정정신이 분출되는 것이 특징이다. "거역의 몸짓으로 떨리는 땅/박차고 일어섰다"로 요약되는 부정과 반항정신이 돌출하는 것이다. 바로 여기에서 비관적인 현실 인식과 부정정신은 맞섬으로서의 저항의식 또는 투쟁으로서의 반역의 정신으로 끓어오르게 된다. 군사정권의 폭압적인 정치탄압과 그로 인한 인권유린, 그리고 경제 구조의 모순과 파행성으로 인해 가속화 해가는 불평등 현상이 서로 맞물리면서 전면적인 탄압국면으로 접어드는 데 대한 저항 의지와 투쟁 정신이 솟구치게 된 것이다.

> ① 황톳길에 선연한
>   핏자욱 핏자욱 따라
>   나는 간다 애비야
>   네가 죽었고
>   지금은 검고 해만 타는 곳
>   두 손에 철삿줄
>   뜨거운 해가
>   땀과 눈물과 모밀밭을 태우는
>   총부리 칼날 아래 더위 속으로
>   나는 간다 애비야
>   네가 죽은 곳
>   부줏머리 갯가에 숭어가 뛸 때
>   가마니 속에서 네가 죽은 곳
>   ……중략……
>   대삶에 대가 성긴 동그만 화당골
>   우물마다 십년마다 피가 솟아도
>   아아 척박한 식민지에 태어나
>   총칼 아래 쓰러져 간 나의 애비야
>   어이 죽순에 괴는 물방울
>   수정처럼 맑은 오월을 모르리 모르리마는

작은 꼬막마저 아사하는
길고 잔인한 여름
하늘도 없는 폭정의 여름이었다
끝끝내
조국의 모든 세월은 황톳길은
우리들의 희망은

─「황톳길」 부분

② 강물도 담벼락도
돌무더기도 불이 붙는
이 척박한 땅에 귀는 짤리고

바람은 일어
돌개바람 햇빛을 가려
칼날선 황토에 눈멀었네
뜨거운 남쪽은
반란의 나라

거역하다 짤린 목이 다시 외치다
외치다 찢긴 팔이
다시금 거역하다

쇠사슬채 쇠사슬채 몸부림치다 이윽고
멈춰버린 수수밭
멈춰버린 멈춰버린 아아 멈춰버린
시퍼런 하늘 아래 우뚝 우뚝 타버린
장승이 우네 뜨거운 남쪽은 반란의 나라.

─「남쪽」 전문

③ 참혹한 옛 싸움터의 꿈인 듯
햇살은 부르르 떨리고

하얗게 빛바랜 돌무더기 위를
이윽고 몇 발의 총소리가 울려간 뒤
바람은 나직이 속살거린다
그것은
늙은 산맥이 찢어지는 소리
그것은 허물어진 옛 성터에
미친듯이 타오르는 붉은 산딸기와
꽃들의 외침소리
그것은 그리고
시드는 힘과 새로 피어오르는 모든 힘의
기인 싸움을 알리는 쇠나팔소리
내 귓속에서
또 내 가슴 속에서 울리는
피끓는 소리

—「들녘」부분

　　인용한 시편들에는 김지하 초기시의 특성이 선명하게 드러나 있다. 먼저 대표작의 하나라 할 시 ①에는 온갖 고난과 시련으로 점철되어온 이 땅의 역사와 그 속에서의 척박한 삶에 대한 통탄과 함께 울분 및 적개심이 투쟁 정신으로 전환되어 있음을 본다. 그것은 "척박한 식민지에 태어나/총칼 아래 쓰러져 간 나의 애비"와 "황톳길에 선연한 핏자욱 따라/가마니 속에서 네가 죽은 곳으로 가는 나"로 이어지는 저항과 투쟁의 길로 제시된다. 마치 '애비'가 저항하던 불모의 식민지 시대처럼 오늘의 현실 또한 "지금은 검고 해만 타는 곳/하늘도 없는 폭정의 뜨거운 여름"인 것이다. 그렇기에 폭정과 탄압에 맞서 울분의 불기둥, 저항의 활화산이 솟구쳐 오르게 된다. '황톳길/핏자욱/철삿줄/총부리칼날/땀과 눈물/불/뜨거운 해' 등에서 보듯이 이 땅의 고단한 삶을 짓누르는 군사정권의 폭압에 맞서 싸우는 가열한 저항 의지와 투쟁 정신이 분출되고 있는 것이다. 그것은 직접적으로는 5·16군사정권의 폭압에 대한 항거이면서 멀리는 오욕과 고난으로 점철된 이 땅 불모의 역사에 대한 부정이며 변혁 의지의 발현이라고 할 수 있으리라.

시 ②에는 이러한 투쟁 정신과 거역의 정신이 더욱 치열하게 나타난다. 여기에서 현실은 "강물도 담벼락도/돌무더기도 불이 붙는/이 척박한 땅" 또는 "귀는 짤리고/거역하다 짤린 목"과 같이 처형의 땅, 죽음의 시대로 파악된다. 그렇기에 "거역하다 짤린 목이 다시 외치다/외치다 찢긴 팔이/다시금 거역하다/쇠사슬채 쇠사슬채 몸부림치다 이윽고/멈춰버린"이라는 구절처럼 불요불굴의 투쟁 정신이 타오르게 되는 것이다.

따라서 시 ③에서는 이러한 저항의식과 투쟁 정신이 마침내 대립의 세계관 또는 변혁의 세계관을 형성한다. "시드는 힘과 새로 피어오르는 모든 힘의/기인 싸움을 알리는 쇠나팔소리"에 일어나는 역동적이면서도 운동적인 대립이 그것이다. 다시 말해서 "늙은 산맥이 찢어지는 소리"와 "타오르는 붉은 산딸기와/꽃들의 외침소리"의 대립과 갈등을 통해서 힘찬 변혁의 세계관 또는 혁명정신이 날카롭게 표출된 것이다. 이러한 변혁의 세계관 또는 혁명정신이야말로 김지하의 문학과 삶이 그 제한된 테두리를 타파하고 사회·역사로 열린 지평을 펼쳐 나아가는 데 근본적인 추동력으로 작용하게 됨은 물론이다. 실상 이러한 변혁의 세계관으로 말미암아 그의 정치적 상상력과 예술적 상상력이 파격성, 대담성, 기습성 등 혁명성을 확보함으로써 이 땅 정치사와 문학사에 뚜렷한 획을 긋게 된 것도 사실이라 하겠다.

한편 시집 『황토』는 이후 김지하 문학을 관류하는 것으로서 민족·민중사상 그리고 자유·평등사상의 원형성이 제시되어 관심을 끈다.

① 저 벌거벗은 고통들을 끌어안는다
  미친 반역의 가슴 가득 가득히 안겨오는 고향이여
  짙은, 짙은 흙냄새여 가슴 가득히
  사랑하는 사람들, 아아 가장 척박한 땅에

가장 의연히 버티어선 사람들

―「결별」부분

② 회고 고운 실빗살
　청포잎에 보실거릴 땐 오시구려
　마누라 몰래 한바탕
　비받이 양푼갓에 한바탕 벌려놓고
　도도리장단 좋아 헛맹세랑 우라질것
　보릿대춤이나 춥시다요
　시름 지친 잔주름살 환히 펴고요 형님
　있는 놈만 논답디까
　사람은 매한가지 도통동당동
　우라질것 놉시다요
　지지리도 못생긴 가난뱅이 끼리끼리,

―「형님」전문

③ 새라면 좋겠네
　물이라면 혹은 바람이라면
　……중략……
　캄캄한 밤에 그토록
　새벽이 오길 애가 타도록
　기다리던 눈들에 흘러넘치는 맑은 눈물들에
　영롱한 나팔꽃 한번이나마 어릴 수 있다면
　햇살이 빛날 수만 있다면

　꿈마다 먹구름 뚫고 열리던 새푸른 하늘
　쏟아지는 햇살 아래 잠시나마 서 있을 수만 있다면
　좋겠네 푸른 옷에 갇힌 채 죽더라도 좋겠네
　그것이 생시라면
　그것이 지금이라면

그것이 끝끝내 끝끝내
가리어지지만 않는다면.

　　　　　　　　　　　　　　―「푸른 옷」 부분

　이 짤막한 시편들에는 김지하 특유의 민족·민중정신 및 자유·평등정신이
드러나 있다. 먼저 시 ①에는 '고향/흙냄새/의연히 버티어선 사람들'로서 조국
사상 내지 민족·민중사상이 암시되고 있다. 또한 시 ②에서는 "있는 놈만 논
답디까/사람은 매한가지/지지리도 못생긴 가난뱅이끼리" 속에 평등사상과
민중사상이 집약되어 있다. 아울러 시 ③에서는 '새/새벽/나팔꽃/푸른 하늘/
햇살' 등이 자유사상과 생명사상을 암시해준다. 실상 시집 『황토』에 무수히
등장하는 황톳길이나 흙냄새, 핏자욱과 살냄새, 새와 푸른 하늘, 꽃과 햇빛 등
의 이미지들이 총칼이나 쇠창살, 쇠사슬 등의 폭압과 감금 이미지들에 맞서
서 자유와 평등, 민족과 민중, 그리고 생명과 평화에 대한 갈망을 표상하고 있
다고 할 것이다.

　이렇게 본다면 시집 『황토』는 김지하 문학의 출발점이면서 동시에 그가
지향하고 있는 문학정신의 원형성을 간직하고 있다는 점에서 의미를 지닌다
고 하겠다. 비관적인 현실 인식과 부정정신을 기본으로 하면서 그것이 투쟁
적인 저항정신 및 변혁의 세계관으로 연결됨으로써 역동적인 추동력을 확보
하게 되는 것이다. 대담하고 정직하게 어둠과 맞서서 낡은 것을 허물고 새롭
게 삶을 바라보고자 함으로써 새 생명을 이끌어내려는 부정의 정신, 반역의
정신이 분출되고 있는 것이다.

2. 담시(譚詩), 수난기의 문학 또는 민중적 리얼리즘

　서정시집 『황토』의 세계가 척박한 이 땅의 현실과 그 억압에 대한 울분과
저항의식을 드러내는 데 초점이 놓여졌다면 「오적(五賊)」을 비롯해서 70년

대에 집중적으로 쓰여지는 담시, 즉 단편서사시들은 정치적 억압 및 경제적 질곡과 맞서 싸우는 문학적 응전양식으로서의 성격을 지닌다. 김지하는 「오적」(『사계』, 1970.5.)을 시작으로 해서 「앵적가(櫻賊歌)」(『다리』, 1971.7.), 「비어(蜚語)」(『창조』, 1972.4.), 「오행(五行)」(일본 『世界』지, 1974.8.), 「분씨물어(糞氏物語)」(『동지』) 등 일련의 담시들을 발표한다. 이들 담시들은 대체로 '체포-투옥-보석-투옥-잠행-체포-사형선고-항소 포기'로 이어지는 고통스러운 70년대 전반의 영어체험과 날카롭게 대응되어 있다는 점에서 특히 주목을 요한다. 즉 그의 생애에서 가장 급박하고 처절하던 이 고통의 시기에 가장 치열한 정치시들이 쓰여짐으로써 담시가 정치적 폭력에 맞서서 싸우는 문학적 응전양식임을 웅변해 주고 있는 것이다. 거대한 유신독재정권의 조직적인 정치폭력과 구조적 부패 및 모순에 맞서 싸울 수 있는 전략전술 또는 무기로서 담시가 쓰여졌음을 알 수 있게 해준다는 말이다.

그렇다면 담시(譚詩)란 어떤 양식적 특성과 의미를 지니는가? 담시란 명칭은 서구의 발라드(Ballad)에서 연유한 것으로 볼 수 있지만, 그보다도 김지하의 경우엔 민간전승으로서의 민담(民譚)에서 '담(譚)'자를 차용하여 세상에 떠도는 구비전승의 이야기들을 노래체의 율문으로 시인이 기록한 것이라는 뜻에서 붙인 명칭으로 보는 것이 온당할 듯하다. 실상 그는 「풍자(諷刺)냐 자살(自殺)이냐」(『시인(詩人)』, 1970.7.), 「민족의 노래 민중의 노래」('민족학교' 강연 초록, 1970.11.) 등의 글에서 우리의 전통구비문학을 올바른 방향에서 계승·발전시킨다면 현실의 제 반 왜곡된 압력과 도전을 효과적으로 수용해낼 수 있는 새로운 시 형식이 발굴될 수 있음을 누누히 강조한 바 있다. 이 점에서 담시란 명칭이 단순히 서구적인 것의 차용을 의미하는 게 아니라 전통문학의 자산을 바탕으로 해서 추출된 민족적인 새로운 시 형식을 일컫는다는 점을 알 수 있다.

김지하의 담시는 우리의 전통문학에서 구비율문으로 된 구비서사양식, 즉 서사무가, 서사민요. 판소리 중에서 특히 서사민요와 판소리의 구조원리와 문제를 많이 취택하고 있는 것으로 보인다. 즉 일정한 성격을 지닌 인물과 일정한 질서를 갖춘, 있을 수 있는 이야기를 바탕으로 하는, 비교적 길이가 긴 노래체의 율문이라는 점에서는 서사민요[1]의 구조원리를 따르고 있으며, 민요나 잡가적 요소의 수용이나 익살에 넘치는 관용구 및 속담 동원 그리고 한문구(漢文句)나 고사 같은 것을 빌어오는 방법은 판소리의 양식과 문체를 활용한 것이다.[2] 또한 동물우화담이나 한문파자(漢文破子) 사용 등은 김립(金笠) 등의 풍자문학에 빚지고 있으며, 해학과 풍자의 교직은 민담, 탈춤, 사설시조에 뿌리를 두고 있다고도 하겠다. 따라서 담시는 우리 문학의 전통에 뿌리를 두고 그것을 현실에 변용한 개인창작 단편서사시라고 보는 것이 옳은 것이다. 담시는 비교적 단일한 사건을 집중적으로 풍자·비판하는 짧은 길이의 서사시이기 때문에 파란만장하게 영웅의 생애나 민족의 운명을 총체적으로 다루는 본격 장형서사시와는 구별되기 때문이다.

그렇다면 왜 김지하가 이러한 담시, 즉 단편서사시 양식으로 정치와 맞서는 문학적 응·전양식을 취하게 됐는가 하는 문제가 남는다. 연전에 필자는 우리의 서사시가 주로 우리 민족이 수난을 겪고 있는 역사적 전환기에 쓰여졌으며, 그러한 역사적 수난과 갈등에 대한 문학적 응전양식으로서의 의미를 지니고 있음을 살펴본 바 있다. 아울러 필자는 서사시가 대체로 역사적 사실과 연관·대응되면서 사회적 비판기능을 지니며 창작된 당대 현실에 충격을 주고자 하는 의도로 쓰여진다는 점을 밝혀본 바 있었다.[3] 이러한 점에 비춰볼 때 김지하가 단편서사시 특히 담시를 창작한 의도가 쉽게 짐작된다. 그것은 70년대의 유신독재로 말미암아 이 땅의 근본이념인 자유민주주의체제가

---

1) 조동일, 『서사민요연구』, 계명대출판부, 1983, 43쪽.
2) 조동일·김홍규, 『판소리의 이해』, 창작과 비평사, 1978, 17쪽.
3) 졸고, 「한국근대서사시와 역사적 대응력」, 『현대시와 역사의식』, 인하대출판부, 1988, 3~45쪽.

근본적으로 흔들리는 역사적 수난기를 동인 및 배경으로 하고 있다는 점에서 우선 그러하다.

김지하는 박정권의 폭력정치에 맞서 싸울 수 있는 문학적 전략전술로서 서사시양식을 택했으며, 그 공격무기로서 민족문학의 오랜 전통인 민담류의 풍자정신, 즉 풍자와 해학을 활용한 것이다. 담시야말로 수난에 처한 70년대 이 땅 민중들의 고통스러운 삶의 모습을 내용으로 하고, 그것을 민족문학적인 양식으로 당대 상황에 알맞게 형상화한 김지하 득의의 장르임에 분명하다고 하겠다. 이는 김지하 특유의 날카로운 정치적 상상력이 문학적 상상력과 절묘하게 결합함으로써 이 땅 서사시는 물론 문학사에 선명한 에포크를 그어준 것이다. 그것은 분단 후 이 땅의 시가 문학사의 테두리를 넘어서 사회·역사로 전면 진입하는 새로운 시발이 된다.

1)「오적」, 민중적 내용과 민족적 현실

담시「오적」은 70년대 벽두에 폭탄적으로 발표된 단형서사시이다. 이농으로 인해 가진 거라곤 몸 하나밖에 없어 도시빈민으로 흘러들어온 '갯땅쇠' 꾀수를 당대의 권력형 부패특권층인 오적, 즉 재벌(狾氊; 재벌-이하 인용자), 국회의원(匑獩猂猿), 고급공무원(跕磔功無猿), 장성(長猩), 장차관(暲猨矔)과 맞서 세움으로써 졸속한 근대화에 따른 독재 권력의 폭력성과 비리를 고발하고 질식되어 가는 민중생존권 문제를 정면으로 제기한 것이다.

오적의 구성은 일반적인 서사시의 유형처럼 서사, 본화, 결사 등 세 부분으로 짜여져 있다. 먼저 서사의 경우에는 "詩를 쓰되 좀스럽게 쓰지말고 똑 이렇게 쓰렷다/내 어쩌다 붓끝이 험한 죄로 칠전에 끌려가/볼기를 맞은지도 하도 오래라 삭신이 근질근질/방정맞은 조동아리 손목댕이 오물오물 수물수물/뭐든 자꾸 쓰고 싶어 견딜 수 없으니, 에라 모르겠다/볼기가 확확 불이 나게 맞을 때는 맞더라도/내 별별 이상한 도둑이야길 하나 쓰겠다"와 같이, "북을 치되 잡스러이 치지말고 똑 이렇게 치랏다"로 시작하는 판소리 소설의 서두 양식을 그대로 차용하고 있다. 특히 "내 별별 이상한 도둑이야길 하나 쓰겠다"라는 서사는 결사 "이때 또한 오적(五賊)도 육공(六孔)으로 피를 토하며 거꾸러졌다는 이야기. 허허허/이런 행적이 백대에 민멸치 아니하고 인구(人口)에 회자하여/날같은 거지시인의 귀에까지 올라 길이길이 전해오겠다"와 맞물리면서 이 시에 담긴 이야기를 객관적인 차원으로 전화시키고 있는 것이 특이하다고 하겠다. 서정적 자아가 아니라 서사적 자아로 객관화함으로써 이야기의 설득력을 고양시키고 집단적 성격을 부여하고 있는 것이다.

본화는 대체로 다음과 같은 내용으로 간추릴 수 있다.

> 가) 옛날 서울 장안 어느 곳에 잘먹고 잘사는 타락한 다섯 도적이
>   모여 살았다.
> 나) 어명이 떨어져서 나라망신 시키는 오적을 잡아들이라 하여 포
>   도대장 나선다.
>   1) 힘 없는 놈 아무나 마구 잡아 족친다.
>   2) 좀도둑 꾀수가 잡혀 무자비하게 고문당한다.
>   3) 포도대장 꾀수를 회유하여 오적이 있는 곳을 알아낸다.
>   4) 오적을 잡으러 포도대장 출두한다.
> 다) 휘황찬란한 오적들의 잔치에 포도대장 기죽는다.
> 라) 포도대장 오적들에게 혼나고, 오히려 별 죄없는 꾀수만 잡아 감
>   옥에 보낸다.
> 마) 포도대장 및 오적들 어느날 갑자기 벼락맞아 죽는다.

이렇게 본다면 대체로 「오적」은 서사적 구조를 지니고 있으며 단일사건이 극적으로 전개되고, 비애와 골계가 함께 공존하되 그 내용은 비장하면서도 표현이 골계스럽다는 점에서 서사민요와 판소리의 방법을 그대로 활용하고 있다고 하겠다. 또한 표현기법에 있어서는 "문도 자동, 벽도 자동, 술도 자동,

밥도 자동, 계집질 화냥질 분탕질도 자동 자동"과 같은 한 예에서 보듯이 나
열법을 비롯하여 반복법, 연쇄법, 대조·대구법, 과장법, 의인법 등 전통적인
문체와 수사법을 활용하여 익살스러운 효과를 북돋운다. 또한 풍자정신의 면
에서는 골계로써 비애를 차단함으로써 비장미를 심화시키고, 이와 함께 현실
의 왜곡상을 부각시키는 풍자와 야유방법을 능동적으로 사용한다는 점이 주
목된다. 아울러 적당한 대목에서 "콩알같은 꾀수묶어 비틀비틀 포도대장 개
트림에 돌아가네/어쩔거나 어쩔거나 우리꾀수 어쩔거나/전라도서 굶고 살다
서울와 돈번다더니/동대문 남대문 봉천동 모래내에 온갖 구박 다 당하고/기
어이 가는구나 가막소로 가는구나/어쩔거나 억울하고 원통하고 분한 사정 누
가 있어 바로 잡나"와 같이 화자가 적당히 개입하여 청자들로 하여금 비판적
인 안목을 추동·고무하는 특이한 방법을 취하기도 한다. 시종일관 객관시점
을 위주로 하면서도 그때그때 결정적인 대목에서 화자개입을 유도하여 비장
미를 고조시키면서 비판적 리얼리즘의 길을 유도해내는 것이다. 무엇보다도
부익부빈익빈화해 가는 상징으로 오적들과 꾀수의 대조적인 모습을 날카롭
게 부각시키고, 골계로써 비애를 파괴·차단함으로써 현실의 구조적 폭력과
모순 및 부조리를 날카롭게 풍자한 것이야말로 전통적인 민중문학에서의 리
얼리즘 정신을 성공적으로 계승한 것이라는 점에서 의미를 지닌다고 하겠다.
이 점에서 「오적」은 이 땅 민족문학으로서의 민중문학의 길을 올바르게 제시
한 것이 아닐 수 없다.

　　민요·민예의 전통적인 골계를 선택적으로 광범위하게 계승하고 창
　조적으로 발전시켜 현대적인 풍자 및 해학과 탁월하게 통일시키는 것
　은 바로 젊은 시인들의 가장 중요한 당면과제이다. ……중략…… 우
　리말의 고유한 본질과 구조, 예술적 표현, 특히 풍자에 대한 그 적합성
　에 따라서 민예와 민요는 풍자와 해학을 그 주된 전통으로 창조하였
　다. 서정민요, 노동요 등 광범위한 단시들과 서사민요, 판소리의 풍자

와 해학은 문학으로서의 탈춤 대사 등과 더불어 현대 풍자시의 보물
창고이다.

―「풍자냐 자살이냐」에서

이렇게 보면 「오적」은 김지하 특유의 저항정신에 뿌리를 둔 정치적 상상
력을 기반으로 하면서 민중정신을 내용으로 하고 이것을 민족적 형식으로 형
상화해낸, 전통문학의 현대적 계승을 성취한 70년대 민중적 민족문학의 한
전범에 해당한다고 하겠다. 이것은 1920년대 김팔봉이 제기한 프로문학의
활로 내지 타개책으로서의 단편서사시론이 지녔던 문제점과 함께 60년대 김
수영의 모더니즘적 현실 비판시의 한계점을 동시에 극복해낸 쾌거가 아닐 수
없다. 아울러 김동환의 「국경의 밤」 이래 이 땅 근대서사시가 빠져있던 아서
구적(亞西歐的) 모방성에 대한 근본적인 반성을 요구하게 된 점에서도 의미
를 지닌다. 무엇보다도 「오적」이 지닌 고도의 정치성과 결합된 탁월한 예술
성이 분단 이래 오랫동안 지속되어 왔던 이 땅 문학의 순수편향성 내지 문학
지상주의에 대한 반동을 불러일으켰다는 점에서도 주목된다고 하겠다. 문학
이 문학에만 머물지 않고 삶의 한가운데로 육박해 옴으로써 실천의 영역, 정
치적인 응전력을 능동적으로 획득하게 한 점이야말로 「오적」이 이룩한 소중
한 성과라고 할 것이다.

2) 「비어(蜚語)」, 닫힌 시대의 문학적 응전

「비어」는 「소리내력(來歷)」, 「고관(尻觀)」, 「육혈포숭배(六穴砲崇拜)」 등
세 편으로 이루어진 연작단편서사이다. 「소리내력」은 실농하고 도시빈민
으로 흘러와 온갖 고생 끝에 유언비어죄로 처형당한 한 민초의 비참한 삶을
다루었고, 「고관」은 당시의 대연각호텔사건을 배경으로 하여 부패특권층의
타락상과 야수적 본능성 및 가진 자들의 위선상을 풍자하였다. 그리고 「육혈

포승배」는 병에 걸린 임금의 포악한 전횡과 민중탄압상을 회화적으로 표현하면서 당대 군사독재정권의 비참한 말로를 예언한 작품이다.

이렇게 보면 이 「비어」는 「오적」의 내용을 확대·심화하면서 부패특권층의 추악상과 야수성을 고발하고 그에 대비되는 민중들의 초라한 실존과 그 비참상을 극단적으로 대조시킨 작품이라고 할 수 있겠다. 특히 「육혈포승배」를 통해서 당대 박정희 군사독재정권의 폭압상을 풍자 고발하고 독재자의 비참한 말로를 예언한 것은 용기 있는 실천적 지성의 발현이면서 동시에 탁월한 예언자적 지성의 발현이라 할 것이다. 실제로 이 작품 말미에서 "저희끼리 서로 등창나게 쏘아대서/죽고 죽이고 부수고 부서지고 망가뜨리고 망가져서/드디어는 모조리 한꺼번에 왕창 망해버렸다는 이야기"라고 하여 1979년 10월 26일 밤에 부하인 정보부장의 총에 맞아 죽어간 독재자 박정희의 비참한 말로를 예언한 것은 굳이 "흉기(凶器)를 폭용(暴用)함은 자멸(自滅)의 시초"라는 말을 인용치 않더라도 의미 있는 일이 아닐 수 없다. 그만큼 이 연작단편서사시 「비어」는 김지하가 폭력정치와 맞서서 문학으로 응전한, 독재정권을 향한 문학적 선전포고이자 전면전으로의 돌입을 의미하는 작품이라고 하겠다.

먼저 「소리내력」은 서울 장안에 "쿵―쿵―"하는 이상한 소리가 들리면서 일부 힘깨나 돈깨나 있는 사람들이 벌벌 떠는 해괴한 모습에서 이야기가 시작된다. 그런즉 그 사연이 참으로 딱한 내용인 것이다. 실농하고 서울에 올라와 중랑천 뚝방동네 판자촌에 세 들어 사는 빈민 안도가 등장한다. 순박하여 '가히 법이 없어도 능히 살 놈'인데도 '만사가 되는 일 없이 모두 잘 안되'는, 억세게도 재수 없고 불쌍한 인물인 것이다. 살기 위해 '천하에 날강도 같은 형형색색 잡놈들에게 그저 들들들들 들볶이고 씹히고 얻어터지고 물리고 걷어채이고 피보고 지지밟히고 땅맞고' 하면서 '사환 급사 소사 수위 시다 장사 엑스트라' 다해보지만, 되는 일이라곤 안 되는 일밖에 없을 뿐이다. 그래서 "에잇/개같은 세상!"이라고 한마디 내뱉는 것이 곧장 유언비어죄로 몰려 감옥으로 직행하고, 온 사지와 모가지가 짤리고서도 오백 년 금고형을 받아 감옥에서 매일 밤 고향 집 어머니를 그리면서 쿵쿵 벽을 들이받다가 또다시 사형에 처해진다는 얘기이다. 그런데도 밤마다 장안에 "쿵―쿵―" 소리가 울려 가진 사람들의 가슴을 떨게 만든다는 이러한 이야기를 "목소리를 낮추어 슬그머니 귀띔해주면서 이상스레 눈빛을 빛내기도 하겠다"와 같이 세상에 떠도는 유언비어를 적어온 것에 불과하다는 식으로 말하면서 작품의 휘갑을 치고 있는 것이다.

그리고 보면 이 작품은 뿌리 없는 자들이 없는 뿌리나마 송두리째 뽑히는 모습을 통해서 온갖 정치적 폭력과 경제적 수탈이 횡행하는 70년대 초의 시대 상황을 고발한 작품이라고 하겠다. 특히 "나태죄/현실방관죄/특수총한정직립유한권침해죄/혹세무민유언비어사출죄/동발음의욕죄/동발음죄/동살포의욕죄/모국어비하죄/비관죄/이심전심적 반국가단체조직가능죄……" 등 죄도 될 것 없는 수많은 죄를 덮어씌워 무자비하게 감금·도륙하는 모습 속에는 온갖 불법감금과 고문을 일삼으며 정권을 유지하기에 급급하던 당대 정치 권력의 폭압상과 함께 인권 부재의 시대상을 격렬하게 비판하는 뜻이 담겨져 있다. 그러면서도 이러한 폭압상을 회화화시켜 골계로 표현함으로써 "날아가는 기러기야/너는 내 속을 다 알리라/수수그림자 길게 끌린/해설핀 신작로가에/우리 어메 날 기다려 상기도 거기 서 계시더냐/철지난 옷을 입고 몇번이나 몇번이나/서울쪽 바라보며 소리없이 우시더냐'와 같은 비애의 정조를 파괴·차단하고 있는 것이다. 이러한 골계에 의한 비애의 파괴·차단은 폭압자들에 대한 분노를 고조시키면서도 상대적으로 작품의 비장미를 심화시킴으로써 비판적 리얼리즘의 길을 여는 동시에 예술성을 획득하게 만들어 준다고 하겠다.

「고관」은 졸속한 근대화 추진과정에서 일어나는 부유특권층들의 부패상을 통해 근대화의 허울과 가진 자들의 타락상을 함께 풍자하고 있다. 여기의 이야기는 의외로 단순하다. 눈 내리는 성탄절 날 밤에 '고관(尻觀)' 하나가 외제로 온갖 호사한 치장을 하고 고층호텔에 가서 묘령의 사치스러운 여자와 동침하다가 갑자기 일어난 화재에 놀라 쫓기다가 꼬리를 늘어뜨린 채로 떨어져 잠적해버렸다는 간략한 이야기이다. 그럼에도 불구하고 "이놈 저놈 이년 저년 할것없이 왼통 벗어 팽개치고 높은 놈에 낮은 년, 늙은 놈에 젊은 년, 젊은 놈에 늙은 년, 사장에 여비서, 유한마담에 놈팽이 ……중략…… 모조리 한데 얽혀서 우왕좌왕 악을 빽빽 쓰며 돌아치는데"와 같이 온갖 부정과 비리, 타락과 위선이 횡행하는 근대화의 그늘을 풍자하면서 그 속에 가진 자들의 횡포와 추악상, 무분별한 외래풍조, 황금만능풍조, 가치관의 전도현상 등 당대의 위기에 처한 윤리도덕을 비판하고 있는 것이다. 끝까지 꼬리를 감추고 열심히 내빼고 있는 고관의 모습 속에는 박지원 「호질」에서 북곽선생의 모습이 투영되어 있음은 물론이라 하겠다.

「육혈포숭배」는 임금이 이름 모를 병에 걸리는 데서 이야기가 시작된다. 점술사에게 물으니 구렁이 알을 배서 그러니 산 사람 간 삼천 개를 먹거나 공산당 간, 예수쟁이 간을 먹으면 낫는다고 한다. 그래서 무자비하게 육혈포를 휘두르면서 예수쟁이들을 협박하지만 이들이 한꺼번에 반항하자 그만 기절초풍하여 구렁이 새끼들을 낳는다. 이 구렁이 새끼들을 시켜서 육혈포를 쏘면서 다시 미친 듯이 예수쟁이 천주학쟁이들을 탄압하고 마침내는 예수상까지 완전 박살내려고 한다. 그러다가 끝내 저희들끼리 서로 죽이다가 모조리 한꺼번에 망해버린다는 얘기로 마무리하면서 '칼로 흥한 자는 칼로 망한다'는 교훈을 슬쩍 내비치고 있는 것이다.

이 작품의 심각성은 철저한 이기주의자면서 폭군인 임금이 전제권력을 휘두르면서 민중을 폭압하고 종교를 말살하려 한다는 우화적인 상황을 설정해서 당대의 박정희 군사독재정권을 정면으로 풍자하고 비판한 데서 드러난다. 산 사람 간을 삼천 개나 바치라든지 특히 예수상·천주학장 간을 모두 바쳐 평소의 성은을 갚으라고 강요하는 임금의 모습 속에는 바로 박정권의 종교탄압 등 폭력정치상이 예리하게 투영되어 있는 것이다. 특히 육혈포를 휘두르며 민중과 종교인들을 폭압하는 것은 군사정권의 총알만능사상 내지 폭력정치 철학을 직접적으로 고발한 것이 아닐 수 없다. 그러나 끝내 저희들끼리 "등창 나게 쏘아대서/모조리 한꺼번에 왕창 망해버렸다는 이야기"라는 결구를 통해서 '흉기를 폭용함은 자멸의 시초'라는 만고불변의 진리를 점잖게 훈계하면서 민권승리 사상을 힘주어 강조한 데서 이 작품의 숨은 주제가 드러난다고 하겠다.

이렇게 볼 때 「소리내력」, 「고관」, 「육혈포숭배」로 이어지는 연작단편서 사시 「비어」는 「오적」을 확대·심화하면서 군사독재정권하의 온갖 정치적 폭력과 억압을 날카롭게 비판하면서 이 땅에서 수난받은 민중들이 어떻게 생존권과 자유·평등권을 확보함으로써 진정한 민주주의를 정착시켜 갈 것인가 하는 문제를 전면에 떠올린 역작이라고 할 것이다. 민중의 열악한 삶을 부패권력층의 타락한 모습과 구체적으로 대비시키면서 군사독재정권의 몰락을 날카롭게 예고한 데서 「비어」의 실천적 투쟁성 또는 운동적 저항성이 두드러진다는 뜻이다.

3) 「오행(五行)」과 「똥바다」, 전략전술 또는 무기의 시

담시 「五行」과 「똥바다」(원제 「분씨물어(糞氏物語)」)는 서로 짝을 이루는 작품으로서 1974년 김지하가 투옥되어 있던 당시에 일본에서 발표되었다. 이 두 작품이 시인 자신이 투옥되어 있는 동안에 일본에서 발표되었다는 사실은 김지하가 독재정권과 맞서 싸우는 투혼의 치열성을 말해주는 동시에 극도로 억압되고 통제된 당대 상황을 역설적으로 말해주는 것이 된다. 특히 일본의 군국주의 부활 움직임과 한국에 대한 신식민주의적 팽창정책을 신랄하게 풍자한 「똥바다」가 국내에서 몰래 유출되어 당사국인 일본에서 일본어로 발표되었다는 사실은 아이러니를 일깨워주기보다도 오히려 이 땅 독재정권의 폭압성에 거센 분노를 느끼게 한다는 점에서 비극적인 일이 아닐 수 없다. 국외로 밀반출되어 발표된 다음 다시 역수입 또는 밀수입되게끔 만든 상황 자체가 유신독재정권의 폭압성을 적나라하게 드러내는 동시에 김지하의 온몸을 담보로 한 민주화투쟁이 정당한 일이며 또 이러한 밀수출에 의한 문학적 응·전방식이 당대 상황으로 보아 불가피하고 필연적일 수밖에 없었음을 웅변해주는 것이 된다.

「오행」은 독재자로서의 상징인 노앵왕(老櫻王), 즉 목씨(木氏) 성을 가진 박(朴)정희 대통령을 직접 빗대어 그 전횡과 폭압정치를 고발한 작품이다. 이 작품은 시대 상황을 옛날로 설정하여 이야기를 전개하고, 이것을 "전해 오겠다"와 같이 객관적으로 처리함으로써 객관적인 비판정신 또는 비판적인 리얼리즘의 길을 열어놓는, 김지하 당시의 일반적인 방법을 그대로 사용하고 있다. 이 작품에 겉으로 드러난 사건 전개는 비교적 단순하다. 목씨(木氏) 성을 가진 이 주인공이 김씨(金氏) 성과 관련된 모든 것을 탄압하고 제거해 나가다가 마침내는 '쇠 금(金)'과 유관한 모든 철기문화(鐵器文化) 자체를 전면 부정하는 언행을 한다. 그러면서 "멸김양목(滅金養木) 소수친화(疎水親火)/노앵유신(老櫻維新) 영생신촌(永生新村)", 즉 '유신신촌(維新新村)'운동을 펼쳐 나무 심기·새마을운동을 강행하며 반대자를 폭압하다가, 끝내 '목생화(木生火)' 즉 민중의 한(恨)이 모여 만들어진 번개벼락에 즉사하고 만다는 간략한 이야기이다.

그렇지만 이러한 단순하면서도 희화적인 사건 전개의 이면에는 역(易)쟁이로서의 어용아첨배, 목역판서로서의 정보 권력, 포도대장으로서의 경찰통치 등 유신정권하에서의 온갖 정치폭력에 대한 풍자는 물론 온갖 부패와 타락상에 대한 야유, 그리고 수탈과 억압에 시달리는 민중의 참상에 대한 뜨거운 옹호를 통해서 유신독재정권에 대한 전면적인 비판과 도전을 펼쳐가고 있는 것이다. "꽝/유신(維新)이닷!/김가와 김가 부스럭지는 모조리 잡아 죽여랏!//뻘건 것은 불이니 이놈들 모두 빨갱이로 몰아 반공법, 국가보안법에 그저 덜컥 덜컥/덜커덕 덜컥 신나게 잡아 걸어 조지고 지지고 자치고 개키고/잠 안재우고 두들겨 패다 심심타고 꼬치에 끼워/불에 돌돌 돌리면서 굽다가는 차죽이고//안심이 안되어 잠을 못드시고 지랄하시다 목멱판서(木覓判書)를 부르시어 끓어 앉히고서/어느날 악을 박박 쓰시어 가로되/철기문화(鐵器文化) 자체를 역사 위에서 싸그리 전멸시켜랏!/네잇!" 등과 같이 유신정권의 독재정치, 폭력정치를 신랄하게 야유하고 비판하면서 "어허야/이를 어찌 할꺼나/날이 갈수록 억압은 날카롭고/날이 갈수록 거짓은 두터워져/바다마저 한없는 침묵에 죄어드는 압박을, 파고드는 굴욕을/지친 육신에 내리치는 매질을/이 끝없는 노동, 이 끝없는 학대, 이 끝없는 굶주림/어찌 할꺼나 몸부림쳐도/끊기지 않는 쇠사슬/지새지 않는 긴긴 밤/짐승이 되어, 짐승이 되어/죽어가는구나/미쳐가는구나"처럼 폭력정치에 신음하는 민중들의 모습을 대조시킴으로써 유신독재정권에 대한 전면적인 문학전쟁을 펼치고 있는 것이다. 그러면서 끝내는 독재자가 벼락 맞아 죽고 그에 붙어먹던 추종자들 또한 죽어간다는 결말을 통해 '권력무상(權力無常) 진리불변(眞理不變)'의 교훈을 제시함으로써 독재자의 불행한 말로를 예감하고, 이 땅에서 인간성 회복으로서의 인권운동, 민주화운동이 얼마나 긴절하고 소중한 명제인가를 일깨워주고 있는 데서 이 작품의 숨은 뜻이 드러난다고 하겠다.

한편 「똥바다」는 분삼촌대(糞三寸待)라고 하는 희화적 이름의 인물을 등장시켜 일본의 신군국주의 풍조를 비판하고 한국에 침투해 들어오는 신식민주의와 그에 빌붙는 친일군상들의 추악성을 신랄하게 풍자한 작품이다. 이 점에서 이 작품은 이 땅에서 사꾸라언행을 일삼는 부패정치가 및 그들의 타락 풍조를 야유한 「앵적가」의 연장 선상에서 한 걸음 더 나아가 정면으로 오늘날의 일제침략주의와 그에 편승한 일부 친외세매판세력에 대한 부정과 비판을 펼치고 있어서 주목된다 하겠다. 아울러 이 작품은 유신독재정치로 병드는 국내상황을 풍자한 「오행」과 짝을 이루어 외부로부터 점증하고 있는 일본 등 외세의 신식민주의에 대한 비판을 전개하고 있다는 점에서 시대적 정합성을 지니고 있 는 것이다.

「똥바다」는 오랜 역사 속에서 적대 관계에 놓여 있는 일본의 분씨(糞氏) 일가를 등장시켜서 일본인들의 '조선 정벌' 및 식민지경영에 대한 향수를 비판한다. 조선은 오랜 세월 동안 일본인들에게 똥을 싸는 곳, 또는 똥과 같은 것으로 천대되어 온 것이다. 그래서 분삼촌대(糞三寸待)는 한국에 건너와서 그에 빌붙는 김오야(金烏也), 권오야(權烏也), 무오야(武烏也) 등과 함께 온갖 추태와 비리를 저지른다. 그러던 어느 날 난데없이 '학생놈들·공돌이·공순이·농사꾼·날품팔이' 등이 "빨리 좀 꺼져다오 임마!"하면서 열심히 똥을 치우는 바람에 이순신 장군 동상에서 똥을 싸며 미끄러져서 마침내 똥바다에 떨어져 죽는다는 얘기로 끝맺는다. 결국 이 작품은 "조선놈 피먹고 피는 국화꽃"(「아주까리 신풍(神風)」)으로서 일본 및 일본인들의 새로운 침탈정책과 함께 그에 편승하는 이 땅의 매판자본 및 부패권력에 대한 신랄한 비판을 통해서 민족주체성과 민중정체성을 강조하고 있다고 하겠다.

이렇게 본다면 김지하의 일련의 담시들은 독재 권력의 강권통치와 부패상을 통렬히 비판하면서 그에 맞서 싸우는 민중들의 수난과 고통을 통해서 이 땅에서 참된 민주·민권운동을 전개하는 일이 얼마나 어려우면서도 소중한 일인가를 강조하는 뜻을 담고 있는 것으로 보인다. 안보를 내세운 박정권의 유신독재정치를 비판하고, 급격한 근대화정책이 빚어내는 온갖 모순과 비리 및 부익부 빈익빈의 가속화가 초래한 비인간화 풍조를 야유하면서 진정한 인간회복운동으로서 민주주의 운동을 소리 높여 외치고 있는 것이다. 비록 이 일련의 담시들이 있는 자와 없는 자를 대립적으로만 파악하여 필요 이상으로 가진 자들에 대한 분노를 일방적으로 과장했다거나, 구성 방법상에 있어서의 단순화로 인해 도식성 또는 상투성을 보여준 점, 그 전개과정에서 부분적 독자성에 집착한 나머지 장황함과 논리적 자가당착의 요소를 지닌 점, 그리고 전체적인 면에서 스케일상의 제한성 내지 단순소박성으로 인해 바람직한 의미에서 완성된 서사시의 전범을 보인 것이라고 보기는 어려울지 모른다.

그러나 이 일련의 작품들을 연작으로 보아 전체적으로 읽어본다면 하나의 일관성 또는 통일성을 발견할 수 있음을 알게 된다. 「오적」에서 독재정권과 부패한 특권층에 대한 문학적 선전포고를 한 다음에, 「비어」에서 기습공격을 펼치고, 「오행」에서 전면전을 펼친 다음 「똥바다」로 전투를 마무리함으로써 단편서사시로서의 담시가 장편서사시로서의 입체성·통일적 맥락을 확보하게 되는 것이다. 이 일련의 단편서사시들은 70년대라고 하는 이 땅의 역사적 수난기에 처하여 그 정치적 폭압에 맞서서 문학이 취할 수 있는 가장 적극적이며 능동적인 저항과 응전을 보여준 데서 획기적 의미가 드러난다. 무엇보다도 전통문학에서 발굴한 민중정신과 풍자정신을 되살려 민중적 내용의 민족적 형식화를 성취한 것은 소중한 성과가 아닐 수 없다.

3. 「타는 목마름으로」, 죽음의 시대 절망의 노래

1975년 2월 일시 출옥했던 김지하는 옥중기 「고행(苦行)-1974」(『동아일보』, 2.25.~2.27.) 및 인혁당사건 기자회견이 문제되어 반공법 위반 혐의를 받고 다시 투옥되어 징역 7년을 선고받는다.

이 무렵 그가 자신의 싸움을 "자유롭고 해방된 인간, 신이 창조한 본래의 모습을 회복하기 위한 자유, 정의, 양심의 투쟁"[4]으로 규정하고, 앞으로도 부패특권의 독재정권과 맞서 싸울 것을 선언한 명문장 「양심선언」을 옥중에서

---

4) 김지하, 『남녘 땅 뱃노래』, 두레, 1985, 43~63쪽.

작성하여 밀반출, 국외에서 발표한 사건은 국내외에 커다란 충격을 던져주었다. 마치 3·1운동 당시 만해(萬海) 한용운(韓龍雲)이 세칭 「조선독립의 서」로 알려진 「조선독립(朝鮮獨立)에 대한 감상(感想)의 개요(槪要)」를 옥중에서 집필하여 상해 임시정부 기관지인 『독립신문(獨立新聞)』에 실음으로써 크게 충격을 불러일으킨 경우와 너무나도 흡사한 사건이라고 하겠다. 그만큼 70년대 유신 치하의 이 땅 정치·사회 상황이 억압적이고 고통스러운 것이었음을 반증해줌은 물론이다. 이후 그는 79년 10·26사건으로 인해, 180년 12월 20일 형집행정지로 출감하기까지 오랫동안 "찍어내고 찍어내고 잘리고 부러지고/헐떡거리며 지쳐 여위어 비틀거리며/녹슨 연장이 되어 찌그러져 미쳐//뒤에는 아무것도 추억 하나도 남기지 않고 잘려나간/아아 나는 낡아빠진 가와모도 반절기"가 되어서 옥중에서 신음하고 있었던 것이다.

시선집 『타는 목마름으로』(창작과 비평사, 1982)에 실린 제1부 '황토이후(黃土以後)' 편은 바로 지하가 이 참혹했던 죽음의 70년대를 감옥에 드나들면서 겪은 고통을 기록한 절망의 비망록이라고 할 수 있다. 그만큼 그는 '손목에 패인 사슬자욱'(「나팔소리」에서)에 피투성이가 된 채로 '넋이라도 못올 나라 아아 밤나라'에서 끝없이 죽음을 앓고 있었던 것이다.

시선집 『타는 목마름으로』에는 대략 발표역순으로 제1부 '황토이후'에 「타는 목마름으로」 등 24편, 제2부 '황토'에서 「황톳길」 등 20편, 제3부 '황토이전'에 「산정리(山亭里) 일기(日記)」 등 12편, 그리고 제4부에 「명륜동(明倫洞) 일기(日記)」 등 산문 5편이 수록되어 있다. 이 점에서 이 시선집은 발간 당시까지의 시를 대충 망라한 내용이다. 따라서 이 항목에선 '황토이후'의 시편들을 중심으로 살펴보기로 하겠다.

> ① 피 터지듯이
>   사지에 소리없이 통곡이 터져
>   흘러내린다

나리꽃
아아 눈부신 저 노을 속의 나리꽃
기계에 감겨
……중략……
회전하며 울부짖으며 기계가 되어가는 지옥의
저 밑바닥에서
보아라
나의 눈에 보이는 피투성이의
내 죽음과 죽음 위에 피어난 흰 나리꽃
……중략……
회전하며 울부짖으며 기계가 되어가는 지옥의
저 밑바닥에서
보아라
나의 눈에 보이는 피투성이의
내 죽음과 죽음 위에 피어난 흰 나리꽃
……중략……
기인긴 지옥의 노동 속에서
노을 무렵에
미쳐 숨져가는 나의 저기 저 뒤틀린 눈매의
넋을 보아라

—「지옥·3」 부분

② 저 어둠 속에서
누가 나를 부른다
건너편 옥사(獄舍) 철창 너머에 녹슬은
시뻘건 어둠
어둠 속에 웅크린 부릅뜬 두 눈
아 저 침묵이 부른다
가래 끓는 숨소리가 나를 부른다
……중략……
끝없이 부른다

창에 걸린 피 묻은 낡은 속옷이
숱한 밤 지하실의 몸부림치던 붉은 넋
찢어진 육신의 모든 외침이
고개를 저어
아아 고개를 저어
저 잔잔한 침묵이 나를 부른다
내 피를 부른다
거절하라고
그 어떤 거짓도 거절하라고

—「어둠 속에서」부분

③ 못 돌아가리
일어섰다도
벽 위의 붉은 피 옛 비명들처럼
소스라쳐 소스라쳐 일어섰다가도 한번
잠들고 나면 끝끝내
아아 거친 길
나그네로 두번 다시는
……중략……
뽑혀나가는 손톱의 아픔으로 눈을 홉뜨고
찢어지는 살덩이로나 외쳐 행여는
여린 넋 홀로 살아
길 위에 설까

덧없이
덧없이 스러져간 벗들
잠들어 수치에 덮여 잠들어서 덧없이
한때는 미소짓던
한때는 울부짖던
좋았던 벗들

아아 못 돌아가리 못 돌아가리
저 방에 잠이 들면
시퍼렇게 시퍼렇게
미쳐 몸부림치지 않으면 다시는
바람 부는 거친 길
내 형제와
나그네로 두번 다시는

—「불귀(不歸)」 부분

시선집 『타는 목마름으로』의 세계는 기본적으로 시집 『황토』의 연장선상에 놓여진다. 그 밑바탕은 비관적인 현실 인식이며, 부정정신이고 반역의 세계관이라고 요약할 수 있다. 그만큼 황토가 쓰여지기까지나 그 이후에 있어서도 이 땅의 폭압적 정치 상황이 개선된 바 없다는 말이 될 것이다. 바로 여기에서 서정시집 『타는 목마름으로』의 특성이 드러난다. 그것은 이 시집이 단편서사시로서 담시와는 다른 영역에 놓인다는 말이다. 담시들이 70년대의 폭압적 정치 상황에 맞서 싸우는 전술전략시로서 치열한 문학적 응전양식이라고 한다면 여기의 서정시들은 그러한 암흑시대의 고통과 절망을 서정적으로 표현한 자아의 고백 양식 또는 진실의 고해록으로서의 의미를 지니는 것이다.

먼저 인용한 시 ①에는 고통스러운 영어생활이 '지옥'으로 표상되어 있다. 영어생활 자체가 고통스러운 데다가 쇠약해진 심신을 이끌고 강제노동에 혹사당하는 모습이 제시된 것이다. 감금과 폐쇄상황 속에서 온종일 기계가 되어 강제노동에 시달린 나머지 "피 터지듯이/사지에 통곡이 터져" 마침내 "피투성이의 내 죽음/미쳐 숨져가는 나의/넋"을 뒤틀린 눈매로 바라보게 되는 것이다. 실상 연작시 「지옥1·2·3」은 이러한 비관적이면서도 절망적인 영어생활의 고통을 치열하게 묘파한 것이라고 하겠다.

시 ②에는 감방의 어둠 속에서 '가래 끓는 숨소리'로서 지병을 앓으며 절망하는 모습이 담겨져 있다. 아울러 "창에 걸린 피묻은 낡은 속옷/숱한 밤 지하실의 몸부림치던 붉은 넋"과 같이 소름 끼치는 고문의 체험이 되살아나면서 더욱 심신을 찢어지는 아픔으로 허덕이게 만드는 것이다. 그러면서도 절망을 이겨내려는 안간힘이 "거절하라고/그 어떤 거짓도 거절하라고"처럼 안타깝게 표출됨은 물론이다.

시 ③에는 이러한 고통스러운 감옥체험이 지난날 겪었던 고문의 공포체험과 결합되면서 다시는 사람 사는 세상, 벗과 가족들과 이웃에게 돌아갈 수 없을 것이라는 절망감이 처절하게 제시되어 있다. '살덩이 찢어지는' 육신의 고통과 '미쳐 몸부림치는 넋'의 절망에 "아아 못돌아가리 못 돌아가리/두번 다시는"이라는 공포스러운 절망감을 심화시키는 것이다.

이처럼 시선집 『타는 목마름으로』에는 당대의 절망적인 상황이 '빈 산', '허기', '죽음', '지옥' 등으로 표상되면서 비관적 현실 인식과 공포스러운 영어 체험을 애절하게 드러내고 있다고 하겠다. 그렇지만 시인은 여기에서 절망에 굴하지 아니하고 "꿈꾸네/새를 꿈꾸네/새 되어 어디로나/날으는 꿈을 미쳐 꿈꾸네"(「지옥 1」에서)처럼 자유와 민주에의 갈망을 애타게 표출함으로써 자기 극복을 희구하게 된다.

> 신새벽 뒷골목에
> 네 이름을 쓴다 민주주의여
> 내 머리는 너를 잊은 지 오래
> 내 발길은 너를 잊은 지 너무도 너무도 오래
> 오직 한가닥 있어
> 타는 가슴 속 목마름의 기억이
> 네 이름을 남 몰래 쓴다 민주주의여
>
> 아직 동트지 않은 뒷골목의 어딘가
> 발자욱소리 호르락소리 문 두드리는 소리

외마디 길고 긴 누군가의 비명소리
신음소리 통곡소리 탄식소리 그 속에 내가슴팍 속에
깊이깊이 새겨지는 네 이름 위에
네 이름의 외로운 눈부심 위에
살아오는 삶의 아픔
살아오는 저 푸르른 자유의 추억
되살아오는 끌려가던 벗들의 피묻은 얼굴
떨리는 손 떨리는 가슴
떨리는 치떨리는 노여움으로 나무판자에 백묵으로 서툰 솜씨로
쓴다

숨죽여 흐느끼며
네 이름을 남 몰래 쓴다
타는 목마름으로
타는 목마름으로
민주주의여 만세

ㅡ「타는 목마름으로」 전문

시선집의 표제시인 이 「타는 목마름으로」에는 암흑 속에서 피투성이가 된
채로 절망과 싸우면서도 굴하지 않고, 자유를 갈망하고 민주주의를 고대하는
신앙적 기다림이 표출되어 있다. '펄펄 끓어오르는 용광로, 영등포감옥'에서
'교도관의 끝없는 욕질과 등이 휘는 온종일의 노동'을 겪으면서 '허무뿐인 피
투성이의 기다림'(「고행(苦行)-1974」, 『남녘땅 뱃노래』)으로 자유와 민주주
의의 도래를 갈망하고 있는 것이다. "타는 목마름으로/숨죽여 흐느끼며 남 몰
래 쓸 수" 밖에 없는 "민주주의여/민주주의여 만세"라는 구절 속에는 자유와
민주주의를 쟁취하기 위하여 그토록 처절하게 전개해 오던 죽음을 건 투쟁의
긴 역정이 담겨 있다고 하겠다. 아울러 오늘에도 끊임없이 이어지는 젊은이
들의 투쟁과 끌려가고 있는 고통스러운 비명소리, 그리고 지난날 끌려가던

벗들의 피 묻은 얼굴이 함께 아로새겨져 떠오르는 것이다. 그렇기에 "떨리는 손 떨리는 가슴/떨리는 치떨리는 노여움"이 일어날 수밖에 없으며, 끝내 그 옛날 만해처럼 절망의 힘을 옮겨서 서툰 솜씨로나마 "민주주의 민주주의 만세"를 쓸 수밖에 없게 될 것이 자명하다. 이러한 압제자들에 대한 분노와 적개심은 감옥에서의 지옥 같은 상황, 절망을 넘어서 '타는 목마름'으로 민주주의를 갈망하고 기다릴 수 있게 하는 힘을 불어넣어 준 것이다. 실상 이 시에는 저 죽음의 시대 70년대를 온통 수형생활 속에서 보내버린 한 시인의 찢겨진 영혼이 '타는 목마름으로' 외쳐 부르는 '민주주의/민주주의 만세' 소리가 처절한 울림을 빚어내고 있음이 분명하다고 하겠다.

이렇게 본다면 시선집 『타는 목마름으로』는 『황토』에서의 비관적 현실 인식과 부정정신이 그대로 이어지고 있으면서도 그 피 튀기는 대결의 자세 속에 안타까운 갈망을 신앙적인 확신으로 고양시킨 것이 특징이라고 할 것이다.

4. 『애린』, 순례의 역정 구도의 정신

1986년 3월과 6월에 연이어 연작시집 형태로 간행된 『애린 1·2』 두 권은 김지하 시의 새로운 변모를 보여준다. 이 시집은 『황토』나 『타는 목마름으로』 등의 시집이 보여주었던 대결구조 또는 반역의 정신과는 달리 순환구조 혹은 탐구의 정신을 지니고 있는 것으로 이해되기 때문이다.

그런데 우리는 이 서정시집에 앞서 이른바 '대설(大說)'로 명명된 『남(南)』 연작(1·2·3권, 창작과비평사, 1982~1985)이 발표되었음을 주목해야만 한다. 아울러 김지하 이야기 모음집인 『밥』(분도출판사, 1984) 및 『남녘땅 뱃노래』 (두레, 1985) 두 권이 간행됐다는 사실도 유의할 필요가 있다. 이들은 김지하의 문학 의식과 문학사상을 총체적으로 포괄하고 있다는 점에서 자세히 살펴볼 필요가 있으나 지면 관계상 유보하기로 한다.

다만 『남(南)』의 경우는 그것이 지닌 문제성을 간단히 더듬어 볼 필요가 있다. 『남』은 처음 발표될 당시 문단에 충격과 당혹감을 던져주었다. 그 내용의 호한성과 형식의 파격성이 이제까지의 문학관습과 문단풍토에 일격을 가하는 것이었기 때문이다. '잔소리 소설'이나 '시시할 시자, 시'의 장르적 특성 및 그 고유성을 거부하고 있을 뿐 아니라, 작품의 무대 또한 시간적으로는 태곳적부터 초현대의 오늘까지 공간적으로는 우주 공간에서 한반도 구석까지 종횡무진하고 있다는 점이 그러하다. 기존의 장르 어느 곳에도 얽매이지 않고, 내용이 호한하고, 문체 또한 잡다하여 내용과 형식 공히 파천황의 파격성을 보여준다는 말이다. 그야말로 김지하 특유의 부정정신과 반역의 정신이 거침없이 드러나고 있다는 말이다.

대체로 이 『남』이 지향하고 있는 것은 '한울님'으로서의 민중사상과 '밥'으로서의 생명사상으로 정리해 볼 수 있다고 하겠다. '일하는 한울님으로서의 민중', '생명주체, 활동주체, 노동주체인 살아계신 한울님인 민중'(「일하는 한울님」, 『밥』)을 강조하면서 '남조선사상', 즉 '여기저기서도 혜택받지 못하고 환영받지 못하고 그래서 이것저것 다 믿을 수 없는 소외된 사람, 뿌리뽑힌 사람, 버려진 절대다수의 사람'에 대한 사랑(「인간해방의 열쇠인, 생명」, 『밥』)을 역설하는 것이 바로 그러한 민중사상의 모습이다. 아울러 "밥은 바로 생명이요 생명은 또 밥이며, 식사는 제사요 제사는 식사이며, 하늘은 땅이요 땅은 곧 하늘입니다. 사람이 한울이며 민중이 바로 한울님이다; 민중이 바로 처음도 끝도 없는 창조적 생명운동이며 운동하는 생명 그 자체다; 역사 안에 눈에 드러난 형태로서의 생명의 가장 철저하고 창조적이며 전위적인 담지자가 바로 민중이다; 천대받는 민중이 바로 가장 고상한 한울님이요 참 생명이다"(「나는 밥이다」, 『밥』)라는 이야기처럼 민중사상은 생명사상으로 연결되는 것이다. 이 점에서 김지하의 문학사상은 민중 종교사상으로서의 동학이나 증산사상에 그 젖줄을 대고 있는 것으로 보인다. 실상 이들 민중종교야말로 유·불·도

(儒·佛·道) 등 기성종교에서 찾아보기 힘든 민중사상, 생명사상이 소박한 형태로 생생하게 굽이치고 있기 때문이다. 그렇기에 『남』에 제3세계적인 사관이 강하게 작용하고 있음을 이해할 수 있게 된다. 이러한 민중사상·생명사상은 실상 김지하 시세계의 전편에서 자유사상, 평등사상, 민족사상, 민중사상, 진보사상으로 현현되고, 나아가서 사랑의 철학, 평화의 사상으로 구체적인 형상화를 획득하게 되는 것이라 하겠다.

본론으로 돌아가서 시집 『애린』은 1·2권 전체가 하나의 연작으로서 맞물리면서 온갖 수난과 역경 속에서 방황하는 우리 주변 사람들이 구체적인 삶의 모습을 통해서 삶의 실체와 생명의 실상을 탐색하는 순례 또는 구도시집의 성격을 지닌다. 즉 시의 서정적 자아가 현실의 삶을 헤쳐가는 과정을 송(宋)나라 곽엄(廓俺)「심우도(尋牛圖)」, 즉 소를 찾아 헤매면서 수심견성(修心見性)하는 모습과 병치시키면서 탐구하고 있는 것이다. 말하자면 심우(尋牛), 즉 삶의 본질·생명의 원상을 찾아서 떠나 헤매지만 결국 입니입수(入泥入水), 즉 삶의 현장이 바로 그러한 삶의 본질이나 생명의 실상이 놓여져 있는 곳임을 깨닫고 그곳으로 돌아온다는 원성(圓成)의 내용이 심우십도(尋牛十圖)의 연작시형태로 맞물려 있는 것이라고 하겠다.

그러면 먼저 시집 『애린』의 전체 구성을 살펴볼 필요가 있다. 『애린』 두 권은 전체적으로 볼 때 한 편의 연작시 형태로 짜여져 있음을 볼 수 있다. 여기서의 구성 전개는 물론 심우십도를 기본 원리로 한다고 하겠다.

먼저 첫째 권은 '심우송', 즉 「심우십도」의 첫째 노래 '심우(尋牛)'를 화두 또는 발제시로 한 「서시」와 뒤이은 연작 소제목 '서대문에서'의 16편, 그리고 둘째 노래 '견적(見跡)'을 앞세운 '원주에 돌아와'의 다섯 편 및 견적(見跡)의 첫 행을 딴 '소발자욱 널렸거늘' 21편과 끝 행을 딴 '어찌 숨길 수 있으랴' 8편으로 구성되어 있다. 따라서 이 『애린』 첫째 권은 「심우십도」의 첫 시 '심우(尋牛)'와 '견적(見跡)'을 그 모티브 및 전개 원리 그리고 그 내용으로 함으로

써 네 권 정도로 예고된 시집 『애린』 전체가 이러한 심우십도에 입각하여 전
개될 것으로 짐작하게 만들어 주었다.

그러나 『애린』 둘째 권에 와서 그것이 예상대로 되지 않고 구조적인 변화
가 일어난다. 즉 둘째 권은 세 부분으로 짜여져 있는데 첫 부분 '소를 논함'에
서 「심우십도」의 셋째 시인 「견우(見牛)」부터 마지막 열째 시인 「입니수수
(入泥垂手)」까지 내리단으로 하나하나 인용하고 나서 자신의 시를 덧붙이고,
둘째 부분에서 '그 소, 애린'으로 1~50에 이르는 연작을 전개하고 있다. 끝으
로 결말 또는 사족처럼 '그런데 저쪽에서'라는 소제목 아래 7편으로써 전체
시집의 휘갑을 치고 있는 것이다.

그리고 보면 연작시집 『애린』은 이 두 권으로 결말이 난 것이라 하겠다. 왜
이렇게 되었을까? 성민엽의 말대로 연작이 진행되는 과정에서 김지하의 생
각이 바뀐 것[5]인지도 모른다. 아니면 이러한 시의 전개가 지나치게 직선화·
평면화하는 데서 오는 단순성을 파괴하기 위한 시인 특유의 부정정신 또는
반역의 정신이 작용한 것일 수도 있으리라. 그러나 이러한 점들을 유의하면
서 이 시집 전체를 좀 더 주의 깊게 살펴본다면 이러한 파격의 구조가 오히려
시집의 단순성·평면성·도식성을 극복하고 입체성과 탄력성, 그리고 시적 심
도를 불어넣는 데 기여하고 있음을 발견하게 된다. 다시 말해서 직선구조가
순환구조와 결합되어 전체적인 면에서 둥글음의 구상구조(球狀構造), 즉 원
성(圓成)의 통일을 획득하고 있다는 뜻이다. 따라서 둘째 권의 핵심인 '그 소,
애린'의 연작 50편은 대략 다섯 편씩 묶여 <심우(尋牛)→견적(見跡)→견우
(見牛)→득우(得牛)→목우(牧牛)→기우귀가(騎牛歸家)→망우존인(忘牛存人)
→인우구망(人友俱忘)→반본환원(返本還源)→입니수수(入泥垂手)>라고   하
는 순차적인 수심견성(修心見性)의 계제를 밟아 전개되는 특징을 지닌다고
하겠다.

---

5) 성민엽, 「드넓은 통일의 세계(해설)」, 『애린 2』, 실천문학사, 1986, 113쪽.

이렇게 보면 총체적인 면에서 연작시집『애린』은「심우십도」의 원리에 따라 기·승·전·결(起·承·轉·結) 구성으로 짜여져 있다고 볼 수 있는데, 첫째 권의 '심우(尋牛)'와 '견적(見跡)'이 기(起)와 승(承)에 해당하고 둘째 권이 승전(承轉) 및 결(結)이면서 동시에 전결(轉結)의 구조 속에 다시 '심우(尋牛)'에서 입니수수(入泥垂手)에 이르는 일종의 기·승·전·결 구성을 내포함으로써 전체가 다시 입체적으로 통일되는 원성(圓成)의 구조를 이루고 있는 것이다. 이 점에서『애린』은 처음부터 완성된 의도에 따라 전개된 완결형 양식이라기보다는 창작이 전개되는 과정에서 점차적으로 골격이 만들어진 형성형 구조의 특징을 지닌다고 하겠다.

그렇다면 애린의 내용과 성격이 쉽게 드러나리라고 본다. 그것은 앞에서 얼핏 언급한 것처럼 서정적 자아를 둘러싼 구체적인 삶과 그 전개 과정을 <심우(尋牛)>라고 하는 상징적 구도의 과정과 병치함으로써 삶의 의미 또는 생명의 실상을 탐구하고 있는 것이다.

첫째는 심우(尋牛)의 과정이다. 심우란 사람이 본래 원성(圓成) 자심(自心)을 상실하고 그것을 찾기 위해 분주하게 헤매는 모습을 의미한다. "네 얼굴이 /애린/네 목소리가 생각 안 난다/어디 있느냐 지금 어디/기인 그림자 끌며 노을진 낯선 도시/거리 거리 찾아 헤맨다/어디 있느냐 지금 어디/캄캄한 지하실 시멘트벽에 피로 그린/네 미소가/애린/네 속삭임 소리가 기억 안 난다/지쳐 엎드린 포장마차 좌판 위에/타오르는 카바이트 불꽃 홀로/가녀리게 애잔하게 /가투 나선 젊은이들 노래소리에 흔들린다"(서시「소를 찾아나서다」전문) 라고 하는 것처럼 진정한 생명의 실상 또는 삶의 의미로서 '애린'을 찾아 헤매는 모습이 묘사된 것이다.

실상 이것은 만해(萬海)시집『님의 침묵(沈默)』과『애린』이 여러 가지 면에서 닮은 꼴을 이루고 있다는 말이다. 이러한 연관성은 결코 우연한 일이 아니다. 만해는 만년의 그의 거처를 '초심구도(初心求道)의 뜻을 표하기 위해'

'심우장(尋牛莊)'이라고 명명함은 물론 수필 「심우장설(尋牛莊說)」과 한시(漢詩) 「차곽암십우송운(次廓庵十牛頌韻)」6)을 쓸 정도로 '심우(尋牛)'에 몰입되어 있었기 때문이다. 이 점에서 『애린』은 『님의 침묵』과 암묵적인 대응 관계를 형성하고 있는 것으로 이해된다. 이것은 마치 김지하의 여러 사회참여가 만해의 그것과 상당 부분 유사성을 지니는 것과 마찬가지가 아닐까 한다.

이 '심우(尋牛)'의 과정은 '서대문에서'에 묶여진 일련의 시편들에서 다양한 모습으로 나타난다. 여기에는 "쇠창살에 갇힌 내 가슴//벽 속에 누군가 누워 있는데/거기 내가 누워 있는데"처럼 시의 화자 자신의 모습은 물론 "선조 때 피란 가다 왜놈진지 속으로/쏙 들어가 칼맞아 죽은 귀신"으로부터 「똥 퍼 장씨」에서 "경성감옥/여기 어디쯤에 숨어/우는 애기 입틀어 막아 싸안고 숨죽여 우는 너/애린"에 이르기까지 수많은 '소'로서의 중생들이 살고 있는 것이다. 그런데 이 갇힌 세계인 감옥에서 '작은 풀씨 속에 초원이 자라는 곳'(「안산」에서)과 "무엇이든 동그랗고 보드랍고 말랑말랑한/애린/네 작고 보드라운 젖가슴/동그라미 동그라미를 대구 그려쌓는 건"(「결핍」에서)이라는 풀씨와 동그라미의 표상이 제시되는 것은 중요한 의미를 지닌다. 시집 전체의 핵심이라 할 생명사상 또는 사랑과 평화의 사상이 암시된 것으로 받아들여지기 때문이다.

둘째는 '견적(見跡)', 즉 소 자취를 발견하는 것으로서 초심공부(初心工夫)로 인하여 차차 심우적(心牛跡)을 발견해가기 시작하는 과정에 해당한다. 감옥에서 나와 다시 삶의 다양한 모습을 통해 유동하는 생명의 실상을 느껴 보는 것이다. 마치 '널려 있는 소발자욱'처럼 잃어버린 지난날의 내 모습으로부터 부모처자, 일가친척, 카농 서형, 도둑아우, 후배 송기원에 이르기까지, 그리고 치악산과 남한강, 바람과 서리, 밥과 똥, 술과 꿈, 눈물과 웃음에 이르기까지 모든 삶의 모습들이 하나하나 펼쳐져 있는 것이다. 특히 여기에서도 "없

---

6) 한용운, 『한용운전집(韓龍雲全集)』 1권, 신구문화사, 1973, 228~236쪽.

었다/너는/사랑하는 애린아//돌아오는 길 허망한 길/얼어붙은 실개천 가장귀/파릇파릇한 애기파//흐르는 내 눈물 속에 더욱 파릇파릇한 애기파/거기서 너는 웃고 있었다"(「발자욱을 보다」에서) 라거나 "개같은 이 세상에 아직 살아 남아/내 이렇게 허덕이는 건/허덕이고 있는 건/다른 뜻 있어 아니야/군이 대라면 허허허/지구가 워낙 둥글기 때문"(「둥글기 때문」에서)과 같이 생명사상 또는 둥글음의 지향성이 나타나서 관심을 끈다.

『애린』둘째 권은 먼저 '소를 논함'이라는 제하에 「심우십도」의 셋째 수 '견우(見牛)'부터 차례로 열째 '입니수수(入泥垂手)'까지 심우송이 인용되고 그에 대한 주석이 짤막한 시구로 제시된다. 아울러 "조선소/조선놈 닮아 어질고 에미렁하고/때려도 밟아도 치고 차고 패도 그저/끄덕끄덕 일하는 소/갈데 없는 그 소/조선소"처럼 민족사상 내지 민중사상을 암시하는 것으로 시 「소를 논함」을 휘갑친다. 그런데도 이어지는 '그 소, 애린'에서는 다시 「심우십도」가 차례대로 바탕에 깔리면서 대략 다섯 편씩 묶여 전개되고 있다. 이 '그 소, 애린'의 50편에 시집 『애린』 전체의 내용이 압축적으로 요약·상징화되고 있다는 점에서 이 부분이 시집의 핵심을 이룬다고 하겠다.

먼저 1∼5까지를 '심우(尋牛)'라 할 수 있는데 여기서는 '단 한번 울고 자취 없는 새'로서 애린을 찾아 "애린/애린아/너는 지금 어디 있느냐"하며 찾아 헤매는 모습이 제시된다. 6∼10까지는 '견적(見跡)'으로서 아내, 아이들, 후배들, 그리고 술 취한 자기 자신 등 여러 삶의 모습에서 심우적(心牛跡)을 찾아본다. 11∼15까지의 '견우(見牛)'는 자기 자신과 어머니, 그리고 겉만 보고 달려가는 사람들에게서 심우(心牛)의 면목을 발견하기 시작한다. 16∼20은 '득우(得牛)'로서 "비참을 에누리없이/비참대로 바라보자 했었지"(「17」에서)처럼 방우(放牛)를 잡았으나 아직 방일(放逸)의 야심이 있어 "밑모를 어둠으로 한없이 한없이/무너져 내리는 마음"(「16」에서)이나 "절망이 번뇌의 습기(習氣)를 돈제(頓除)치 못하는 모습"이다. 21∼25는 '목우(牧牛)'인데 여기서는

"앞들로 갔다 뒤뜰로 갔다"(「21」에서) 하거나 "온종일 난초"(「22」에서)를 치고, "흙을 파고 돌을 쌓고"(「23」에서)처럼 일하거나 아들과 대화하면서 소의 비중(鼻衆)을 견지하고 목양(牧養)하고 습성을 훈련하는 모습이다. 26~30까지의 '기우귀가(騎牛歸家)'는 "기관총소리 포소리 사격연습소리/다 내게는 한갓 부질없는 소리/내 왼쪽 귀도 오늘쯤 멀고 말테라"(「26」에서)처럼 득우(得牛)를 순치하여 많은 얽매임을 떨치고 자신에게 돌아온 모습이다.

31~35까지는 '망우존인(忘牛存人)'으로서 여기서는 "나도 모를 그것을/내가 신고 가다니!"(「33」에서)처럼 자기 수중의 소는 망각하고 득우의 상만을 간직하는 것, 즉 본각무위(本覺無爲)에 도달하여 제상(諸相)이 개공(皆空)하였으나 아공(我空)이 되지 못한 모습을 묘사한다. 36~40까지는 '인우구망(人牛俱忘)'으로서 "그 개울 어찌 건넜을까 만취했는데/한밤중 집까지는 어찌어찌 온 것일까/무슨 넋 따로 있어 집 찾아냈을까"(「38」에서)처럼 인아구공(人我俱空)의 모습을 보여준다. 41~45까지는 '반본환원(返本還源)'으로서 세상에 물난리 난다 해도 "허허/까짓것 상관있나/벌써 옛적에 이미 넋 나가버린 난 걸/바다되면 널판 타고 바다 가지 뭘!"(「42」에서)처럼 인우구망(人牛俱忘)의 상(相)도 잊고 산자산 수자수(山自山 水自水), 즉 자심청정(自心淸淨)하여 무실무득(無失無得)의 경지에 도달했음을 말해준다. 마지막 46~50까지는 '입니수수(入泥垂手)'로서 "원주 형제들이/국밥집 차렸다 한다/기독병원 들목에 소머리 국밥집"(「46」에서)이라거나 하여 입니입수(入泥入水), 즉 만장진애의 저자거리로 들어가는 모습이 제시되면서, "땅끝에 서서/더는 갈 곳 없는 땅끝에 서서 ……중략…… 내 속에서 차츰 크게 열리어/저 바다만큼/저 하늘만큼 열리다/이내 작은 한덩이 검은 돌에 빛나는/한 오리 햇빛/애린/나"(「50」에서)처럼 전체가 마무리되면서 새로운 출발의 모습을 보여준다고 하겠다.

특히 여기에서 '애린=나'가 「그 소, 애린」이라는 전체 제목과 수미상응하는 것은 중요한 의미를 지닌다. 시의 화자가 그토록 찾아 헤매던 애린은 삶을 살아가는 구체적인 모습으로서의 '나'이며, 그것은 바로 심우십도(尋牛十圖)에서 찾아 헤매던 바로 그 소인 것이다. 그렇다면 이 작품에서 애린의 의미는 자명하게 드러난다. 그것은 진정한 '나'의 모습이면서 동시에 지상 위에 삶의 뿌리를 내리고 있으면서도 소외된 사람, 버려진 절대다수의 사람들로서의 민중들이고, 처음도 끝도 없이 나고 죽으면서 움직이는 근원적인 생명의 모습 그 자체라 할 수 있는 것이다. 실상 시인 자신이 "모든 죽어간 것, 죽어서도 떠도는 것, 살아서도 죽어 고통받는 것, 그 모든 것/그 죽고 새롭게 태어남"(『애린』 첫째 권, 『애린』 간행에 붙여) 이라고 불러본 것이 이에 해당한다고 하겠다.

이 점에서 시집 『애린』은 전체적인 면에서 지상 위에 살고 있는 수많은 삶의 모습 속에서 참된 생명이 실상 또는 진정한 삶의 의미와 가치를 찾고 실현해 가는 구도의 모습을 형상화한 것이라고 하겠다. '애린'은 만해의 '님'처럼 바로 주관적이고 개인적인 의미에서 '나'이자 애인이고 공통적·규범적 의미에서의 조국이거나 민족, 불타이고, 이상적·지향적 의미에서 진리이고 생명으로서의 총체적이며 구조적인 의미이며 그런 점에서 만해의 '그른 것'에 해당하는 것이다.[7]

바로 여기에서 둘째 권 전체의 마지막이 "돌멩이라도 좋고/쓰레기라도 좋고/잿더미라도 좋지요/사랑하겠다는 것"과 같이 시 「사랑」으로 끝나는 것의 의미가 드러난다. 시집 『애린』 전체의 주제가 바로 "작은 풀씨 속에 초원이 자라는 것"과 "개같은 세상에 아직 살아남아/내 이렇게 허덕이는 건/지구가 둥글기 때문"에서 단적으로 드러났듯이 생명사상과 사랑의 철학 또는 평화의 사상이라고 할 수 있는 것이다. 아울러 이 시집을 관류하고 있는 것이 '심우송'으로서의 불교사상과 생명사상, 민중사상으로서의 동학이나 증산도 같은 민중종교사상이라는 점을 확인할 수 있다. '저 화엄의 바다, 그 약동하는 생명의 물결'이 끊임없이 구도의 과정에서 그 빛나는 사랑의 모습으로 반짝

---

7) 졸저,『한용운문학연구』, 일지사, 1982, 89쪽.

빛나고 있는 것이다.

이렇게 볼 때 시집 『애린』은 『황토』에서 『타는 목마름으로』까지 주류를 이루던 이념적 모습이 감성적으로, 외향적인 것이 내성적으로, 투쟁적인 것이 화해적으로, 대립적인 것이 통일적으로 전환을 이뤄감으로써 김지하의 시가 내면성, 철학성, 사상성의 깊이를 획득하는 중요한 기틀을 마련한다. 그것은 투쟁의 시, 무기의 시로부터 통일의 시, 사랑의 시로의 전환이자 서양적 세계관을 동양적 세계관으로 섭수, 고양시킨 것이라 하겠다.

5. 『별밭을 우러르며』, 생명사상과 사랑의 철학

최근에 간행된 시집 『별밭을 우러르며』(동광출판사, 1989)는 김지하 서정시의 내질을 깊이 있게 보여준다는 점에서 관심을 끈다. 사실 『애린』 이후에 그의 작품으로 수운(水雲) 최제우(崔濟愚)의 삶과 죽음을 다룬 『이 가문날의 비구름』(동광출판사, 1988)이 간행되었지만 이것은 대설(大說) 『남(南)』의 맥락을 지니므로 논의를 다음 기회로 미룬다.

시집 『별밭을 우러르며』에는 겨울과 밤이 상징하는 절망과 죽음을 넘어서서 새 삶, 새 생명에 도달하고자 하는 갈망과 기다림이 결 고운 서정으로 아름답게 펼쳐져 있어서 관심을 환기한다. 그야말로 겨울 속에서 봄을 마련하고자 하는 애절하면서도 안타까운 회구가 "문득 노여움처럼/난데없는 희망 한 오리"(「만남」에서)로 살아나고 있는 것이다.

이 시집의 기저음을 형상하고 있는 것은 "겨울 깊다/땅은 한숨/눈부신 흰 한숨"(「한숨」에서) 또는 "뼛속 깊이/찬바람 으릉대고"(「산조」에서)와 같이 스산하고 을씨년스러운 겨울의식이다. "마음 산란하여/문을여니//흰 눈 가득한데/푸른 대가 겨울 견디네//사나운 짐승도 상처받으면/굴속에 내내 웅크리는 법/아아/아직 한참 멀었다//마음만 열고/문은 닫아라"(「겨울에」 전문)와 같이 병든 심신으로 겨울나기를 하고 있는 쓸쓸한 삶의 내면 풍경이 묘사되어 있는 것이다. 그렇기에 "없을까/이리 어두운데/이리 괴로운데//어둠 끝에서/누가 자꾸만 나를 부른다"(「어둠」에서)라는 어둠의식, "이리 괴로운 건 옛일 때문이다/옛일에의 집착 때문"(「속·1」에서)과 같이 번뇌와 갈등, "천지가 내 집이냐/머리둘 곳마저 이제 없는 가슴"(「마른 번개의 날에」에서)라는 상실의식, 그리고 "그 옛날 피울음만 내 가슴에 북받치고"(「진도기행」에서)와 같은 회한 및 "질병 좌절 같은 것/다 거느리고/찬바람 앞에 우뚝선다"(「노여움」에서)라는 노여움에 뒤채이게 된다.

그렇지만 이러한 비관적 정감들은 『황토』 이래 김지하의 수많은 시편들에서 흔히 발견할 수 있었던 비관적 정감의 지속일 뿐이다. 그럼에도 이 시집이 의미를 갖는 것은 서정적 자아가 이러한 동토의식을 딛고 일어서려는 끈질기면서도 애절한 안간힘을 보여주고 있다는 점 때문인 것으로 판단된다. 즉, 이 시집에는 끊임없이 일어나는 번뇌와 절망을 이기고 희망을 간직함으로써 부활과 새 생명에 도달하고자 하는 안타까운 분투가 펼쳐지고 있는 것이다. 이러한 안타까운 분투는 자신에 대한 책망과 달램, 그리고 천상(天上)의 질서에 대한 동경의 모습으로 나타난다. "스산한 것/어디 마음뿐이랴/아프다/온몸이 여기저기/동맥마저 얼어 시커먼 이 한때를/속절없이 달랠 뿐/밤이면/별바래기로 올려 달라고/나 또한 한 떨기 허공중에/별자리로 누워 내리 달래고"(「달램」 전문)에서와 같이 끝없는 자책과 내성, '별바래기'로서의 천상의 질서에 대한 동경과 갈망으로 형상화되고 있는 것이다.

실상 이 시집에는 "노을 사그라져/밤하늘//둥실 떴다 달님아//온몸에 돋아오는/새파란 별자리/옷 갈아입고/겨울 뜨락에 눕는다//마주 우러른 북두/내 모든 허물도 함께 눕는다"(「겨울 거울·1」 전문)처럼 무수한 '별/달/하늘/별자리/초승달/별밭' 등의 천체이미저리가 등장하면서 천상의 질서에 대한 외경감(畏敬感)과 함께 친화와 교감에 대한 갈망이 지속적으로 표출되고 있기 때문이다. 따라서 시집의 도처에는 "알 수 없는 그리움"(「해남에서·2」), "문득 노여움처럼/난데 없는 희망 한 오리"(「만남」에서), "기인 긴 기다림"(「회귀」에서)이 끈질기게 작용하고 있는 것이다.

바로 여기에서 이 시집의 지향점이 드러난다. 그것은 따뜻함과 밝은 빛으로서의 사랑의 철학이며, 새로 태어남으로서의 새생명사상으로 요약할 수 있다.

> ① 눈을 뜨면 시커먼 나무등걸
> 죽음 함께 눈 감으면
> 눈부신 목련
> 내 몸 어딘가에서 아련히
> 새살 돋아오는 아픔
> 눈부신 저 목련.
>
> ―「목련」 전문

> ② 솔직한 것이 좋다만
> 그저 좋은 것만도 아닌 것이
> 시란 어둠을
> 어둠대로 쓰면서 어둠을
> 수정하는 것
> 쓰면서
> 저도 몰래 햇살을 이끄는 일.
>
> ―「속·3」 전문

> ③ 생명
> 한 줄기 희망이다
> 캄캄 벼랑에 걸린 이 목숨
> 한 줄기 희망이다

돌이킬 수도
밀어붙일 수도 없는 이 자리

노랗게 쓰러져 버릴 수도
뿌리쳐 솟구칠 수도 없는
이 마지막 자리

어미가
새끼를 껴안고 울고 있다
생명의 슬픔
한 줄기 희망이다.

—「생명」전문

④ 업보처럼
쑥쑥 자라는 아이들만 남았다

지은 죄 많고
아직도 더 죄 지을 듯
불안한 하루하루
눈앞에 커다랗게
업보처럼 남았다

다 놓아 버릴 수 없을까
마음만 그저
노을구름처럼 떴다간 스러지고

한 방울 두 방울씩
가슴 밑에 고이는
업보 사랑.

—「업보」전문

인용한 시편들에는 김지하 근작 서정시의 지향점이 선명히 제시되어 있다. 시 ①에는 시커먼 나뭇등걸에서 눈부신 목련이 피어나듯이 죽음의 절망을 딛고 새살이 돋아오는 부활의 아픔이 담겨 있다. 시 ②는 그가 생각하는 시의 의미가 어둠 속에서 빛을 찾는 노력, 또는 절망 속에서 희망을 발견하려는 인간 힘으로 표상된다. 시인은 결국 "어둠을 어둠대로 쓰면서/한줄기 희망"을 찾아내는 것처럼 어둠과 맞서서 싸우기도 하며 어둠 속에서 빛을 이끌어내기도 하는 사람이라는 뜻이 담겨 있는 것이다. 시 ③에는 생명만이 인간의 마지막 희망이며 지고지선의 가치라는 의미가 제시되어 있다. 그것은 슬픈 것이면서도 인간이 절망 속에서 일어날 수 있게 만들어 주는 근원적 힘이 된다. 시 ④에는 새 생명으로서 쑥쑥 자라나는 아이들이 희망의 푯대이며 그에 대한 사랑이 인간의 운명적인 업보라는 깨달음이 담겨 있다. 생명과 사랑은 이 세상의 모든 어둠과 장애를 뚫고 나아가게 하는 근원적인 힘이며 실재라는 생명사상과 사랑의 철학이 시집의 결구에 요약적으로 제시되어 있는 것이다.

　　이렇게 본다면 시집 『별밭을 우러르며』야말로 『황토』에서 시작된 김지하의 오래고 처절한 싸움이 마침내 어둠을 뚫고 생명의 별밭을 우러르게 됐다는 점에서 김지하 서정시가 도달한 한 절정이라고 할 수 있겠다. 그가 불타는 황톳길 위에서 쇠사슬째 몸부림치면서 찾고자 하던 그것, 지옥 같은 감옥에서 신음하며 타는 목마름으로 뜨겁게 외쳐 부르던 그것, 어둔 골목 저자거리에서 찾아 헤매던 그것은 바로 죽음을 넘어서 새롭게 태어나는 애린으로서의 참된 생명이며 그 생명에 대한 진정한 사랑이었음이 분명하기 때문이다.

　　김지하가 지금까지 걸어온 시적 역정은 부단한 자기파괴와 자기극복의 과정이라고 할 수 있다. 그의 시세계를 비유적으로 말한다면, 『황토』는 피 튀기는 싸움의 시작을 알리는 오전의 시학이고, 『오적』 등 일련의 담시들은 정치와 맞서 싸우는 전면적인 현장 또는 정오사상의 발현이라고 하겠다. 또한 『타는 목마름으로』가 작열하는 태양 아래서 사력을 다해 싸우는 지친 투사의 모습이고 하오의 정신이라고 한다면, 『애린』은 저물 무렵 들판에 방황하는 중생의 고달픈 모습 속에서 삶의 의미, 생명의 실상을 찾아 헤매는 구도의 역정 또는 석양의 시학이라고 할 것이다. 그리고 『별밭을 우러르며』는 내면적인 겨울의 추위와 어둠 속에서 상처받은 짐승처럼 웅크린 채 스스로를 단련하면서 새벽빛을 그리워하는 한밤의 시 또는 새봄의 빛을 예감하고 있는 인동(忍冬)의 시학이라고 할 수 있다.

오늘에 이르러 『노동의 새벽』을 비롯한 새로운 세대들에게 김지하와 그의 문학이 극복의 대상으로 놓여 있는 것이 사실이다. 어느 시대나 극복의 대상이 있어야 역사가, 인류가 전진할 수 있는 것이기 때문이다. 이 점에 비추어 지금 한겨울의 밤을 앓고 있는 김지하는 하나의 딜레마 또는 전환의 갈등에 처해 있는 것으로 보인다. 그는 80년대 초부터 문학창작 이외에는 내내 침묵 속에서 무언가를 골똘히 생각하며 모색 중이라 하겠다. 70년대 민주화투쟁의 기수이자 선봉장이면서 정치적 수난의 한 표상이던 그가 깊고 오랜 침묵에 잠겨 웅크리고 있는 것이다. 오랜 영어 생활과 신산한 생활 끝에 그는 이제 지쳐버린 것일까? 아니면 세계관에 변화가 온 것이겠는가? 오늘날에도 여전히 통일운동과 노동운동 등 시대적 난제가 산적해 있고, 그래서 젊은이들이 들끓고 있는데도 말이다.

그렇다! 어둠과 맞서 싸우는 그의 대응방식이 바뀐 것이 분명하다. 대립과 투쟁, 피흘림보다는 용서와 화해, 사랑에 바탕을 둔 생명사상·평화사상을 암중모색하고 있는 것이다. 진행 중인 대설 『남(南)』의 세계가 그 한 예가 된다. 그는 이제 투사의 길보다는 생명운동가 또는 사상가의 길에 접어들고 있다는 뜻도 될 것이다. 바꾸어 말해 그는 이제 투사와 문학가와 사상가의 모습이 한데 일체원융을 성취함으로써 인간구원의 길을 모색해 나아가고자 한다는 말이다.

문학사적으로 볼 때 그의 문학은 카프 이래 이 땅의 모순명제이던 정치적 상상력과 문학적 상상력을 탁월하게 결합함으로써 이 땅 문학사에 새로운 지평을 열어준 데서 의미가 드러난다. 무엇보다도 민중적 정신을 민족적 양식으로 통합하여 민중적 리얼리즘의 가능성을 개척하고 이것을 사랑의 철학, 평화와 생명의 사상으로 이끌어 올린 공적이야말로 가히 혁혁하다고 할 것이다.

정인보가 만해(萬海)를 노래한 것처럼 풍란화(風蘭花) 매운 내로서 지하의 문학은 오랫동안 이 땅 정신사와 문학사에 빛과 향기를 던져 줄 것이 분명하다.

(『작가세계』, 1990. 9)

이성부, 리얼리즘인가 허무주의인가

1. 허무주의인가, 리얼리즘인가

시인 이성부(李盛夫)는 1962년 『현대문학』에 시 「열차」 등이 추천되고 1967년 『동아일보』 신춘문예에 시 「우리들의 양식(糧食)」이 당선하여 재데 뷔하였다. 그는 첫 시집 『이성부시집(李盛夫詩集)』(시인사, 1969) 이래 『우리들의 양식』(민음사, 1974), 『백제행(百濟行)』(창작과비평사, 1977), 『전야(前夜)』(창작과비평사, 1988) 그리고 최근의 『빈 산(山) 뒤에 두고』(풀빛, 1989)에 이르기까지 사회·역사적 상상력과 예술적 상상력을 밀도 있게 결합하는 한 시범을 보여줌으로써 역량 있는 60년대 시인의 한 사람으로서 주목을 받아왔다. 그의 시는 주로 사회적인 삶, 역사적인 삶의 문제에 관심을 기울이면서도 서정의 신선함과 상상력의 내밀함을 탐구하는 데 집중되어 온 것이다. 그의 시는 현실의 온갖 모순과 부조리를 날카롭게 비판하는가 하면 그렇게 만든 구조적 모순과 그 원천에 대한 뜨거운 분노를 정직하게 표출하기도 했다. 오늘날의 현실과 세계를 둘러싸고 있는 깊은 어둠에 절망하면서도 그로부터 일어서려는 꿈틀거림을 담고 있으며, 희망의 불씨를 간직하고 있는 것이다. 그러면서도 그의 시는 자아의 부끄러움에 대해 비판적 성찰을 보여주는가 하면 의인(義人)에 대한 애달픈 그리움을 드러내기도 한다. 시의 무력함을 탄식하면서도 그 힘을 믿고, 삶의 허망성을 안타까워하면서도 끈질기게 희망과 생명력을 분출하기도 한다. 의로운 뜻을 가졌지만 현실에서 끝내 그 뜻을 펼치지 못하고 덧없이 사라져간 역사 속의 비극적인 인물들 속에서 삶의 진실과 역사의 방향성을 읽기도 하는 것이다. 이 점에서 이성부는 허무주의자이면서 동시에 리얼리스트로서 이 시대에 있어서 한 유배시인(流配詩人)의 면모를 지닌다고 하겠다. 이 글에선 이러한 이성부 시의 한 면모만을 간략히 살펴보기로 한다.

2. 비관적 현실 인식과 극복의지

이성부의 시에 짙게 깔려 있는 것은 비관적인 세계 인식이라고 할 수 있다. 그의 시에는 초기시부터 최근의 시까지 비관적인 현실 인식 또는 비극적 세계관이 지속적으로 관류하고 있다.

> 아무리 헤매어 불러 보아도
> 내가 찾는 사람 드러나지 않네
> 그리움에 발만 더럽혀졌을 뿐
> 그 이름 세상에 묻혀 나서기를 참네
>
> 누더기인 몸 깊은 하늘에 담그고
> 두 손을 휘저어 잡아 보네
> 손아귀에 잡히는 것 숨막히는 가을일 뿐
> 차지할 것도 빼앗길 것도 나타나지 않네
>
> ―「허수아비」 전문

누가 그때 그날 모른다 할 수 있으랴
누가 그때 그날 아니다 할 수 있으랴
누가 그때 그날 지난 일이라 할 수 있으랴
밤새도록 기차를 타고 내려와서 눈 비비며
내 어린 시절 마을과 골목 어루만져도
내 사랑 어느 별나라로 사라졌을 뿐
눈 부릅뜬 사람들 더 많아졌을 뿐

—「역사(歷史)」전문

이 두 작품에는 이성부의 비관적인 현실 인식이 선명하게 드러난다. 그것은 '않다/모르다/아니다'와 같은 부정어사와 '더럽혀지다/숨막히다/빼앗기다/사라지다/부릅뜨다' 등의 하강시어, 그리고 '있으랴'라는 설의법 및 '뿐'과 같은 단정어사를 통해서 첨예하게 제시된다. 현실은 빼앗긴 것으로 받아들여지고, 바람직한 삶의 모습 또는 인간다운 삶이 훼손당함으로써 깊은 좌절과 절망이 시 속에 출렁이게 된다. 그것은 인간과 역사에 대한 실의와 좌절에서 기인하는 것으로 보인다. '허수아비'라는 상징 속에는 삶의 올바른 가치를 훼손시키는 인간의 허위와 부조리 또는 추악함에 대한 풍자가 담겨져 있다고 하겠다. 아울러 「역사」에는 역사의 바람직한 방향성을 가로막고 파괴하려는 부당한 힘에 대한 분노를 담고 있는 것으로 풀이된다. 그렇기에 진정한 삶의 모습, 이념적인 역사의 모습은 부재하는 것, 침묵하고 있는 것으로 받아들여지며, 여기에서 비관적인 현실 인식이 심화되는 것이다.

그런데 여기에서 한 가지 중요한 점은 이러한 비관적 현실 인식이 수동적인 정서로 축소되지 않고 능동적 정서로 확대되어 내장되어 있다는 사실이다. 「허수아비」에서 '그 이름 세상에 묻혀 나서기를 참네'라는 구절이나 「역사」에서 '눈 부릅뜬 사람들 더 많아졌을 뿐'이라는 구절에서 볼 수 있듯이 그러한 비관적 인식 속에는 언젠가는 활화산처럼 타오를 분노와 항거의 불길이 감춰져 있는 것이다. 바로 이 점에서 이성부 시의 역동성 또는 건강성이 드러난다고 하겠다. 남성적인 건강성 또는 힘의 의지를 내연하고 있는 데서 이성부의 비관적 현실 인식의 특징이 드러나며, 그 의미가 놓여진다는 말이다. 실상 이 점이 이성부 시의 건강한 윤리의식이 지속적으로 작용하고 있음을 알게 해주는 원천이 된다. 그것은 개인적인 것이면서 동시에 이웃과 사회, 민족과 인류의 차원으로 열려진 것이라 하겠다.

3. 한국적인 삶, 또는 운명의 거울

이성부 시의 비관적 현실 인식은 그 원천에 있어서 기나긴 뿌리를 지니는 것으로 이해된다. 그것은 '백제', '전라도', '광주'라고 하는 표상성으로 나타난다. 한마디로 말해서 그것은 수난의 역사의식이며, 소외의 인간의식이라 할 수 있다. 동시에 그러한 수난과 소외를 이겨 나아가고자 하는 생의 극복의지이며, 불의한 힘에 대한 저항의식이라 할 수 있다. 사람다운 삶을 올바로 실현할 수 있는 사회, 정의로운 역사의 시대에 대한 갈망이 시정신의 핵심을 이루는 것이다.

① 한판 싸움에 크게 무너져
　　쫓기다 쫓기다가
　　무등산(無等山) 숯굴 속에 숨고 말았다.

　　힘 가신 몸들을 숯에 묻히면
　　웬일인지 마음은 살아올라
　　온통 불밭을 이루고,

　　겨울 찬바람으로 씻어 버려도
　　겨울은 뜨겁기만 하네
　　눈앞에 둔 고향을 빼앗기고도

손에 든 죽창(竹槍) 천리 밖에서 번득이네

더러는 도둑이 되고 화전(火田)을 하고
더러는 몸을 바꿔
하나씩 사라지고 말았다네

기다림은 별이 되어
밤하늘을 쏜살같이 달아나고,
남아 버린 사람들이
지금도 또 남아 가까스로 기다리네

　　　　　　　　　　　　　　　　—「백제·3」 전문

② 노인은 삽으로
　영산강(榮山江)을 퍼올린다 바닥이 보일 때까지
　머지않아 그대 눈물의 뿌리가 보일 때까지
　노인은 다만
　성난 사랑을 혼자서 퍼올린다
　이제는 무엇을 위해서가 아니라
　삶을 어떻게 용서하기 위해서가 아니라
　노인은 끝끝내
　영산강을 퍼올린다 가슴에다
　불은 짙어지고 있는데
　아직도 논바닥은 붉게 타는데
　바보같이 바보같이 노인은 바보같이

　　　　　　　　　　　　　　　　—「전라도·7」 전문

③ 한 나라가 다시 살고 다시
　어두워지는 까닭은
　나 때문이다 아직도 내 속에 머물고 있는
　광주(光州)여, 성급한 목소리로 너무 말해서
　바짝 말라 찌들어지고

몇 달 만에 와보면 볼에 살이 찐
부었는지 아름다워졌는지 혹은 깊이 병들었는지
아무것도 알 수 없는 고향, 만나면 쩔쩔매는
고향, 겁에 질린 마음을 가지고도
뒤돌아 큰소리로 외치는 노예, 넘치는 오기
한 사람이, 구름 하나가 나를 불러
왼종일 기차를 타고 내려오게 하는 곳
기대와 무너짐, 용기와 패배,
잠, 무서운 잠만 살아 있는 곳, 오 광주(光州)여

—「광주(光州)」 전문

이 세 편의 시는 근원적인 면에서 하나의 동일성을 지닌다. 그것은 어려운
삶 또는 고통받는 삶에 대한 뜨거운 긍정의 정신이며, 극복의 정신이라고 할
수 있다. 아울러 잘못된 사회상과 역사 전개의 모순 및 부조리에 대한 부정정
신이고 비판정신이라 할 수 있다.

먼저 시 ①에서는 '백제' 표상으로서 역사적인 수난의식 또는 고난의 삶을
묘파한다. 그것은 "싸움에 짐/쫓김/숨어 삶"의 모습이며, "빼앗김/사라짐"의
모습이다. 그야말로 수난과 쇠멸해 가는 삶의 모습이라 하겠다. 그렇기에 "겨
울/찬바람/죽창(竹槍)"과 대조적인 심상이 제시된다. 그것은 극복의 정신이며
대결 의지의 발현이라 할 것이다. 수난과 역경, 참담한 고통 속에서도 절망하
거나 쇠망해 버리지 않고 다시 일어서려는 부활의지 또는 끈질긴 생명력이
분출되고 있는 것이다. 아울러 이러한 끈질긴 생명력의 분출 속에는 자유와
평등으로서의 참다운 삶의 시대, 정의로운 역사의 시대를 향해 나아가려는
전진의지와 함께 그에 대한 기다림이 안타깝게 피력되어 있다고 하겠다. 실
상 "잡혀 버린 몸/헛간에 눕혀져/일어설 줄 잊었네/어둠 속에서도 눈 밝혀 걸
어오는/사람들의 발자국 소리/귀에 익은 두런거림"(「백제행(百濟行)」)의 경
우에서 보듯이 어둠 속에서 밝음, 고통으로부터 희망, 절망으로부터 낙관에

이르고자 하는 끈 질긴 정신적 암투가 펼쳐지고 있는 것이다. 시집『백제행』을 관류하고 있는 것이 바로 이러한 고통스러운 삶이 역사의 어둠을 이겨내고 일어서고자 하는 극복의 정신이자 인고의 정신임은 물론이다. 소외와 슬픔, 고통과 절망을 뜨겁게 감싸안고 끈끈하게 일어서려는 생명력과 부활의지가 끈질기게 작용하고 있다고 하겠다.

시 ②에는 이러한 고통스러운 삶과 그에 대한 극복의지가 더욱 선명하게 드러난다. "노인은 삽으로/영산강을 퍼올린다 바닥이 보일 때까지/머지 않아 그대 눈물의 뿌리가 보일 때까지"라는 구절이 그것이다. 여기에서 영산강은 눈물 또는 슬픔의 한 상관물에 해당한다. 눈물의 뿌리가 보일 때까지 영산강을 퍼올린다고 하는 것은 결국 고난으로서의 삶, 슬픔과 한으로서의 인생을 딛고 일어서려는 끈질긴 생명력의 분출이면서 동시에 극복정신의 발현이라고 하겠다. 그렇기에 가슴에서 불이 일어날 수밖에 없다. 그것은 고통과 슬픔, 외로움과 고달픔, 울분과 저항 의지가 함께 어우러져서 일구어내는 탄식의 불길이면서 동시에 극복의 불길이다. "노인은 끝끝내/영산강을 퍼올린다 가슴에다/불은 짙어지고 있는데/아직도 논바닥은 붉게 타는데/바보같이 바보같이 노인은 바보같이"라는 구절 속에는 물과 불의 심상을 극단적으로 대조시킴으로써 이러한 절망과 회망, 슬픔과 기쁨, 고달픔과 울분 등 삶의 온갖 모순들을 이겨내고 삶을 긍정하려는 안간힘이 담겨져 있다고 하겠다. 특히 가슴의 불과 붉게 타는 논바닥을 병치한 것은 그 고통의 심화와 함께 극복의지의 가열함을 효과적으로 형성화해 주었다는 점에서 의미를 지닌다.

시 ③은 시인의 고향인 광주를 노래하고 있다는 점에서 특히 관심을 끈다. 시인에게 광주는 "살고/어두워짐", "말라 찌들고/살이 찐", "아름다워졌는지/병들었는지", "겁에 질린 마음을 가지고도/큰소리로 외치는", "용기/패배", "기대/무너짐" 그리고 "무서운 잠/살아 있는 곳, 오 광주(光州)여"와 같이 모순되는 모습으로 다가온다. 그렇기에 광주는 절망과 회망, 좌절과 신뢰, 노여움과 사랑을 동시에 일깨워주는 운명의 거울로서의 의미를 지닌다. "고향에 내려 바람에 눈 씻고 보면/고향 사람들의 얼굴/대낮에도 웬 그림자에 가려 있다"(「노래」)처럼 어두우면서도 고달픈 모습을 지니는 것이다. 그러면서도 "돌부리에 걸려 넘어진 슬픔/피흘리는 슬픔/등 돌리고 울음 감추는 슬픔"(「우리들의 시」)과 같이 어둠과 슬픔을 뛰어넘어 삶을 상승시키려는 뜨거운 극복 의지가 내재되어 있다고 하겠다. 시 ②에서처럼 가슴속에 울분의 불기둥, 뜨거운 사랑의 불길이 뻗쳐오름으로써 수난과 시련 속에서도 끝끝내 삶을 극복하고 운명을 이겨내려는 강한 생명력을 분출하고 있는 것이다. "오랜 노여움/쌓이고 쌓여져서/4월이 되듯/그대 입다묾도/내 부끄러움도/우리들 모두 고요함도/쌓이고 쌓여져서/깊디깊은 어둠의 밑바닥 가라앉으면/무엇이 될까?"(「무엇이 될까」)처럼 생명의 불기둥, 분노의 활화산을 내면에 간직하고 있다고 하겠다. 실상 80년 5월의 광주 민주화항쟁이 이 땅에서 자유와 평등에 기초한 올바른 삶을 실현하고 정의로운 역사의 방향성을 찾기 위한 뜨거운 불기둥의 솟구침이었음은 물론이다.

이렇게 본다면 이성부의 비관적 현실 인식은 그것이 내재한 윤리의식의 건강성으로 인해서 능동적인 사회의식 및 역사의식으로 그 지평을 확대해가고 있는 데서 그 특징이 드러난다고 하겠다. 백제와 전라도 및 광주라는 표상성은 이 땅에서의 고난으로 얼룩진 삶을 반영하는 것이면서 동시에 수난과 역경을 헤치고 시련 속에서도 꿋꿋하게 살아가는 민족적 생명력과 민중적 저력을 상징하는 것이 된다. 이 점에서 전라도 및 광주는 한국적인 삶의 모습, 그 자체이면서 동시에 운명의 거울로서의 상징성을 지니는 것이 분명하다. 끊임없는 인고의 과정, 역경의 세월을 헤쳐나가면서도 절망하지 않고 일어서는 극복의 정신, 비판의 정신, 고통스러운 사랑의 정신, 그것이 바로 광주의 정신이자 한국 정신의 본모습이라 할 수 있기 때문이다.

4. 노동사상과 민중적 세계관

　이성부 시의 또 다른 가치축은 노동하는 삶에 대한 신뢰의 정신에 기초를 둔 노동사상이며 공동체 의식에 근거한 민중적 세계관이라고 할 것이다. 그의 시에는 오랫동안 공리공론으로 점철해 온 이 땅 역사에 본능적인 혐오와 함께 온몸으로 실천하는 삶에 대한 애정과 신뢰가 담겨 있기 때문이다.

　　　① 글을 읽어서
　　　　그까짓 출세나 하려거든 아서라
　　　　의롭지 못한 벌레들 판치는 이곳에서
　　　　너희들 몸을 다치지 않으려거든
　　　　산골에 묻혀 땅이나 파려무나
　　　　땅이나 파려무나
　　　　노동은 무엇을 태어나게 하므로
　　　　창조적이므로
　　　　문필(文筆)보다 낫다!
　　　　　　　─「유배시집(流配詩集)·9─정희량이 아이들에게」 전문

　　　② 봄볕 골고루 받고 있는 집들이
　　　　저 혼자만 가난한 줄 알지만
　　　　알고 보니 이웃들 모두 쪼들려 있나니

　　　　보릿고개 속에서
　　　　저 혼자만 슬픔에 빛나는 줄 알지만
　　　　알고 보니 모두 다 빛나고 있나니

　　　　혼자만 아는 외로움도
　　　　혼자서 부딪치는 그리움도
　　　　모두 다 같은 외로움,

같은 그리움인 것을

오손도손 모여 이마를 마주하고,
봄바람도 노놔 가지고,
금가고 허물어진 블로크담도
서로 함께 다시 세우나니
저마다의 분무기로
서로의 마른 마음 적셔 주나니

—「집」 전문

  인용한 이 두 편의 시에는 노동하는 삶에 대한 신뢰와 기대, 그리고 함께
사는 삶에 대한 애정과 소망이 담겨져 있다. 노동사상과 공동체 의식이 그 기
반을 이루고 있다는 뜻이다.

  먼저 시 ①에는 세계를 창조하는 근원적인 힘으로서 노동에 대한 가치화가
제시되어 있다. 온갖 불의와 타락이 범람하고 공리공론이 지배하는 세계상에
대한 비판은 상대적인 면에서 실천적인 삶, 노동하는 삶의 소중함에 대한 인
식으로 제시될 수밖에 없을 것이 자명하다. "노동은 무엇을 태어나게 하므로/
창조적이므로/문필(文筆)보다 낫다!"라는 날카로운 구절 속에는 자연과 사물
현상들로 하여금 사람의 자주적 속성에 맞게 새로운 형식으로 변화시킬 수
있는 원천으로서의 노동에 대한 신뢰와 확신이 담겨져 있다고 하겠다. 그렇
기에 노동은 자주적이며, 창조적이고 의식적인 특성을 지니며 바람직한 삶을
이루기 위한 기초가 된다. 다시 말해서 노동 가치를 인정하고 그것의 창조적,
주체적 의미를 고양시키는 데서 삶의 진정한 실천성을 담보해낼 수 있으며
인간이 세계의 주인됨을 증명할 수 있다는 노동사상을 담고 있는 것으로 풀
이된다.

  시 ②는 인간과 사회의 원리가 공동체 의식에 기초하고 있으며, 이러한 공
동체적 삶의 원리를 기반으로 민중의식을 확보하는 데서 삶의 지평이 열릴

수 있다는 확신을 담고 있다. 여기에서 현실의 모습은 '보릿고개'라는 상징이나 "가난한/슬픔에 빛나는/혼자만 아는 외로움/금가고 허물어진/마른 마음" 등과 같이 어둡고 고달픈 모습으로 받아들여진다. 그렇지만 "알고 보니 이웃들 모두 쪼들려 있나니/알고 보니 모두 다 빛나고 있나니/모두 다 같은 외로움/같은 그리움"과 같이 그러한 어두운 모습은 동시에 모든 사람들의 공통적인 모습에 해당한다. 그렇기에 "오손도손 모여 이마를 마주하고/봄바람도 노나 가지고/금가고 허물어진 담도 서로 함께 다시 세우나니/저마다의 분무기로/서로의 마른 마음 적셔주나니"라는 구절처럼 마음을 함께해서 현실적인 좌절을 이겨 나아가는 데서 삶의 진정한 의미가 놓여지게 되는 것이다. '오손도손 모여'와 '봄바람도 노나'라고 하는 두 구절에 담긴 '모여'와 '노나'의 의미란 자유와 평등에 기초한 바로 참된 공동체 의식의 실현이자 민중정신의 구현에 해당한다고 하겠다. 가난하지만 함께 사랑을 나눠 갖고 어려움에 대처하는 삶의 자세야말로 민중이 역사 전개에 있어 그 주체성과 자주성을 확보함으로써 참되 자유와 평등을 누릴 수 있게 하는 원동력이 되리라는 것이 자명하기 때문이다. 바로 여기에서 이성부의 한 대표작이라고 할 수 있는 「벼」의 세계가 펼쳐진다.

> 벼는 서로 어우러져
> 기대고 산다
> 햇살 따가워질수록
> 깊이 익어 스스로를 아끼고
> 이웃들에게 저를 맡긴다
>
> 서로가 서로의 몸을 묶어
> 더 튼튼해진 백성들을 보아라
> 죄도 없이 죄지어서 더욱 불타는
> 마음들을 보아라, 벼가 춤출 때,

벼는 소리없이 떠나간다

벼는 가을 하늘에도
서러운 눈 씻어 맑게 다스릴 줄 알고
바람 한 점에도
제 몸의 노여움은 덮는다
저의 가슴도 더운 줄을 안다
벼가 떠나가며 바치는
이 넓디넓은 사랑,
쓰러지고 쓰러지고 다시 일어서서 드리는
이 피묻은 그리움, 이 넉넉한 힘……

―「벼」 전문

이 시에는 공동체 의식에 기초한 민중의식과 민족의식, 그리고 생명의식이 드러난다는 점에서 관심을 끈다. 즉 '벼'라는 생명표상을 통해서 수천 년 동안 눈물과 땀 및 피가 배어 온 이 땅에서의 민족적 삶의 뿌리와 역사의 저력으로서 전개되어 온 민중의 한 및 그 공동체 의식을 형상화하고 있는 것이다. 이 시에서 벼는 개체로서의 민중의 삶, 또는 생명의지로 표상된다. "햇살 따가워질수록/깊이 익어 스스로를 아끼는" 자세에도 온갖 억눌림과 시달림 속에서 꿋꿋하게 살아온 이 땅 민중의 모습이 묘사되어 있는 것이다. 그러나 이러한 개체로서의 민중의 삶은 그것이 하나하나로 분리될 때는 거의 무기력하거나 보잘것없는 것으로 약화될 수밖에 없다. 어디까지나 민중의 삶, 특히 억눌린 삶일수록 그것은 "서로 어우러져/기대고 살고/이웃들에게 저를 맡겨/서로가 서로의 몸을 묶어/더 튼튼해진 백성들을 보아라"와 같이 단독자로서의 개인이 공동체로서 서로 힘을 결집할 때 비로소 운명공동체가 되며 개인이 공동체로서 서로 힘을 결집할 때 비로소 운명공동체가 되며 사회적 역량을 확보하여 마침내 역사 전개의 주체로서 민중의 저력을 발휘하게 되는 것이기 때문이다. 아울러 "죄도 없이 죄지어서 더욱 불타는/서러운 눈 씻어 맑게 다스릴 줄 알고/바람 한 점에도 제 몸의 노여움을 덮는다"라는 구절 속에서 험난한 이 땅의 역사를 살아온 민중들의 슬기와 그 저력을 담고 있는 것으로 보인다. 그렇기에 "쓰러지고 쓰러지고 다시 일어서서 드리는/이 피묻은 그리움/이 넉넉한 힘……"과 같이 온갖 수난과 시련에도 무너지지 않고 일어서는 민족과 그 주체로서 민중의 생명력이 결연히 드러나게 되는 것이다. "피묻은 그리움/이 넉넉한 힘……"이라는 결구 속에는 역사에 대한 속죄양 의식과 함께 민중에 대한 신뢰의 정신이 함축되어 있다고 하겠다. 이 점에서 이 시는 이성부의 민족의식과 민중의식, 그리고 생명의식이 '벼'라는 상징을 통해서 잘 형상화된 하나의 전범이 될 수 있겠다. 시 「철거민의 꿈」 등에 보이는 빈궁과 노동의식을 바탕으로 한 민중적 세계관이 이성부 시의 한 견고한 뼈대가 된다는 점에서 이성부 시의 노동사상과 민중적 세계관을 확인할 수 있음은 물론이다.

5. 하나의 전환을 위하여

그러고 보면 이성부의 시는 어둠의 시이면서 빛을 찾는 시이고, 절망의 시이면서 희망의 시라는 특성을 지닌다고 하겠다. 그의 시는 비관적인 현실 인식 또는 비극적 세계관에 깊이 침윤되어 있으면서도 그로부터 벗어나려는 치열한 정신의 암투를 보여주고 있다. 노동사상과 민중적 세계관이 바로 그러한 치열한 시정신의 구체적인 표현이 된다. 그의 시에는 부정의 정신, 비판의 정신이 바탕을 이루고 있으면서 동시에 긍정의 철학, 사랑의 정신이 짙게 관류하고 있다. 이 점에서 우리는 그의 시를 절망과 희망의 변증법, 또는 부정과 사랑의 변증법으로 불러볼 수도 있으리라. 그만큼 그의 시는 현실과 삶에 절망하면서도 그로부터 일어서려는 강한 생명력과 극복의지를 내포하고 있는 것으로 이해된다.

그의 시는 소외된 삶들에 대한 강력한 옹호의 정신 또는 신뢰의 자세를 기반으로 한다는 점에서 시적 건강성을 지닌다. 아울러 자기 자신에 대한 정직성을 드러내며 끊임없이 노력함으로써 시적 설득력을 불러일으키고 있다. 그의 시에 지속적으로 드러나는 부끄러움의 정서야말로 이러한 시적 진실성의 단적인 한 반영이라고 하겠다.

그렇지만 여기에서 하나의 아쉬움이 드러난다. 특히 근년에 그의 시에 두드러지게 나타나는 부끄러움 또는 자괴지심의 근원이 바로 80년 광주의 5월에 연결되어 있다는 점에서 그의 시가 일종의 자기 폐쇄성으로 함몰될 우려가 있는 것으로 받아들여지기 때문이다. 이 점에서 앞으로 그의 시는 하나의 근본적인 자기 변혁 또는 심화의 정신이 필요하지 않은가 한다. 그것은 소극적인 부끄러움의 세계가 아니라 보다 능동적인 실천과 맞섬의 자세로 나아가는 것이 필요하지 않은가 하는 뜻이다. 육사가 일제 치하 절망의 하늘 아래에서 "겨울은 강철로 된 무지갠가보다"라고 노래한 것처럼 부끄러움을 강철의 의지로 달궈 나가야 하지 않겠는가 생각한다. 그렇게 할 때 그의 천부적인 시적건강성 또는 남성적인 생명력이 더욱 튼튼하게 뿌리내리고 빛을 발할 수 있을 것으로 판단되기 때문이다.

분명히 이성부는 많은 사람들에게 주목받아 왔고, 지금도 주목받고 있는 대표적인 60년대 시인의 한 사람이다. 그렇지만 그의 시는 이제 새롭게 출발해야 할 하나의 운명적 시점 또는 전환기에 처해 있다는 것도 분명한 사실이라고 하겠다.

(『한국현대시연구』, 민음사, 1989)

김규동, 통일 지향시의 한 표정

1

"현기증 나는 활주로의/최후의 절정에서 흰나비는/돌진의 방향을 잊어버리고/피묻은 육체의 파편들을 굽어본다"라고 50년대 전후의 불안한 실존을 노래하던 모더니스트 시인 김규동(金奎東, 1925~), 그의 시적 출발은 이 시 「나비와 광장(廣場)」의 한 구절에서 보듯이 현실과 문명 앞에 선 현대인의 삶을 묘사하는 데서 시작하였다. 도시와 문명의 어두운 그늘 속에서 방황하는 현대인의 불안한 실존을 주지적 감각으로 형상화하려는 이 일군의 시인들, 이른바 50년대 『후반기』 동인들이 직접적으로 반발한 것은 분단 후 남쪽 문단에서 주류를 형성하기 시작한 청록파(靑鹿派)에 대한 것이었다.

이와 같이 오늘날 한국시단의 선진적 주류를 형성하여 나가고 있는 계층을 새로운 시인, 즉 모더니스트들의 활약이라고 본다면 이와 정반대로 현실의 암흑을 피하여 지나간 과거의 낡은 전통속에서 쇠잔한 회상의 울타리 안으로만 움츠려 들려는 유파들이 또하나 다른 흐름을 형성하고 있다는 사실은 한국시단만이 가지는 슬픈 숙명인 동시에 참을 수 없는 비극이 아닐 수 없다. 『청록파』를 중심으로 한 시인들

의 소위 순수시 운동이 그것이었다.[1)]

이렇게 보면 김규동의 시적 출발점이 분명하게 드러난다. 그것은 그의 시가 현실감각을 기초로 한다는 점이고 아울러 부정정신을 바탕으로 한다는 사실이다. 청록파의 전원지향성, 고전지향성에 반발하여 현실에 눈을 돌리며, 모던한 감수성과 표현기법을 추구하겠다는 것은 이러한 현실지향성과 모더니즘 지향성으로서의 부정정신을 말해준다고 하겠다. 이 점에서 일단 김규동은 시사적인 면에서 50년대 당대의 새로운 시인으로서 면모를 지닌다. 비록 실제 작품 면에서 이들 『후반기』 동인들의 활동이 성공적인 것은 아니었다고 하더라도 그 지향성만큼은 올바른 방향성을 지니고 있었다고 할 수 있기 때문이다.

"검은 육체와/죽음의 폭풍 속에서/머리카락 날리며 사랑하는 숙녀는/아다린처럼 희어간/그 영상을 잊을 수 없었다/유서를 쓸 아무런 필요도 없기에/까뮈의 허망(虛妄)을 테블위에 놓았다는/청년의 자살이 보도된/신문지의 경사면에/오늘도 밤은 콜로타이프처럼/찬란히 켜지고/애정과 증오에의 회상마저/역사(轢死)되어가는 불모의 땅에서"(시 「밤의 계단에서」에서)라는 시구에서도 볼 수 있듯이 모더니티 지향성을 갈망하면서도 다분히 통속성과 애상성을 지니고 있다는 점에서 모더니즘 시로서는 부족한 면이 발견되는 것이다. '검은 육체/죽음/사랑/숙녀/유서/카뮈/청년/자살/신문지/밤/애정/증오/회상/불모의 땅' 등 유행적인 소재 또는 감상 풍의 시어들이 풍미하고 있는 것이다. 그렇지만 이 시가 지닌 현실감각과 청록파 등 과거 지향성에 대한 부정정신은 나름대로 50년대 시사의 전개 과정에 있어서 의미를 지니고 있음이 분명하다고 하겠다.

---

1) 김규동, 『새로운 시론』, 산호장, 1959, 151쪽.

2

김규동은 1962년 평론집 『지성과 고독의 문학』 등을 발간한 이래 1972년 다시 작품활동을 시작하기까지 약 10년간 침체기 또는 침묵기를 갖는다. "문학 활동으로 밥먹기 어려운 사회현실에 회의를 느낌"[2]이라는 내용처럼 시대현실과 자신의 문학에 대한 회의에 연유한 것인지도 모른다.

그가 70년대 초반에 다시 작품활동을 재개하는 것은 대체로 70년대 초의 이 땅의 사회·정치적 현실 상황에서 촉발된 것으로 보인다. 아마도 72년의 7.4 남북공동선언으로 인한 남북 간의 화해 무드가 국토의 최북단인 경성에서 온 가족을 다 둔 채 단신 월남한 그에게 커다란 충격을 주었음이 사실이라 할 것이다. 그러면서도 이후 정치적으로 남북관계가 이용되고 있다는 사실에 분노와 좌절을 던져주었던 것도 사실이라 하겠다. 그가 1974년 민주회복국민회의에 참가한 사실이 그 한 예증이 된다. 무엇보다도 기본적으로 현실감각과 부정정신이 그 바탕이라 할 그의 시정신이 역사·현실과 새롭게 부딪치면서 거듭나기를 이룬 것이라고 할 수 있으리라. 이 무렵부터 「남북회담(南北會談)」, 「북에서 온 어머님 편지」, 「모정(母情)」 등 분단비극과 사향시가 본격적으로 쓰여진다. 시 「두보(杜甫)」는 이 시기의 한 노작으로 이해된다.

> 해는 졌읍니다
> 강물이
> 슬피 웁니다
> 까마귀 집으로 돌아갑니다
> 손이 곱아
> 띠를 맬 수 없는데
> 옷은 짧아
> 바람이 시립니다

---

2) 김규동, 시집 『깨끗한 희망』, 창비, 1985.

양식은 떨어져
막내둥이는 굶어 죽었고
전쟁은 계속됩니다
아득한 이 하늘가
묵어갈 잠자리는 있을는지

　현실 문명의 표피적 감각을 애상적으로 노래하던 모더니스트 시인이 진정한 이 땅의 현실과 조우하게 된 정신적 내면 풍경이 제시된 것이다. 한마디로 그것은 비관적 세계관이라고 할 수 있다. 그 옛날 두보(杜甫)가 그랬던 것처럼 현실이 난세로서 파악되고 있으며 상실의 시대, 불모의 상황으로 받아들여지고 있는 것이다. "해는 졌읍니다/강물이 슬퍼웁니다/까마귀 집으로 돌아갑니다/바람이 시립니다/아득한 이 하늘가/묵어갈 잠자리는 있을는지"처럼 비관적인 현실 인식이 서정적으로 드러나고 있다고 하겠다. 이러한 두보적(杜甫的)인 비관적 현실 인식과 우국의 충정, 그것이 70년대 들어서 김규동의 내면 공간에 새롭게 자리 잡게 됨으로써 그의 시는 모더니스트적 실존에서 역사적 실존으로 전환을 성취하게 된다. 따라서 이 땅에서의 비극이 근본적으로 분단 현실에 기인한다는 인식에 도달한다.

이슬에 젖은
거울을 숨기고
두개의 몸짓을 본다
이처럼 다른 두 얼굴이 나타내는 것
어둠의 끝이다
운명의 끝이다
우리 서로 쳐다본 채로 죽는
죽음의 빛이다
상승과 낙하가 하나가 되는
종말의 빛이다

폐허에 막이 내리면
뿔이 달린 현실은
캄캄한 심장을 흔들어 놓는데.

—「분단(分斷)」 전문

분단은 이 시에서 '어둠의 끝/운명의 끝/죽음의 끝/종말의 빛'으로 받아들여진다. 그것은 현실적인 모든 비극의 원천으로 작용한다. 그렇기에 "뿔이 달린 현실은/캄캄한 심장을 흔들어 놓는데"처럼 현실에서의 인간다운 삶을 근본적으로 방해하고 붕괴시키는 부정적인 요인으로 작용하게 된다. 이 점에서 분단비극은 시인에게 북의 고향에 대한 그리움과 함께 통일에의 비원을 지속적으로 노래하게 만든다.

솔개 한 마리
나즈막히 상공을 돌거든
어린날의 모습같이
그가 지금
조그많게 어딘가 가고 있는 것이라고
생각하세요

움직이는 그림자는
영원에 가려
돌아오지 않지만
달빛에 묻어서라도
그 목소리는 돌아오는 것이라
여겨주세요

이제 생각하면
운명이라고 잊혀도지건만
겨레의 허리에 잠긴 사슬

너무나 무거우니
아직도 우리들은
조그많게 조그많게
걸어만가고 있나봐요

아무리 애써도 닿지 못하는
서투른 이 발걸음
죽은 자와 더불어 헤매어 봅니다

솔개 한마리
빈 하늘을 돌거든
차가운 흙 속에서라도
어여삐 웃어주세요.

—「어머님전(前) 상서(上書)」전문

　이 시에는 분단의 비극에 대한 뼈아픈 탄식과 함께 두고 온 고향과 혈육에 대한 사무치는 그리움이 드러나 있다. '겨레의 허리에 잠긴 사슬'로 인해서 북(北)의 어머니와 남(南)의 아들은 만날 수가 없다. 그래서 아들은 한 마리 솔개가 되어서라도 고향으로 돌아가고 싶다는 간절한 소망을 갖게 된다. "솔개 한 마리/빈 하늘을 돌거든/차가운 흙 속에서라도/어여삐 웃어주세요"라는 구절 속에는 죽어서라도 고향에 돌아가고 싶다는 애절한 소망이 안타깝게 피력되어 있는 것이다. 그러므로 오늘의 삶이란 온전치 못한 한 불구의 모습을 지닐 수밖에 없다. 어쩌면 분단의 이 시대 남과 북은 죽은 자와 산 자의 거리보다도 더 멀고 먼 거리에 놓여져 있는지도 모른다.

　바로 이 시에는 그러한 분단의 비극과 그로 인한 불모의 삶이 표출되어 있다.

　실상 "기러기떼는 무사히 도착했는지/아직 가고 있는지/아무도 없는 깊은 밤하늘을/형제들은 아직도 걷고 있는지/휘적거리는 빈손 저으며 이 해가 저

무는데"(「송년」에서)처럼 분단으로 인해 홀로 떨어져서 고향과 그곳의 형제들에 대한 그리움을 앓으며 빈손으로 살아가고 있는 불구적인 모습 또는 고아의식이 지속적으로 표출되고 있는 것이다. 그렇기에 "탱크를 몰고 나왔던/함경도 어부의 아들인 미소년과/지리산 기슭 농군의 아들로 태어난/김일병이/어떻게 해서/한 무덤 속에 나란히 누웠는지/아는 사람은 없다//미소년은/김일병과 어깨동무하며/백두산 금강산 개마공원도 돌아왔단다/오도가도 못 하는 휴전선도 훨훨 날아 다니며/해와 달을 벗하여/농사를 짓고 고리를 잡았다/남북의 두 젊은이는/통일된 삼천리 강토 위에서/평등하게 자유로이 살고 있었다"(「하나의 무덤」)와 같이 죽어서라도 하나가 되고 싶다는 강렬한 하나에의 의지, 통일에의 열망이 분출되고 있는 것이다. 그야말로 분단의 비극과 그로 인한 고향상실의식을 바탕으로 하면서 통일에의 길로 나아가고자 하는 열린 의지가 끓어오르는 데서 김규동 시의 핵심이 놓여진다고 하겠다.

그런데 이 시에서 마지막 "남북의 두 젊은이는/통일된 삼천리 강토 위에서/평등하게 자유로이 살고있었다"라는 구절은 주목을 요한다. 통일과 함께 자유와 평등에 대한 강조가 드러나고 있기 때문이다. 통일이 가장 절실하고 긴급한 것이지만 그것이 어디까지나 자유와 평등을 목표로 해야만 한다는 확신이 제시되어 있는 것이다. 뒤집어 말하면 오늘날 이 땅에서 자유와 평등의 실현, 즉 참된 민주화가 이루어져야만 비로소 통일에의 길이 열릴 수 있다는 신념이 피력된 것이라고 하겠다.

따라서 분단의 극복, 즉 통일이란 자유와 평등의 정신에 기초해야만 하며 또 그러한 자유와 평등을 올바로 실천하는 데서 비로소 확보될 수 있다는 확고한 신념을 제시하게 된다.

　　　한 몸이 되기도 전에
　　　두 팔 벌려 어깨를 꼈다
　　　흩어졌는가 하면

다시 모이고
모였다간 다시 흩어진다
높지도 얕지도 않게
그러나 모두는 평등하게
이 하늘 아래 뿌리박고 서서
아 이것을 지키기 위해
그처럼 오랜 세월 견디었구나

—「무등산」 전문

숨쉬는 자유와 만나는 자유를
백두산에서 한라산 끝까지
하나되어 솟구칠 통일의 강을 노래하리라
피 흐르는 화목을 이뤄가리라
시인의 검(劍)은
묶인 것을 자르는 바람결이니
화살보다 빠른 뇌성이거니

—「시인(詩人)의 검(劍)」 부분

　이 두 편의 시에는 그의 시정신의 핵심이 선명하게 제시되어 있다. 그것은 자유의 정신이며 평등의 정신이라고 할 수 있다. 「무등산」에서는 삶의 본질이 평등의 정신에서 비롯된다는 확실한 깨달음이, 「시인의 검」에서는 그것이 자유의 정신에 근거한다는 확신이 제시되어 있는 것이다. 실상 그가 통일을 살아가고 싶다는 염원을 드러낸 것이 분명하다. 따라서 자유와 평등의 올바른 실현만이 이 땅에서 민족의 통일을 향해 나아가는 정당한 길이라는 점을 확실하게 한 것이라고 하겠다. 다시 말해서 자유와 평등의 실현으로서 올바른 민주화의 실현이 이 땅에서 인간다운 삶을 이루게 하는 밑바탕이며 통일에로 나아가는 대도(大道)라는 객관적 인식을 확보하고 있다는 점에서 김규동 통일지향시의 건강성이 드러나는 것이라는 말이다.

40년 동안

시를 생각하며

살았다지만

고향 돌아갈 때

갖고 갈 것은 아무것도 없다

홀가분한 것이

오히려 눈물겹다

그렇구나

그 아침이 오면

빈 손으로 만나야 한다

아무 것도 가진 것 없이

자랑할 것도 없이

자나 깨나 그리던

그리움 하나만으로 만나야 한다

만남과 화합

영원한 해방의 날에

하나가 되는 통일말고

우리가 원했던 것이 또 무엇이었더냐

한많은 마음을 비우고

손을 깨끗이 씻자

그것만이 우리들의 만남을 위한

화해의 예절이거니

—「아침의 예의(禮義)」 부분

통일은 김규동 시의 한 출발점이고 궁극적인 목표에 해당한다. 그것은 실향민, 월남민으로서 김규동이 지니고 있는 본능적인 염원이면서 신앙적 의미이고 동시에 민족사적인 당위성에 해당한다. 그만큼 개인적인 동시에 민족적 보편성을 지닌다는 말이다. 실상 그것은 자유와 평등의 정신을 그 이념으로 하고 있음도 분명하다.

그렇지만 통일이란 우리 모두가 모든 정치적 야심이나 이데올로기의 장벽을 뛰어넘고 민족적 양심과 인간적 정의에 기초해야 한다는 점 또한 분명하다. 바로 이 시에는 통일에의 열망이 "빈손으로 만나야 한다/그리움 하나만으로 만나야 한다/한많은 마음을 비우고/손을 깨끗이 씻자"라는 구절에서처럼 민족사적 양심과 인류사적 정의, 인도, 자유, 평등, 평화의 정신에 기초해야 한다는 점을 확실히 했다는 점에서 의미를 지닌다. 다분히 이상주의적인 순수성 또는 맹목성이 착색되어 있음에도 불구하고 이러한 빈손의 철학, 그리움의 사상은 강한 설득력을 지닌다고 하겠다. 통일이란 민족의 지상명제이지만 동시에 그것이 사람다운 삶을 이루려는 소망의 표현인 한에 있어서는 남과 북, 이 땅의 모든 민족구성원들이 "한많은 마음을 비우고/ 을 깨끗이 씻"는데서 비로소 성취될 수 있는, 또 그래야만 되는 것이기 때문이다. 통일의 철학이 자유와 평등의 사상, 그리고 사랑과 평화의 철학에 기초해야만 한다는 확실한 깨달음과 신념이 표출되어 있는 것이다.

3

김규동의 시에서 통일이란 시의 밑바탕을 관류하는 중심테마이면서 동시에 신앙적인 의미를 지닌다고 할 수 있다. 그리고 그것은 자유와 평등의 사상, 또는 사랑과 평화의 철학을 담고 있는 것이기도 하다고 하겠다. 분단의 비극에 대한 아픔과 함께 북(北)의 고향에 대한 그리움을 애절하게 표출하면서 통일에의 열망과 의지를 지속적으로 형상화하고 있는 것이다. 그의 이러한 통일지향성은 곧바로 이 땅에서의 민주화를 실현하고자 하는 열망과 서로 맞물려 있음이 또한 분명하다. 시집 『깨끗한 희망』은 그러한 열망의 한 집약된 표현이 분명하다고 할 것이다.

그렇다면 과연 그의 모더니스트 시정신으로부터 이러한 역사의식의 시로의 전환이 외발적인가 혹은 내발적인가 하는 문제가 제기될 수 있을 것이다. 이미 우리는 그러한 한 모습을 김수영(金洙暎)의 시에서 살펴볼 수 있었다. 모더니스트 김수영이 4·19를 기점으로 해서 현실참여의 시인으로 변모한 사실과 김규동의 이러한 문학적 정신은 관계를 맺고 있기 때문이다. 아마도 이 점은 외발적인 것과 내발적인 것이 함께 작용했으리라고 추측된다. 실향민으로서의 시인, 월남민으로서의 시인 자신에게 70년대 초의 남북공동선언은 하나의 새로운 삶과 시의 한 기폭제가 되었던 것으로 볼 수 있기 때문이다. 남북 문제와 이 땅에서의 민주화 실현 문제가 서로 맞물려 있을 수밖에 없던 실향민으로서의 김시인이 여기에 직접·간접으로 연관될 수밖에 없었을 것이 자명하다고 할 수 있기 때문이다. 아울러 무엇보다도 예민한 현실감각을 지닌 그에게 역사의 전환기는 하나의 방향전환을 강요했는지도 모른다고 할 것이다.

김규동의 시는 오늘의 시점에서 통일지향시로서 구체적인 삶의 현장성에 기초하고 있다는 점이 무엇보다 강점이라고 할 것이다. 국토의 최북단인 경성에 고향과 가족을 두고 온 실향민 시인으로서 그의 시는 다소의 맹목성과 감상성을 내포하고 있음에도 불구하고 분단가족으로서의 삶의 현장성 및 구체성에 연결되어 있다는 점에서 소중한 의미를 지니고 있음이 분명하다.

홍희표, 꽃, 그 서정과 역사의 만남

—시집『모두 모두꽃』분석론

1

이 시집에 수록된 88편의 시들은 산문시의 형태를 취하고 있다. 그리고 한 편 한 편의 시들은 각각 하나의 화소(話素)를 가짐으로써 설화시의 특징을 보인다. 대체로 설화시 또는 산문시들은 그 서술적 특징 때문에 시가 지녀야 할 음악성을 결여하거나 소홀히 한 점이 발견되기도 한다. 그러나 이 시집의 시들은 2음보 또는 3음보 연첩에 가까운 율격과 반복 대구 등의 다양한 방법으로 리듬을 살려내는 데 성공하고 있다. 특히 민요 가락, 불교 주문, 동요 등을 후렴처럼 적절히 구사함으로써 여음이 치렁치렁한 멋을 보이고 아울러 시의 의미를 강화하고 있다.

이 시집에서 우리는 꽃을 통해 세계를 바라보는 시인의 비판적 시각과 마주치게 된다. 이미 소월이 「산유화」를 통해 보여주었듯이 꽃은 아름다움의 서정적 표상성에서 나아가 존재론적 상징성을 지니게 된다. 즉 피어나고 지는 것으로서의 생명의 원리를 만남과 헤어짐으로서의 사랑의 원리를, 탄생과 소멸로서의 존재의 원리를 드러내고 있는 것이다. 이렇게 볼 때 꽃은 단순한 사물로서의 꽃이 아니라 인간의 객관적 상관물이며 동시에 자연 위에 살아 있는 것의 표상이 된다.

홍희표의 꽃말시들도 여기에 접맥되어 있다. 시의 표제들만 보아도 처용꽃, 어사꽃, 잡년놈꽃이요 조선말꽃, 조센징꽃, 눈물꽃이다. 이런 이름들은 식물도감의 명명과는 거리가 멀다. 꽃과 더불어 살아온 겨레의 흔적으로 남은 이름들이며 아픔과 애절함, 풍자와 야유가 체취처럼 풍겨나는 이름들이다. 그러므로 이 시집에 담긴 꽃은 생명의 표상으로서 시인 자신의 개인사적 삶의 역정과 모습의 표현이며 동시에 이 땅에서의 험난한 역사와 현실의 반영임을 짐작케 한다.

2

이 시집에서 먼저 주목되는 것은 유년 회상의 상상력이다. 삶의 역정으로서의 유년기는 가난과 굶주림의 아픔으로 되살아오고, 그것을 따뜻하게 감싸주던 인정과 사랑 그리고 극복의 안간힘으로 기억된다.

> 해마다 봄이 오면 보릿고개 넘어가기 저승문처럼 무서웠대요. …중략…우리는 들에서 쑥을 찾고, 산에서 자반순, 엉겅퀴순, 머루순, 기생순 찾아 죽을 끓여먹곤 했대요. 그래도 미국 코큰나라에서 원조로 준 우유가루 쪄서 점심밥 대신 먹기도 했지만, 우물가로 가 한 바가지 맹물 먹고 하늘 보는 것이 순서였대요. 그런데 어느날 내 옆의 가시내가 도시락 밀어주곤……
>
> —「배꽃」부분

이 시는 배고픔의 상징이었던 보릿고개를 모티브로 하고 있다. 시「보리꽃」에서 형상화되듯이 묵은 곡식은 다 떨어지고 보리는 아직 여물지 않아 산과 들에 돋는 푸성귀로 배를 채워야 했던 춘궁기를 60년대 이전을 산 사람이 면

누구나 기억해낼 수 있을 것이다. 그런 보릿고개를 맞는 고통을 '저승문처럼 무서웠다'고 회상해내고 있다. 그러나, 이 시는 단순히 굶주림의 아픔에 머무르지 않는다. 들에서 쑥을 찾고 산에서 순을 찾아 배고픔을 이겨내려 하고, 외국의 도움보다는 '맹물 먹고 하늘 보는' 지조로 견디어 나간다. 그런 아픔을 읽으면서도 우리는 한편으로 그리움의 세계를 만나게 되는데, 그것은 '도시락을 밀어주는' 인정과 사랑과 배움에서, 그리고 시인의 독특한 화법에서 오는 것으로 판단된다. 즉, 아픔의 체험을 '무서웠대요/했대요/말았대요'처럼 간접화법으로 제시함으로써 개인적 체험에 일정한 거리를 유지하고 나아가 모두에게 있을 수 있었던 공동의 체험으로 치환시켜 주기 때문이다. 그리고 여음도 "댕기머리 댕기머리 알사탕 먹고요. 랄랄랄 랄랄, 또 만나자"와 같이 동요 계열의 민요를 차용함으로써 만남과 헤어짐의 정한을 유년기의 감정으로 남게 하고 있다. 따라서 이 시는 과거적 상상력이 수반하기 쉬운 애상을 배제하고 아늑한 그리움의 분위기를 만들고 있다.

위의 시를 통해 살핀 바와 같이 다른 유년 회상의 시편들도 작은 변주를 제외하면 가난과 굶주림의 아픔이 노정되어 있고, 또 그것을 이겨나가는 힘으로서의 인정, 사랑, 그리고 극복의지로 형상화되어 있다. 「토끼풀꽃」, 「채송아」, 「국화빵꽃」, 「달맞이꽃」, 「보리 꽃」 등이 여기에 해당된다. 시 「토끼풀꽃」에 나타나는 '사친회비/품팔이'와 '꽃반지'의 대립은 현실적 삶의 고통과 그것을 감싸는 힘으로서의 사랑을 표상하고 있다. 「국화빵꽃」에 나타나는 '진눈깨비'와 '국화빵 아저씨'의 대립도 마찬가지다. '진눈깨비'는 추위와 굶주림을, 그리고 '국화빵 아저씨'는 그것들을 이겨내는 힘으로서의 훈훈한 인정을 상징한다. 시 「달맞이꽃」에서는 특히 강한 극복의지를 읽을 수 있다. 할머니의 어조로 바꾸어 제시한 "머시매는 불알 두 쪽에서 종소리 날 만큼 세상과 부딪쳐, 개불알이 펴야 성공한디여"의 결의는 인정이나 사랑으로 서로 감싸는 차원을 넘어 스스로 극복하고 성취하려는 강인한 의지를 보이고 있다.

이상과 같은 유년 회상의 상상력은 역사적 상상력으로 연결되어 험난한 시대를 산 동족의 아픔으로 확산된다.

> 갈가보다 갈가보다 고국찾아 갈가보다! 쪽발이밥 못다먹고 고국찾아 갈가보다! 일본인 폭력배가 「조센징」이라 학대한 데 격분, 1968년 2월 20일 밤 시즈오카 껭 시미즈시 나이트클럽에서 일본인을 쏘아 죽인 뒤 온천여관에서 경찰과 맞서 오던 재일교포 김희로(金嬉老), 농성 5일째인 24일 오후 정복 경찰관과 격투 끝에 체포되고 말았다. …중략…갈가보다 갈가보다 고국찾아 갈가보다! 쪽발이밥 못다먹고 고국찾아 갈가보다!
>
> ─「조센징꽃」부분

이 시는 일제강점이라는 역사적 비극이 남긴 후유증을 한 사건을 통해 단면적으로 보여주고 있다. 그리고 시화하는 방법 면에서도 극적 제시법을 사용하여 시적 효과를 더욱 확대하고 있다. 즉, 신문기사를 그대로 제시했으며 시적 자아의 감정처리도 후렴구를 통해서만 보여주고 있다. 그러한 방법은 독자가 이미 공감해버린 한 사건을 다시 제시함으로써 잊혀져가는 아픈 기억을 환기시키고, 민요조의 후렴구를 삽입함으로써 이국땅에서 동포들이 겪는 약소민족의 고통을 형상화하는 데 기여한다. 따라서 이 시는 일본인의 비인도적 행위를 폭로함과 동시에 고통스럽게 살고있는 동족에 대한 동포애를 노래했다는 점에서 의의가 드러난다. 이와 같은 역사적 상상력은 시 「조선말꽃」이나 「동백꽃」 등에서도 발견된다. 「조선말꽃」은 사할린 남단의 탄광촌에서 징용에 끌려간 교포가 고국을 그리는 심정을 형상화한 시이다. 그리고 「동백꽃」은 정신대에 끌려간 한국 여성 세 사람의 넋으로 형상화했다.

역사의 아픔은 조국 분단의 비극에도 내재해 있다. 동족상잔의 비극을 겪고 이제는 남북으로 갈라져 버린 분단의 아픔과 통일에의 염원을 「복주머니꽃」에 담아내고 있다.

북쪽에서 대남방송 시작되면 동이나물꽃 피고, 남쪽에서 대북방송
시작되면 쥐오줌꽃 피고, 그 사이로 오색딱다구리 내려오면 검은 딱
새 올라가네. 열목어 오가고, 무당개구리 짝짓기 하고, 산양 고개 들
고 DMZ 지뢰밭 위를 뛰며 오가네요. …중략…아, 휴전선에는 이렇게
남방식물과 북방식물이 노랑때까치 데불고, 어허여히 상사뒤여! 하는
곳이네요.

—「복주머니꽃」부분

이 시에서는 공간 배경에 주목하게 된다. 왜냐하면 북방한계선과 남방한계
선으로 그어진 비무장지대를 화해와 평화의 공간으로 설정하고 있기 때문이
다. 이곳은 '대남방송·대북방송'으로 남북이 첨예하게 대립된 중간지역이며,
'지뢰밭'이 상징하듯 인간이 서로가 서로를 죽이기 위해 설정해 놓은 금단의
땅, 죽음의 땅이다. 그러나 갖가지 꽃은 피어나고 땅 위의 짐승은 생동하고,
새는 자유로이 남북을 비상한다. 이렇게 볼 때, 꽃과 새 그리고 짐승은 시적
자아의 객관적 상관물에 해당된다. 현실적 제약으로 묶여 있는 자아는 이러
한 객관적 상관물을 통해 자유롭고자 한다. 즉, '노랑때까치 데불고 어허여히
상사뒤여!' 노래할 수 있기를 간절히 소망하고 있는 것이다. 이런 의미에서 시
「복주머니꽃」은 분단의 아픔과 통일에의 염원을 갈구한 노래라 할 것이다.
또한 시 「백란(白蘭)」에서도 위와 같은 시세계가 드러난다. "우리나라 바다
는 오늘도 남북으로 갈라져 서로 도끼눈 크게 뜨고 있대요. 무지개를 따다가
양쪽 배다 달고요, 사뿐사뿐 돌면서 줄넘기 합시다"와 같이 첨예한 대립과 그
것을 하나로 묶으려는 안간힘이 '배/무지개'의 이미지로 형상화되어 있다. 한
편, 시 「억새꽃」에는 제주도민의 저항정신이 형상화되어 있다.

삼별초 마지막 항몽결전지 이 섬나라에서 김통정 장군이 이끄는
우리 군사들이 참패 당한 후 그 죽은 자리에서 피어난 흔꽃이라 하네
요. 또한 4·3사건때 싸우다 하얗게 숨져간 탐라 주민들의 영혼의 흐느

낌이 오늘도 관광객들의 머리 위에서 억새꽃바다 이루고도 있네요.
충청도 계룡산은 공주금강 둘러 있네, 전라도 지리산은 순천영강 둘
렀구랴, 제주도 한라산은!?

─「억새꽃」 부분

이 시는 두 사건을 소재로 하고 있다. 하나는 삼별초의 항몽결전이며, 다른
하나는 4·3사건이다. 이 두 사건은 모두 민중들이 개입된 항쟁이라는 점에서
공통점을 갖는다. 그러나 앞의 사건이 외세의 침입에 대한 응전의 항쟁이었
다면, 뒤의 사건은 정부의 과잉 진압에 반발한 저항이었다. 따라서 다소의 의
미 차를 보여주고 있으나, 이 사건들은 생명을 위협하는 외부의 힘에 대하여
스스로 살아남고자 하는 자존의 몸부림이라는 점에 의미가 놓여진다. 그러
나, 그때마다 항거는 실패로 끝나고 무수한 목숨만 사라져갔다. 이러한 역사
적 사건에 희생된 주민들을 억새꽃이라는 강인한 야생적 생명력으로 형상화
했다. 즉, '하얗게 숨져간 탐라주민들/억새꽃/영혼의 흐느낌'이 불러일으키는
하얀 이미지를 통해 역사적 비극과 자주정신을 탁월하게 형상화한 작품으로
판단된다.

저항의 아픔은 시 「아카시아꽃」에서도 드러난다. 60년대로 접어들면서부
터 민주화를 위한 학생들의 저항 활동은 끊이지 않았고, 그것은 또 아카시아
꽃 무르녹는 5월에 정점을 이루곤 했었다.

1960년대 5월에 우리는 데모를 했지요. 80년대 5월에도 우리 학생
들은 데모를 하고 있지요. 88고민 바로보고 자발의지 끌어내되, 하려
는 맘 묶어내고, 무엇보다 두손접고 끌어주고 밀어주며…중략…오,
우리의 사랑이여! 민주여! 통일이여! 오늘도 우리 학생들은 단식투쟁
하지요. 하루 이틀 사흘 살내음 내뿜으며 아카시아꽃 피는데, 오, 우리
의 자유여! 민주여! 통일이여!

─「아카시아꽃」 부분

이 시는 데모 체험이 동기를 이룬다. 그리고 데모는 '60년대/80년대/오늘'이라는 시간적 계속성과 공간적 반복 위에 설정됨으로써 젊은 지성인들이 지속적으로 추진해온 필연적 과제임을 암시하고 있다. 데모의 한 방법인 단식투쟁에 관한 묘사는 그것이 얼마나 고통스러운가를 보여준다. 이 시의 중심의미는 "살내음 내뿜으며 아카시아꽃 피는데, 오, 우리의 자유여! 민주여! 통일이여!"에 놓인다. 아카시아꽃은 5월 상징으로서 항거의 현장에서 숨진 영혼을 표상하며, 자유·민주·통일이 목숨보다 고귀하다는 깨달음을 보여주고 있기 때문이다. 따라서, 이 시는 민주화항쟁의 역사적 의의와 그 아픔을 '아카시아꽃'으로 형상화했으며, 아울러 '서로 믿고 믿음 주어 우리 모두 믿게 함'으로써 대립을 통한 민주화에서 벗어나 신뢰를 통한 공동작업으로서의 민주화를 이룩하자고 호소한 점에 의미가 놓여진다.

한편, 홍희표는 아픔을 극복하는 힘의 근원을 끈질긴 민중적 생명력에서 찾고 있다.

> 논산읍으로 출근하던 중 밀어닥친 물에 떠밀려 왔다는 버스 운전사 이씨는 "그 많은 댐들과 기상대는 고물상에다 팔아먹든지 원……"
> …중략…그러나, 정씨의 큰아들 "농사를 다 망쳤지만 담밑에 아직 남아있는 패랭이꽃처럼 우리는 주저앉지 않아요."
>
> ─「패랭이꽃」 부분

이 시는 정묘년 7월 금강수해지구와 수재민의 반응을 시화한 작품이다. 수재민 중에서도 정씨 큰아들은 패랭이꽃으로 형상화된다. 돌 틈에서도 가시덤불 속에서도 끊임없이 다시 피는 패랭이처럼 삶에 대한 의지가 불씨처럼 감추어져 있는 강인한 생명력의 상징이다. 따라서 그것은 현실의 아픔, 역사의 아픔을 견뎌내는 힘의 근원이 된다 하겠다.

이상에서 살핀 바와 같이 아픔의 문제는 이 시집의 한 특질을 이루고 있다.

어린 시절을 억누른 가난의 고통과 성장 후에 겪는 사회·역사적 아픔들이 '배꽃/억새꽃/조센징꽃/복주머니꽃/아카시아꽃' 등으로 형상화되어 있다. 아울러 아픔을 사랑과 인정, 화해와 믿음으로 극복하려는 초극의지를 보여주었다는 점에 아픔의 참 의미가 놓여진다.

3

이 시집이 형상화한 또 다른 시세계는 삶의 다양성 또는 개성 있는 삶에 대한 관심에서 드러난다.

> 단재(丹齋)선생 왈, 가래울이라는 마을 들렀더니 온동네 떡방아 찧는 소리 요란하대…중략… 동네 사람 하나가 떡장사해서 돈 번 것을 보고, 술장사는 주막을 버리고 쿵덩쿵덩, 목수는 먹통줄 버리고 헤헤야둥글, 농부는 호미 버리고 쿵덩쿵덩, 뱃사공은 노 버리고 헤헤야둥글, …중략…다람쥐는 살쾡이한테 이리 쏠리고, 살쾡이는 호랑이한테 저리쏠리고
>
> —「가래울꽃」부분

단재의 우화를 빌어 외곬의 삶을 강조한 시이다. 물질적 유혹에도 흔들리지 말고 약육강식의 자유경쟁 속에서도 지조 있는 삶을 영위해야 함을 떡 장사와 동물 세계의 비유로 제시하고 있다. 아울러 이 시는 그러한 지조 없는 삶이 기회주의적 정치인의 형태로도 나타나며, 물질에만 집착하는 투기꾼의 형태로도 나타남을 풍자하고 있다.

한편, 「감꽃」에서는 외곬의 사랑을 보여주고 있다.

> "감나무골 순이야, 감꽃 피는데, 감나무골 아래로, 모올래 나와라, 모올래 나와라." 이 동요 같은 노래는 난해시 판치던 60년대 하고도

후반기에 소설쓰던 선원빈(宣元彬) 형이 한국의 샹송이라고 하며 술자리에서 십팔번 자작곡으로 불렀대요. …중략…"형님! 아직도 감꽃 같은 순이를 못만났소?" "그래 아직도 못만났네!"하며 감나무골 샹송을 퉁소소리로 부르고 있대요.

20여 년이 지나도록 변함없이 "감나무골 순이야……"만을 노래하는 행위에서 우리는 하나의 대상에만 바쳐지는 마음을 읽어낼 수 있다. 또한 그것은 노래로서 표현된 한 소설가의 일관된 정서이자 그러한 세계를 지향하려는 생철학으로 받아들여진다. 아울러 그것은 민요구 "달아달아 밝은달아 임의동창에 비친달아……"같은 임의 향한 변함없는 그리움으로서의 민족적 정서의 재현이며, 변함없는 마음의 상태로 생을 일관하고자 하는 의지의 표명이라 할 수 있다.

> LA에 사는 닥터 장(張)은 치과의사, 미국에 간지 13년이나 되는 내 친구이네. 치과 개업으로 호화주택도 장만하고, 진홍색 스포츠카 몰고 다닌다네. …중략…궁둥이 마루 짝에 걸치고 파김치에다 막걸리 마시며 내 땅에서 살고싶다네. 도라지 도라지 백도라지 심심산골에 백도라지 캐먹으며…중략… 가벼우냐 맹-꽁, 무거웁다 맹-꽁,
> ―「도라지꽃」 부분

이 시에서는 현대문명의 소외감 속에서 향토적 삶의 따뜻함을 갈망하는 심경을 읽을 수 있다. 결국 인간의 행복이 물질적 풍요나 편리함에서 오는 것이 아니라 더불어 사는 따뜻함 속에서 찾아질 수 있다는 깨달음을 '호화주택/자가용'과 '파김치/막걸리'와의 대조적 기법으로 제시하고 있다. 따라서, 이 시가 추구하는 정신은 '백도라지'라는 일체감의 세계이며, "가벼우냐 맹-꽁, 무거웁다 맹-꽁"의 동심의 세계에 놓인다. 일체감이야말로 '우리'라는 동질성을 확인시켜 주고, 동심이야말로 선의 바탕 위에 존재하기 때문이다.

시 「초승달꽃」도 「감꽃」과 같은 계열의 시이다. 다만 정한의 주체가 여자로 바뀌어 첫사랑을 잊지 못하고 외곬의 삶을 사는 작부의 사랑과 한을 시화한 작품이다. 이 시에서의 초승달은 그리움의 촉매이며, 달의 상상력에 의해 임과의 만남을 갈망하게 된다.

이상과 같은 삶의 다양성에 대한 관심은 시인의 삶에 대한 태도를 보여준 것이라 하겠다. 시인의 인생관은 각 제재의 주인공들이 추구한 외곬의 삶처럼 인간다운 삶, 더불어 사는 삶에 가치를 두는 것으로 파악되기 때문이다.

위에서 논의한 시들은 타인의 삶을 시화한 경우인 데 비하여 다음 몇몇 편의 시에서는 솔직하게 제시한 시인 자신의 삶을 살필 수 있다. 즉, 사물에 대한 인식의 태도라든지 교우 관계 등이 반영된 개성적인 삶의 모습을 파악할 수 있다.

> 이미 주승은 가짜 잠이 들었고 올빼미만 눈알굴리며 아홉명의 헛그림자 따라오고 있습니다. 산수유꽃도 피어나고 우리의 가짜 사랑 이야기로 물소리는 하염없이 설레이고 하늘나라의 용이 못된 아홉마리의 이무기가 지랄탄 터지는 어둠 속에서 피내음에 취해 취해 꿈틀댑니다.
>
> ―「산수유꽃」 부분

이 시는 구룡사를 배경으로 한 여행시로서 갈등구조 속에 그 중심의미가 놓여 있다. '아홉 명의 헛그림자' 또는 '아홉 마리의 이무기'와 이에 대립되는 '올빼미' 또는 '가짜 주승'과의 갈등 위에 시적 자아가 놓여진다. 시적 자아로 표상된 헛그림자나 이무기는 '가짜 사랑 이야기'로 비유된 삶의 허위성에 고뇌하고 '피내음에 취해 꿈틀대듯' 고통스러운 몸부림을 보여준다. 그것은 '지랄탄 터지는 어둠'으로 상징된 암울한 시대 속에 자신을 바로 세우고자 하는 이성적 자아 또는 진실의 혜안이 주는 갈등으로 볼 수 있다. 따라서 이 시에서는 암울한 시대를 살면서 자신을 바로 세워나가려는 시인의 몸부림을 발견하게 된다.

돌뿌리 울리는 물소리, 짚신나물꽃 사이로 이별하는데 나무다리 위에서 안내인 오현(五鉉)스님이 너울너울 노래하며 춤추네. 끝없는 하늘 바라보며 "먹어라 똥떡! 먹어라 똥떡!" 돌고 돌아 물난리로 떠내려간 오솔길 헤쳐 백담사에 들어서니 만해선사(萬海禪師) 대웅전 위에서 호미들고 환영하네. "어깅녀랑 단청불사(丹靑佛事)! 어깅녀랑 단청불사(丹靑佛事)!"

—「짚신나물꽃」 부분

이 시도 백담사 여행시이다. 대개의 여행시가 그러하듯 이 시도 서경이 중심을 이룬다. 즉, '돌뿌리/물소리/짚신나물꽃/오솔길' 등의 전원 심상과 '백담사'라는 공간적 배경이 어우러져 산사의 정취를 담아내고 있다. 한편, 이 시에서는 퇴락한 유적지에 대한 시인의 태도가 드러난다. 즉, 만해선사와의 환상적 만남과 삽입 여음을 통해 퇴락한 백담사의 단청불사가 시급함을 강조하고 있다. 이것은 만해를 통한 백담사의 재인식이며, 따라서 그 손질과 보존을 통한 만해 정신의 계승을 강조한 것으로 파악된다.

27년만인가, 칼에서 붓으로, 총에서 펜으로 옮겨 갈려고 하는 안개 낀 1987년 여름 어느날이었지요. 부산(釜山)에 사는 시인 차한수(車漢洙)가 평론가 김재홍(金載弘)과 불초(不肖)를 불러, 넘실대는 항구의 물결 사이를 망둥어처럼 노닐다가 차한수(車漢洙)의 고향 충무(忠武)로 가기로 해. 억수비 맞고 우리의 문향(文鄕)으로 달려갔대요. …중략… "저 꽃 이름이 무엇입니까?" 하고 물으니 모두 고개를 가로저어 "저 꽃이 뚱딴지꽃이지요" 하니 두 사람 모두 내 말이 뚱딴지 같은 거짓말이라고 믿지 않대요. 나귀 타고 나귀 찾듯이, 세상은 입에서 나서 입으로 돌아가는데……

—「뚱딴지꽃」 부분

이 시는 먼저 시간적 배경의 제시에서 비롯된다. 그것은 '칼/총'과 '붓/펜'의 환유가 암시하듯 시대에 대한 인식을 드러내는데, 무력통치에 대한 거부와 문민정치에 대한 찬양을 은근히 비치고 있음을 알 수 있다. 왜냐하면 '망둥어'처럼 노는 것과 무관하지 않기 때문이다. 그리고 개인적 교류관계를 보이면서 끝부분에서는 말과 믿음의 문제를 제기하고 있다. "세상은 입에서 나서 입으로 돌아가는데……"라는 말과 믿음의 문제는 뚱딴지로 보이게 된 자기 스스로에 대한 자성적 표현이며 동시에 말의 신뢰성 상실에 대한 아쉬움의 표백이다. 그것은 사물의 존재가 언어로 구체화되고 사물의 가치도 결국 언어화함을 의미하기 때문이다.

이 밖에도 기인으로서의 삶을 살아온 천상병 시인을 형상화한 「막걸리꽃」이나, 서정주 시인을 형상화한 「모란꽃」 등에서도 개인적 관계와 함께 상대방에 대한 애정이 깃들어 있다. 이상에서 살핀 남을 향한 삶의 다양성에 대한 관심과 자아에 대한 발견은 나아가 정치 사회적 관심으로 발전한다. 그 한 예로 「어사꽃」은 다음과 같은 의미 단락으로 짜여 있다.

① 여권의 강권정치, 야권의 사랑방정치 배격
② 암행어사 박문수가 원님놀이 하는 아이들을 만남
③ (원님놀이) 날아간 새를 찾게 해 달라는 송사에 원님아이는 산을 잡아오도록 명함
④ 박문수, 아이를 칭찬하다 꾸중을 듣고 가짜 옥에 갇힘
⑤ 아이가 찾아와 진지하게 사과함
⑥ (여음) 낫을 갈고 낫을 갈아 동무야 꼴베러 가자

시 「어사꽃」은 오늘날의 그릇된 정치풍토를 아이들의 원님 놀이에 비추어 풍자하고 있다. 여권의 강권 정치나 야권의 사랑방 정치는 결국 올바른 정치풍토일 수 없음을 '물렀거라'로 일축해버리고, 원님 놀이의 어린이를 통해 정

치가의 덕목을 제시한다. 날아간 새를 찾아달라는 간청에 새가 숨은 산을 잡아 오라고 명하는 일화 속의 아이는 지혜롭다. 그리고 놀이에 끼어든 어른까지도 행동의 어긋남을 들어 벌하고, 놀이가 끝난 뒤에 정중히 사과하는 진실함과 진지함을 겸비했다. 바로 이러한 지혜와 진실이 정치가의 덕목이어야함을 '어사꽃'을 통해 형상화하고, 아울러 그렇지 못한 현실을 야유한다. 즉, 낫을 갈고 낫을 갈아야 풀을 벨 수 있다는 소박한 진리를 일깨우고 있다.

시「싹쓸이꽃」과「쌍용꽃」에서는 한 개인이나 파당의 지나친 정치적 야욕이 가져온 선거의 패배를 문제 삼고 있다.

> 그래 그래서 누가 누가 당선자 되었나? 단일화 실패 자살골에 푸른
> 깃발이 싹쓸이꽃 피었지.
>
> ―「싹쓸이꽃」부분

이것은 1987년 말의 대통령 선거전과 그 결과를 비교적 객관적으로 제시한「싹쓸이꽃」의 일부이다. 당시의 국민적 여론은 야권이 단일화해서 선거에서 승리하고 민주화를 앞당겨 이루어야 한다는 데 집중되어 있었다. 야권 후보자들의 개인적 욕망은 끝내 여론을 등졌으며, 결국 그들은 누구도 승리하지 못했다. 그러한 어리석음에 대한 풍자와 야유는 시「쌍용꽃」에서 더욱 신랄해진다. 이 시의 내용은 다음과 같이 요약할 수 있다.

> ① 영월에 두 마리의 용이 살았음
> ② 하늘에서 여의주 하나가 내려옴
> ③ 서로 양보하여 둘 다 승천하지 않음
> ④ 이 사정을 안 옥황상제가 여의주 하나를 더 보내 같이 승천함

시 속의 설화는 '양보/승천'의 논리이다. 그리고 이 논리는 양 김(兩 金)씨를 향해 직접적으로 제시되어 있다. 이것은 '경쟁/낙선'이라는 현실적 결과에 대

한 비판과 야유, 그리고 민주화의 가속화를 이루지 못한 아쉬움으로 거듭되고 있다는 점에서 시인의 투철한 현실 인식으로 볼 수 있다.

「지랄탄꽃」은 사회악의 발생을 풍자한 시이다. 이 시를 후렴구에 따라 대립적 요소를 정리하면 다음과 같다.

> ① 뎅그렁뎅그렁 좋을시고; 승냥이/능구렁이, 오리나무/전나무, 강남
>   콩/쥐너니콩, 망나니칼/따발총, 권위주의/지랄탄
> ② 잊었나 안잊었나; 아들/충신, 딸/열녀, 말/용마, 개/삽쌀개, 닭/황계

시의 내용은 이중의 교직으로 짜여 있다. ①의 이미지들은 사회악적 요소의 상징들로서 상호의존관계로 발생함을 보이고, ②에 모여진 이미지들은 바람직한 변모를 보임으로써 시의 의미를 강화한다. 즉, 이 시의 의미는 비뚤어진 현실의 풍자와 그것의 회복을 전통사회의 윤리적 질서 속에서 구하고 있다는 데 놓여진다.

한편, 시 「보통꽃」은 바람직한 정치지도자상의 제시라는 점에서 그 의의를 찾을 수 있다. "한가한 분/소탈한 분/첫사랑 이야기에 눈시울 적시는 분/물러설 줄 아는 분/세종로 1번지에 데이트하고 데모 구경도 할 줄 아는 분" 등으로 지도자상을 제시한다. 여기에서 시인의 소망은 어떤 영웅의 출현이 아니라 가장 인간적인 정감을 가진 평범한 사람의 출현에 있다. 그 어조에 있어서도 "보고 싶어요"로 일관함으로써 강한 호소력을 유발하고 있다. 그러나, 현실은 시인의 소망 반대쪽에 있다는 점에서 현실의 풍자로 볼 수 있다.

이상의 시들에서 보았듯이 홍희표의 현실풍자는 주로 정치 쪽에 비중이 놓인다. 즉, 지혜와 진실이 없는 정치인들, 야욕과 아집으로 대세를 그르친 정치인들, 물리적 힘과 권위주의가 지배하는 사회, 바람직한 정치지도자상의 아쉬움 등을 때로는 풍자하고 야유하며, 때로는 호소하고 갈구하기도 했다.

4

이 시집의 시들은 설화적인 꽃과 그 분위기에 깊이 침윤되어 있다. 그것은 정서의 면에서 전통적 정감을 이어 주는 구실을 한다. 「매화」, 「앵두꽃」, 「진달래꽃」, 「처용꽃」 등에서는 설화에 담겨 전해오는 사랑의 정한을 형상화하고, 「흰초롱이 꽃」, 「멍멍이 꽃」 등은 인간적 삶의 진실을 표출하고 있다.

꽃은 여러 전통 시가에서 중심대상이 되어왔다. 그것은 꽃이 음풍영월, 화조월석에 거의 빠짐없이 등장하는 단순 소재로서, 서정적 생명의 표상이었다는 점을 말해준다. 그러나, 이 시집의 꽃들은 삶의 차원, 역사의 차원으로 고양되고, 따라서 몇 개의 층위를 형성하고 있다. 그 첫째는 꽃이 피고 짐으로 상징된 생명의 원리로서의 개인사적 차원이다. 그것은 대체로 유년 회상의 시들에서 확인되었다. 둘째는 꽃이 현실사회의 풍자와 비판을 가능케 함으로써 사회사적 층위를 갖는다. 즉, 꽃을 통한 사회적 상상력의 전개이다. 셋째로 꽃은 역사적 삶의 고달픔을 상징함으로써 역사적 층위를 형성한다. 그것은 주로 민족의 수난과 민족 내부의 발전적 전통 속에 살아온 시인의 아픔이 투영되어 있음을 보여주었다.

이렇게 볼 때 이 시집은 서정적인 꽃에다가 인간적 삶의 호흡과 맥박, 그리고 살과 피를 불어넣음으로써 활물화한 점에서 그 의의를 발견할 수 있다. 서정적 생명의 표상인 꽃에 사회성, 역사성을 불어넣음으로써 서정시의 새로운 영역을 개척한 점을 높이 평가해야 할 것이다.

(시집 『모두모두꽃』 작품론, 전예원, 1988)

허형만, 분노와 소망의 변증법

머리말

시인 허형만(1945~), 그는 1973년 시 「예맞이」로 등단한 이래 시집 『청명』(1978), 『풀잎이 하나님에게』(1984), 『모기장을 걷는다』(1985), 『입맞추기』(1987), 그리고 『공초』(1988), 『이 어둠속에 쭈그려 앉아』(1988) 등을 간행한 개성적인 중견 시인 중의 한 사람이다.

그의 시는 작게는 "목포 사람들은/이난영의 목포의 눈물을/애국가로 부른다//둘 이상만 모이면/그래서/얼큰한 홍어와 쐬주에 취해 들면/으레히 목포의 눈물//세상 사람들은/슬프고 슬픈 노래를 사랑가로 부른다"(「슬픈 노래」에서)라는 시처럼 목포를 배경으로 삶의 서정을 펼친다. 아울러 「영산강 저녁노을」이나 「순천이여 은총의 땅이여」, 「광주」 등처럼 전라도를 노래하기도 한다. 그런가 하면 크게는 한반도 전체나 인류의 문제를 테마로 하기도 하며, 「풀잎이 하나님에게」처럼 하늘과 땅의 척도를 형상화하기도 한다. 그만큼 그의 시는 향토적이면서도 민족적이고 인류사적인 삼투력을 지녔다는 뜻이 될 수도 있을 것이다.

전체적인 면에서 그의 시는 보다 소외된 사람들의 삶의 문제, 또는 민중적인 생명력의 고양에 시적 관심을 쏟고 있는 것으로 보인다. 그의 시에는 이름 없이 살아가면서도 꿋꿋한 생명력을 잃지 않고 있는 민초들의 끈질긴 삶이 주로 형상화되고 있기 때문이다.

1. 비관적 현실 인식의 의미

허형만의 시집 『진달래 산천』을 관류하는 것은 어둠의 현실 인식이라고 하겠다. 그의 시집 도처에는 '눈물', '겨울', '어둠', '파도', '죽음', '칼날', '혼불', '아픔' 등과 같은 비관적인 심상 또는 부정적인 이미저리들이 다수 깔려 있기 때문이다.

① 이제는 꿈꾸는 일도 힘겹고
　가녀린 희망마저
　목하 낙하중

　이 밤 퍼어런 혼불로 떠도는
　서러운 누이야
　달빛에 꽃잎이 진다
　오늘에 남은
　마지막 꽃잎이 진다

─「이 시대·2」 전문

② 대한민국, 그
　위대한 이름 앞에
　춘사월 궂은비만 나리고

　출근길 교문에 들어서니
　지천으로 구르는 돌멩이를

맨살로 그을린 화염병 조각
그리고 저 찢겨진 깃발들

코끝이 짜릿짜릿하고
왈칵 치솟는 눈물
목이 메인 최루가스
오, 어디에 있느냐, 우리네
희망어린 봄

대한민국, 그
위대한 이름 앞에
춘사월 궂은비만 나리고
　　　　　　　—「대한민국, 그 위대한 이름앞에·1」전문

　　먼저 시 ①에는 이러한 어둠의 현실 인식이 낙하의 상상력으로 구상화되어
나타난다. 이 시에서는 "이제는 꿈꾸는 일도 힘겹고/가녀린 희망마저/목하 낙
하중"과 같이 어둔 현실을 살아가는 힘겨움과 고통, 그리고 좌절감이 드러나
있다. 이러한 고통과 좌절감은 "이밤 퍼어런 혼불로 떠도는/서러운 누이"라
는 한(恨)과 비애의 정조로 심화되고, 아울러 "달빛에 꽃잎이 진다/마지막 꽃
잎이 진다"처럼 하강의 이미저리들로 서정적인 내면화를 성취하게 된다. 오
늘의 이 시대를 바라보는 시선이 "힘겨움/혼불로 떠도는/마지막 꽃잎이 진다"
와 같이 비관적이면서도 부정적인 모습을 지니고 있는 것이다. 그만큼 시인
의 현실 인식이 비관적이고 부정적이라는 뜻이 되겠다.

　　이러한 비관적인 현실 인식, 부정적인 시대 인식은 시 ②에서 보다 구체적
인 모습으로 제시된다. 이 시에는 오늘의 현실 인식이 생생하게 제시되어 있
다. 여기에서 현실은 돌멩이와 화염병이 날고 최루가스가 난무하는 고통스러
운 모습이다. 그렇기에 춘사월이면서도 '희망어린 봄'을 갈망한다. 봄은 왔지

만 진정한 희망의 봄이 되지 못하고 '궂은비'만 내리고 어둡고 고통스러운 모습인 것이다. "코끝이 짜릿짜릿하고/왈칵 치솟는 눈물/목이 메인 최루가스/오, 어디에 있느냐, 우리네/희망어린 봄"이라는 구절 속에는 온갖 어둠으로 가득 찬 시대 현실에 고통받으면서 모든 사람들이 인간답게 살 수 있는 진정한 민주사회로 나아가고자 하는 열망이 담겨져 있다.

그렇다면 이러한 암울한 현실 인식은 어디에서 기인하는 것일까? "지천으로 구르는 돌멩이들/맨살로 그을린 화염병조각"과 '최루가스'가 난무하는 까닭은 과연 무엇 때문인가?

> 대한민국, 그
> 위대한 이름 앞에
> 소지를 태워 날린다
> 두 손을 비빈다
>
> 합당귀신, 밀약귀신, 대권귀신
> 이름들을 소지에 실어
> 재벌귀신, 투기귀신, 물가귀신
> 이름들을 소지에 실어
> 방송귀신, 현대귀신, 공권력귀신
> 이름들을 소지에 실어
>
> 전세값 못 주고 자살한 귀신
> 이름들을 소지에 실어
> 칼기 폭파로 비명횡사한 귀신
> 이름들을 소지에 실어
> 포악하게 능욕당한 감옥귀신
> 이름들을 소지에 실어
> ―「대한민국, 그 위대한 이름 앞에·3」 부분

한마디로 그러한 비관적인 현실 인식은 오늘날 이 땅을 짓누르고 있는 제반 정치적 모순과 사회적 부조리로부터 기인한다. '합당귀신/밀약귀신/대권귀신'과 같은 정치적 비리와 '재벌귀신/투기귀신/물가귀신/방송귀신/현대귀신/공권력귀신' 등의 사회적 부조리가 만연하는 현실에 대한 개탄이며 저항의식의 분출이라고 하겠다. 아울러 "전세값 못 주고 자살한 귀신"처럼 생존권마저도 위협당하는 민중들의 고통스러운 현실에 대한 비판이며, "칼기 폭파로 비명횡사한 귀신"과 같이 약소민족이 당할 수밖에 없는 외세의 폭압에 대한 울분에 기인하는 것이다.

이렇게 본다면 허형만의 시는 정치적 상상력을 날카로이 분출하면서도 그것이 서정적 형상성을 견지하고 있음을 알 수 있다. 그렇기에 그의 시는 이러한 어둠의 현실로부터 벗어나서 보다 밝은 빛의 세계, 하나가 되는 세계로서 '그대'를 향한 그리움과 열망을 드러내게 된다. 그것을 우리는 요약하여 이 땅에 진정한 민주·정의 사회 건설에 대한 열망과 기다림이라고 할 수 있을 것이다. "사랑스러운 그대/이 시대의 새벽으로/이 땅의 빛으로 절망이라면 절망의 산을 넘고/눈물이라면 눈물의 강을 건너/이 시대의 희망으로/이 땅의 꿈으로 싱싱하게 살아 꿈틀대는 사랑스러운 그대//독재 위에 독재, 진정한/조국은 어디에 있었던가?/최루탄 속의 최루탄, 진정한/민족은 어디에 있었던가?"(「그대 이 시대의 새벽으로」에서)라는 구절처럼 진정한 민주화가 꽃 피는 시대를 향해 나아가는 전진의 길인 것이다. 달리 말해서 조국과 민족이 하나가 되는 분단극복의 길, 통일의 길을 향해 나아가고자 하는 열망이며 기다림의 표출이라는 뜻이다. 실상 이 땅을 짓누르고 있는 어둠도 그러한 분단비극으로부터 원천적으로 기인하는 것이기 때문이다.

2. 분단극복의지 또는 통일지향의 시

이러한 어둠의 현실 인식은 실상 이 땅의 제반 정치·경제·사회·문화적 모순이나 부조리에 기인하지만 그 근원에 있어서는 분단 조국의 비극적 상황에 연원하는 것으로 보인다. 그의 시집에는 분단비극에의 열망 또는 조국 통일에의 염원이 물결치고 있기 때문이다.

① 여기는
　남녘끝, 목포(木浦)
　대한민국 국도 1호선
　기점

```
木浦→신의주선
528.8km
```

　누가
　이 길을 막는가
　무엇이
　이 길을 옭아매는가

　우리는 달려야 한다
　펄럭이는 햇살로 살아
　목포(木浦)에서
　신의주까지
　발이 시리도록 달려야 한다.

　　　　　　　　　　　　　　　—「국도 1호선」 전문

② 아니다
　우리 몸이
　남남이 아닌 것을

그 누가
남남으로
쪼개고 갈랐더냐
조국은
오직 하나뿐
남과 북이 한데 모여

뜨거운 눈물 가득
메이는
가슴마다
손 잡아 부추기며
덩더쿵
토하고자
비나니 천지신령전
우리 서로 한몸으로
땅이야
하늘이야

한가지 울타리로
감싸고 품으면서
더덩실
살으리라
한핏줄 강줄기 이뤄
세세만손 이으리라.

ㅡ「한핏줄 강줄기 이뤄」 전문

　　허형만의 시에 깔려 있는 짙은 어둠의 현실 인식은 근원적인 면에서 볼 때
분단된 조국 현실에 기인하는 것으로 보인다. 허리 잘린 남쪽 땅 대한민국의
국가적 이념은 자유민주주의의 올바른 실현임에 분명하다. 그럼에도 불구하
고 분단 반세기 동안 이 땅은 민주주의를 향한 끊임없는 갈등과 시행착오의

연속이었다고 해도 과언이 아니다. 그만큼 분단은 이 땅에서의 완전한 민주주의의 실현에 있어 어두운 그림자를 드리워온 것이 사실인 것이다. 돌멩이가 날고 화염병과 최루탄이 난무하는 어둠의 현실은 바로 이러한 자유민주주의가 완전히 실현되고 있지 못한 현실적 모순에 기인하는 비극이라는 뜻이다. 올바른 자유, 바람직한 민주주의란 정의로운 평등이 담보되는 데서 비로소 보다 이념적인 모습이 달성될 수 있기 때문이다. 자유민주주의 또는 자본주의 정치·경제체제가 유발할 수 있는 부익부·빈익빈의 극단화 현상은 이 땅의 분단비극과 맞물리면서 이 땅에서 정의로운 분배의 실현, 즉 정당한 평등의 실천을 가로막는 중요한 한 요인으로 작용하고 있는 것이다.

그렇기에 허형만의 시집에는 분단비극에 대한 날카로운 응시와 함께 분단극복을 향한 열망이 뜨겁게 분출되고 있다. 먼저 인용시 ①은 목포에서 신의주까지 달려가는 '국도 1호선'을 통해서 분단비극을 드러내면서 그 극복에의 열망을 드러낸다. "목포(木浦)→신의주선 528. 8m"라는 실제의 이정표를 시적 현실로 이끌어들이면서 그 허리 잘린 조국과 민족의 아픔을 생생하게 표출한다. 그러면서 "누가/이 길을 막는가/무엇이/이 길을 옭아매는가"와 같이 분단극복을 가로막는 부당한 힘들에 대한 분노와 항거를 드러내고 "우리는 달려야 한다/펄럭이는 햇살로 살아/목포에서/신의주까지/발이 시리도록 달려야 한다"처럼 분단극복이 이 시대인들의 사명이자 민족사적 당위명제임을 제시하고 있는 것이다.

그렇기에 시 ②에서는 이러한 분단극복으로서 통일에 대한 열망이 더욱 고조되어 나타난다. '아니다'라는 강렬한 부정으로 시작되는 이 시는 "조국은 오직 하나뿐/우리 서로 한몸/한핏줄 강줄기 이뤄/세세만손 이으리라"와 같이 남북이 서로 하나가 되는 진정한 의미에서의 통일에 대한 염원을 절실하게 표출한다.

그렇지만 이러한 통일에의 염원과 열망은 이 땅에 가로놓여져 있는 수많은 장애 요인들에 의해 실의와 좌절을 겪는다. "웬일이냐/요즘은/눈물이 자주 난다/고령의 시인 한 분이/북녘땅 밟았다는 소식에도/눈물이 흐르고/그분이 귀국하자마자/오랏줄에 묶였다는 소식에는/더더욱 눈물이 흐르고/요즘은/눈물이 자주 난다"(「눈물이 자주 난다」에서)라는 시에서 보듯이 통일을 향해 완전히 열리지 못하고 있는 답답한 조국의 현실에 비통해 하고 있는 것이다. 아울러 "우리가 쓴 시는/번개가 될 수 있을까/녹슨 철조망을 녹이우고 녹이울/번개가 될 수 있을까//아니다 우리가 쓴/시는/정녕 밥이 될 수 있을까/아, 그대와 나/우리가 그리도 애타게 먹고자운/통일밥이 될 수 있을까/통일밥이 될 수 있을까"(「우리가 쓴 시는」에서)처럼 통일이 그저 추상적이거나 관념적인 그무엇이 아니라 '통일밥'이 상징하는 것과 같이 민족의 생존권이며 현실 그 자체와 연결되는 문제를 강조하게 된다.

그런데 여기에서 한가지 주목할 것은 '오월상징'이 통일지향성으로서 하나가 됨의 명제로 연결되어 있는 점이다. "오월엔 산 자여/눈을 감자/아무리 세월이사/무심하기로/오월에 죽은 자여/눈을 뜨자//그리하여 오월엔/남남(南男)이/북녘에서/쟁기질하고/북녀(北女)가/남녘에서 길쌈을 하고/아아, 오월엔/산 자여/뿌리가 되자/죽은 자여 불꽃이 되자/어얼싸/하나로 되어/으스러지게 으스러지게/껴안고 살자"(「오월엔」에서)라는 시에서처럼 진정한 하나됨이란 바로 '오월'이 상징하는 바처럼 이 땅의 온갖 고통과 비극을 뛰어넘어 온 민족이 하나가 되는 통일의 실현을 의미한다. "그리하여 오월엔/남남(南男)이/북녘에서 쟁기질하고/북녀(北女)가/남녘에서 길쌈을 하고"와 같이 광주민주항쟁으로서 '5월'의 비극이 민족통일의 열기로 승화될 것을 간절하게 염원하는 뜻이 담겨져 있는 것이다. 실상 이 땅에서의 '4월'이나 '5월'이란 결국 분단비극에서 비롯된 고통스러운 역사적 소용돌이가 아니었겠는가? '4월'이나 '5월'이란 그것이 민족통일의 길로서 승화되어 나아가는 데서 참된 의의가 드러날 것이 분명하기 때문이다.

3. 사랑·믿음·소망을 위하여

그렇지만 허형만의 시가 근본적으로 지향하는 세계는 비극적인 현실 그 자체가 아니다. 그것은 오히려 그러한 현실을 뛰어넘어 생명과 사랑, 믿음과 소망이 꽃피고 열매 맺는 그러한 세계에 대한 갈망이고 지향이라고 하겠다.

① 나는 빛이다.
　꿈 속에서만 파닥이던
　쭉지를 털어
　하늘과 땅 사이를
　가로 지르고
　강물 깊은 속까지도
　사랑으로 난다.

— 「새·1」 전문

② 내가 날 수 있음은
　오직 믿음이다.

— 「나무 곁에서」 부분

③ 어린 두 아들이
　나뭇가지에 매달려 그네를 뛰는
　대문 앞 빈 터 나무곁에서
　불꽃처럼 흔들리는 바람을 보았습니다
　삶이라는 가파른 절벽에
　흉터처럼 붙어있던
　나의 어린 시절
　젖빛 투명한 희망 한 점
　부르르 떨고 있었습니다.

— 「나무 곁에서」 부분

인용해 본 세 편의 시에는 허형만 시의 지향점이 선명하게 제시되어 있다. 그 첫째는 사랑이고, 둘째는 믿음이며, 셋째는 희망(소망)이다. 사랑과 믿음, 그리고 소망이야말로 허형만 시의 출발점이면서 동시에 궁극적인 지향점이라고 할 수 있다.

사랑이란 무엇인가? 그것은 말 그대로 모든 사람이 하나가 되어 함께 몸 부비면서 살아가려는 진실한 마음·착한 마음·아름다운 마음을 뜻하리라. 그렇기에 사랑은 인간의 삶을, 모든 살아 있는 것들을 생명답게 만들어 주는 근원적인 힘이면서 동시에 인류의 이상이 된다. 또한 믿음이란 사랑을 사랑답게 뒷받침해 주는 원천이 되며, 소망이란 그러한 사랑과 믿음을 아름답고 따뜻하게 고양시켜 주는 촉매가 된다. 사랑과 믿음과 소망이 있기에 인류의 삶은 부패하지 않고 빛과 향기를 간직할 수 있음은 물론이다. 그리고 보면 우리는 허형만의 시가 그 근원에 있어서 기독교적인 세계관에 바탕을 두고 있음을 알 수 있게 된다.

기독교적 세계관이란 무엇인가? 소박하게 말해서 그것은 아마도 사랑과 믿음과 소망을 간직하고 갈고 닦음으로써 인류가 그 원죄의 사함을 받고 영생과 구원에로 나아갈 수 있다는 세계인식의 태도를 일컫는다고 할 것이다. 뒤집어 말해서 그만큼 인류의 삶이란 오늘날 온갖 어둠과 불의로 가득차 있기에 그러한 진정한 사랑과 믿음과 소망이 필요한 것이라고 볼 수도 있겠다. 실상 그의 시에 비관적인 현실 인식이 관류하면서도 분단극복으로서 통일의 세계로 나아가고자 하는 열망이 굽이치는 것도 어쩌면 이러한 사랑과 믿음과 소망의 실천으로서 기독교적 세계관이 자연스럽게 흘러넘친 것인지도 모른다. 실제로 「부활의 눈부신 빛을」, 「하나님의 뜻」, 「새해 새아침을」, 그리고 「한 톨의 밀알이 살아」 등과 같은 시편들은 그의 시가 이러한 기독교적 세계관에 밑받침되어 있음을 증명해 주고 있다고 하겠다.

한 톨의 밀알이 살아
거친 황토에 뿌리 내리니
비바람 섞어쳐도
꺾이지 않고
흙먼지 휘날려도
힘줄이 솟는다

이 시대 햇살처럼 다사로운 입맞춤은
어디에 있는가
생명이여 알알이 영글어
벌겋게 익히울
생명은 어디에 있는가
사랑이여 사랑이여
수정보다 더 맑은 새벽이슬
이슬 앞에서도 수줍은
사랑은 진정 어디에 있는가

— 「한 톨의 밀알이 살아」 부분

농부는 씨앗으로 뿌린
목숨을 거두어들인다
기름쳐 잘 닦여진 보습으로
파헤쳤던 봄날부터
삶의 이랑마다
도회지에서 떠밀려 흘러온
퍼렇게 멍든 바람
한여름 내리꽂던 번개며
뜨거운 벼락 한 점까지도
노동의 심장 깊숙이 익히우면서
오로지 하늘의 은총
목마르게 꿈꾸던
거룩한 대지의 축복 속에

농부는 씨앗으로 뿌린
희망을 거두어들인다

우주의 맥박은 쿵쿵 울리고
들판은 비로소 빛살 속을 걸어다닌다.

—「들판」 전문

그런데 위 두 인용시에는 이러한 기독교적 세계관이 농부로 표상되는 민중적 세계관과 연결되고 있어서 관심을 끈다. '한톨의 밀알'이란 황토와 연결되어 생명의 이미지를 낳는다. 그리고 그 생명이란 바로 사랑의 정신을 표상한다. 아울러 농부의 삶이란 바로 씨앗 또는 대지를 기초로 하여 성립된다. 그리고 그것은 노동사상으로 뒷받침됨으로써 건강한 생명력을 확보한다. '농부=대지=씨앗=생명=사랑=노동'이라고 하는 등가관계가 제시되는 것이다. 실상 이러한 건강한 대지사상, 생명사상, 노동사상이야말로 민중적 세계관의 반영이 아니고 그 무엇이겠는가? 농부의 거친 삶(고단한 삶)이야말로 진정한 생명 즉, 사랑의 실천이며 대지에의 믿음이며 인류에의 소망을 의미한다는 말이다. 바로 이 점에서 허형만 시의 한 건강성이 드러남은 물론이라고 하겠다.

맺음말

지금까지 살펴본 것처럼 허형만의 시집『진달래 산천』은 현실에 대한 날카로운 응시를 담고 있으면서도 그것이 서정적인 가락으로 잘 형상화되어 있음을 알 수 있다. 그의 시는 현실의 짙은 어둠을 꿰뚫어 보고 그에 대한 저항의지를 드러내기도 하지만, 그가 궁극적으로 지향하는 세계란 사랑과 믿음과 소망이 물결치는 생명의 세계이며 평화의 세계이다. 이 점에서 그의 시에 기독교적 세계관과 민중의식이 담보되어있는 점은 그의 시를 건강하게 해주는 원동력으로 작용하는 것으로 이해된다.

　다만 그의 이번 시집에는 가끔 의식의 과잉현상과 함께 관념화 또는 추상화되는 요소들이 산견되어 아쉬움을 던져준다. 유사 이미지나 관습상징의 반복이 좀 더 내면적인 육화를 성취하는데 저해요인이 되기도 한다는 뜻이다. 아울러 어휘의 절제와 형태의 압축화도 생각해 볼 만한 일이다. 때로 시가 장황한 느낌을 주고 있기 때문이다.

　그럼에도 불구하고 허형만의 시는 전체적인 면에서 안정되어 있는 것이 장점임에 분명하다. 그의 시는 내용으로서의 사상성과 표현으로서의 예술성이 행복하게 조화되는 경우가 적지 않다. 그만큼 그의 시가 성숙되어 있다는 뜻이 되겠다. 무엇보다도 그의 시가 현실에 대한 날카로운 응시를 담고 있으면서도 궁극적으로 그러한 것들을 따뜻하게 끌어안고 극복해 나아가려는 열린 의지를 보여주는 것은 주목할 만한 일이다. 모쪼록 그의 시가 더 큰 사랑과 더 깊은 믿음, 그리고 따뜻한 소망의 세계로 발전해가기를 기대하며 격려의 박수를 보낸다.

(시집『진달래 산천』작품론, 황토, 1991)

제2부 생명사랑과 영원주의

서정주, 운명의 거울·존재의 거울

—『화사집』분석론

1. 이 땅의 살아 있는 시사(詩史)

미당 서정주(徐廷柱, 1915~), 그는 분단 후 이 땅 최대 시인의 한 사람으로 꼽히기에 부족함이 없는 인물이다. 그는 1936년『동아일보』신춘문예에 시「벽(壁)」이 당선되어 데뷔한 이래 1991년 시집『산시(山詩)』를 간행하기까지 50여 년을 넘게 활동해온 최고 원로시인의 한 분이다. 그는 이 땅의 어느 시인보다도 천부적인 시적 재질과 능력을 고루 갖춘 대가형 시인으로서 오늘날에도 여전히 정력적인 활동을 지속하고 있다. 그가 선구한 세칭 '생명파' 운동이나 고전 정신의 탐구는 분단 후 남쪽 시단의 한 주류로서 뚜렷한 흐름을 차지해 왔으며, 수많은 시인 제자들을 길러내고 문단을 이끌어온 점에서 그는 분명 해방 후 한국 문단의 한 지도자 역할을 해왔다고 하겠다.

그러면서도 그는 그의 천재적 호기심에서 비롯된 다소 아쉬운 언행으로 인해 평가절하되기도 하였다. 그의 시 또한 현대시의 한 정상으로 평가되는 한편 일부에서는 고답적인 관념의 유희나 반역사주의 성향을 지니고 있다는 점에서 비판의 대상이 되기도 하였다. 최근에 들어 그는 80년대의 어두운 시대를 지나 새로운 전기를 마련하고 있는 듯하다. 91년의 시집『산시(山詩)』발

간과 『화사집』 발간 50주년 행사, 그리고 그에 뒤이은 자기청산 노력(『시와
시학』 92년 봄호 대담 및 신작시 발표) 등을 통해서 미당의 거듭나기가 진행
되고 있는 것으로 여겨지기 때문이다.

어떻든 미당은 지난 반세기 이 땅의 살아 있는 시사(詩史)이자 최대 시인으
로서 오늘날에도 여전히 저력을 과시하고 있는 장로 시인의 한 사람이라고
하겠다. 해방 후 그 어떤 시인이라도 미당의 영향권으로부터 자유로울 수 있
는 시인은 많지 않으며, 그와 그의 시를 논하지 않고서는 현대시사가 쓰여질
수 없으리라는 것은 자명한 사실이다.

2. 토속적 삶의 모습과 실존적인 몸부림의 탐구

지금까지 미당이 발간한 시집은 첫시집 『화사집』(남만서고, 1941)을 비롯
해서 『귀촉도』(선문사, 1946), 『서정주시선』(정음사, 1955), 『신라초』(정음
사, 1960), 『동천』(민중서관, 1968), 『질마재 신화』(일지사, 1975), 『떠돌이의
시』(민음사, 1976), 『서으로 가는 달처럼』(문학사상사, 1980), 『학이 울고 간
날들의 시』(소설문학사, 1982), 『안 잊히는 일들』(현대문학사, 1984), 그리고
『산시』(민음사, 1991) 등이 있다. 아울러 대략 『동천』까지의 시를 묶은 『서
정주 문학 전집』(일지사, 1972)과 최근 시집까지를 묶은 『미당 서정주 시전
집 상·하』(민음사, 1983·1991)가 있으며, 그밖에 몇 권의 선시집과 시론집이
다수 있다.

서정주와 그의 시에 관한 연구로는 수많은 평론과 함께 중요 단행본으로서
동국문학인회가 펴낸 『서정주 연구』(선일문화사, 1991)에 이르기까지 다수
가 있다. 그만큼 서정주와 그의 시는 분단 후 오랫동안 남쪽 시와 시단에 크고
깊은 울림을 던져주었다는 뜻이 되겠다. 그렇지만 80년대 초 들어서서 그에
관한 논의는 급격히 위축 현상을 보인다. 80년대 그의 행적이 뜻 있는 이들에

게 부정과 비판의 대상으로 떠올랐기 때문이기도 하겠지만, 분단 이후 주류를 형성해 온 순수주의 또는 영원주의 문학에 대한 문학 내적 반동이 작용한 까닭도 있겠다.

여하튼 서정주와 그의 시는 오늘날에도 여전히 긍정과 부정, 찬사와 극복의 대상으로 자리 잡고 있음이 분명한 사실이다. 그만큼 그와 그의 시는 분단 후 이 땅 시사에서 시와 시인의 길에서 최대의 가능성과 문제점을 동시에 제기했다는 뜻이 될 것이다.

먼저 시집 『화사집』에서 문제가 되는 것은 그 제목이다. 시인 오장환이 차린 출판사 남만서고에서 같은 『시인부락』 동인이며 약재상이던 김상원의 재정 후원으로 간행된 이 시집은 시집 표지와 뒷면 판권 간기(刊記)에는 시집 제목이 『화사집』으로 되어 있으나, 시집 속표지에는 서정주 시집 『화사』로 되어 있기 때문이다. 이러한 다소의 혼란은 미당 자신이 『화사집』으로 호칭하고 있다는 점에서 『화사집』으로 확정하는 것이 옳다고 하겠다.

시집 『화사집』에는 시 「자화상」을 서시로 하여 '화사', '노래', '지귀도시(地歸島詩)', '문' 등의 소제목하에 모두 24편의 시가 수록되어 있으며, 말미에 김상원의 발문이 붙어 있다.

먼저 서시 격인 시 「자화상」은 소제목 「자화상」 아래 이 시 한 편만이 실려 있다. 그만큼 시 「자화상」이 시집에서 차지하는 비중이 높다는 점을 말해 주는 것이 되겠다. 시집 『화사집』에 시 「자화상」이 서시로 실린 까닭은 무엇일까? 그것은 그다음 소제목이 '화사'이고, 그 첫 시가 『화사』라는 사실과 서로 호응되는 것으로 보인다.

"애비는 종이었다. 밤이 기퍼도 오지 않었다"로 시작되어 "병든 숫개만양 헐덕어리며 나는 왔다"로 끝나는(이하 시 인용은 1941년 판 시집 『화사집』 참조) 시 「자화상」이 미당의 가족사가 투영된 생애사적 자화상이라고 한다면, "사향 박하의 뒤안길이다. 아름다운 베암"으로 시작되어 "우리 순네는 스

끝난 색시, 고양이같이 고혼 입설…… 슴여라! 베암"으로 마무리되는 시「화사」는 미당의 20대 초 본능이 꿈틀대는 실존적 자화상에 해당되는 것으로 풀이된다. 서시「자화상」과 표제시「화사」에는 미당의 젊은 날에 있어서 고통스러운 운명의 표정이 압축적으로 제시되어 있기 때문이다. 말하자면 이 두 편의 시는 앞뒤 양면으로 그려진 하나의 자화상으로서 미당 젊은 날의 초상에 해당한다고 하겠다. 이처럼 시「자화상」과「화사」는 시집『화사집』의 전체 성격과 특징을 상징적으로 드러낸다는 점에서 중요성을 지닌다.

애비는 종이었다. 밤이기퍼도 오지 않았다.
파뿌리 같이 늙은할머니와 대추꽃이 한주 서 있을 뿐이었다.
어매는 달을두고 풋살구가 꼭하나만 먹고 싶다하였으나…… 흙으
로 바람벽한 호롱불 밑에
손톱이 깜한 에미의 아들.
갑오년(甲午年)이라든가 바다에 나가서는 도라오지 않는다하는 외
(外)할아버지의 숯많은 머리털과 그
크다란 눈이 나는 닮었다한다.

스믈세햇 동안 나를 키운 건 팔할(八割)이 바람이다.
세상은 가도가도 부끄럽기만 하드라
어떤이는 내 눈에서 죄인을 읽고 가고
어떤이는 내 눈에서 천치(天痴)를 읽고 가나
나는 아무것도 뉘우치진 않을란다.

찰란히 티워오는 어느아침에도
이마우에 언친 시(詩)의 이슬에는
멫방울의 피가 언제나 서꺼있어
볏이거나 그늘이거나 혓바닥 느러트린
병든 숫개만양 헐덕어리며 나는 왔다.

—「자화상」 전문

작자가 23세 되던 해에 쓴 작품으로 부기되어 있는 이 시는 그야말로 미당 젊은 날의 초상에 해당한다. 가난과 시련, 한의 운명론으로 점철되어 온 미당 개인의 가족사가 요약적으로 제시되는 가운데 미당 자신의 방황하는 젊은 날, 자학하는 모습이 잘 묘파되어 있기 때문이다. 종과 같이 삶의 굴레에 묶여 밤이 깊어도 돌아오지 않는 아버지, 온갖 간난 속에 파뿌리 같이 늙은 할머니, 몸서리쳐지는 가난으로 인해 달을 두고 풋살구가 꼭 하나 먹고 싶다고 되뇌는 어머니, 갑오년에 고기 잡으러 갔다가 영원히 돌아오지 않은 외할아버지의 모습 속에는 바로 온갖 수난과 역경 속에서 끈질기게 목숨을 이어 온 이 땅 민족의 삶, 민중들의 고달픈 운명의 표정이 아로새겨져 있기 때문이다. 아울러 "파 뿌리같이 늙은 할머니와 대추꽃이 한 주 서 있는" 풍경과 "흙으로 바람벽한 호롱불 밑에 손톱이 깜한 에미의 아들"이라는 모습의 대비 속에는 한국의 토속적 삶의 을씨년스러운 표정과 함께 뿌리 깊은 비극적 세계관이 깔려 있는 것으로 해석된다.

이러한 한국적 페시미즘을 바탕에 깔고 '나'의 모습이 제시된다. 그것은 "스물세햇 동안 나를 키운 건 팔할이 바람"처럼 수난과 역경, 방황과 떠돌이의 모습으로 나타난다. 흔히 말하듯 역마살이 낀 삶의 모습이라고나 할 운명론이 짙게 깔려 있는 것이다. 그렇기에 "세상은 가도가도 부끄럽기만하드라/어떤이는 내 눈에서 죄인을 읽고가고/어떤 이는 내 입에서 천치를 읽고가나"와 같이 자학과 오뇌를 앓게 된다. 그러나 여기에서는 "나는 아무것도 뉘우치진 않을란다"와 같이 그러한 모든 것을 받아들이고 감내하는 미당 특유의 순응주의 또는 운명론이 제시되어 관심을 환기한다. 자학의 몸부림이 생의 극복의지로 전이됨으로써 생명력을 획득하게 되는 것이다.

따라서 셋째 연에서는 생명과의 격투를 통한 뜨거운 운명의 수락이 제시된다. "이마우에 언친 시의 이슬에는/멧방울의 피가 언제나 서꺼있어"라는 구절이 그것이다. 운명처럼 다가와 있는 시의 길, 그 속에는 관능과 피의 몸부림이 섞여 있는 것이다. 말하자면 가난과 시련, 방황과 갈등에 시달리면서 시 한 줄에 피의 의미, 삶의 의미를 부여하며 살아왔고 살아가고 있는 젊은 날의 초 상이 '시의 이슬'과 '멧방울의 피'로 상징화되어 있다는 뜻이다. 그러므로 이 러한 젊은 날의 모습은 "볏이거나 그늘이거나 혓바닥 느러트린/병든 숫개만 양 헐덕어리며 나는 왔다"와 같이 관능과 자학, 힘겨움과 고달픔, 흥분과 우 울 및 피로가 뒤엉킨 표정으로 각인된다. 이 구절 속에는 세상의 온갖 풍파 속 에 삶을 찾아 헤매어 온 고단한 한 젊음의 표정이 사실적으로 표현되어 있는 것이다.

이렇게 본다면 이 시「자화상」은 가난과 수난으로 점철되어온 토속적인 이 땅 삶의 역사적 풍경 속에 자학과 관능으로 뒤채이는 젊은 날의 실존적인 몸부림을 생생하게 형상화해냈다는 점에서 의미를 지닌다. 이「자화상」은 오 랜 수난과 빈곤의 역사를 살아온 이 땅 민중들의 한의 표정, 운명의 얼굴을 리 얼하게 그려내면서도 오늘에도 온갖 인간 조건들에 얽매이고 시달리며 살아 가고 있는 실존의 모습, 젊은 날의 초상을 박진감 있게 묘파한 데서 예리한 상 징성을 지니는 것이다. 아울러 이 시는 시집『화사집』이 전체적인 면에서 한 국인의 토속적 삶의 모습과 함께 실존적인 몸부림을 지속적으로 탐구한다는 것을 암시해준다는 점에서 서시로서의 성격을 분명하게 지닌다.

「자화상」과 더불어「화사」는 이 시집을 대표하는 상징적인 작품이다.

> 사향(麝香) 박하(薄荷)의 뒤안길이다.
> 아름다운 배암……
> 을마나 크다란 슬픔으로 태여났기에, 저리도 징그라운 몸둥아리냐
>
> 꽃다님 같다.
> 너의 할아버지가 이브를 꼬여내든 달변(達辯)의 혓바닥이
> 소리없는채 낼룽그리는 붉은 아가리로

푸른 하눌이다. ……물어뜯어라. 원통히 물어뜯어.

다라나거라. 저놈의 대가리!

돌 팔매를 쏘면서, 쏘면서, 사향(麝香) 방초(芳草)ㅅ 길
저놈의 뒤를 따르는 것은
우리 할아버지의 안해가 이브라서 그러는 게 아니라
석유(石油) 먹은 듯 ……석유(石油) 먹은 듯 ……가쁜 숨결이야
바눌에 꼬여 두를까부다. 꽃다님보단도 아름다운 빛……

크레오파투라의 피먹은양 붉게 타오르는 고혼 입설이다…… 슴여
라! 배암.

우리 순네는 스믈난 색시, 고양이같이 고혼 입설…… 슴여라! 배암.
—「화사」 전문

　　시집 『화사집』의 표제시로서 이 시는 『시인부락』 2집(1936)에 발표되고,
1941년 『화사집』에 재수록되었다. 이 시에는 미당이 사숙하던 보들레르(C.
Baudelaire)의 영향이 짙게 배어 있다. 「화사」라는 제목부터가 그러하며, 섬
세한 감각과 관능의 꿈틀거림, 자학과 도취 그리고 육체적인 리듬감이 살아
있기 때문이다. 화사, 즉 꽃뱀이란 보들레르의 「악의 꽃(Les fleurs du mal)」
을 변용한 것이다. 가장 아름다운 것의 표상으로서의 꽃과 악하고 추한 것의
상징으로서 뱀의 결합이란 말 그대로 '악의 꽃'을 재현한 것이기 때문이다. 추
하고 악해 보이는 것들 속에 꿈틀거리는 육체와 관능의 아름다움과 진실미를
발견하고 탐구하고자 하는 열린 정신 또는 정신의 격투가 담겨 있는 것이다.
　　따라서 이 시에서 꽃뱀은 꽃과 뱀의 결합으로 모순과 갈등을 표상한다. 외
견상 꽃처럼 아름다운 색깔과 무늬를 갖고있으면서도 속성적으로 징그럽고
추한 모습을 지니고 있는 꽃뱀, 화사(花蛇)는 운명적인 아이러니의 존재가 아

닐 수 없다. 그것은 바로 선과 악, 미와 추, 진실과 허위의 양면으로 이루어져 있는 인간의 모습일 수 있으며, 또한 정신과 육체, 감성과 이성, 현실과 이상이라는 모순 속에 살아가는 보편적인 인생사의 상징일 수도 있다.

실상 이러한 모순성과 양면성의 갈등은 첫 연에서부터 선명히 제시된다. 처음부터 "아름다운 배암……/을마나 크다란 슬픔으로 태여났기에, 저리도 징그라운 몸둥아리냐"라는 모순과 갈등이 정면으로 제기되기 때문이다. 꽃뱀은 아름다움의 외면과 징그러움이라는 내포를 함께 지니는 모순의 존재이고 갈등의 존재라는 뜻이다. 이렇게 본다면 시 「화사」는 꽃뱀의 모순성, 원죄성, 갈등성을 통해서 인간의 모습, 특히 시인 자신 젊은 날의 자화상을 그려보고자 한 것으로 해석된다. 젊은 날 육체에 눈떠감으로써 정신과 육신, 이상과 현실, 자유와 운명의 갈등 속에서 자아를 발견하고 확립해 가려는 안간힘을 꽃뱀을 통해 드러내 보여준다는 말이다. 이 점에서 꽃뱀이란 시인의 대리자아인 동시에 '존재의 거울'로서의 상징성을 지닌다.[1]

화사, 즉 꽃뱀이란 시 「자화상」에서 "손톱이 깜한 에미의 아들/병든 숫개"가 한층 진전된 예술성을 획득한 모습이자 보들레르의 경우처럼 인간적 보편성을 확보한 형상이라고 하겠다. 이러한 예술성, 보편성을 함께 지니게 됨으로써 시 「화사」는 우리 현대시사의 중심부에 육박하게 된 것이다.

다음 연에서 이러한 모순과 갈등은 한층 심화된다. '꽃다님 같다'고 묘사하면서도 "낼룽거리는 붉은 아가리로/푸른 하늘이다 ……물어 뜯어라, 원통히 물어뜯어"와 같이 격렬한 저주와 자학을 보여주는 것이다. 이것은 뱀이 표상하는 원죄적 모순성과 숙명성에 대한 강한 자학이며 절규일는지 모른다. 모순의 운명 또는 운명적 업고에서 벗어날 길 없는 젊은 날의 뼈아픈 절망과 탄식을 반영한 것으로 풀이되기 때문이다.

다음 연에서는 보다 강렬한 시상이 전개된다. 그것은 한마디로 성(性) 상징

---

1) 졸고, 「미당 서정주」, 『한국현대시인연구』, 일지사, 1986, 320쪽.

과 관련된다. 뱀이 표상하는 관능적 이미저리가 "대가리/이브/석유 먹은 듯…… 석유 먹은 듯…… 가쁜 숨결이야"와 어울리면서 성행위를 상징한다는 뜻이다. "돌팔매를 쏘면서, 쏘면서, 사향 방초ㅅ길 저놈의 뒤를 따르는 것"이라는 공격적인 생명력의 분출은 그것이 앞 구절 "다라나거라, 저놈의 대가리!"와 연결되면서 관능적인 성의 꿈틀거림을 외연한다. 특히 '대가리/이브/가쁜 숨결'의 결합은 성행위의 그것을 직접적으로 표상한다고 하겠다. 공격적인 남성적 생명력의 분출과 여성 이미저리의 결합 자체가 이러한 생명의 꿈틀거림과 무관하지 않기 때문이다. 이 점에서 꽃뱀은 존재의 거울이면서도 동시에 성행위의 시적 상관물에 해당한다.

그러므로 이 시의 끝 단락에서는 관능적인 황홀 내지는 육감적인 이미저리들이 꿈틀거리게 된다. "크레오파투라의 피먹은 양 붉게 타오르는 고흔 입설이다. ……슴여라! 배암/우리 순네는 스믈난 색시, 고양이 같이 고흔 입설……슴여라! 배암"이라는 구절의 병치는 이 시 앞부분에서의 격렬한 증오와 자학, 갈등이 성애(性愛)를 통해 극복되어 가는 모습을 표상한다. "붉게 타오르는 입설/고양이 같이 고흔 입설"과 "배암"의 상관성을 통해 보들레르적인 관능과 도취를 드러내면서 원죄적 모순과 갈등을 화해해 가려는 안간힘을 보여주기 때문이다. 생략부(……) 와 감탄부(!) 및 휴식·정지부(, .)의 거듭되는 교차 속에는 성행위의 동작이 암시되어 있다고도 할 것이다.

이렇게 본다면 시 「화사」는 인간존재에 관한 질문으로부터 시작됨을 알 수 있다. 꽃뱀은 인간의 대지적 존재성, 즉 육체성, 운명성, 구속성, 본능성을 표상하면서 동시에 육체와 정신, 현실과 이상, 감성과 이성, 운명과 자유라는 근원적 모순성을 상징한다. 이 점에서 꽃뱀은 시인의 대리 자아 또는 존재의 거울에 해당한다. 아울러 이 시는 꽃뱀을 통해 성행위를 상징하면서 인간의 육체적 숙명성 또는 운명의 모습을 발견하고 그것이 지닌 모순성과 양면성을 극복하고자 하는 몸부림을 형상한다. 시 「자화상」이 가족사와 어우러진 시인의 운명의 표정을 그려낸 젊은 날의 초상이라면, 시「화사」는 젊은 날에 있어 원죄와 얼크러진 관능의 몸부림을 형상화한 또 다른 실존의 자화상인 셈이다. 시「화사」를 비롯하여「문둥이」,「대낮」,「맥하(麥夏)」,「입마춤」,「가시내」등의 시편이 실려 있는데 이들 대부분이 이러한 성애를 형상화하고 있어 관심을 끈다.

   ① 해와 하늘 빛이
      문둥이는 서러워

      보리밭에 달 뜨면
      애기 하나 먹고
      꽃처럼 붉은 우름을 밤새 우렀다

                         —「문둥이」전문

   ② 따서 먹으면 자는 듯이 죽는다는
      붉은 꽃밭새이 길이 있어

      핫슈 먹은듯 취해 나자빠진
      능구렁이 같은 등어릿길로
      님은 다라나며 나를 부르고……

      강(强)한 향기로 흐르는 코피
      두 손에 받으며 나는 쫓느니

      밤처럼 고요한 끌른 대낮에
      우리 둘이는 웬몸이 달어……

                         —「대낮」전문

   ③ 황토(黃土)담 넘어 돌개울이 타

죄(罪) 있을 듯 보리 누른 더위ー
날카론 왜 낫(鎌) 시렁 우에 거러노코
오매는 몰래 어듸로 갔나

바윗속 산(山)되야지 식 식어리며
피 흘리고 간 두럭길 두럭길에
붉은옷 닙은 문둥이가 우러
땅에 누어서 배암같은 게집은
땀흘려 땀흘려
어지러운 나ー ㄹ 업드리었다

ー「맥하(麥夏)」 전문

이 세 편의 시에는 시 「화사」에서 보이던 요소들이 그대로 드러나 있다. 능구렝이·배암 등의 소재가 그러하고, '붉은'이라는 강렬한 색감의 등장이 그러하며, 피·핫슈나 몸 등의 신체 이미저리의 범람이 또한 그러하다. 아울러 원죄와 관능적 성애의 꿈틀거림이 특히 그러하다.

시 ①에서 '문둥이'는 「화사」에서 '꽃뱀'과 등가를 이룬다. 그것은 이른바 천형으로서 원죄와 그에 따른 운명적인 한(恨)을 표상하기 때문이다. '붉은 우름'이란 바로 원죄적인 업고에 신음하는 처절한 절규이며 한의 폭발에 해당한다. 젊은 날 온갖 자학과 갈등에 쫓기는 모습이 문둥이로서 상징화됐다는 뜻이다.

시 ②는 내용 그대로 성행위의 관능을 표출한다. "붉은 꽃밭/핫슈/능구렝이/코피"라는 관능적인 보조 심상에 둘러싸여 "밤처럼 고요한 끌른 대낮에/우리 둘이는 웬몸이 달어"와 같이 성애에 탐닉하고 있는 것이다. 「화사」에서 상징적이던 성애가 여기에서는 구체적인 성행위로 표면화, 노골화해 있는 모습이다.

시 ③도 마찬가지이다. '황토/죄/산되야지/피/붉은 옷/문둥이/배암' 등의 보조 심상이 「화사」에서의 원죄적 업고와 관능성을 표상한다. 특히 "땅에 누어서 배암 같은 게집은/땀흘려 땀흘려/어지러운 나—ㄹ 업드리었다"라는 구절은 관능적인 성행위의 장면을 그대로 묘사한 것이다.

이밖에도 시 「입마춤」에서도 "가시내두 가시내두 가시내두 가시내두/콩밭 속으로만 작구 다라나고/울타리는 막우 자빠뜨려 노코/오라고 오라고 오라고만 그러면"처럼 관능적인 이미저리가 드러난다. 또 「가시내」에서도 "연순(蓮順)이는 어쩌나…… 입술이 붉어온다"와 같이 관능이 솟아나고 있다.

특히 이 「화사」 부분에서 중요한 사실은 이 시편들에 동물적 상상력이 관류하고 있다는 점이다. 이들 시편에는 '능구렝이/산되야지/배암/산노루/고양이' 등과 같이 동물적 이미저리가 꿈틀거리고 있으며, 이것들이 '피/몸'과 결합되면서 '헐덕어리며/물어뜯어라/가쁜 숨결/웬몸이 달어/식 식 어리며/땀흘려/어지러운 나' 등의 관능적인 모습을 드러내게 되는 것이다. 바로 이 점에서 시집 『화사』에는 인간의 대지성적인 문제들, 육체성, 본능성, 구속성, 운명성 등이 서로 충돌하면서 그러한 것들로부터 벗어나기 위한 혼신의 몸부림과 안간힘이 펼쳐지고 있다고 하겠다.

3. 한국적인 페시미즘의 표출

시집의 제3부에 해당하는 '노래'편에는 「와가(瓦家)의 전설」, 「도화(桃花)」, 「수대동시(水帶洞詩)」, 「봄」, 「서름의 강물」, 「벽(壁)」, 「엽서(葉書)」, 「단편(斷片)」, 「부훙이」 등 9편이 실려 있다. 대체로 이들 시편들에는 비극적인 인생관을 바탕으로 해서 이후 서정주 시의 한 원형 공간을 이루는 설화적 세계가 나타나기 시작한다. 자연사와 풍속사 그리고 관능적 요소가 함께 어우러진 토속적인 삶의 풍경이 서정주 특유의 가락으로 형상화되어 있는 것이다. "속눈섭이 기다아란 게집애"와 "천 년의 은하물구비", 그리고 "뽕나무에 오디개 먹은 독사"

와 "고요히 토혈하며 죽어갔다는 숙이"의 얘기가 담겨 있는 시 「와가의 전설」
이 그러하며, "피빛 저승의 무거운 물결이 그의 쭉지를 다 적시어도/감지 못하
는 눈은 하눌로/부흥……부흥……부흥……" 우는 시 「부흥이」의 세계가 그
러하다.

① 흰 무명옷 가라입고 난 마음
　사늘한 돌담에 기대어 서면
　사뭇 숫스러워지는 생각, 고구려(高句麗)에 사는듯
　아스럼 눈감었든 내넋의 시골
　별 생각나듯 도라오는 사투리

　등잔불 벌서 키어지는데
　오랫동안 나는 잘못 사렀구나
　샤알·보오드레―르처럼 설ㅅ고 괴로운 서울여자(女子)를
　아조아조 인제는 잊어버려

　선왕산(仙王山)그늘 수대동(水帶同) 십사(十四)번지
　장수강(長水江) 뻘밭에 소금 구어먹든
　증조(曾祖)하라버짓적 흙으로 지은집
　오매는 남보단 조개를 잘줍고
　아버지는 등짐 서른 말 졌으니
　　　　　　　　　　　　　　　　　―「수대동시(水帶同時)」전반부

② 복사꽃 피고, 복사꽃 지고, 뱀이 눈뜨고, 초록 제비 무처오는 하늬
　바람 우에 혼령 있는 하눌이어. 피가 잘 도라…… 아무병(病)도없
　으면 가시내야. 슬픈일좀 슬픈일좀, 있어야겠다.
　　　　　　　　　　　　　　　　　―「봄」전문

③ 못오실니의 서서 우는듯
　어덴고 거긔 이슬비 나려오는

박암(薄暗)의 강(江)물 소리도 없이……
다만 붉고 붉은 눈물이
보래 피빛 속으로 젖어
낮에도, 밤에도, 거리에 서도
문득 눈우슴 지우려 할때도
이마우에 가즈런히 밀물처오는
서름의 강(江)물 언제나 흘러……
봄에도, 겨울밤 불켤 때에도.

—「서름의 강(江)물」전문

이 세 편 시에는 미당 시의 원형질이 잘 담겨져 있다. 첫째는 시 ①에서 보 듯이 고전적 상상력 또는 전통적 감수성의 표출이다. '흰 무명옷/돌담/고구려/ 넋의 시골/사투리/증조하라버지/흙으로 지은 집/오매/아버지' 등이 환기하는 한국의 토속적인 생활 감각 내지 고전적 감수성이 물씬 풍기는 것이다. 그러 면서 '샤알·보드레르'나 '서울여자'가 표상하는 외래적 요소 또는 근대적인 요 소에 일단의 거부감을 표출한다. 혈맥 속에 굽이치는 고전적 상상력이 시 「수 대동시」를 관류한다는 뜻이다.

시 ②에서는 미당 시의 또 다른 원형질이 자연사와의 교감에 놓여짐을 보 여준다. '복사꽃/초록제비/하늬바람/하늘'과 같은 자연사와 '피/병/슬픈 일' 등 처럼 인간사의 친화와 교감을 드러냄으로써 자연과 어우러진 생명 감각을 형 상화한다. 자연사와 인간사의 친화와 교감은 이후에도 「상리과원(上里果園)」 이나 「무등에게」, 「국화 옆에서」 등 미당의 수많은 시에서 지속적으로 드러 나는 형질이 된다.

시 ③은 미당 시의 또 하나의 정서적 원형질이 비극적 인생관에 자리 잡고 있음을 보여준다. 이 시에서 '붉은 눈물/서름의 강물'의 대응이 바로 그것이 다. 미당 시에는 한국적인 애환의 페시미즘이 짙게 깔려 있는 것이다.

간략히 살펴본 것처럼 미당 시에는 고전적인 감수성과 상상력을 바탕으로 하여 자연과의 친화와 교감, 그리고 한국적인 페시미즘이 관류하고 있는 것으로 보인다.

제4부에 해당하는 '지귀도시(地歸島詩)' 편은 미당의 제주도 체험이 드러나 있다. 제주 남단의 지귀도라고 하는 섬에서 원시적 생명력의 회복을 추구하는 내용이 중심을 이루고 있는 것이다. 시 「정오의 언덕에서」, 「고을나의 딸」, 「웅계(雄鷄) 상·하」 등 네 편의 시가 그것이다.

> ① 내 살결은 수피(樹皮)의 검은빛
> 황금(黃金) 태양(太陽)을 머리에 달고
> 몰약(沒藥) 사향(麝香)의 훈훈(薰薰)한 이꽃자리
> 내 숫사슴의 춤추며 뛰여 가자
> 우슴웃는 짐생, 짐생 속으로
> ―「정오(正午)의 언덕에서」 뒷부분

> ② 석벽(石壁) 야생(野生)의 석류(石榴)꽃열매 알알
> 입설이 저…… 잇발이 저……
>
> 낭자(娘子)의 이름을 무에라고 부릅니까.
> ―「고을나(高乙那)의 딸」 부분

> ③ 적도(赤道)해바래기 열두송이 꽃심지(心地)
> 횃불켜든우에 물결치는 銀河의 밤
> 자는 닭을 나는 어떻게해 사랑했든가
> ―「웅계(雄鷄)·상(上)」 부분

인용시에서 보듯이 「지귀도시」 부분에는 원초적 생명력이라 할까 하는 건강성이 굽이치는 게 특징이다. 모순과 갈등, 한과 눈물, 자학과 저주가 응어리진 젊은 날의 상한 영혼이 국토의 최남단 제주도의 한 외따른 섬에서 생명력

을 회복하면서 건강성을 획득해가는 모습이 힘차게 제시되어 있는 것이다.

시집의 마지막 부분 '문(門)'에는 「바다」, 「문(門)」, 「서풍부(西風賦)」, 「부활(復活)」 등 네 편이 실려 있다. 이 시편들에는 대체로 절망과 형극의 삶으로부터 탈출하는 해방과 자유를 강조하는 뜻이 담겨 있다.

> ① 오~ 어지러운 심장(心臟)의 무게우에 풀닢처럼
> 훗날리는 머리칼을 달고
> 이리도 괴로운나는 어찌 끝끝내 바다에
> 고독해야 하는가
> 눈뜨라. 사랑하는 눈을 뜨라…… 청년아
> 산 바다의 어느 동서남북(東西南北)으로도
> 밤과 피에젖은 국토(國土)가있다
>
> 아라스카로 가라!
> 아라비아로 가라!
> 아메리카로 가라!
> 아푸리카로 가라!
>
> —「바다」, 끝부분

> ② 밤에 홀로 눈뜨는건 무서운일이다.
> 피와 빛으로 해일(海溢)한 신위(神位)에
> 폐(肺)와 발톱만 남겨 노코는
> 옷과 신발을 버서던지자
> 집과 이웃을 이별(離別)해 버리자
>
> 오느라, 여긔 지혜의 뒤안깊이―
> 비장한 네 형극(荊棘)의 문(門)이 운다.
>
> —「문」 부분

③ 서서 우는 눈먼 사람
　자는 관세음

　서녘에서 부러오는 바람 속에는
　한 바다의 정신병과 징역시간과

—「서풍부(西風賦)」 끝부분

시 ①은 바다가 상징하는 영원에 대한 무한절망을 노래한다. 이러한 무한 절망으로부터 벗어나서 정신의 자유에 이르고자 하는 갈망이 담겨 있는 것이다. 시 ②에서도 "옷과 신발을 버서던지자/집과 이웃을 이별해 버리자/비장한 네 형극의 문이 운다"와 같이 온갖 구속과 형극으로 가득 차 있는 실존적 삶으로부터 벗어나서 해방을 갈망한다. 시 ③도 마찬가지이다. "한 바다의 정신병과 징역시간과"처럼 미칠 것 같은 현실의 질곡에서 벗어나서 바람이 상징하는 자유에의 갈망을 노래한다.

또한 시집의 제일 끝 작품인 「부활」에는 현실을 상실의 세계, 부재의 세계로 파악하고 그로부터 부활을 갈망하는 뜻이 애절하게 담겨 있어 관심을 끈다.

　내 너를 찾어왔다…… 유나(臾娜), 너 참 내앞에 많이있구나 내가 혼자서 종로(鐘路)를 거러 가면 사방에서 네가 웃고오는구나. 새벽닭이 울때마닥 보고싶었다…… 내 부르는 소리 귓가에 들리드냐. 유나(臾娜), 이것이 멫만시간(萬時間)만이냐. 그날 꽃상여(喪輿) 산(山)넘어서 간다음 내눈동자속에는 빈하눌만 남드니, 매만저볼 머릿카락 하나 머리카락 하나 없드니, 비만 자꾸오고 ……촉(燭)불밖에 부흥이 우는 돌문(門)을 열고가면 강(江)물은 또 멫천린지, 한번가선 소식없는 그 어려운 주소(住所)에서 너 무슨 무지개로 네려왔느냐. 종로(鐘路)네거리에 뿌우려니 흐터저서, 뭐라고 조잘대며 햇빛에 오는애들. 그중에도 열아홉살쯤 스무살쯤 되는애들. 그들의 눈망울속에, 핏대에, 가슴속

에 드러앉어 유나(臾娜)! 유나(臾娜)! 유나(臾娜)! 너 인제 모두다 내앞
에 오는구나.

―「부활(復活)」 전문

　이 작품은 사랑하는 소녀 순이[臾娜]의 죽음과 부활에의 갈망을 노래한다.
종로를 걸어가면서 새삼 저승에 간 순이를 생각하며 이승과 저승의 아득한
거리를 떠올리다가 문득 눈앞에 다가오는 소녀들의 밝은 모습에서 순이의 부
활을 본다는 얘기 속에는 죽었어도 마음속에 살아 있는 순이에 대한 애절한
사랑을 강조하는 뜻이 담겨 있다. 아울러 오늘의 실존적 상황이 그만큼 비관
적이고 고통스럽다는 암유를 내포하고 있다고 하겠다. 그러면서도 어떻게든
오늘의 비관적 상황을 극복해서 정신의 해방과 상승을 성취하려는 안간힘을
표출한다고 하겠다. 말하자면 죽음에서 부활을, 이별에서 만남을, 절망에서
희망을 향해 나아가고자 하는 정신적 갈망이 담겨 있다는 뜻이다.

　이렇게 볼 때 이 '문' 부분은 절망과 형극으로서의 삶, 비관적인 현실로부
터 벗어나서 해방을 갈망하는 자유 지향의 노래 또는 소망의 노래로서의 성
격을 지닌다. 닫혀 있는 문으로서 현실의 질곡을 열어젖히고 보다 자유로운
세계로 탈출해 보고 싶다는 해방과 자유를 향한 갈망과 염원이 애절하게 표
출되어 있다는 말이다.

4. 참회록 또는 운명의 표정

　시집 『화사집』은 지상적인 삶의 양식에서 오는 온갖 자학과 울분, 갈등과
오뇌, 방황과 모색의 암투가 생생하게 담겨 있는 미당 젊은 날의 초상이자 존
재의 거울로서의 의미를 지닌다. 또는 자아를 발견하고 확립해 가기 위한 정
신적·육체적 격투의 현장기록이면서 하나의 참회록에 해당한다. 그만큼 이

시집에는 강렬한 생명력이 굽이치는 가운데 야성적인 생의 의지가 번득이고 있다. 시집 『화사집』은 일제의 온갖 질곡과 궁핍 속에서 삶을 찾아 헤매던 일제강점하 우리 민족의 운명의 표정을 생생하게 담아낸 데서 의미를 지닌다고 하겠다. 민족적 한과 울분이 토속적인 삶의 비극적 양식으로 녹아들면서 애절한 시의 가락을 형상화한 데서 하나의 민족시의 전범을 이룩했다는 뜻이다. 특히 전라 방언을 적절히 구사하면서 민족어의 완성을 위해 노력한 점은 높이 평가할 만하다.

무엇보다도 『화사집』의 성공적인 면모는 한국의 토속적 언어와 가락으로 민족적 삶의 양식을 탐구하면서도 그것을 개인적 실존의 꿈틀거림과 탄력 있게 접합시킴으로써 인간적 보편성과 시적 개성을 확보했다는 점에서 드러난다. 『화사집』은 미당 시사의 출발을 알리는 신호이면서 동시에 한국적인 시의 새로운 가능성을 열어젖히는 시금석이기도 하다.

그의 높은 시적 성취와 시사적 기여는 이 땅 시사에서 보다 이상적인 전범이 될 수 있음이 분명하다. 그러면서도 미당과 그의 시는 한 민족에게 있어 정신의 지도자로서 시인의 사명과 역할이 얼마나 중요하고 경건한 것인가 하는 점을 일깨워준다. 올바른 비평 정신과 참다운 역사의식이 깊이 있는 정신세계와 연결되고 탁월한 예술정신으로 형상화될 때 비로소 역사 속에 영원히 살 수 있는 위대한 시와 시인의 모습이 떠오르게 된다는 뜻이다.

미당의 시는 분명 우리 현대시의 한 정상으로서, 시로서 최대의 가능성을 말해주는 동시에 인간적 자기성찰이 얼마나 중요한가를 가르쳐 주는 운명의 거울, 존재의 거울에 해당한다고 하겠다.

(『문학사상』, 1992. 11)

김남조, 사랑시학의 한 지평(地平)

―「겨울바다」 분석론

1. 김남조와 「겨울바다」

겨울바다에 가보았지
미지(未知)의 새
보고 싶던 새들은 죽고 없었네

그대 생각을 했건만도
매운 해풍에
그 진실마저 눈물져 얼어버리고

허무의
불
물이랑 위에 불붙어 있었네

나를 가르치는 건
언제나
시간……
끄덕이며 끄덕이며 겨울바다에 섰었네

남은 날은
적지만

기도를 끝낸 다음
더욱 뜨거운 기도의 문이 열리는
그런 영혼을 갖게 하소서

남은 날은
적지만

겨울바다에 가보았지
인고(忍苦)의 물이
수심(水深) 속에 기둥을 이루고 있었네

—「겨울바다」 전문

이 작품은 첫 시집 『목숨』(1953) 이래 제10시집 『빛과 고요』(1983)에 이르기까지 꾸준히 시작(詩作) 생활을 전개해 온 김남조(金南祚) 시인의 대표작 가운데 한 편이다. 필자가 김남조의 시를 논해 보고자 하는 까닭은 씨가 광복 후 등장한 많은 시인 중에서 의욕적으로 또한 일관성 있게 자기 세계를 개척해낸 대표적 여류 시인의 한 사람이라는 점에서이다.

따라서 그의 시를 살펴본다는 것은 광복 후 본궤도에 오른 이 땅 여류 시단의 형성과 전개에 있어 그 수준의 편모를 가늠해 볼 수 있는 한 시금석이 될 수 있다고 생각했기 때문이다. 그런데 군이 중기작인 「겨울바다」를 택한 것은 이 작품이 비교적 일반에 널리 알려져 있으며, 동시에 사람 또는 인생을 즐겨 노래해 온 씨의 시세계의 특징을 선명히 드러내 준다고 판단했기 때문이다. 물론 인구에 널리 회자된다 해서 반드시 명작이라 할 수는 없으며, 어떤 특정한 한두 작품에서 그 시인의 전모를 파악할 수는 더더구나 없는 일이다. 한 시인의 전 생애에 걸친 작품세계가 어찌 한두 편의 시로 대표될 수 있을 것인가. 특히 훌륭한 시인 혹은 대가 시인이라 일컫는 경우일수록 끊임없는 자기파괴와 변신의 노력을 통해서 지상의 마지막 그날까지 새로운 형상의 세계를 창조적으로 성취해 간다는 점에서 볼 때, 어떤 한 작품만으로 그의 시세계를 논한다는 것은 위험한 일이기까지 하다. 다만 어떤 경우에 특정한 시 한두 편이 인구에 널리 회자됨으로써 그 시인과 시의 이미지를 대신해 줄 수 있는 것 또한 사실이리라.

우리는 흔히 김남조를 '사랑의 시인'으로 불러왔는바 어느 면 이것은 타당성 있는 지칭일 수 있다. 왜냐하면 그가 데뷔 이래 사십 년 가까이 사랑론에 몰두해왔으며, 특히 시집 『사랑초서(草書)』의 경우에는 전편이 사랑을 테마로 한 연작시로 구성돼 있기 때문에 더욱 그가 사랑시인으로서의 이미지를 심화할 수 있었던 것으로 보인다. 어느 면 사랑의 철인(哲人)이라는 느낌을 줄 정도로 사랑의 인생론은 김시인의 시적 모티브이자 테마로서 지속적으로 작용해온 것이 사실이다. 따라서 본고에서는 「겨울바다」를 중심으로 김남조(金南祚) 시의 한 특징을 간략하게나마 살펴보기로 한다.

2. 「겨울바다」의 구성적 특징

시 「겨울바다」는 제목에서부터 상징성이 강하게 나타난다. 시간적 배경인 겨울과 공간적 배경인 바다의 결합 자체가 포괄적인 암시성을 지니기 때문이다. 사계(四季)의 끝남이면서 봄을 예비하는 계절로서의 겨울이 육지의 끝에서 비로소 시작되는 바다와 연결됨으로써, 둘 다 '끝이면서 시작되는 곳'으로서의 전환점 또는 경계선의 의미를 내포한다. 또한 강인함과 차가움으로서의 남성 표상인 겨울이 부드러움과 포근함의 여성 표상인 바다와 맞닿아 있다는 점도 무언가 상징성을 감지하게 해준다. 끝이면서 시작이고 시작이면서 끝남으로서의 바닷가, 그리고 남성 표상과 여성 표상의 결합으로서의 「겨울바다」

가 시의 배경이자 제재로 채택되었다는 점은 이 시가 만남과 결별, 끝남과 시작됨으로서의 사랑 또는 인생의 한 분기점에서 시의 모티브가 비롯되고 있음을 말해주는 것으로 해석된다. 또한 여름 바다의 화려함에 대조되는 겨울 바다의 비어 있음으로서의 삭막함과 그 고독의 이미지가 강하게 서정성을 환기해 주는 것도 사실이다. 따라서 '겨울바다'는 생의 본원적 향수를 일깨워주는 촉매로써 작용하는 동시에 본질적인 자아와 대면함으로써 지난날을 반성하고 새로운 앞날을 다짐할 수 있게 하는 운명의 공간이 되는 것이다.

구성면에서 볼 때 이 시는 형식상 8연으로 되어 있으나 실제로는 여섯 마디로 짜여져 있다. 먼저 첫 연에서는 이 시의 전체적인 모티브가 제시되어 있다.

> 겨울바다에 가 보았지
> 미지(未知)의 새
> 보고 싶던 새들은 죽고 없었네

이 시는 겨울 바다에 가는 행위로부터 시작된다. 여기에서 형식상 시제는 과거회상체로 나타나지만 그것은 실제에 있어서 현재시제의 한 변용에 지나지 않는다. 그것은 이미 김유선(金裕善)이 잘 지적한 대로 모호하고 불분명했던 지나간 현실을 명료하게 이해하여 심리적 거리를 유지[1]하려는 효과적 기법일 수 있기 때문이다. 즉 시인은 시적 사건으로 볼 때는 분명히 현재진행인 사실을 과거회상체로 처리함으로써 이런 류의 시가 쉬 빠지기 쉬운 감상에의 편향성을 제어하려 시도한 것으로 볼 수 있다. 이 점은 다섯째 연에 삽입된 잠언 형식의 기도문이 이 시의 주제에 해당되면서도 그 시제가 현재로 되어 있다는 점으로도 확인할 수 있다. 무엇보다 이 첫 연에서 문제가 되는 것은 시적 인식의 부정적인 태도이다. 여기서의 주심상은 '새'의 이미지이지만, 그것은

---

1) 김유선, 「물과 불의 긴장력」, 정한모·김재홍 편, 『한국대표시평설』, 문학세계사, 1983 참조.

미지(未知)의 것인데도 불구하고 죽어 있는 것으로 나타난다. 새는 흔히 인간 영혼의 상징 혹은 비상 의지의 표현으로 인식되어 왔으며, 그렇기에 희망적인 인식이나 상상력의 유연성을 반영하기도 한다. 따라서 새가 죽고 없다는 것은 이러한 것들의 하강적 상실 체험과, 그에 따른 부정과 갈망의 모순 인식을 표상한 것이 된다. 육지에서의 좌절과 실의 끝에 마침내 찾아온 겨울 바다이지만 그것은 일루의 기대마저도 산산이 부서지게 하는, 오히려 적막하고 살벌한 죽음의 공간으로 인식되어 오는 것이다.

둘째 연에서도 이러한 부정적 인식은 그대로 지속된다.

> 그대 생각을 했건만도
> 매운 해풍에
> 그 진실마저 눈물겨 얼어버리고

이 연에서 우리는 시적 화자의 상실 체험 혹은 절망적 세계인식이 대체로 연정 또는 실연 체험의 그 무엇과 깊이 연관되어 있음을 감지하게 된다. '그대 생각'과 '진실' 그리고 '눈물'이라는 시어의 조응이 바로 그러한 추측을 가능케 해주기 때문이다. 특히 그것이 '했건만도/매운/마저/눈물겨/얼어버리고' 등과 같은 일련의 부정어사 혹은 하강 시어와 결합됨으로써 부정과 절망적 감정으로 치닫게 됨을 알 수 있다. 또한 '매운 해풍에'라는 구절 속에는 '바람'의 이미지를 통한 운명의 시련 혹은 현실적 수난이 암유되어 있는 것으로 보인다. 무엇보다 이 연의 핵심은 "그 진실마저 눈물겨 얼어버리고"라는 마지막 구절에 있다. 먼저 여기서의 '진실'이 무엇의 진실인가 하는 데 초점이 모아진다.

> ① 영원한 것만 진실이라면
> 이 고독 참으로

사람에게 영원하다

—「꽃샘눈」 부분

② 더 많이 나의 진실은
　사랑에 있고
　그 무량한 번뇌에 있었건만

　잘 가거라
　오늘 나의 진실은
　아슴한 결별(訣別)에 주는
　축원에 있다

—「다시 유월(六月)」 부분

③ 당신을 피해
　당신 없는 땅끝까지 갔으나
　어디서고 만나는,
　먼저 와 계시는
　당신

　진실은
　마침내 시간이 알게 하느니
　못 잊을진대 이 불망(不忘)을 섬기리
　어여쁘디 어여쁜 숙명(宿命)이어

—「오월(五月)에」 부분

시 ①에서 진실은 영원한 것으로서 인간존재의 본질적 고독을 뜻한다. ②에서는 사랑과 그 번뇌를 의미하며, 또한 결별과 그에 대한 축원을 포괄하기도 한다. ③에서도 진실은 사랑과 그리움, 그리고 그에 대한 숙명적 인식으로 지시된다. 이렇게 볼 때 시집 『겨울바다』에서 찾아볼 수 있는 '진실'의 공통점은 그것이 연정(戀情)으로서의 사랑과 그에 따른 좌절과 실의, 기쁨과 슬픔. 고독과 환희, 허무와 운명 등의 관념들과 맞닿아 있다는 점이다. 이 중에서 특히 시 ③의 경우는 시 「겨울바다」의 정조와 유사한 연관성을 갖고있는 것으로 보인다는 점에서 흥미를 불러일으킨다. 특히 진실이 사랑과 그 숙명성의 인식에 의미가 놓여지며, 또한 그것이 '시간' 속에서 그 본질을 드러낸다는 시상 전개는 두 시의 근친 관계를 잘 설명해주는 것이 되기 때문이다.

또한 '눈물'은 이 진실과 불가분리의 관계에 놓여진다. 그것은 '진실'이 사랑과 그에 포함된 삶의 본질적 속성들을 의미한다고 볼 때, 사랑과 관련된 눈물일 수밖에 없다. 즉 눈물은 사랑의 눈물이며, 동시에 진실의 표상인 것이다. 그러나 이러한 진실과 눈물의 호응은 그것이 "얼어버리고"라는 서술구를 동반함으로써 부정적인 절망의 인식을 심화하게 된다. "진실마저 눈물져 얼어버리고"에서 '진실→눈물→얼음'의 전이와 '마저→져→버리고'의 부가구문은 절망과 부정적 인식의 강도를 더욱 예리하게 심화시켜주는 것이다. 따라서 첫 연에서의 '죽음'의 이미지가 이 연에서 '얼음'이라는 견고지향성의 이미지로 전화되면서 비관적인 인식을 더욱 예각화하게 되는 것이다.

셋째 연에서는 앞의 두 연에서 심화되었던 절망과 비관적 생의 인식 태도가 새로운 국면을 맞이하게 된다. 그것은 긴장과 갈등의 격렬한 대립이자 오뇌의 고조를 의미한다.

> 허무의
> 불
> 물이랑 위에 불붙어 있었네

이 제3연의 핵심은 불과 물의 대립과 긴장에 놓여진다. 이 두 주심상이 상징하는 것은 생의 본원적인 두 측면이 불러일으키는 갈등과 화해의 문제이다. 불은 물질상상력에서 흔히 상승력과 그 뜨거움으로 인해서 생명력이나 열정을 뜻하며, 물은 이에 비해 하강력과 그 차가운 속성으로 인해 죽음과 탄생, 그리고 이성을 표상하는 것으로 이해된다. 또한 불은 그 변화력과 역동성으로 인해 남성적인 상징성을 지니며, 물은 잠재력과 유동성으로 인해 여성 또는 모성 상징과 연결되어 있다. 이러한 상대적인 두 힘의 대응은 이 시에서 상반되는 두 세계의 대립과 갈등을 의미한다. 그것은 앞 연에서 지배적이던 부정에 대한 긍정의 싹틈이며, 절망에 대한 희망의 소생의지에 근원을 두고 있다. 즉 불과 물의 대립은 사랑을 둘러싼 좌절과 욕구, 정염과 허무, 육신과 영혼, 감성과 이성, 현실과 이상, 체념과 미련, 그리고 신성과 세속 등 온갖 모순된 두 힘의 갈등과 대립을 포괄적으로 제시한 것이 된다. '허무'와 '불', '물이랑 위에'와 '불붙어 있었네'의 상반된 대응 속에는 이러한 삶과 사랑의 모순되는 양극성 또는 이중성이 잘 표출되어 있는 것으로 보이기 때문이다. 무엇보다도 이러한 갈등이 제시됨으로써 앞 연들에서의 하강적 시상(詩想)이 상승의 계기를 마련하게 된다는 점에서 의미가 놓여진다. 실상 불과 물은 현상적인 면에서 대립적 속성을 지니지만 근원적인 면에서는 그 해체력과 결합력, 또는 연소성과 가소성으로 인해 이별과 만남 또는 모순되는 물과 불, 생명의 죽음과 탄생에 관여한다는 점에서 공통점을 지닌다. 따라서 이 두 심상의 대립과 갈등은 그 근원에 있어서는 부정을 통한 긍정, 혹은 소멸을 통한 생성의 몸부림을 반영한 것으로 해석할 수 있다. 특히 물이랑의 파동성이 보여주는 오르내림과 불꽃의 너울거림 속에는 이러한 죽음과 탄생, 이별과 재회, 기쁨과 슬픔 등 온갖 생의 모순원리가 반복적으로 함께 제시됨으로써 긍정의 모티브를 마련하게 되는 계기를 담고 있다. 물과 불의 대립과 갈등 속에는 삶의 모순과 사랑의 좌절을 극복하고 정화하려는 노력과 함께 재생 또는 상승에의 희원이 내포되어 있는 것이다.

넷째 연에는 이러한 격심한 대립과 갈등을 넘어선 깨달음과 자기 긍정이 제시됨으로써 시상의 반전이 이루어진다. 그것은 부정에서의 긍정으로의 전환이며, 하강에서의 상승국면으로의 이행이 된다.

> 나를 가르치는 건
> 언제나
> 시간……
> 끄덕이며 끄덕이며 겨울바다에 섰었네

　이 연의 핵심은 시간 속에, 시간 위에, 시간과 더불어 살아갈 수밖에 없는 운명적 존재로서의 인간에 대한 시간성의 깨달음에 놓여 있다. 시인의 정신은 지난 시간의 절망적 체험들을 부정적, 비관적으로 바라볼 수밖에 없었음과 함께 그 갈등의 과정을 통해서 비로소 삶의 깊은 뜻을 어느 정도 이해할 수 있게 된 것이다. 그것이 비록 고통스럽고 참담한 것이었다 하더라도 보편적 인생의 원리로 받아들이게 됨으로써 자기 긍정에 도달하게 된 것이다. 마치 바닷물결이 그러하듯이 시간 또한 잠시도 제자리에 머물지 않는 것이 그 근본 속성이다. 시간은 항상 과거의 자취만을 남기며, 현재를 스쳐 미래 쪽으로 줄달음침으로써 모든 삼라만상의 존재론적 한계를 뛰어넘는다. 따라서 시인은 바다를 바라보면서 그동안 자신을 구속하던 온갖 고통과 번뇌들이 과거의 시간 속으로 흘러 들어감을 느끼게 된다. 시간은 잠시도 한자리에 머물지 않고 그 유구한 흐름 속에서 인간의 온갖 과거를 무화(無化)시키는 작업을 계속한다. 따라서 시간의 절대성 앞에서 지난날의 아픈 상실체험과 그에 따른 절망적 인식이란 한낱 물거품이 되어 사라질 수밖에 없는 것이다. 굳이 하이데거의 말을 빌지 않아도 시간은 하늘과 땅의 모든 것을 지배하는 가장 위대한 섭리이며 그렇기에 시간의 신은 신(神) 중의 신(神)인 것이다. 실상 인간의 살아 있음은 시간의 지속됨이며, 그 존재의 사멸이란 시간의 정지를 의미할 뿐이다.

　따라서 시인이 겨울 바다를 보며 깨달은 것은 시간의 끊임없는 굽이침이며, 이 바다와 시간의 간단없는 지속과 변화 속에서 변화하는 것으로서의 생(生), 앞 시간을 딛고 일어서는 뒷 시간의 원리를 발견하게 된 것이다. 여기에서 비로소 지난날의 상실과 좌절체험, 그 과거의 온갖 속박에서 벗어나 앞날들을 긍정하면서 새롭게 바라볼 수 있는 자유인의 정신을 획득하게 된 것이다. 그러므로 얼어 있는 바다, 죽어 있는 것으로만 보이던 고통의 바다가 살아나는 바다, 움직이는 바다로 다가오게 된다. 실상 인간의 한평생 과제가 시간을 극복하는 일이며, 인간이 시간 속에서 태어나 시간 속으로 사라져가는 숙명적 존재임에 비추어, 인간에게 시간은 가장 위대한 교사일 수밖에 없을 것이다. 이러한 점들에 대한 깨달음을 통하여 비로소 자아의 성숙을 이루며 마침내 "끄덕이며 끄덕이며"라는 생의 긍정에 도달하게 되는 것이다. 또한 다음 연에서의 기도를 가능하게 해준다.

> 남은 날은
> 적지만
>
> 기도를 끝낸 다음
> 더욱 뜨거운 기도의 문이 열리는
> 그런 영혼을 갖게 하소서

이 연은 이 시 전체의 핵심이며 주제가 되는 것으로 이해된다. 앞 연들에서의 부정과 절망, 대립과 갈등, 그리고 깨달음과 긍정의 변증법적 과정을 통해서 마침내 존재의 초극을 성취하게 된다. 이것이 바로 예시와 같은 잠언적인 기도문으로 나타나는 것이다. "기도를 끝낸 다음/더욱 뜨거운 기도의 문이 열리는"이라는 구절 속에 절망을 넘어서 희망으로, 고통을 넘어서 환희로, 죽음을 넘어서 생명으로, 유한을 넘어서 영원으로 이르고자 하는 열린 꿈이 담겨져 있는 것이다. 또한 이 구절 속에는 '죽고→새로 나고'의 영원한 되풀이 속에 생의 원리가 놓여져 있음을 깨닫고 그 속에서 절실한 기도를 통해 삶의 구원을 성취하려는 간절한 소망을 담고 있는 것으로 보인다. 여기에서 인간적 삶과 사랑의 문제가 종교적인 자원으로 상승·고양되게 된다. 또한 바로 이 점이 이 시가 시적 형이상성을 획득함으로써 감정 편향성을 제어하고 시적 성공을 성취하게 하는 근본 요인으로 작용하는 것으로 판단된다. 하나의 끝남을 통해서 새롭게 시작될 수 있는 신에의 기도 속에 온갖 절망을 이기고 용기와 신념으로 한 생애를 살아갈 수 있는 진정한 정신의 힘과 지혜가 싹튼 것이다.

　마지막 연에는 신념화된 삶의 모습이 제시되는 것으로 시적 결구가 마무리된다.

　　　　남은 날은
　　　　적지만

　　　　겨울바다에 가 보았지
　　　　인고(忍苦)의 물이
　　　　수심(水深) 속에 기둥을 이루고 있었네

　먼저 이 연의 형식상 특징은 반복과 후렴에 의한 여운의 형성에 있다. 모든 시가 근원적으로 음악적 구성, 즉 오케스트레이션의 상태를 지향한다는 점에서 이 연은 결구로서의 감동의 정리를 꾀하는 것이다. 그러면서도 이 연에서는 "인고(忍苦)의 물이/수심(水深) 속에 기둥을 이루고 있었네"라는 구절에서 볼 수 있듯이 신념화된 사랑 또는 성숙된 생의 자세가 발견된다. 이미 사랑과 인생의 모습을 인고(忍苦)의 과정 그 자체로서 파악함으로써 스스로의 생(生)의 초극과 상승을 획득하게 된 것이다. 온갖 실의와 절망을 딛고 대립과 갈등을 넘어서서 진정한 깨달음과 긍정을 이루고, 마침내 기도를 통해서 신념화된 사랑과 성숙된 자아발견에 도달하게 된 것이다.

이렇게 볼 때 이 「겨울바다」는 끝남의 시가 아니라 시작의 시이며, 부활의 시이고 극복의 시이자, 동시에 자기 다짐의 시로서의 성격을 지닌 인생시에 해당한다고 하겠다.

3. 변증법적 구조의 의미

이 시는 정신적인 동기의 면에서 '부정→갈등→긍정'의 변증법적 구조로 형성되어 있다. 또한 내용적인 면에서는 시작과 끝, 물과 불, 하늘과 바다, 지난날과 남은 날, 그리고 이러한 것들이 표상하는 소멸과 생성, 하강과 상승, 이성과 감성, 여성과 남성, 정신과 육신, 신성과 세속 등의 양면 구조 또는 대립구조를 지닌다. 이러한 구조를 도표로 나타내면 다음과 같다.

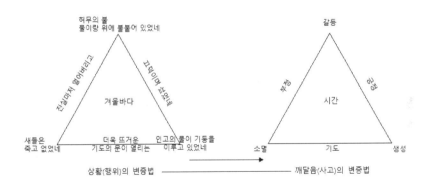

이 도표는 「겨울바다」에서의 상황 또는 행위의 변화에 따라 부정(소멸)에서 갈등을 통해 긍정(생성)에 이르는 과정이 '좌절(미움)→갈등(가엾음)→소생(그리움)'이라는 사랑의 변증법적 과정을 통해서 생의 초극에 도달하는 진정한 자기 발견의 과정을 제시한 것이기도 하다. 이렇게 볼 때 이 시에서 '겨

울바다'의 의미가 새롭게 확인될 수 있다. 그것은 먼저, 하나가 끝나면서 새로운 그 무엇이 시작되는 대립적인 것의 경계선이자 전환점으로의 의미를 지닌다. 지난날의 잘잘못을 스스로에게 고백하고, 잊어버리고, 용서받는 참회의 장 또는 정죄(淨罪)의 장일 수 있다. 또한 그것은 모든 대립적인 것들이 갈등하고 화해를 이루며 마침내 자기 극복과 초월을 성취해가는 극복의 장이며, 자기 구원의 장일 수 있다. 아울러 그것은 지난날이 현재로 새롭게 태어나는 곳, 죽음이 새로운 거듭나기를 잉태하는 부활의 장 또는 재생의 장으로서의 의미를 지닌다. 따라서 「겨울바다」는 시인에게 하나의 피난처이자 부활의 동굴이며, 구원의 장소로서 받아들여지는 것이다. '무(無)의 통과과정(Néanisation)'으로서의 '겨울 바다 체험'을 통해서 사랑의 절망과 허무감이 생의 보람과 의미로 전이되는 소중한 계기를 마련하게 된 것이다.

4. 사랑시학의 한 지평

지금까지 필자는 시 「겨울바다」의 구성적 특징과 그 구조원리에 관해 살펴보았다. 그 결과 우리는 이 시가 소멸과 생성이라는 존재의 근원적 원리를 바탕으로, 자기 발견과 극복의 변증법적 과정을 보여준 사랑시 또는 인생시로서의 성격을 지닌다는 점을 알 수 있었다. 실상 이 점은 시인의 시가 기본적인 면에서 사랑과 인생을 테마로 하고 있음을 단적으로 반영한 것이 된다. 그의 많은 시편들은 대부분 만남과 떠남, 슬픔과 기쁨, 죽음과 삶, 인간과 신(神) 등 '사랑'과 '인생' 문제에 연결되어 있다. 이 점에서 우리는 김 시인의 시를 신인생파 또는 신생명파의 범주로 묶어 생각할 수도 있을 것이다. 실상 『목숨』(1953)에서 시작되어 『나아드의 향유(香油)』(1955), 『나무와 바람』(1958), 『정염(情炎)의 기(旗)』(1960), 『풍림(楓林)의 음악(音樂)』(1963), 『겨울바다』(1967), 『운일(雲日)』(1971), 『사랑초서(草書)』(1974), 『동행(同行)』(1980),

그리고 『빛과 고요』(1983)에 이르기까지 열 권의 시집을 관류하는 것도 생의 존재론적 탐구의 노력인 것이다.

이러한 김 시인의 의욕적인 작업은 분명 해방 전 1930년대 시인인 노천명, 모윤숙 등 선배 시인들의 업적을 뛰어넘는 것으로 평가된다. 무엇보다도 그 것은 시인이 삶의 근원이자 원동력으로서 사랑에 관한 지속적이면서도 깊이 있는 천착을 통해서 그 독자적인 경지를 개척했다는 점에 근거한 판단이다. 실상 시인만큼 사랑과 목숨의 문제에 대해 끈질기게 탐구해온 당대 시인이 얼마나 될 것인가? 그럼에도 불구하고 그가 기울여온 시작(詩作)에의 열정이 나 업적만큼 그에 대한 비평적 관심이 주어지지 않은 것도 사실일 것이다. 그 이유는 아마도 여러 가지 면에서 해답이 가능할 것이지만 이 자리에서 밝혀 두고 싶은 것은 문단적인 각도에서는 문단의 편향성 또는 비평계의 도그마가 작용하지 않았는가 하는 점이다. 아울러 문학 내적인 문제에서는 그의 시편 들이 끊임없는 자기부정과 파괴의 준열한 노력을 덜 보여주기 때문은 아닌가 하는 점이다. 실상 한 생애에 걸쳐 지속적으로 탐구하는 테마일수록 그것이 정신적 긴장을 잃지 않고, 또한 정형화 내지 고정화되지 않도록 꾸준히 분투 하고 변신하는 노력이 필요한 것으로 판단된다는 점에서 그러하다.

이상적인 대가 시인이란 다양성 속에 일관성을 간직하고, 또한 다면성을 지니면서도 전체적으로 통일된 흐름을 보여주어야만 한다는 점을 김 시인은 깊이 음미해 보아야 하리라 생각된다. 살아 있는 시정신이란 변화함으로써 스스로 생명의 탄력성을 획득하려는 끈질긴 노력 속에서 확보될 수 있기 때 문이다. 아울러 개인적 차원의 사랑의 정감을 사회적 차원 또는 역사적 차원 의 사랑으로 확대해가는 것도 유효한 노력이 되리라는 점을 지적하고자 한 다. 개인적 차원의 사랑은 흔히 자기방어 내지 자기설명, 그리고 자기폐쇄적 인 편향성을 지닐 수도 있기 때문이다. 스스로의 사랑과 인생에 대한 존재론 적 탐구를 확대 심화하여 고통받는 이웃, 소외된 사람들에 대한 대승적 사랑으로 이끌어 올릴 수 있을 때 김 시인의 천래적 사랑의 정신과 생철학이 그 진가를 더욱 드러낼 수 있을 것으로 판단되기 때문이다. 실상 김 시인의 사랑의 시학에서 그 근저를 이루는 종교적 신앙심도 존재와의 대화의 차원을 넘어서서 실천적 휴머니즘으로 적극화될 때 더욱 크고 높은 초월을 성취할 수 있을 것이 분명하다.

이 점에서 지금까지의 작업을 한 권으로 묶어『김남조시전집(金南祚詩全集)』을 펴낸 지금의 시점이 중요한 전환점이 될 수도 있을 것이다. 분명히 김남조의 시는 해방 후 이 땅 사랑의 시학을 완성할 정도로 한 우물을 깊이 있게 천착해 옴으로써 한국적 서정시의 한 정채로운 부분을 개척해 온 것이 사실이다. 이 점에서 앞으로 개인사적 사랑이 집단사 내지 공동체적 사랑으로 확대되고, 이것이 다시 신성사적 차원으로 고양될 때 김 시인의 사랑시학이 현대 시사에서 더욱 독보적인 대가의 문학으로서 완결돼 갈 수 있을 것이 확실하기 때문이다.

(『문학사상』, 1984. 8)

박이도, 생명의 꿈과 희망

1

오늘날의 시단을 꽃밭으로 비유한다면 거기에는 참으로 기화요초가 백화 난만하게 피어 있다고 할 것이다. 그만큼 오늘의 우리 시단은 풍성해지고 요란해졌다는 뜻이 되겠다. 그래서 웬만큼 화사하거나 요란하지 않고는 눈에 잘 띄지도 않는다. 그렇지만 시가, 시인이 눈에 잘 띄는 일이 그렇게 중요할 것인가? 아니다! 아마도 그렇지만은 않을 것이다. 시란, 시 쓰는 일이란 지상 의 모든 영위 중에서 가장 죄없이 순수한 일이며, 진실을 탐구하는 순례와 구 도의 역정이라고 할 수 있다. 그러한 진실의 길, 순례와 구도의 역정이 어찌 요란하거나 화사해서 남의 눈에 잘 띌 것이며 띄어야만 할 것인가? 참으로 순 례자의 마음과 같이 참담한 고독의 시, 구도자와 같은 처절한 탐구의 시인이 그리운 요즘 세상이 아닌가 한다.

요즘처럼 거칠고 소란한 세상에 조용히 살아가면서 내면의 진실을 깊이 있 게 탐구해가는 소중한 시인의 한 사람으로 나는 박이도(朴利道) 시인을 떠올 린다. 10여 년 전 처음 만났을 때부터 오늘날 한솥밥을 먹으면서까지도 그와 그의 시에 대한 인상은 조금도 달라지지 않고 있다. 그와 그의 시는 내게 "풀

잎에 앉은 이슬처럼 ……중략……/밤하늘에 반짝이는 별빛처럼/나의 외로움
이 보여요"(「내 영혼이 풀밭에 누워·2」)라는 그의 한 시구절처럼 조용하게 다
가와 문득 아름다운 감동을 불러일으켜 주기 때문이다.

　　2

　　시집 『홀로 상수리나무를 바라볼 때』에는 유독 겨울 심상이 많이 나타나
고 있어서 관심을 끈다. 시 제목에서만 보더라도 「꿈꾸는 겨울」, 「겨울」, 「겨
울 풍경」, 「겨울 나들이」 등이 쉽게 눈에 띈다.

　　　　　겨울은 침묵한다
　　　　　땅속에 씨앗을 묻어두고
　　　　　깊은 잠에 빠진다

　　　　　풍경으로 날리는
　　　　　눈발의 무게만큼
　　　　　바람을 놓아준다

　　　　　아, 겨울은 심심할까
　　　　　얼어붙은 시간
　　　　　저녁을 날으는 기러기떼
　　　　　아무도 말벗이 없다

　　　　　눈발이 녹아
　　　　　땅속의 씨앗
　　　　　소중한 생명이 솟아날 때까지는
　　　　　겨울은 꿈꾸고 있다
　　　　　　　　　　　　　　　　　　—「꿈꾸는 겨울」 전문

이 시에서 보듯이 겨울은 부정적, 비관적인 현실 인식의 한 표상이다. '침묵한다', '묻어 두고', '잠에 빠진다', '얼어붙은 시간', '말벗이 없다'와 같이 하강적인 시어, 부정적인 심상이 짙게 깔려 있기 때문이다. 이러한 비관적, 부정적인 현실 인식이나 생의 인식은 박이도 시세계의 한 밑바탕을 이루고 있는 것으로 보인다. 실상 이러한 비관적 인식은 시집의 맨 끝 시인 「삼팔선(三八線)을 넘으며」가 암시하는 것처럼 실향민으로서 시인 자신의 개인사적 체험 및 이 땅의 분단 현실과 무관하지 않다고 하겠다.

그러나 그의 시에서 보다 중요한 것은 그러한 비관적인 인식으로부터 일어서고자 하는 끈질긴 모색이 엿보인다는 점이다. 인용시에서 '씨앗'과 '날으는 기러기떼', 그리고 '꿈'의 상징이 바로 그것이다. "땅속에 씨앗을 묻어 두고/……중략……/소중한 생명이 솟아날 때까지는/겨울은 꿈꾸고 있다"라는 구절에서 보듯이 씨앗은 생명의 표상이자 희망과 꿈의 상징에 해당한다. 겨울을 견딜 수 있게 하는 근원적인 힘이면서 동시에 꿈과 소망을 간직하게 해주는 생명의 표상인 것이다. 아울러 '날으는 기러기'란 씨앗으로서의 생명이 생명답게 싹트고 자랄 수 있게 하는 필요한 요건, 즉 자유의 소중함을 암시한다. 생명만큼 소중한 것이 지상 위에 어디 있으랴? 또는 생명을 생명답게 자라게 하는 힘으로써 사랑과 자유만큼 귀하고 아름다운 것이 또 어디 있겠는가? 바로 이 한 편의 시는 이러한 시인의 비관적인 인식의 모습을 드러내면서 그의 시가 근원적인 면에서 생명사상 또는 자유의 정신과 희망의 정신에 뿌리를 두고 있음을 암시해준다고 하겠다. '숨다/숨죽이다'로서 겨울이 표상하는 비관적 생의 인식은 '살아온다/꿈꾸다'로서 새 아침 또는 새봄에 대한 소망과 기다림을 지속적으로 노래하게 되는 것이다. 바로 그러한 소망과 기다림의 핵심이 씨앗이 표상하는 생명사상이며, 새와 날개가 암시하는 자유의 정신이라는 뜻이다. 이러한 생명사상은 식물적인 심상 또는 전원상징으로 구체화되어 나타난다.

작은 씨앗 하나 잉태하고 싶다

밀알처럼 추운 바람에 묻혀
허허벌판에서 울고 있는

꽃씨처럼 찢어지는 순결을 꿈꾸며
봄밤의 짙은 어둠을 마시고 있는

나의 체온만큼 따뜻한,
눈물같이
주렁주렁 태어날
작은 씨앗을

―「씨앗」 전문

아득하구나
아지랑이가 아니더라도
저 들에는 이미 노곤한 들바람이 불고
솟아나는 새싹, 초록의 파도가
백만대군의 함성처럼
사랑의 씨앗으로 넘쳐나누나

봄밤을 헤쳐나와
새벽 꿩 울음소리 퍼지는
여기는 농경시대
진달래꽃 질펀한 산자락에 앉아
태평의 세월, 그 영원한 희망
아지랑이가 아니더라도
이 봄은 아득하구나

―「아지랑이」 부분

박이도의 시에는 식물적인 심상 또는 전원적인 소재들이 매우 빈번하게 나타난다. 그의 시에는 '민들레', '갈대밭', '옥수수밭', '팥밭', '꽃잎', '상수리나무', '포도밭', '씨앗' 등 많은 식물 심상과 전원상징이 등장한다. 그만큼 그의 시가 식물적 상상력이 뜻하는바 서정성이라든가, 온건성, 정태성(靜態性)과 밀접히 연관돼 있음을 의미한다고 하겠다. 아니면 명상적이랄까 선(善)지향성에 기반을 두고 있다고도 풀이될 수 있으리라. 동물보다는 식물, 도시보다는 전원에 뿌리내리고 있다는 점에서 그의 시는 전통적인 서정시로서의 성격을 강하게 지니고 있다고 할 것이다. 이러한 측면은 그의 시관이 서정시 내지 순수시에 기울어 있음을 반증해 주는 것이라고도 하겠다. 그런데 주목할 것은 그의 시에 새의 이미지가 지속적으로 나타난다는 점이다.

성황당 비탈의 상수리나무에서
일제히 뜨는 새들이 부럽다
젖무덤 같은, 멀리 보이는
산등성이 너머
불타는 노을이 그립다
　　　　　　　─「나 홀로 상수리나무를 바라볼 때」 부분

그림자처럼
풀밭에 누워 잠들고 싶어요
그림같이
몸무게를 빼어버리고
그냥 날고 싶어요
　　　　　　　─「내 영혼이 풀밭에 누워·1」 부분

그대의 육신은
얼마만큼 가벼워질 수 있는가
……중략……

얼마를 더
날아가는 몸짓을 지어야 하는가
그대의 영혼은
얼마만큼 가벼운 날개를 달 것인가
하얀 깃털 하나 실바람에 날려
오작교에 내릴 것인가

　　　　　　　　　　—「춤의 혼이여」 부분

　그의 시가 지속적으로 갈망하는 것은 가벼운 영혼에의 꿈이며 비상에의 갈
망이다. 그의 시에는 새와 날개의 심상이 반복적으로 나타나며, '춤의 혼'처럼
가벼움에 대한 지향성이 두드러진다. '새·깃털·날개' 그리고 '날아오름·떠오
름·가벼움'이란 무엇을 의미하는가? 한마디로 그것은 자유에의 갈망으로 요
약할 수 있다. "쏴—밀려오는/파도소리에 놀라/풍선처럼 높이높이 뜨고 싶어
요/내 영혼이 돌아가/편히 쉴 그런 자유의 나라로/물새가 날듯/그냥 날고 싶
어요"(「내 영혼이 풀밭에 누워·1」)처럼 풍선이나 물새와 같이 가볍게 날아 자
유의 나라에 도달하고자 하는 것이다. 나무의 수직상승성과 그로부터 날아오
르는 새들의 비상에의 의지야말로 끊임없이 솟구치는 자유지향성 또는 자유
정신의 발현이 아니고 그 무엇이겠는가? 바로 이 점에서 씨앗과 나무, 그리고
새의 표상은 시인 특유의 생명사상과 자유정신을 말해주는 것이라고 하겠다.
　한편 이러한 생명적인 것에의 동경, 자유에의 갈망은 하나의 상실 체험 및
그에 따르는 부활의지로 현현된다. 그 하나의 뿌리가 실향의식이며, 다른 하
나가 신앙에의 갈망이라고 할 수 있다.

　　바람부는 날엔
　　날으고 싶다
　　언덕에 올라
　　아이들의 꿈으로

훨훨 날고 싶다

돌아올 수 없는 곳
또 하나의 고향을 향해
이제 떠나갈 수는 없을까
······중략······
내 보이지 않는 영혼
그 영혼의 고향으로 가고 싶어

　　　　　　　　　　　　　　　　　　　—「또 하나의 고향」 부분

오늘 아침
나의 기도는 감사의 말씀이어니
오랜 동안
우리에게 일용할 양식을 주웁시고
오늘 아침엔
새로이 마음 다져
온 누리를 향해 나아갈 수 있음이여

　　　　　　　　　　　　　　　　　—「새날, 새 아침의 감사」 부분

사랑해본 사람은 알리라
　　　　　　　—「물방울의 완전한 사랑을」 부분

　인용한 시의 부분들에는 박이도 시정신의 원형질이 담겨져 있는 것으로 이해된다. 그 하나가 고향에의 꿈이며, 다른 하나가 하나님에의 기도이고 사랑에의 갈망이다. 다시 말해서 고향이 뜻하는 따뜻함과 편안함에의 지향성과 함께 하나님이 표상하는 사랑과 평화, 즉 구원에의 갈망이 박이도 시의 기본 축을 이루고 있다는 말이다. 실상 그의 시편들이 지속적으로 추구하고 있는 생명사상과 자유의 정신도 이러한 고향에의 꿈 또는 기독교적인 역사의식의 한 반영이라고 할 수 있을 것이다. 생명과 자유, 사랑과 구원의 테마야말로 박이도의 시 전체를 관류하는 중요한 흐름으로 파악되기 때문이다.

3

박이도의 시는 순수하고 서정적이다. 비정치적이라는 말이다. 그렇지만 그의 시는 비정치적이라는 점에서 가장 정치적일는지도 모른다. 사실 시에서 가장 큰 힘은 순수한 것이고 진실한 것에서 우러나온다. 세계를 움직이는 것은 정치적일 것이 분명하다. 그러나 세상을 더 크게 오랫동안 움직이고 변화시키는 근원적인 힘은 인간적인 순수함이고 진실의 힘일시 분명하다. 생명에 대한 사랑, 자유와 평화에 대한 순수하고 아름다운 갈망이야말로 인류사상 가장 크고 위대한 빛이자 소금이기 때문이다. 예수 그리스도가 상징하는 기독교적 사랑과 구원이 바로 그러한 순수의 힘, 진실의 힘으로서 의미를 지닐 수 있다고도 할 것이다.

박이도의 시는 요즘 같은 부패한 정치, 폭력과 위선이 판치는 시대엔 별로 설득력이 없을는지도 모른다. 그렇기에 그의 시는 역설적으로 은근한 빛과 향기를 지닌다. 마치 전란의 포성 속에 피어나는 한 송이 들꽃처럼, 은은하면서도 끈질긴 생명력으로 우리를 따뜻하고 편안함으로 인도해주는 것이다.

이번 시집을 냄으로써 그가 마련하는 또 하나의 결별과 그 새로운 출발에 축하와 격려의 박수를 보낸다.

(시집 『홀로 상수리나무를 바라볼때』 작품론, 창작과비평사, 1992)

허영자, 갈망과 절제의 시

1

허영자(許英子)의 시를 우리는 사랑과 모순의 시, 또는 목마름과 절제의 시라고 불러 볼 수 있으리라. 그의 시에는 사랑의 모순성에 대한 초극과 절제의 안간힘이 담겨 있는 것으로 풀이되기 때문이다.

먼저 사랑은 연정으로서 나타난다. 이성에 대한 그리움이 아련하게 표출됨으로써 사랑시의 모습을 지니게 되는 것이다. 사랑이란 무엇이던가? 그것은 그 서양 어원이 말해주듯이 죽음에 대한 항거의 노력을 의미한다. 다시 말해서 사랑이란 인간이 살아 있다는 사실에 대한 가장 확실한 표징이며, 동시에 인간답게 살고자 하는 몸부림을 반영한다. 허영자의 시가 사랑의 문제에서 비롯된다는 것은 바로 그의 시가 인간존재 문제에 주된 관심을 두고 있음을 뜻하는 것이 된다.

　　그윽히 굽어보는 눈길

　　맑은 날은

이 맑은 속에
비 오면은 비 속에

이슬에
샛별에……

임아

이
온 삼라만상(森羅萬象)에

나는
그대를 본다.

ㅡ「임」전문

당신 앞에 서면
나는 비로소 총명한 여인이 됩니다

화안하게 열리는 누리
불붙길 기다리는 관솔이 됩니다

어울려 살아갈 자신도 생기도
예술이 제일가는 일인 것도 알겠읍니다

서녘 하늘 노을 속에 마음이 익어
서러운 풀꽃처럼 고독해집니다

임이여
당신 앞에 선 나는

가슴에 입술에 온통 핏물이 돌아

다시금 살아 있는 여인이 됩니다.

—「임에게」 전문

이 두 편의 시에는 사랑이 바로 존재의 발견이며 존재의 의미가 된다는 깨달음이 담겨 있다. 먼저 시「임」에는 삼라만상이 그대로 치환되어 있을 정도로 사랑의 모습이 절대화되어 있다. '그대'라는 사랑의 대상은 시의 퍼스나인 '나'에게 있어서 적어도 우주·삼라만상과 등가로서 존재하고 있는 것이다. 그만큼 사랑은 존재의 의미를 규정짓는 결정적인 관건이 된다고 하겠다. 시「임에게」는 이러한 사랑의 의미가 더욱 능동적으로 표현된 한 예이다. '당신'은 '나'에게 하나의 '여인'임을 자각하게 만들어 주는 촉매이면서 동시에 '살아갈 자신을 생기게' 하는 원동력이 되기도 하며, '다시금 살아 있는 여인이 되게' 만들어 주는 근원적인 힘으로 작용하는 것이다. 사랑을 통해서 존재의 의미를 발견하고 살아갈 수 있는 원천적 힘을 부여받게 된다는 점에서 사랑은 생명의 원리가 된다. 바로 여기에서 사랑은 운명적인 것으로 받아들여지게 된다.

사랑한다!
이런 말이
이제 우리에겐 필요없다

절 사랑하세요?
이런 물음이
이제 우리에게 필요없다

이미
그대는
나의 운명이니까

이미

나도
그대의 운명이니까

—「운명」 전문

고운 네 살결 위에
영혼 위에
이 신비한
사랑의 문양(紋樣) 찍고 싶다

(이것은 내 것이다!)

땅 속에 묻혀서도
썩지를 않을
저승에 가서도
지워지지 않을

영원한 표적을 해두고 싶다.

—「떡살」 전문

그 이름을
살 속에 새긴다
암청(暗靑)의 문신(文身)

불가사의(不可思議)의 윤회를 거쳐
마침내
내 영혼이 고개 숙이는 밤이여
무거운 운명이여

절망의 눈비
회의(懷疑)의 미친 바람도
숨죽여 하는 고요.

<사랑합니다>

참으로 큰
슬픔일지라도
어리석은 꿈일지라도

살 속에
그 이름 새기며
이 봄밤
눈떠 새운다

—「친전(親展)」전문

여기에서 사랑은 이미 하나의 운명으로서 작용하게 된다. 그것은 살결과 영혼 위에 '신비한 사랑의 문양'으로서 각인되어 있으며, "땅 속에 묻혀서도/썩지를 않을/저승에 가서도 지워지지 않을"과 같이 영원성을 간직하게 된다. 아울러 그렇기에 사랑은 살 속에 새겨진 '암청(暗靑)의 문신(文身)'으로서 남게 된다. 사랑이 그 과정에서 절망과 회의를 내포하기도 하고 '참으로 큰 슬픔', '어리석은 꿈'이라 할지라도 그것은 이미 운명적인 것 또는 운명 그 자체로서 의미를 지니는 것이다. 사랑이 운명적인 것으로서 다가올 때 그것은 하나의 행복이면서 동시에 구속으로 작용함으로써 모순을 드러내게 된다. 실상 사랑이란 그 본성에 있어서 모순되는 양 측면을 지니기 마련이다. 사랑은 그 자체가 뜨거움으로서의 열정과 차가움으로서의 이지가 함께 작용하며, 순간과 영원, 세속과 신성, 구속과 자유라고 하는 모순과 갈등을 지속적으로 드러내기 때문이다. 실상 이러한 모순되는 두 측면의 작용은 운명의 구속에 지배당하면서도 끊임없이 자유에의 길을 추구하는 인생의 근본 원리를 반영하고 있다고 하겠다.

2

　허영자의 시에는 이처럼 사랑의 대조적인 양면성 또는 모순성이 함께 드러
남으로써 갈등의 에너지가 발생한다. 이러한 갈등의 에너지는 그의 시로 하
여금 사랑시의 평면성·상투성을 벗어나게 하는 원동력이 되며, 아울러 그의
시가 단순한 사랑시에서 존재론의 시로 상승하게 하는 주요한 요인이 된다.

　　애달파라
　　저 황홀한 꽃
　　종이처럼 흩어져 날리다니

　　애달파라
　　이토록 사랑하는
　　너의 살 너의 뼈
　　한낱 흙으로 무너져 내리다니.

　　　　　　　　　　　　　　　　　　　　　　　—「애달픈 사랑」 전문

　　휘발유 같은
　　여자(女子)이고 싶다

　　무게를 느끼지 않게
　　가벼운 영혼

　　뜨겁고도 위험한
　　가연성(可燃性)의 가슴
　　한 올 찌꺼기 남지 않는
　　순연한 휘발

　　정녕 그런
　　액체 같은

연인(戀人)이고 싶다.

―「휘발유」 전문

　　인용한 이 두 편의 시는 하강과 상승으로서의 사랑의 두 측면을 예리하게 암시해준다. 「애달픈 사랑」은 사랑의 붕괴 과정을 암시한다. "저 황홀한 꽃/종이처럼 흩어져 날리다니//이토록 사랑하는/너의 살 너의 뼈/한낱 흙으로 무너져 내리다니"라는 짤막한 구절 속에는 환상의 붕괴와 절망에로의 추락이 함축적으로 담겨 있다. 우주의 멸망 또는 세계의 파멸로서 사랑의 좌절체험이 형상화되어 있는 것이다. 아울러 이 시에는 사랑의 하강적 운명성에 대한 깊은 절망과 탄식이 아로새겨져 있다고 하겠다. 이에 비해서 시 「휘발유」에는 상승에의 강한 열망이 분출되고 있다. "휘발유 같은/여자(女子)이고 싶다/무게를 느끼지 않게 가벼운 영혼"이라는 핵심 구절 속에는 상승에의 열정 혹은 자유에의 본능적인 솟구침이 작용하고 있는 것으로 보인다. 특히 "가벼운 영혼/가연성의 가슴/순연한 휘발"의 대응 속에는 솟아오름으로서의 사랑에 대한 열망과 완전 연소로서의 뜨거운 열정이 함께 끓어오르고 있다고 하겠다. 이렇게 본다면 이 시는 사랑이 지니고 있는 생명적 뜨거움과 달아오름이 자유에의 열망과 투명지향성으로 상승된 하나의 본보기라고 할 수 있다.

　　따라서 이 두 편의 시에는 사랑이 지니는 하강과 상승, 무거움과 가벼움, 좌절과 열망이 함께 작용하고 있음을 알게 된다. 아픔과 고통으로서의 사랑, 운명과 구속으로서의 사랑이라는 상승적 속성을 반영한다고 할 것이다. 이러한 모순되는 두 측면이 허영자의 시에서 지속적으로 작용함으로써 시적 긴장을 유발하고 정서를 탄력 있게 만들어 준다.

숨이 가쁜 푸르름
둘레에 술렁여도

그리움이여
떨리는 신열(身熱)이여

오히려 한여름에도
춥고 또 추워라.

―「여름 감기」 전문

사람은 누구나
그 마음속에
얼음과 눈보라를 지니고 있다.

못다 이룬 한과 서러움이
웅어리져 얼어붙고
마침내 마서져 푸슬푸슬 흩내리는
얼음과 눈보라의 겨울을 지니고 있다.

그렇기에
사람은 누구나
타오르는 불꽃을 꿈꾼다.

목숨의 심지에 기름이 끓는
황홀한 도취와 투신
기나긴 불운의 밤을 밝힐
정답고 눈물겨운 주홍빛 불꽃을 꿈꾼다.

―「얼음과 불꽃」 전문

　　허영자의 시에는 이러한 사랑의 모순성, 생의 양면성이 하나의 중심축을
이루고 있다고 해도 과언이 아닐 정도로 빈번하게 표출된다. 그것은 뜨거움
과 차가움, 또는 불꽃과 얼음이라는 극명한 대립 심상으로서 표상된다. 먼저
「여름 감기」에서는 "떨리는 신열"과 "춥고 추워라"의 대응 속에서 이러한 모

순성, 양면성이 두드러진다. 그것은 사랑이 지니고 있는 모순성이자 바로 인생이 근원적으로 내포하고 있는 양면성이라 할 것이다. 한여름에 느낄 수밖에 없는 추위란 바로 사랑의 모순을 겪는 데서 오는 아픔의 표현이며 생의 이율배반성을 깨닫는 데서 오는 비애와 탄식의 표현이라고 볼 수 있기 때문이다. 따라서 시「얼음과 불꽃」의 세계가 가능해진다. 사랑은 얼음 같은 한과 서러움을 씨줄로 하고 불꽃 같은 정염과 즐거움을 날줄로 하여 짜여지는 모순상을 그 속성으로 한다. 마찬가지로 인생 또한 못다 한 한과 서러움을 지니며 도취와 정염을 태우면서 살아가는 모순성·양면성을 지닌다. 바로 이러한 사랑과 인생의 모순성·양면성이야말로 사랑이 인생에 있어서 가장 기본적이면서도 궁극적인 원리이며 한 목적에 해당한다는 점을 말해준다. 사랑과 인생은 다 같이 정염과 허무, 육신과 영혼, 각성과 이지, 현실과 영원, 구속과 자유라고 하는 모순성·양면성 위에 놓여지는 것이며, 그렇기에 이 양면성·모순성의 충돌에서 생명의 긴장력과 팽창력이 유발되는 것이라 할 수 있다.「얼음」과「불꽃」의 대립항으로 요약할 수 있는 이러한 사랑의 모순성과 양면성, 그리고 인생의 모순성과 이율배반성이 서로 갈등하고 화해하는 데서 허영자의 사랑시학이 그 참모습을 드러낸다고 하겠다.

3

　허영자의 시가 지니고 있는 가장 중요한 장점은 그의 시가 날카로운 절제와 극기의 힘을 보여주고 있다는 점이다. 그의 시에 뜨거운 정열과 차가운 허무가 함께 자리하고 있으며, 그러한 모순성·양면성을 초극하고자 노력하는 데서 그의 시의 핵심이 놓여 있다는 점은 이미 살펴본 바 있다. 그렇지만 그의 시는 이러한 사랑과 인생의 모순성 이율배반성에 대한 갈등과 오뇌를 내면화하여 극복하고자 노력하는 것과 함께 그 표현의 문제, 즉 언어미학에 있어서 치열한 절제의 노력을 보여주고 있어서 관심을 끈다. 그의 시에는 사랑과 인생의 모순에서 오는 비애와 절망을 이겨내려는 안간힘이 그에 걸맞은 절제된 언어와 형태를 획득하게됨으로써 시적 성공의 포인트를 마련한다.

　① 나무들이
　　울음을 삼키고 있다

　　돌들이
　　울음을 삼키고 있다

　　조그만 귀또리도
　　울음을 삼키고 있다

　　가을 어느 다저녁때

　　울구 싶은 나도
　　울음을 삼키고 있다

―「가을 다저녁때」 전문

　② 돌틈에서 솟아나는
　　싸늘한 샘물처럼

　　눈밭에 고개 드는
　　새파란 팟종처럼

　　그렇게
　　맑게.

　　또한 그렇게
　　매웁게.

―「무제(無題)」 전문

먼저 시 ①에는 정서적인 극기의 모습이 구체적으로 나타난다. '나무/돌/귀또리/나'가 서로 대응되면서 "울음을 삼키고 있다"를 반복함으로써 형태와 의미가 어울려 빚어내는 서정적인 울림을 들려준다. 울음이라고 하는 감정의 분출을 표면에 드러내고 있음에도 불구하고 그것이 '나무/돌/귀또리/나'로서 연결됨으로써 아슬아슬하게 극기를 성취하고 있는 것이다. 특히 "울음을 삼키고 있다"를 병렬하면서, 강조를 역설화함으로써 울음을 참아내려는 안간힘을 제시한 것은 특징적이라 할 수 있다.

무엇보다도 시 ②는 허영자 시의 핵심을 요약적으로 제시하여 관심을 끈다. 이 시는 불과 13어절로써 시를 구성하고 있으며, 그 속에 시인 특유의 모순의 생명력을 날카롭게 담고 있어서 주목되는 것이다. 이 시에는 단 네 차례 명사가 쓰이고 있다. '돌틈·샘물'과 '눈밭·팟종'을 통해서 효과적으로 생명력을 제고하고 있는 것이 특징이다. 특히 여기에서 '솟아나는/고개드는'이라는 서술어는 이 둘이 모두 생명의 상승지향성을 암시한다는 점에서 적절하다고 하겠다. 아울러 여기에 사용된 단 두 번의 관형어 '싸늘한/새파란'은 그러한 생명력을 더욱 힘찬 것으로 만들어 주는 힘이 된다. 무엇보다도 마지막 두 연, 즉 불과 두 단어 및 세 단어로 짜여진 3, 4연은 절제된 형태의 단순성 속에 강인하고 힘찬 생명 의지를 분출하고 있어서 주목된다. '그렇게/맑게'와 '또한 그렇게/매웁게'라고 하는 두 연의 대립 속에는 맑음으로서의 사랑과 인생, 매서움으로서의 사랑과 인생에 대한 갈망이 첨예하게 대립하고 있어서 관심을 끄는 것이다. '맑게'라고 하는 투명 지향성과 '매웁게'라고 하는 강인 지향성이 함께 대조됨으로써 생명력의 투명함과 생명 의지의 가열함을 날카롭게 형상화하고 있는 것이다. 따라서 이러한 '맑게'와 '매웁게'의 대응 속에는 사랑과 인생의 고양된 모습이 하나의 이념태로서 제시되어 있다고 하겠다. 그것은 '돌틈'과 '눈밭', '샘물'과 '팟종', 그리고 '싸늘한'과 '새파란' 사이에 형태적·의미적 연관성을 지니면서 예리하게 시적 주체를 형상화하고 있는 것이다.

이렇게 볼 때 이 시의 성공적인 요소는 바로 투명하고 치열한 생명력과 생명 의지가 단순하면서도 절제된 형태 및 언어미를 획득한 데서 드러난다고 하겠다. 사랑의 모순성과 인생의 이율배반성을 초극하려는 안간힘이 언어적인 절제와 정신적인 극기의 노력 사이에 조화를 확보함으로써 어느 정도 이념적인 모습을 성취하게 된 것이다. 이 지점에서 새로운 진실에의 눈뜸과 참된 정신의 자유 및 평화에 대한 갈망이 드러나게 된다.

어여쁨이야
어찌
꽃뿐이랴

눈물겹기야 어찌
새잎뿐이랴

창궐하는 역병(疫病)
죄(罪)에서조차
푸른
미나리 내음 난다
긴 봄날엔―

숨어 사는
젊은 정부(情婦)
난쟁이 오랑캐꽃
외눈 뜨고 내다본다
긴 봄날엔―

―「긴 봄날」 전문

저 빈 들판을
걸어가면

오래오래 마음으로 사모하던
어여쁜 사람을 만날 상싶다

꾸밈없는
진실과 순수
자유와 정의와 참 용기가
죽순처럼 돋아나는
의초로운 마을에 이를 상싶다

저 들판을
걸어가면
하늘과 땅이 맞닿는 곳
아득히 신비로운
신(神)의 땅에까지 다다를 상싶다.

—「빈 들판을 걸어가면」 전문

　허영자 시의 한 대표작들이라 할 수 있는 이 두 편의 시에는 삶의 깊이 속에 감춰진 진실에 대한 갈망과 함께 진정한 삶의 깊이 속에 감춰진 진실에 대한 갈망과 함께 진정한 사랑으로서의 자유와 평화에 대한 기다림이 드러나 있다. 먼저 「긴 봄날」에는 아이러니를 통해서 진실에의 지향성을 드러낸다. "어여쁨이야/어찌/꽃뿐이랴"라는 핵심 구절이 그것이다. 참된 진실이란 드러난 것, 보이는 것, 상식적인 것들을 넘어서는 데서 찾아질 수 있다. 오히려 진실이란 "창궐하는 역병/죄(罪)에서조차/미나리 내음 난다"처럼 역설적인 것에서 그 참모습이 드러날 수 있기 때문이다. 그렇기에 '젊은 정부'나 '난쟁이 오랑캐꽃'과 같이 파행성·불구성 속에서 진정한 그리움의 의미와 참사랑의 진실이 더욱 빛날 수도 있는 것이다. 이 시는 어쩌면 박목월의 「윤사월」에 나타난 '눈먼 처녀'의 모티브를 사용해서 한걸음 진전된 사랑의 안타까움과 기다림의 애절함을 성공적으로 표출한 작품이라 볼 수도 있겠다.

한편 시 「빈 들판을 걸어가면」에서는 서술적인 진술을 통해서 보다 이념적인 순수의 세계, 진실의 세계에 대한 기다림과 갈망을 노래하고 있다. 근년에 발표된 신작시집 『빈 들판을 걸어가면』(열음사, 1984)의 표제시이기도 한 이 시에는 오늘날 시인 자신의 정신적인 위상이 드러나 있다고 해도 과언이 아닐 정도로 직설적인 표현이 숨 쉬고 있다. 먼저 현실은 '빈 들판'으로서 표상되어 있다. 그것은 비관적인 현실 인식이며 나아가서 비극적 세계관이라 할 것이다. 그것은 시인 자신의 생애사에서 연유하기도 하겠지만 자유와 정의가 실현되지 않고 있는 당대 현실에 대한 절망감에서 비롯되기도 한다. 시의 퍼스나가 비인 들판을 걸어가면서 "오래오래 마음으로 사모하던/어여쁜 사람을 만날 상싶다"라고 하는 역사적·현실적 바람과 연결되기 때문이다. 그러나 그것은 둘 다 쉽게 성취될 수 있는 것이 아니다. 바로 여기에서 "하늘과 땅이 맞닿는 곳/아득히 신비로운/신(神)의 땅"에 대한 갈망과 지향성이 드러나게 된다. 어쩌면 그것은 지상에서 도달할 수 없는 하나의 이상향일지도 모른다. 그렇지만 그러한 이상향이 있다고 믿고, 갈망하는 데서 살아 있음의 의미가 선명히 드러나는 것이다. 그러한 신비로운 땅, 조화로운 이상의 세계에 도달하고자 하는 열망과 그리움, 그리고 지향성이 있기에 근원적인 절망으로부터 일어나 허영자의 시는 과거 지향성이 아니라 현재 진행형이며 미래 지향성으로서의 탄력과 건강성을 지니고 있는 것이다.

4

허영자의 시에 있어서 사랑의 과정은 모순과 이율배반성에서 시작되어 흔들림과 허망함, 안타까움과 체념, 참음과 용서, 참회와 비탄, 그리고 오뇌와 절망 및 목마름과 기다림의 끊임없는 파장으로 이어진다. 또한 그것은 삶의 과정을 그대로 반영한 것일 수도 있으리라. 그러면서도 그의 시는 그러한 오뇌와 절망, 기다림과 갈망으로부터 일어서서 정신적인 초극과 절제를 획득하려는 끈질긴 안간힘을 보여준다는 점에서 내면적인 울림을 더해 주는 것으로 이해된다.

그의 시는 기본적으로 노천명이나 김남조 같은 선배 시인들의 시세계와 연결되면서도 그것을 극복하려는 노력을 전개해 왔다고 볼 수 있다. 그것은 사랑과 오뇌의 시학이며, 어쩌면 모순과 절망의 시학이라고 부를 수도 있으리라. 그렇지만 그의 시는 선배 시인들이 흔히 빠져 왔던 과거 지향성과 감상주의에서 어느 정도 벗어난 데서 의미가 놓여진다고 하겠다. 그가 성취하고 있는 '불꽃'과 '얼음'의 날카로운 대립과 화해 정신이야말로 이 땅 사랑시의 한 가능성을 열어 준 것으로 판단되기 때문이다.

그럼에도 불구하고 그의 시는 아쉬움을 던져주는 것이 사실이라 하겠다. 그의 시에는 개인사적 사랑과 오뇌, 모순과 절망이 주조를 이루고 있으면서도 그것이 좀 더 넓은 이웃, 좀 더 큰 사랑의 세계로 열려 가는 모습이 부족하기 때문이다. 시집 『빈 들판을 걸어가면』에 이르러서 개인사적 사랑과 존재 문제가 다소 역사적·사회적 지평으로 열리는 듯한 느낌을 주는 것이 사실이라 해도 그것이 좀 더 능동적인 모습을 지녀야 한다는 말이다. 모순으로서의 사랑과 인생, 허무로서의 사랑과 인생을 보편적인 인간의 모습으로 더욱 확대하고 심화시켜 갈 때 그의 시가 지닌 천부적인 따뜻함과 매서움의 시정신이 더욱 빛을 발할 것이 사실이기 때문이다. 그런 점에서 허 시인은 자신의 장기인 짧은 서정시에 힘을 기울이는 한편 서사시나 장시 또는 극시의 창작과 실험을 통해서 끊임없이 자기 세계를 개신하고 탄력을 불어넣는 작업을 전개해 보는 것도 뜻있는 일이 될 것이다.

우리가 60년대의 가장 역량 있는 시인의 한 사람으로서 그에게 기대하는 것은 끊임없이 자기 세계를 확대하고 심화하는 작업을 통해서 일반적인 여류시의 한계를 좀 더 과감하게 벗어나길 바란다는 점이다. 이제 우리에게도 대가 시인으로서의 보다 스케일이 큰 여성 시인, 일관성을 지니면서도 과감하게 자기 변모를 성취하는 이상적인 시인의 모습을 기대할 수 있는 시점이 됐다고 판단되기 때문이다.

김초혜, 사랑시의 한 가능성

김초혜(金初蕙)는 그의 첫 시집 『떠돌이 별』에서 고통으로서의 삶, 허무로서의 인생을 집중적으로 탐구함으로써 주목을 받은 바 있다. 그는 1984년에 등단 후 20년 만에 첫 시집을 내면서 한(限)의 운명론, 육신의 굴레와 자유의 문제, 인간 조건으로서의 병(病)의 문제, 그리고 죽음에의 저항으로서 사랑의 문제 등 삶의 온갖 원형적인 문제들을 깊이 있게 천착한 것이다. 그는 이 시집에서 인생이란 생과 사를 양축으로 하면서 이에 따른 인간 조건으로서의 운명의 문제와 이의 극복으로서의 자유의 문제를 핵심으로 해서 전개된다는 점을 분명하게 밝혀 주었다.

그러한 김초혜는 다시 『사랑굿·1』(1985)과 『사랑굿·2』(1986)를 통해서 삶의 제 문제 중에서 특히 사랑에 초점을 두고 삶의 문제를 집중적으로 탐구하고 있어서 관심을 끈다고 하겠다. 그는 제목 자체가 '사랑'인 이 시집을 통해서 삶의 과정이 바로 사랑의 과정이며, 사랑의 의미가 바로 삶의 의미라는 점을 밝히려고 노력하였다. 다시 말해서 사랑을 삶의 한 본질로 파악하여 그것이 지닌 속성과 원리를 다양하게 탐구하려고 노력한 것이다.

따라서 이 짤막한 글에서는 『사랑굿 1·2』에 다시 신작시 55편을 집성한 합본 시집 『사랑굿』 전체에 나타난 사랑의 제반 속성과 원리를 간략하게 살펴

봄으로써 시집『사랑굿』의 의미를 간추려보고자 한다.

1

『사랑굿』은 전체가 모두 163편으로 구성되어 있는 연작시집이다. 그런데, 이 연작시집『사랑굿』은 만남의 문제로 시작되어 죽음이라는 이별의 양식으로 마무리됨으로써 존재론적인 드라마를 형성하고 있는 것이 특징이다.

> 그대 내게 오지 않음은
> 만남이 싫어 아니라
> 떠남을
> 두려워함인 것을 압니다
>
> 나의 눈물이 당신인 것을
> 알면서도 모르는 체
> 감추어 두는
> 숨은 뜻은
> 버릴래야
> 버릴 수 없고
> 얻을래야
> 얻을 수 없는
> 화염(火焰) 때문임을 압니다
>
> 곁에 있는 아픔도 아픔이지만
> 보내는 아픔이
> 더 크기에
> 그립고 사는
> 사랑의 혹법(酷法)을 압니다

두 마음이 맞비치어
모든 것 되어도
갖고 싶어 갖지 않는
사랑의 보를 묶을 줄 압니다

―「사랑굿·1」 전문

그대와 보낸
세월은
짧기만 한데
그대 기다리는
하루는
길기만 하오

한번도 본 적 없는
그런 얼굴로
돌아와
내게
절을 하고 섰는
그대

인사도 없이
떠나려든
내 손을 잡아주오
그대 손을 놓고
편안히 떠나려오.

―「사랑굿·163」 전문

이 두 편의 시는 시집 전체의 성격을 잘 말해준다. 그것은 한마디로 말해서 만남과 떠남의 문제가 사랑의 핵심이며 바로 그것이 생의 원상이 된다는 점으로 요약된다. 특히 구성상에서 앞의 시는 사랑의 원초적인 모습이 만남과 헤어짐에 놓여 있으며, 그 갈등과 긴장 관계 속에서 삶의 구체적인 실상이 드러난다는 데 대한 깨달음에서 비롯되고 있다. 이 시에서의 핵심은 "두려워함인 것을 압니다/화염 때문임을 압니다/사랑의 혹법을 압니다/사랑의 보를 묶을 줄 압니다"라는 네 구절에 담겨져 있다. 그것은 대체로 사랑의 본성에 대한 자각을 담고 있는 것으로 풀이된다. 첫째로 그것은 사랑의 근본 원리가 만남과 헤어짐으로 이루어지며, 이 두 가지 요소가 빚어내는 갈등과 긴장 관계 속에서 헤어짐에 대한 두려움을 간직한 채 전개된다는 사실을 적시한다. 실상 그러한 두려움이란 사랑의 본성에 혹종의 원죄의식이 가로놓여 있으며, 아울러 원초적인 무(無)로서의 이별 또는 죽음에 대한 본능적인 허무감이 작용한 때문으로 풀이된다. 둘째로 사랑의 본성은 눈물과 불꽃, 즉 물과 불이라는 대조적인 긴장체계 속에서 발현된다는 점이 드러나 있다. 둘째 연에서 눈물과 화염의 이미지가 함께 드러난 것이 그러한 사실을 반영한다. 그것은 이성과 감성의 대립일 수도 있으며 의지와 본능, 현실과 이상의 대립이 빚어내는 갈등일 수도 있다. 그러한 대립적인 양면성의 충돌 속에서 사랑의 본성이 첨예하게 드러나는 것이기 때문이다. 셋째로는 사랑의 본성이 그리움과 아픔이라는 대조적인 모습으로 나타난다는 점이다. 그것은 사랑이 본원적인 면에서 기쁨과 슬픔, 그리움과 고통 또는 자유와 구속이라는 모순되는 두 측면을 함께 포괄하고 있다는 암시가 된다. 실상 이러한 두 모순되는 사랑의 양면성이야말로 바로 삶에 있어서의 그러한 측면을 그대로 반영한 것임은 물론이다. 네 번째로 사랑의 본성은 서로 하나로 통일되고 화해됨으로써 하나가 되어 모든 것을 용서하고 포용할 수 있는 데서 드러난다는 깨달음이다. '두 마음이 맞비치어/모든 것이 되는 것'이 그것이며, '사랑의 보를 묶을 줄 아는 것'이 또한 그것이다. 이러한 합일성과 포용성이야말로 사랑이 인간의 삶에 있어서 가장 근원적인 힘이 되며 보람일 수 있는 것이기 때문이다.

이렇게 볼 때 「사랑굿·1」은 사랑의 본성을 전체적인 면에서 암시하면서 그러한 사랑의 본성과 원리 및 양상에 대한 탐구가 바로 연작시집『사랑굿』에 다양한 모습으로 펼쳐진다는 사실을 암시하고 있다고 하겠다. 이 점에서 시「사랑굿·1」은 시집 전체의 서시 역할을 하는 것으로 보인다.

한편 뒤의 시, 즉「사랑굿·163」은 지금까지 파란 많던 감정 추이를 겪고 난 다음 마침내 죽음으로서의 영원한 이별에 이르렀음을 제시함으로써 시를 마무리 짓게 된다. 그것은「사랑굿·162」에서 먼저 선명히 드러난다. "나의 실종을/그대 가슴에/남겨두고/떠나는 날//내가 가엾어/내가 우는/내 상여행렬의 맨끝에서//어두운 결백으로/울어버릴/그대여"라는 구절 속에는 죽음에 의한 이별의 상황이 설정되어 있는 것이다. 사랑의 이별이 죽음으로서 제시됨으로써 미완의 사랑을 안타깝게 노래하는 동시에 내세에서의 새로운 사랑을 기약하게 된다 할 것이다. 특히「사랑굿·163」에는 이별에 이르러서야 비로소 만남이 성취된다고 하는 역설을 통해서 만남이 바로 이별이고 이별이 바로 만남일 수 있다는 사랑의 영원성을 획득하게 된 것으로 보인다. 이른바 사랑의 절대성 또는 영원성에 대한 신념이 표출되어 있다고 하겠다.

이렇게 본다면 첫 시와 끝 시에 이르는「사랑」연작시는 삶의 핵심으로서의 사랑에 대한 존재론적 드라마를 형상화한 것이라 할 수 있다. 그리고 그러한 사랑의 모습은 만남과 헤어짐 또는 삶과 죽음을 상대 축으로 하여 전개되는바, 여기에는 아픔·슬픔·그리움·기쁨·쓸쓸함·기다림·허망감·연민·신비감·좌절감·신념·모순 인식 등 삶의 과정에서 드러나는 모든 감정의 소용돌이가 제시되어 있는 것이 특징이다. 아울러 영원한 이별, 즉 죽음의 지점에서 만남을 성취하지만 이것 또한 헤어짐의 또 다른 시작에 불과하다는 깨달음이 표출되어 있는 것이다. 이별을 통해서 사랑의 참된 의미 또는 님의 모습을 새롭게 발견한다는 이러한 결구 속에는 죽음(이별)을 통해서 미완으로서의 사랑이 완성을 지향하게 된다는 뜻이 내포되어 있다고 하겠다.

이 점에서 시집『사랑굿』의 사랑 속에는 불교적 세계관이 깊고 넓게 깔

려 있으며 비극적 세계인식이 그 바탕을 이루고 있다는 점을 알 수 있게
된다.

2

시집 『사랑굿』에서 특히 드러나는 것은 사랑의 양면성 또는 모순성에 대
한 인식이라 할 수 있다. 이러한 사랑의 모순성에 대한 자각과 그것의 극복을
위한 안간힘은 시집 전체를 관류하는 근본 내용이 되기 때문이다.

> 등불과 어둠은
> 같은 빛이라
> 등불이듯
> 어둠이듯
> 그런 마음을 가지고
> 등불로 잠들고
> 어둠으로 깨어나듯
> 가슴을 딛고
> 달아나는 그대를
> 붙잡지 못하는
> 아직도 시린
> 맨손이어라
> 깊고 무거운
> 사슬로
> 묶이어간
> 그대가
> 오늘 아침
> 이 길로 온다 해도
> 맞을 수 없는

빈 손이어라

—「사랑굿·70」 전문

    이 시의 핵심은 등불과 어둠에 놓여진다. 그것은 빛과 어둠이라는 점에서 양면성 또는 모순성을 암시한다. 이러한 밝음과 어둠으로서의 양면성 또는 모순성을 지니는 것이 바로 사랑의 근본 속성이라는 깨달음이 바로 이 시에 담겨 있는 것이다. "등불로 잠들고/어둠으로 깨어나도"라는 구절 속에는 바로 이러한 밝음과 어둠이 함께 공존하는 것으로서의 사랑의 모습이 구체적으로 제시되어 있다고 하겠다.

    ① 왼쪽 가슴에 불을 내고
      오른쪽 가슴에 불을 내어

—「사랑굿·71」 부분

    ② 다르다 하면
      하나로 되고
      같다고 보면
      거리가 있어지는
      그대
      누구시요

—「사랑굿·48」 부분

    ③ 그대에게 얽매이면
      두려움 일어
      마음 태우거늘
      그대에게서 벗어나면
      잠시라도 기쁨 있어
      번뇌의 불꽃 스러지네

—「사랑굿·56」 부분

부분 인용해 본 이 세 편의 시에는 사랑의 모순되는 두 측면이 함께 드러나 있다. 먼저 ①에서는 물과 불의 대응으로 나타난다. 그것은 사랑이 지닌 이지와 정염, 정신과 육신, 하강과 상승 등과 같이 서로 모순되는 양 측면의 대립이라 할 수 있다. 그것은 각각 가슴의 왼쪽과 오른쪽에 공존하면서, 서로 대립되고 모순되면서 하나의 동심원을 이루어가는 것이다. 이러한 점은 시 ②에서 다시 확인된다. 여기에서는 사랑이 일치와 불일치, 가까움과 멂, 갈등과 화해라고 하는 모순원리로서 나타난다. 실상 사랑에는 연인 상호 간에 있어서 끊임없는 거리 재기가 이루어진다는 점에서 이러한 거리의 변증법이 내재되어 있다고 할 것이다. 시 ①이 사랑의 주체 내부에 있어서의 모순과 갈등이라면, 시 ②는 연인 사이에 있어서의 모순과 갈등의 측면이라 하겠다. 시 ③에서는 사랑이 구속과 자유라고 하는 본원적인 양면성 또는 모순성을 내포하고 있다는 점이 제시된다. 이러한 구속과 자유라는 모순성 속에는 고통과 환희, 절망과 희망, 미워함과 그리움과 같이 서로 상반되는 감정 추이가 내재되어 있다는 점이 특이하다. 실상 이렇게 보면 이러한 모순되는 사랑의 제반 측면들이란 그것이 결국 삶의 본래 모습과 조금도 다를 바가 없는 것이라는 점을 알 수 있게 된다. 여기에서 사랑의 탐구가 바로 삶의 탐구라고 하는 의미부여가 가능하게 되는 것이다.

3

그런데 이렇게 사랑의 모순되는 양 측면은 각기 서로 뚜렷이 구별되는 비유의 상징체계를 지닌다. 먼저 사랑의 밝은 측면은 '빛/등불/불꽃/꽃등/달/별/해' 등과 같이 상승적인 이미지로서 나타난다. 이것들은 대략 열과 빛 또는 생명요소와 내포적인 연관을 지닌다고 할 수 있다. 그만큼 사랑이란 삶을 삶답게 만들어 주는 힘이 되며 생명적인 것의 핵심이 된다는 뜻이다. 먼저 시집

『사랑굿』에서 사랑은 존재의 원인이며 결과로서의 의미를 갖는다.

> 더러는
> 지나치고
> 못 미치기는 하나
> 천성이
> 그런 것은 아니었음에
> 심지 속에
> 그대 지니고
> 새로이 머물고 싶어라
> 깊고도 머언
> 소중한 이여
> 그대에게서 비롯하여
> 그대에서 마치는
> 아픔일진대
> 그대
> 물로 흘러
> 돌아오지 않아도
> 구석구석 어디나
> 그대 곁이네
>
> —「사랑굿·100」 전문

이 시의 핵심은 "소중한 이/그대에게서 비롯하여/그대에서 마치는/아픔/구석구석 어디나/그대 곁이네"에 놓여 있다. 사랑하는 대상으로서의 '그대'는 시적 주체에게 있어서 가장 소중한 사람이며, 모든 존재상의 원인이며 결과에 해당한다. 따라서 '그대'는 시적 주체로서의 '나'에게 있어서 존재를 지배하는 원리이자 힘이 되는 것이다. 다시 말해서 그대가 상징하는 사랑이 존재의 원리이며 힘이 된다는 뜻이다

이 점에서 '그대'는 삶의 의미이며 무게중심이 된다. "봄이 올 때는/봄의 마

음으로/되돌아가게 하고//겨울이 오면/겨울로/데려다 놓는 그대//땅을 벗어나/살 수 없듯/그대 눈에/하늘을 두르고 있는 한//해가 지지 않아도/해가 뜨지 않아도/그대는/나의/고요한 중심"(「사랑굿·96」)이라는 시에서 보듯이 사랑의 대상으로서의 '그대'는 '나'에게 있어서 삶을 지배하는 원리이면서 동시에 무게중심의 역할을 갖는 것이다. 그만큼 그대는 "그대가 흔들면/흔들리고/멈추게 하면/멈추어 서는 까닭을/나는 모르오"(「사랑굿·145」)라는 구절이나 "낮에는 해가 되고/밤에는 달이 되어/나의 그늘을 비추어"(「사랑굿·143」)라는 구절처럼 삶의 모든 것을 지배하면서 삶 그 자체를 구성하는 중요한 힘이 된다. 그러므로 사랑은 삶에 있어 보람과 기쁨, 그리고 희망을 던져주는 원천적인 힘으로 작용한다.

불로도
태워지지 않고
물로도
잠기지 않는
허공보다
높이 있는
그대
빛의 으뜸으로
밝음이 되어
마음의
바탕이 되어 주오
그리움도 번뇌도
걸러냈으나
온종일 생각해도
즐겁고
싫지 않은 그대
돌무더기

서러워도
그대 바래 살려오

　　　　　　　　　　　　—「사랑굿·81」 전문

이 시에서 그대는 "허공보다/높이 있는/그대"처럼 지고(至高)의 존재로서
표상된다. 아울러 그대는 삶에 빛을 던져주는 존재로서의 의미를 지닌다. 다
시 말해서 사랑은 삶에 즐거움과 기쁨, 소망과 보람을 일깨워주며 희망을 간
직하게 해주는 원천적인 힘이 되는 것이다. 또한 "돌무더기/서러워도/그대 바
래살려오"와 같이 삶에 있어서의 온갖 역경과 시련을 이겨낼 수 있게 하는 원
동력으로서 작용한다. 이렇게 보면 사랑이란 삶에 끊임없이 생명의 기름을
부어주고 연소할 수 있게 하는 불꽃이 되는 것이다. 이 점에서 사랑은 화염(火
焰)으로서 표상되는 내면적인 능동성·적극성을 획득하게 된다.

화염(火焰)의
옷을
벗을 수도
벗길 수도 없어
태워지면서
형극(荊棘)의
길로 든다
살들이
타고 남은 재
영혼을 맑게 하고
그대만이
벗길 수 있는
이 옷은
타지도
낡지도 않고

나를 태운다
―「사랑굿·93」 전문

　이 시에는 사랑의 의미가 불길, 즉 화염으로서 제시되어 있으며 사랑이란 결국 생명의 연소작용에 해당한다는 깨달음이 내재되어 있다. 대저 사랑이란 무엇이던가? 그것은 흔히 말하듯이 그 서구적인 어원이 Amor, 즉 사랑이란 죽음에 대한 항거의 의미를 지닌다고 한다. 뒤집어 말해서 사랑이란 삶을 삶답게 살려고 하는 치열한 몸부림이며 안간힘이라고 할 것이다. 그만큼 사랑이란 삶의 본질을 규정하는 데 불가결한 요소이며, 나아가서 삶 그 자체를 의미할 수도 있다고 하겠다. 바로 이 점이 이 시를 이해하는 단서가 된다. 그것은 사랑이 속성적인 면에서 생명의 솟구쳐오름 또는 불타오름이라는 원리를 지닌다는 점과 무관하지 않다. 사랑은 인간이 살아 있다는 가장 확실한 증거로서 생명의 불타오름, 즉 화염의 모습을 지닌다. 화염이란 '빛'과 '열'을 간직하며, 상승의 원리를 지닌다. 여기에서 빛이란 삶에 이상과 희망을 불어넣는 촉매이며, 열이란 그 뜨거움으로 인해서 삶에 추진력을 가해주는 원동력으로서 작용한다. 아울러 불길의 수직상승 원리는 사랑이 생명을 생명답게 솟구쳐오르게 하는 근원적인 힘이 된다는 점을 암시한다고 하겠다. 또한 화염이란 그 내포적인 다양성으로 인해서 사랑의 정염이라든지 환희/열락/그리움/애태움/기다림/욕정/관능 등과 같은 여러 속성을 함께 시사하는 면도 지니고 있다. 그렇기에 "내게 줄수록/내게 더 많이/쌓이는 불"과 같이 정염의 불길은 살아가는 데 있어서 무한에너지로서의 의미를 지니는 것이다.

　이렇게 본다면 사랑이란 바로 삶에 있어 생명적인 핵심이자 원리이고 동시에 현실적인 힘의 원천이면서 추진력이 된다는 점을 알 수 있다. 그렇기에 사랑은 '빛/불/꽃'의 상징체계를 지니며 '해/달/별'과 등가관계를 유지하는 것이다. 따라서 사랑은 하나의 절대성을 지니며 영원한 것으로서 받아들여진다.

하늘에
해가 하나이듯
물 흐르는 도리에
두 가지가 없어라

그대로가 하나이어
마음에
두 길을 내지 못하고
짧은 생명에 갇히어
내 영혼은 울어라

산 것도 아니고
죽은 것도 아닌 채
어지러움을 견디며
세월을 돌려놓아도
눈먼 돌 속에
아득히 있는 그대

—「사랑굿·41」전문

이 시에서 사랑은 해와 길로서 표상된다. 해란 무엇인가? 그것은 천지에 유일한 것이자 지상 위의 모든 것에게 열과 빛을 주는 생명력의 원천이다. 따라서 해는 지고지선의 표상이며 절대와 영원의 표상성을 지닌다고 할 수 있다. 아울러 길이란 삶의 과정이면서 삶 그 자체의 표징이 된다. 그것은 운명이면서 살아 있는 자가 죽을 때까지 걸어야만 하는 숙명에 해당된다. 그러므로 해는 사랑의 절대성을 의미하는 동시에 영원성의 상징이 되며, 아울러 생명성의 표징이라 할 수 있다. 또한 길은 사랑의 숙명성이자 운명의 나침반이고 그 행로라고 할 것이다.

이렇게 볼 때 사랑이란 시적 주체 또는 퍼스나에게 있어서 살아 있음을 가장 확실히 증거해주는 표징이 되면서 또한 삶의 모든 의미와 보람을 일깨워주고 용기와 희망을 불어넣어 주는 근원적이면서도 현실적인 힘이 된다는 점을 알 수 있다. 이 사랑의 불길 속에서 생명의 연소가 이루어지며 삶의 충일과 상승이 비로소 성취될 수 있는 가능성이 열리게 되는 것이다.

4

한편 사랑은 밝은 것의 측면과 서로 모순되는 어두운 것으로서의 상대성을 함께 내포하고 있다. 이것을 하강적인 측면이라고 할 때 여기에는 '어둠/눈물/형벌/사슬/피/죄' 등과 같은 상징체계가 나타난다. 이러한 어둠의 상징체계는 사랑이 본질적으로 내포하고 있는 불안과 절망, 허무와 구속성 등을 의미한다고 하겠다. 아울러 이러한 것들은 사랑의 속성이면서 동시에 삶의 원상에 해당한다는 점에서 필연적인 것이 아닐 수 없다. 먼저 사랑은 어둠으로서 나타나는데 그것은 대체로 사랑의 고뇌를 의미한다.

> 해도
> 달도 어둡고
> 그대도
> 나도
> 오늘은 모두
> 어둠으로 들어
> 어둠이 어둠 위로 밀리고
> 배에
> 스며드는 어둠
> 퍼내어도
> 뱃머리를 돌려도
> 변하지 않는 건
> 고뇌뿐

어찌해도
어둠이여
용서하도록
용서받도록
도와주소서

—「사랑굿·84」 전문

이 시를 지배하는 것은 짙은 어둠이다. 그런데 이 어둠은 배와 연결되어 있는데 이것은 다시 물의 이미지와 상관성을 갖는다. 이것은 대체로 물이 상징하는 차가움 또는 하강의 이미지로서 삶에 있어서의 부정적인 측면을 상징할 수도 있기 때문이다. 그렇기 때문에 "변하지 않는 건/고뇌뿐"과 같이 어둠이 고뇌로 연결되는 것은 자연스러운 이치이다. 사랑은 그만큼 어둠으로서의 고뇌를 속성적으로 지닐 수밖에 없다는 말이다. 그것은 사랑이 환희와 희망을 간직하는 것 이상으로 깊고 큰 것이라 할 수 있다. 사랑의 고뇌는 그것이 진실하고 치열할수록 깊어질 수밖에 없는 모순성을 지니기 때문이다. 그렇다면 이러한 고뇌의 원인은 무엇일까? 아마도 그것은 사랑이 속성적으로 구속성을 본성으로 하며, 아울러 미망과 허무를 내포하고 있기 때문인 것으로 풀이된다. 먼저 『사랑굿』 전체에서 사랑의 구속성은 매우 뿌리 깊고 끈질기게 나타난다.

백년의 인연을
벌(罰)로 받아
눈물이
되었음에

꿈만 가졌던
가난한 마음에

달은
눈물만 되고

그대
휘파람 소리
하늘 열어
천지에 꽃이더니

이제는
거꾸로
시간을 끊어
나를 묶었네

―「사랑굿·90」 전문

이 시의 핵심은 '벌/눈물/나를 묶었네'라는 세 어휘에 집중되어 있다. 그것
은 대체로 사랑이 원초적으로 원죄의식을 바탕으로 하며 눈물로서의 고뇌와
아픔 그리고 운명적인 구속성을 속성으로 한다는 점을 말해준다고 하겠다.
사랑은 인간이 태어나기 전부터 숙명적으로 지닐 수밖에 없는 원죄의식으로
서 형벌과 같은 것이다. 그렇기에 태어나서 죽을 때까지 지고 갈 수밖에 없는
운명이며 하나의 형벌에 해당하는 것이다. 아울러 사랑은 그것이 내포하고
있는 자유와 해방의 속성과 함께 상대적인 면에서 그에 대한 책임과 의무로
서의 구속성이 뒤따르기 마련이다. 사랑에서 자유와 구속은 서로 불가분리의
표리를 이루고 있는 것이다. "가면서 남긴/너의 목소리/칭칭 나를 동여매도/
끄르지 않고/남겨두는 뜻은/뼈를 울리고/살을 울려/언 땅에/나를 묶은/너를
만나기 위해//결박을 조여/누구도 풀 수 없이/꽁꽁 묶이인/이대로/하늘 밖으
로/가고 싶은 뜻은/네가 없고/내가 상실되어/마음대로 소생하며/네게 이르기
위해"(「사랑굿·20」)라는 시에서나 "혼란 속에서/하루를 보내며/멍에와 엮어

진/그대와의 고리를/풀 수 없어 우노라"(「사랑굿·155」)라는 시에서 볼 수 있듯이 사랑에서의 구속성은 속성적인 것이며 동시에 운명적인 것이 아닐 수 없는 것이다. 오히려 이런 결박과 멍에로서의 구속성이 단단하면 단단할수록 그 사랑의 강도는 깊고 튼튼한 것이라 할 수 있는 것이다. 그러한 구속에 얽매이는 것은 실상 고통스러운 것이 아닐 수 없지만 역설적으로 그러한 고통 속에서 사랑의 참된 열락을 맛볼 수도 있음은 물론이다. 또한 사랑의 허무와 미망에 대한 깨달음도 고뇌의 깊은 원인이 된다.

> 천 번 부르면
> 죽은 넋도
> 돌아온다 하는데
> 메아리는
> 뒤도 돌아보지 않고
> 그대로 굳어
> 첩첩 겹겹
> 산을 만들고
> 그대 까닭에
> 마음 깊숙이
> 자리 잡은
> 허공은
> 깨어나기 어려운
> 가여운 잠이었네
>
> ─「사랑굿·104」 전문

여기에서의 핵심은 메아리와 허공 그리고 잠에 놓여진다. 이 세 가지 이미지의 공통점은 그것들이 사랑의 미망과 허망감을 일깨워주는 촉매라는 데 있다. 사랑이란 그 본성에 있어서 충만과 소실, 생성과 소멸을 되풀이하기 마련이다. 사랑이 갈망과 충족을 추구하는 만큼 그에 따른 좌절과 허망감이 교차

할 것임은 물론이다. 실상 사랑이 그 본질로서의 허무를 극복하기 위한 안간힘이며 몸부림이라는 속성을 내포하고 있는 것 자체가 사랑의 이면에 깊디깊은 허무가 자리 잡고 있다는 반증이 될 것이다. "꿈 속에서는/현실과 만나/울어버리고/현실에서는/꿈을 만나/미망(迷妄)에 속고"(「사랑굿·37」)와 같은 구절에서도 볼 수 있듯이 사랑은 흔히 부질없는 미망이나 방황에 사로잡히기 일쑤인 것이다. 따라서 사랑의 속성에 이러한 미망과 허무감이 뒤따를 수밖에 없다는 점에서 사랑은 고뇌와 번민을 불러일으킬 것이 자명하다.

이렇게 본다면 시집『사랑굿』에는 사랑이 고뇌와 좌절, 방황과 허무라고 하는 어둡고 하강적인 속성을 근원적으로 내포하고 있는 것이라는 점에 대한 자각이 제시되어 있다고 하겠다. 거기에는 아픔과 슬픔, 쓸쓸함과 비참함, 허망감과 구속감, 패배감과 좌절감, 자학과 저주, 애원과 원망, 체념과 미련 같은 무수한 비관적 정조가 짙게 깔려 있음은 물론이다. 이 점에서 사랑의 종말이 죽음이라고 하는 영원한 이별의 양식으로 귀결되는 것은 어쩌면 당연한 일이라고 할 것이다.

5

지금까지 살펴본 대로 연작시집『사랑굿』은 사랑의 탐구를 통해서 삶의 모습과 의미를 추구해본 작업이라고 하겠다. 만남과 헤어짐, 삶과 죽음이라고 하는 상대적인 가치축을 중심으로 해서 사랑이 존재의 보람과 의의임을 일깨워준 일종의 사랑의 증도가(證道歌)라고도 할 수 있을 것이다. 따라서 그 속에는 구속과 자유, 이성과 감성, 정신과 육신, 현실과 이상, 순간과 영원, 절대와 허무 등과 같은 모순되고 대립되는 속성들이 서로 충돌하면서 그 본성을 드러내기 마련이다.

이 점에서 본다면 시집『사랑굿』은 사랑의 발견을 통해서 생의 모순과 허무를 극복하고자 하는 내밀한 정신의 암투를 담고 있는 것으로 이해된다. 만남과 헤어짐, 삶과 죽음이라고 하는 존재론적 드라마 속에는 삶의 온갖 소용돌이와 감정 추이가 섬세한 은유와 역설로서 제시되어 있는 것으로 보인다. 실상 김초혜의 시법과 정신 속에는 은유와 역설에 의해서 삶의 진실을 통찰하고 그것을 시적 표현으로 고양시키려는 노력이 끈질기게 전개되고 있다고 해도 과언이 아니다. 그의 시에는 도처에서 은유와 역설이 발견된다. 먼저 사랑에 관한 은유만 하더라도 '사랑의 흑법/사랑의 보/사랑의 화염/사랑의 밧줄/사랑의 그물/형틀/사슬/화염의 옷' 등 헤아릴 수 없이 많은 은유가 사용되고 있음을 볼 수 있다. 역설의 경우에도 "두 마음이 맞비치어/모든 것이 되어도/갖고 싶어 갖지 않는"(「사랑굿·1」)이나 "네게 가까이 가려면/불 속에서 떨고/얼음 속에서 불타야 하고"(「사랑굿·15」), "끝입니다/라고 말하면서/시작되는 아린 사랑을"(「사랑굿·16」), "불에 달군/돌을/쥐어주고/데지 말라는/그대"(「사랑굿·91」) 등과 같이 도처에서 그것이 다양하게 활용된다.

은유란 무엇인가? 그것은 유추를 통해서 삶의 본질과 현상을 통찰하고 그것을 창조적 의미로 고양시키는 시적 리얼리티의 원동력이 되는 표현방법이자 정신의 힘이다. 또한 역설이란 표면적으로는 모순되지만 내면에는 진실을 내포하고 있다는 점에서 역시 표현방법으로서뿐만 아니라 생의 진리를 통찰하는 정신의 힘이라 할 수 있다. 시집 『사랑굿』에 이처럼 은유와 역설이 다양하게 활용되고 있다는 사실은 무엇을 의미하는가? 이에 대한 해명은 『사랑굿』 전체의 성격을 해명하는 일과 무관하지 않다고 하겠다. 한마디로 말해서 그것은 사랑에 감춰진 진실을 평면적으로 노래하지 않고 입체적으로 탐구하고자 하기 때문인 것으로 풀이된다. 다시 말해서 은유와 역설이라고 하는 방법과 구조를 통해서 온갖 모순과 불가지성으로 가득찬 사랑의 원상을 종합적이면서도 입체적으로 탐구하고자 시도했기 때문에 자연히 은유와 역설이 중심 방법론으로 활용됐을 것이라는 말이다. 은유와 역설이란 모순되는 두 명제를

극복하고 초월하는 데 긴요하게 사용되는 표현방법이자 정신의 힘이라고 할
수 있기 때문이다.

　그렇다면 이러한 김초혜 시방법의 원천은 어디에서 비롯된 것일까 하는 문
제가 제시된다. 단적으로 말해서 김초혜의 시법, 특히『사랑굿』의 바탕에는
동양적인 정신주의, 특히 불교적 세계관이 짙게 깔려 있는 것으로 볼 수 있다.
또한 직접적으로는 만해(萬海)적인 '님'의 사상, 즉 사랑의 정신과 불교적 세
계관, 그리고 은유 및 역설의 시법과 깊이 연관되어 있는 것으로 이해된다.
'사랑의 혹법/사랑의 보/사랑의 사슬' 등과 같은 은유나 "그대와 보낸/세월은/
짧기만 한데/그대 기다리는/하루는/길기만 하오" 등과 같은 역설을 통해서 사
랑의 감춰진 진실을 밝혀내려는 시적 방법론의 활용은 만해의『님의 침묵(沈
默)』과 영향 관계를 맺고 있는 것으로 판단되기 때문이다. 실상『사랑굿』이
연작시집으로 구성되어 있는 것이나 '그대'가 애인에서부터 어머니에 이르기
까지 폭넓은 포괄성을 지닌다든지, 만남과 이별의 변증법이 '그대'를 가치축
으로 하여 전개되고 있다는 사실 자체가 그러한 사실을 반영하고 있다고 할
것이다. 이 점에서 시집『사랑굿』이 전통 시의 정신과 방법에 접맥되어 있다
는 점을 확인할 수 있음은 물론이다.

　다만『사랑굿』은 그것이 지나치게 결벽증 또는 정신주의에 함몰됨으로써
보다 생생한 삶에 근거한 사랑의 능동성을 결여하고 있다는 점에서 아쉬운
감이 없지 않다. 또한 사랑의 에로스적인 면이나 현실 생활적인 면에 대한 과
감한 탐구도 병행되는 것이 바람직할 듯하다. 그러한 면들도 사랑의 중요한
본성이자 법칙에 해당하기 때문이다. 이 점에서 앞으로 시인은 인간적인 삶
의 노래를 현실의식과 날카롭게 화해시켜야 하며 이것을 능동적인 역사의식
의 차원으로 상승시켜야 할 것이다. 인간적 사랑은 사회적 사랑 및 역사적 사
랑으로 심화되고 확대되는 데서 그 이념적 모습을 더욱 성취해갈 수 있기 때
문이다.

그럼에도 불구하고 오늘의 시대처럼 혼탁하고 부패한 사랑이 판치는 상황 하에서 시집『사랑굿』이 보여준 사랑에 관한 지순한 추구는 값진 것이 아닐 수 없다. 온갖 모순과 부조리가 만연하고 있는 시대일수록 진정한 사랑의 철학을 확립하는 일이야말로 소중한 명제가 아닐 수 없기 때문이다. 시집『사랑굿』이 오늘날 현대인들이 자칫 경시하기 쉬운 사랑의 진실성, 순결성, 절대성, 영원성을 끈질기게 노래함으로써 인간 회복을 강조한 점은 음미되어야 마땅하리라 생각한다.

제3부 자유에의 길, 지성에의 길

조병화, 자유에의 길, 영원에의 길

—80년대 시의 한 표정

> 큰 절도 하나
> 작은 절도 하나
>
> 큰 집도 하나
> 작은 집도 하나
> 인간은 하나
> —「해인사」 중에서

1. 성실한 시인의 한 대명사

시인 편운(片雲) 조병화(趙炳華)가 86년 1학기로 대학교수로서의 정년 (停年)을 맞이하였다. 교수로서의 정년이 시인으로서의 정년을 의미하는 것 은 아니다. 그렇지만 한 시인의 생애사에 있어 그가 종사해 오던 평생의 직업 이 일단락된다는 사실은 전반적인 시세계의 한 전환과도 무관하지 않다는 점 에서 주목을 요한다. 이제 그의 시사(詩史)는 그의 인생과 더불어 그 생애의 정점, 시의 절정에서 마무리를 위한 원숙기 또는 정리기에 접어들고 있는 것 이다.

실상, 그는 1949년의 첫 시집『버리고 싶은 유산(遺産)』으로 등장한 이래 40년 이상의 긴 세월 동안 이 땅에서 30여 권의 창작시집(시선집, 시화집, 번역시집 제외)을 간행한 가장 성실한 시인으로서, 또한 가장 폭넓은 공감대(독자)를 확보하고 있는 서정시인으로서 지속적인 성가(聲價)를 유지해 온 것이 사실이다. 근년에만 하더라도 신작 특집 이승과 저승 외 4편(『현대문학』), 「사랑의 계절」 외(『월간문학』) 등을 문예지에 발표하는 등 노익장을 과시하고 있다. 따라서, 이 글에서는 한 노시인(老詩人)의 성실하고 일관성 있는 시업(詩業)을 기리고 그의 퇴임을 전별하는 의미에서 최근 그의 시세계를 일별해 보기로 한다. 이러한 작업은 단지 정년을 맞이하는 노시인에 대한 예우의 의도에서 비롯된 것만은 아니다. 오히려 그보다는 온갖 시련과 혼란 속에서 전개돼 온 해방 후 이 땅 현대시사와 한 원로시인에 대한 필자 나름의 존경심을 표현하고자 하는 데 기인한다.

2. 생철학 또는 생활의 시인

시인 조병화에 있어서 생활은 바로 시를 의미한다. 그만큼 생애사와 시작은 서로 밀착되어 있으며, 그렇기 때문에 그의 생철학은 바로 시의 철학으로 연결된다. 그에게 있어서 산다는 것의 의미는 바로 시를 쓴다는 일에 다름 아니다. 이 점에서 80년대 그의 시는 80년대 그의 생활을 반영한 것이 된다. 80년대는 그의 생애사나 시사에 있어서 중요한 의미를 지닌다. 81년에 그는 그가 지나간 20여 년간 생애에서 가장 오랜 시간을 의욕적으로 봉사했던 경희대학교를 떠나 인하대학교로 자리를 옮겼다. 회갑이 되는 그 해에 보통 사람으로는 좀처럼 결심하기 힘든 전직을 감행한 것이다. 항도 인천은 그의 생애에서 어떠한 의미를 지니는 곳인가? 그곳은 바로 그가 "잊어버리자고/바다 기슭을 걸어보던 날이/하루/이틀/사흘//여름 가고/가을 가고/조개 줍는 해녀의 무리 사라진 겨울이 바다에//잊어버리자고/바다 기슭을 걸어가는 날이/하루/이틀/사흘"(「추억」 전문)을 노래하던 그의 시의 고향이자 출발점에 해당한다. 물론 그가 시의 고향으로 돌아오기 위해서 전직을 단행한 것은 아닐 것이다. 개인 나름으로 생애와 시를 한번 결산하고 새롭게 출발하고자 하는 또 다른 내밀한 의도가 있었을 것이 분명하다.

바닷가 육지의 끝이면서 동시에 바다가 시작되는 경계선에 해당하기 때문에 그만큼 상징성을 지닌다. 그에게 시의 고향이자 출발점인 바다. 하나의 세계가 끝나고 다른 하나의 세계가 시작되는 바닷가에서 그의 제3의 인생과 시사가 새롭게 펼쳐지게 된 것이다. 따라서, 이 무렵 발간된 제25시집 『안개로 가는 길』(1981)에는 그간의 생애에 대한 의미를 반추하는 것과 함께 앞으로 펼쳐질 미지의 세계에 대한 설레임과 함께 의구심이 잘 드러나 있다.

안개에서 오는 사람
인간의 목소리 잠적한
이 새벽
이 적막
획 획
곧은 속도로 달리는 생명
창밖은
마냥 안개다

한 마디로 말해서
긴 내 이 인생은 무엇이었던가
지금 말할 수 없는 이 해답
아직 안개로 가는 길이 아닌가

이렇게 생각하면 이렇게
저렇게 생각하면 저렇게

생각할 수도 있던 세상에서
무엇 때문에 나는
이 길로 왔을까
피하며, 피하며
비켜서 온 자리
사방이 내 것이 아닌 자리
빈 소유에 떠서

안개로 가는 길
안개에서 오는 길
휙 휙
곧은 속도로 엇갈리는 생명
창밖은
마냥 안개다

　이 작품은 삶의 본질과 현상에 관한 근원적 투시를 보여준다는 점에서 관심을 끈다. 특히 이 시는 갑년(甲年)을 맞이한 편운(片雲)의 생애사와 30년을 넘어선 그의 시력(詩歷)에 있어서 그의 시적 세계관과 현주소를 점검해 볼 수 있는 좋은 자료가 된다. 이 시의 핵심은 '안개'와 '길'이 표상하는 생의 근원과 현상에 대한 질문과 확인에 놓여진다. 여기에서 안개는 알 수 없는 것으로서의 생(生), 신비한 것으로서의 생(生), 두려운 것 또는 덧없는 것으로서의 생(生)의 모습을 표상한다. 다시 말해서, 미지(未知)의 것, 신비(神秘)한 것, 허무(虛無)한 것으로서의 인생의 모습을 투시한 것이다.

　길도 마찬가지이다. 길은 인생행로의 반영으로서 지나온 삶과 현재의 삶, 그리고 미래의 삶을 의미하는 시간성의 표상이다. 다시 말해서, 길은 공간적 존재로서의 삶, 시간적 존재로서의 인생의 모습을 표상한 것이다. 더구나, 여기에서 "안개로 가는 길/안개에서 오는 길/곧은 속도로 엇갈리는 생명"이라는 구절 속에는 시간 속을 살아가는 유한자로서의 인생, 단독자로서의 인생,

일회적(一回的) 존재로서의 인생의 모습이 투시되어 있다. 아울러, "빈 소유에 떠서"라는 구절은 허무와 무소유(無所有)로서의 생의 본질을 드러낸 것이 된다. 이렇게 볼 때, 시집 『안개로 가는 길』은 그의 시가 단순한 논리나 공허한 주장에 서 비롯되는 것이 아니라 생생한 삶의 현장 또는 생활 그 자체에 바탕을 두고 있음을 말해준다. 또한 이 시집은 회갑을 맞이한 그의 생애와 시업이 새로운 전환점을 맞고 있음을 제시하는 것이 된다. 이미 오래전부터 그래왔지만, 특히 80년대에 접어들면서 인생관 또는 세계관이 확고히 정립되면서 생철학(生哲學)으로서의 시정신이 뿌리내리게 된 것이다. 80년대에 들어서서 두 번째 간행된 26시집 『머나먼 약속(約束)』(1983)은 현존재성(現存在性, Dasein)에 대한 깨달음이 더욱 심화되어 나타난다.

아침에 바다로
저녁엔 도시로
쏜살같이 오르내리는 경인 고속도로
나의 인생 육십고개, 이 세상
지금 이곳을 지난다
먼 저승에서
예약되어 타고난
나의 이 이승의 길
보이는 것이 황폐한 인간의 벌판이다.

인간은 누구나 스스로에게
예약된 운명, 그 장소
그 길을 추적하는 거
만난 사람
떠난 사람
서로 스치며 잊으며
낯선 동행

내가 지금 이렇게 떨어진 곳에서
너를 앓는 것은
그 예약된 약속의 하나가 아닌가
어느덧 한 해
네모진 창밖으로 질주하는 나무들이
가지가지 파릇파릇
다시 눈을 뜬다
하늘을 연다.

그렇다, 예약된 자리
예약된 시간에
나는 너를 앓으며, 지금
경인고속도로, 그 속도에 떠 있는 거다.

　　조병화 시가 지닌 가장 큰 장점의 하나는 인생이라는 크고 어려운 주제를
평이한 비유와 소박한 어법으로 노래함으로써 따뜻한 감동과 위안을 불러일
으킨다는 점에서 찾을 수 있다. 김윤식이 지적한 것처럼 '편지형식'과 '여행
형식'을 통해서(시집 『머나먼 약속』 해설) 시인 자신의 체험과 깨달음을 독자
에게 강요하지 않고 다만 호소력 있게 표현하고 있을 뿐인 것이다. 이 시의 핵
심은 운명론적 생의 인식이며 예정조화설에 바탕을 둔 세계관의 드러냄에 놓
여진다. 그의 시에서 항상 중요한 것은 '그때 그곳'과 '지금 이곳', 그리고 '만
남과 헤어짐'(탄생과 죽음), '너와 나'의 대응 관계이다. 그의 시정신은 이 원
론적인 생의 인식에 근거하고 있다는 말이 될 것이다. 아울러 항상 운명적인
그 무엇을 예감하고, 확인하고, 기다리는 긍정주의적 세계관 또는 운명론적
인 생철학을 견지하고 있는 것으로 보인다.
　　먼저 이 시에는 현대적 삶의 일상성에 대한 자각과 함께 현존재성에 대한
확인이 제시된다. 첫 연에서 "지금 이곳을 지난다/예약되어 타고난/나의 이

이승의 길/황폐한 인간의 벌판"이라는 구절이 그것이다. 둘째 연에서는 만남과 떠남, '함께 감'(동행)과 '혼자 감'의 대응에 의한 인간사의 본질을 탐구한다. 일찍이 이러한 만남과 헤어짐, 있음과 떠남, 그리고 함께 있음(사랑)과 홀로 있음(고독)의 문제는 편운시학의 근간이 되어 있으며, 그렇기 때문에 그의 시는 존재론적인 측면을 강하게 지니는 것이다. 사랑에 있어 만남과 헤어짐은 바로 인생에 있어서의 탄생과 죽음, 그리고 만유(萬有)에 있어서의 생성과 소멸의 원리로 이어진다.

바로 이 점에서 80년대에 이르러 조병화의 시는 '존재론으로서의 시'로서의 확실한 모습을 지니게 되는 것이다. 셋째 연과 넷째 연에서는 또다시 순환하는 것으로서의 생의 법칙과 자연의 원리를 드러내는 한편 덧없는 것으로서의 생에 대한 재확인이 제시된다. 파릇파릇 싹이 트는 나무들의 모습과 고속도로의 속도에 떠가는 인생의 모습을 대비한 것이 그것이다. 아울러 여기에는 어쩌면 인생 자체가 긴 안목으로 볼 때 짤막한 하나의 여행 또는 고속도로 위에서의 짧은 질주에 해당할는지도 모른다는 숙명적인 허무의 인생관이 담겨져 있다. 유구한 시간의 영원성 속에서 인생이란 가숙(假宿)을 떠돌다가 사라져 가는 한순간의 여행자에 불과하기 때문이다. 이처럼 시집 『머나먼 약속(約束)』은 운명론적인 인생관을 표출하는 가운데 허무의 존재, 시간 위의 한계적 존재로서의 인생에 대한 안타까움과 비애를 노래한 작품으로 이해된다.

80년대에 들어서서 주목할 만한 또 하나의 시집은 27시집 『나귀의 눈물』(1985)이다. 이 시집으로 인해서 그는 예술원상 작품상을 수상하는 영예를 안게 된다. 이미 그는 80년대에 들어서서 『안개로 가는 길』로 서울시 문화상(1981), 3·1문화상 등을 받은 바 있고, 대한민국 예술원 정회원(1981)으로 피선되는 등 이 땅의 시인으로서 최상의 영예를 누리게 된 바 있었다.

　　나귀가 우는 걸 본 일이 있나요
　　안으로 안으로 소리 죽이며

보이지 않는 눈물로
신세처럼 우는 걸 본 일이 있나요.

짐을 나르고, 허드레를 나르고
가난한 주인을 나르고
하라는 대로 하며, 순순히
시키는 일 다 해가며
주는 대로 먹으며
허기져도 허기지다, 말 한마디 못하고
그저 온종일 일을 마치곤
허름한 외양간에서, 혼자
글성글성 잠이 드는
나귀

별이 돌고
해와 달이 도는
무궁한 천체 속에서
먼지와 같이 떠도는 이 지구, 지구 위에
눈물이 없는 생체가 어디 있겠소마는

둥글둥글 눈알에 가득히 온 하늘을 비치며
별과 달과 해를 굴리며
인간의 눈으론 보이지 않는 곳에서, 혼자
운명처럼 우는 나귀

나귀가 우는 걸 본 일이 있나요
안으로 안으로 안으로, 깊이
스스로를 감추고
체념처럼 우는 걸 본 일이 있나요.

혼자서, 온 천지 그저 혼자서.

이 작품은 80년대에 있어서 조병화 시의 변모를 가장 크고 확실하게 드러내 준다. '나'의 얘기로 일관해 왔다고도 볼 수 있는 편운 시인이 '나' 밖의 세계에 대한 관심을 드러냈다는 점에서 그러하다. 물론 이전에도 그는 주변의 잊혀진 사람, 가난한 풍물, 연약한 어린이, 홀로 된 어머니 등에 관해 폭넓은 관심을 기울여 온 것이 사실이다. 그렇지만 '나귀'라는 불쌍한 동물을 비롯해서 「아, 이디오피아여」 등의 많은 지구상의 빈자(貧者)와 난민들을 한 시집에서 다양하게 다룬 것은 그리 흔치 않은 일이었던 것이 사실이다. 그렇다고 해서 그의 시적 관심이 '나'의 밖의 세계, 즉 객관적인 세계상이나 공동체 의식으로 전환했다고 보는 것은 섣부른 지적이 아닐 수 없다. 그의 시적 관심이 밖의 세계, 공동체의 삶으로 급격하게 전환한 것이 아니라, 자신의 삶을 바라보던 시의 시선이 밖으로 확대되고 심화된 것으로 해석하는 것이 옳을 것이다.

이 점에서도 그가 사회의식의 시인이라기보다는 존재론적인 시인이라는 점을 확인할 수 있다. 인용시에서 '나귀'는 물론 밖의 세계에 놓여진 노동과 순종으로 길들여진 불쌍한 짐승을 지시한다. 그렇지만, 이 나귀는 지상 위에서 목숨을 영위해 가기 위해서 인간에게 노동을 제공함으로써 인간들에게 비로소 의미를 던져 줄 수 있는 매여진 존재 또는 도구적 존재로서 놓여진다. 그런데, 이 나귀는 비록 말이 없는 동물이지만, '혼자'로서 삶을 영위해 가는 단독자적 존재이며, 지구 위를 먼지와 같이 떠도는 일회적 존재이고, 안으로 안으로 소리 죽이며 우는 비애와 고독의 존재이자 '운명처럼 우는' 운명적 존재성을 지니고 살아간다. 이렇게 본다면 이 「나귀의 눈물」은 동물로서의 나귀를 노래한 것 같지만, 실상에 있어서는 인간의 비극적 운명을 노래한 대리 표상의 시로 해석할 수 있음을 발견하게 된다. 다시 말해서, 이 시에서 나귀는 바로 인간의 비극적 운명적 존재성을 드러내고자 한 객관적 상관물에 해당하는 것이다.

바로 이 점에서 이 시의 우수성이 드러난다. 이 시는 한평생 인간을 위해 노동을 제공하고 묵묵히 순응하며 살다가 죽어가는 하찮은 동물인 나귀의 모습 속에서 비극의 존재, 숙명의 존재로서의 인간의 원상을 투시한 것이다. 동시에 이 시는 연약하고, 잊혀지고, 버림받은 지상의 온갖 목숨들에 대한 강력한 애정과 옹호의 정신을 객관적 상관물을 통해서 효과적으로 형상화했다는 점에서 은근한 감동력을 유발하는 것으로 보인다. 바로 이 점에서 80년대에 이르러서 조병화의 시는 나와 연결된 남의 세계, 밖의 세계에 대한 진지한 관심과 애정을 드러내기 시작했다는 점에서 의미를 지닌다. 실상 이러한 사회와 역사적 삶에 대한 관심과 애정은 「산을 깎아 먹는 기계」, 「불안한 천수」, 「시인의 기원」, 「꽃이여, 잔인한 무력(無力)이여」, 「사월(四月)의 시(詩)」 등의 80년대 시편에서 두루 산견되는 경향이었지만, 특히 시집 『나귀의 눈물』과 강감찬 장군을 노래한 서사시집 『어두운 밤에도 별은 떠서』(1985) 등에서 확실한 모습을 지니게 된 것으로 보인다. 그렇다고 해서 그가 이러한 경향의 시를 본령으로 하는 것으로 판단되지는 않는다. 그 모든 세계·사회·역사에 대한 관심은 근본적인 면에서 '나'의 문제에서 출발하여 '나'의 문제로 회귀하는 존재론적인 의미를 지니는 것으로 판단되기 때문이다.

3. 죽음과의 화해 또는 죽음길들이기

조병화의 최근작인 시 「이승과 저승」 등의 시편은 오늘에 있어 편운 시의 현주소를 선명히 반영한다.

이 세상 어느 자리
예약한 장소를 확인하기 위하여
믿는 자는 일요일마다, 혹은 토요일마다, 혹은 매일을
혼자만의 비밀을 안고
성당으로, 예배당으로, 절집으로 간다.

아니면 예약을 하기 위하여
아니면 순번을 기다리기 위하여
아니면 애원하기 위하여

아, 이 지구 허허로이
허허로운 혼자를 지키며, 나와 같이
예약없이 살던 그들은, 이세상에서
목숨 다하곤 어디로 떠나갔을까.

오로지 스스로의 생존의 하늘을 비상하던
자유의 고독한 날개들
일체의 구속을 벗어난 그 순결

고독하다는 건 차라리
쾌적한 천당이 아닌가
이승에서, 저승에서

　이 시의 핵심은 떠남 혹은 헤어짐에의 예비, 또는 죽음의 길들이기라 할 수
있다. 「이승과 저승」이라는 제목부터가 이러한 예비 또는 길들이기를 암시한
것으로 보인다. 이러한 이별의 예비, 죽음의 길들이기라는 시적 편향성은 정
년퇴임을 맞이한 시인에게 있어서의 불안감과 쓸쓸함을 반영한 것으로 풀이
된다. 시인에게 있어 세계는 여전히 허허로움의 장소이고 쓸쓸함으로 가득
찬 고독과 비애의 현장이다. 그리고, 잠시 머물다가 사라져가는 고독과 허무
로서의 가숙(假宿)에 불과한 것으로 받아들여진다. 아울러 인생은 여전히 '혼
자'로서의 단독자적 존재이며, "목숨 다하고 떠나는" 일회적 존재이자 운명적
존재에 불과하다는 인식이 지속되고 있다. 고독과 허무가 인생의 본질이며
단독자, 일회자, 운명자로서의 인생의 모습이 삶의 원상(原相)이라는 깨달음
이 담겨 있는 것이다.

바로 이 지점에서 새로운 세계관이 돌출된다. 죽음의 길들이기 혹은 죽음의 철학이 그것이다. 죽음은 "자유의 고독한 날개/일체의 구속을 벗어낸 그 순결"로 받아들여지는 것이다. 죽음은 육신의 구속, 지상의 질곡을 벗어나 자유를 향해 비상해 가는 계기가 된다. 다시 말해서, 죽음으로의 이행은 구속에서 벗어나 자유로 귀환하려는 열린 정신을 반영한다. 바로 여기에서 죽음에 대한 길들이기가 시작된다. 그것은 바로 영원에의 비상이며 자유 정신에의 갈망을 의미한다. 어쩌면 그것은 행복한 죽음으로의 침잠과 몰입을 의미할지도 모른다. 죽음의 순간은 바로 시인 조병화가 생애에 걸쳐 염원하던 영원한 자유인으로서의 비상이 이루어지는 순간이 될는지도 모른다. 지상에서의 순수 고독(삶)과 순수 허무(죽음)를 넘어서서 자유에의 길, 영원에의 길에 도달하려는 끈질긴 갈망이 바로 이 죽음의 길들이기로 구상화된 것으로 볼 수 있기 때문이다. 이 시 이외에도 「저승 어디쯤 가다가」, 「떨어져 있는 사람들, 그 사랑」 등의 많은 시편들이 바로 이러한 떠남의 예비 또는 죽음과의 친화력을 통해서 육신의 짐, 운명의 구속을 벗어나 자유에의 길, 영원에의 길에 도달하려는 안간힘과 그 애달픈 갈망을 드러낸 것으로 해석된다는 점에서 조병화 시의 현주소를 확인할 수 있게 해준다.

4. 자유에의 길, 영원에의 길

지금까지 살펴본 것처럼 조병화의 근작시들은 떠남의 예비, 죽음의 길들이기 등을 핵심으로 한 자유에의 길, 영원에의 길에 대한 갈망을 노래하는 것이 그 특징이다. 그의 원천적인 시학이 운명론과 존재론에 바탕을 둔 낭만주의적 생철학에 자리 잡고 있다는 점은 주지의 사실이다. 그러나 80년대에 들어서서 그의 시는 역사와 현실 또는 이웃과 세계에 대한 관심과 애정을 노래하는 새로운 경향을 보여주기 시작하는 점이 주목된다.

이 점에서 조병화의 시사(詩史)는 과거완료형으로 기술될 수 없다. 정년퇴임을 맞이한 그의 긴 인생사와 오랜 시사는 이제부터 새로운 지평을 열어 갈 것으로 기대되기 때문이다. 따라서, 그의 시적 의미 평가와 문학사적 위치 판단도 미래의 일로 유보될 수밖에 없다. 실상 지금까지의 그의 30여 권에 이르는 시집 전체를 읽어보지 않고서 그의 시를 논의하거나 평가하려는 사실 자체가 하나의 만용이거나 무모한 일이 아닐 수 없음은 자명한 이치이다. 실상 해방 후 이 땅의 시사에 있어 그 누구보다도 명실상부하게 최선을 다해 시를 써 오고 시를 위해 생애를 바쳐 온 한 소중하고 경건한 시인의 삶과 시업을 이 짤막한 글에서 정리하려는 것 자체가 필자로서는 감당하기 어려운 일이다. 다만 한 가지 확실한 것은 그의 시를 자세히 논하지 않고서는 해방 후 이 땅의 시사가 충분하게 기술되기는 어려우리라는 점이다.

이제 새로운 연대를 맞이하면서 그의 인생과 시사는 중요한 전환점에 처하게 되었다. 그것은 자유에의 영원한 순례의 길에 오르는 마지막 생의 여정이 될 것이지만 분명히 새로운 세계로 한 단계 도약해 가는 인생과 시에 있어 제2의 출발점이 될 것이 분명하다. 편운(片雲) 시인의 앞날에 건강과 행운을 축수하며 그 생애사에 있어 가장 중요한 시기에 그와 함께 정을 나누었고 나누고 있음을 필자는 행운으로 간직하고자 한다.

(『조병화의 문학세계』, 일지사, 1986)

황동규, 자유로의 귀환

—「풍장」의 한 해석

　황동규의 연작시 「풍장(風葬)」은 고단한 일상의 권태와 물질의 질곡으로부터 벗어나 정신의 투명함과 그 자유로움에 도달하고자 하는 인간적 충동과 염원이 담겨져 있다는 점에서 관심을 끈다. 특히 「풍장·1」은 그의 이러한 완벽한 자유에로의 귀환의지와 투신에의 갈망이 상징적인 표현 가운데 선명하게 요약돼 있어 주목을 환기한다.

　　　내 세상 뜨면 풍장시켜다오
　　　섭섭하지 않게
　　　옷은 입은 채로 전자시계는 가는 채로
　　　손목에 달아 놓고
　　　아주 춥지는 않게
　　　가죽가방에 넣어 전세 택시에 싣고
　　　군산(群山)에 가서
　　　검색이 심하면
　　　줄포(茁浦)쯤에 가서
　　　통통배에 옮겨 실어다오

　　　가방 속에서 다리 오그리고

그러나 편안히 누워 있다가
선유도 지나 무인도 지나 통통소리 지나
배가 육지에 허리 대는 기척에
잠시정신을 잃고
가방 벗기우고 옷 벗기우고
무인도의 늦가을 차가운 햇빛 속에
구두와 양말도 벗기우고
손목시계 부서질 때
남몰래 시간을 떨어뜨리고
바람 속에 익는 붉은 열매에서 툭툭 튕기는 씨들을
무연히 안 보이듯 바라보며
살을 말리게 해다오
어금니에 박혀 녹스는 백금(白金) 조각도
바람 속에 빛나게 해다오

바람 이불처럼 덮고
화장(化粧)도 해탈(解脫)도 없이
이불 여미듯 바람을 여미고
마지막으로 몸의 피가 다 마를 때까지
바람과 놀게 해다오.

—「풍장(風葬)·1」전문

    모두 세 연으로 구성된 이「풍장·1」은 시간적인 점층을 기본구조로 하여 전개된다. 대략 1연은 현실로부터의 탈출, 2연은 해방의 과정, 3연은 자유로의 귀환이라는 내용을 핵심으로 한다.

    먼저 제1연은 모든 복잡한 죽음의 과정, 그 까다로운 장례의 절차로부터 벗어나는 주검의 가장 자연스러운 모습을 상상하는 데서 시작된다. 시인은 첫 행 "내 세상 뜨면 풍장시켜다오"라는 요약된 진술을 통해 '바람'이 상징하는 자유로움과 자연스러움을 '죽음'의 그것과 병치시키고 있다. 실상 죽음이 가장 자연스러운 상태, 즉 영원한 무(無), 혹은 본질로의 귀환이라면, 거기엔 바람의 장송이 가장 자연스럽게 조화될 수 있을 것이기 때문이다. "옷은 입은 채로 전자시계는 가는 채로/손목에 매어 달고"라는 다음 구절이 이러한 해석을 뒷받침 해준다. '입은 채로'·'가는 채로'와 같이 생시의 모습 그대로 자연스럽던 현실 세계로부터의 격리를 소망하는 것이다. 그러나 현실의 구속은 그러한 죽음의 자유스러운 절차마저도 자유롭게 하지 않는다. "가죽가방에 넣어 전세 택시에 신고/군산(群山)에 가서/검색이 심하면/줄포(茁浦)쯤에 가서/통통배에 옮겨 실어다오"라는 구절 속에는 죽어서마저도 완전하게 자유롭지 못하게 하는 현실적 테두리의 완강한 구속력에 대한 풍자가 담겨 있다. 특히 '가방'과 '전세 택시'라는 시어 속에는 일상의 피로한 경험의 무게와 함께 한계지어진 공간을 갇혀서 살아갈 수밖에 없는 답답함이 상징화되어 있다. 따라서 "통통배에 옮겨 실어다오"라는 구절에 의해 바다로의 탈출을 시도하게 되는 것이다.

제2연에서는 바다로 시적 배경이 옮겨진다. '육지→바다'라는 시적 배경의 전이 속에는 현실로부터의 탈출과 벗어남이라는 의미가 내포되어 있다. 바다는 무한한 자유의 표상이며 동경의 장소인 것이다. 실상 그의 대표적인 연작시의 하나인 「기항지(寄港地)」를 비롯하여 「겨울바다」, 「겨울 항구(港口)에서」 등의 많은 시편들이 「바다」와 연결되어 있음은 바로 그의 시정신의 한 모서리가 자유에 대한 동경과 갈망에 기초를 두고 있음을 말해준다. 그러나 이 시에서 바다는 자유를 향한 탈출의 과정일 뿐 영원한 해방의 장소는 아니다. 여기에서 바다는 「무인도」라는 또 다른 상상의 장소로 연결되는 과도적 성격을 띤 상징적 장소인 것이다.

　　　　선유도 지나 무인도 지나 통통소리 지나
　　　　무인도의 늦가을 차가운 햇빛 속에
　　　　구두와 양말도 벗기우고

위의 구절에서처럼 바다의 끝, 무인도에 도달하여 마침내 진정한 해방의 자유로움을 얻게 되는 것이다. 이 무인도에서 비로소 "가방 벗기우고 옷 벗기우고/손목시계 부서질 때"와 같이 속세의 먼지, 현실의 질곡으로부터 완전한 해방을 맛볼 수 있게 된 것이다. 이 점에서 바다는 현실과 이상 세계를 격리시켜 주는 분리의 공간이며 동시에 초극의 경과적 장소인 것이다. 다시 말하면 바다는 현실(육지)을 벗어나는 떠남의 장소인 동시에 이상세계(무인도)로 도달케 하는 만남의 공간으로서의 중간세계적 의미를 지닌다는 점이다. 이 점에서 바다 너머의 무인도는 상상의 유토피아 그 이데아의 낙원에 해당한다.

따라서 "구두와 양말을 벗기우고/손목시계 부서질 때"라는 구절은 자유자재로움에 대한 무한동경을 반영한 것이며, 모든 것을 벗기운 알몸의 상태가 가장 편한 해방과 자유를 성취한 것이라는 깨달음을 드러낸 것이 된다. 무인도의 늦가을 차가운 햇빛 속에 알몸으로 누워, 바람으로 살을 말리게 해달라는 풍장에의 염원은 기실 어지러운 현실사회로부터 해방되고자 하는 열린 세계에 대한 향성을 드러낸 것이며 동시에 물질의 무게, 육신의 구속을 거슬러 올라 정신의 투명함과 그 자유를 성취하고자 하는 갈망을 드러낸 것이다. '옷을 벗기움→햇빛 속에 말리움→바람 속에 빛남'으로 연결되는 중심 이미지의 전환 속에는 정신의 유연성과 투명함, 그리고 영혼의 가벼움과 그 자유에 대한 구원한 갈망과 동경이 담겨져 있는 것이다. 특히 '햇빛'과 '바람'은 이러한 물질로부터의 벗어남 혹은 가벼워진 정신의 자유로움을 표상하는 핵심적인 이미지가 된다.

셋째 연은 마침내 자유로움을 성취하는 모습을 재확인하고 있다.

바람 이불처럼 덮고
화장(火葬)도 해탈(解脫)도 없이
이불 여미듯 바람을 여미고
마지막으로 몸의 피가 다 마를 때까지

바람과 놀게 해다오.

　이러한 셋째 연의 시적 진술은 실상 첫째 연 첫 행 "내 세상 뜨면 풍장시켜다오"를 설명한 것에 지나지 않는다. '바람'의 이미지가 두드러지게 작용하고 있기 때문이다. "화장(化粧)도 해탈(解脫)도 없이/마지막으로 몸의 피가 다 마를 때까지"라는 구절은 바람 속에 풍화되어 가는 육신의 모습을 묘사한 것일 뿐만 아니라, 진정한 자유는 죽음마저도 초월하여 해탈조차 없는 완전무결한 격리와 소멸에 있음을 말하고자 하는 것이다. '바람'은 물질로부터의 해방을 성취해야 하는 촉매인 동시에 시간으로부터 탈출할 수 있게 하는 영원한 자유의 표상인 것이다. 이 점에서 3연은 영원한 자유에로의 귀환이라는 주제를 효과적으로 요약해준 것이 된다.

　결국 「풍장·1」은 '바람'과 '죽음'의 이미지를 결합하여 일상의 고달픔과 물질로부터의 질곡을 벗어나서 정신의 가벼움과 투명함을 성취하는 동시에 영원한 이데아의 세계 '무인도'에 도달하여 무한한 자연에로 귀환하려는 의지가 아름답게 그려져 있는 작품인 것이다. 이러한 자유에로의 귀환 의지와 정신의 가벼움에 대한 동경은 「풍장·2」에도 잘 나타나 있다.

　　아 색깔들의 장미비!
　　바람 속에 판자 휘듯
　　목이 뒤틀려 하니 퀭하니 눈뜨고 바라보는
　　저 옷벗은 색깔들
　　흙과 담싼 모래 그 너머
　　바다빛 바다!
　　그 위에 떠 다니는 가을 햇빛의 알갱이들!

　　소주가 소주에 취해 술의 숨길 되듯
　　바싹 마른 몸이 마름에 취해 색깔의 바람 속에 둥실 떠……

이 짤막한 시에서도 '바다', '햇빛' 그리고 '바람'의 세 가지가 중심 이미지를 형성하고 있다. "목이 뒤틀려 쾡하니 바라보는/저 옷벗은 색깔들", "흙과 담싼 모래"와 같은 구절은 물질의 구속을 의미한다. 이에 비해 "바다·가을·햇빛·바람" 등은 정신의 투명함과 가벼움 그리고 그 자유로운 영혼의 모습을 상징하는 것이다. 여기서도 "바싹 마른 몸이 마름에 취해/바람 속에 둥실 떠……"와 같이 '마음'과 '바람'이 결합되어 견고에의 의지와 함께 이를 넘어선 자유에의 갈망을 노래하게 된다. 특히 '가을 햇빛의 알맹이들'과 '바람 속에 둥실 떠'라는 두 핵심 이미지의 결합은 자유로운 정신에 대한 갈망과 함께 견고하면서도 투명한 영혼에 대한 동경을 표상한 것이 된다.

「풍장·3」에서도 투명한 영혼과 자유로운 정신에 대한 동경과 갈망이 나타난다. 이 시는 대략 세 가지 작용의 표출로 나눌 수 있다. 첫 번째는 '벗기움'이다. 이것은 "버림·벗음·헐리움" 등의 다양한 이미지로 구체화되어 나타난다. 두 번째는 '말리움'이다. 이것은 "마름·빠져나옴" 등의 이미지로 나타난다. 세 번째는 '빛남'인데, 여기에는 "타오름·달아오름·뜨거움·태움" 등의 여러 변화 과정을 보인다. 이렇게 볼 때 '벗기움', '말리움' 그리고 '빛남' 등의 시적 작용은 대체로 물질성의 제거작용 내지는 무게의 덜어냄, 혹은 물질의 정신화라는 공통점을 지닌다. 바로 이러한 물질의 무게를 덜어내려는 노력은 바로 정신의 투명화를 성취하려는 몸부림이며 동시에 자유에의 지향성이며 의지인 것이다.

「풍장·4」에서 "난간 위에 목숨/내려놓고"라는 구절이나 "이번엔 달을 내려놓고"라는 구절에는 이러한 물질초극 의지가 마침내 성취되게 되는 놀라운 정신의 유연성 내지는 자유의 초탈한 경지가 엿보인다. 이렇게 볼 때 황동규의 연작시 「풍장(風葬)」은 자유로의 동경과 귀환 의지를 잘 형상화한 작품으로로 판단된다.

정현종, 자유에의 길 또는 생명사상

1. 머리말

　"내 필생의 꿈은/저 새들 중 암놈과 잠을 자/위는 새요 아래는 사람인/반인 반조(半人半鳥) 하나 낳는 일/새여, 내 부적(符籍)이여/나무여 내 부적이여" (「숲에서」)라면서 새와 나무가 표상하는 자유와 생명을 추구해온 시인 정현 종(鄭玄宗, 1939~), 그는 분명 이 땅에서 가장 개성적인 세계를 개척하고 있는 중진 시인의 한 사람이다.

　그는 일찍이 1965년 『현대문학』지에 시 「화음(和音)」과 「여름과 겨울의 노래」 등을 추천받으며 데뷔한 이래 기존 시의 관념과 틀을 거부하면서 직관의 날카로움과 자유로운 상상력 운동 및 신선한 언어 감각으로서 새로운 영역을 개척하는 한 시범을 보여준 것이다. 특히 그는 전원적인 서정시와 고전 감각의 생명과 시가 주류를 이루던 분단 후 이 땅 시단에서, 또한 실험시로서 『현대시』 동인들이 결집력을 보여주던 60년대 시단에서 그러한 경향들과 적절히 거리를 유지하면서 철학성을 추구해 온 점에서 의미가 드러난다. 무엇보다도 70년대 이래 특히 80년대에 들어서서 크게 위세를 떨친 민중시의 시대에도 그가 나름대로의 시세계를 일관성 있게 천착한 것은 기억할 만한 일이라고 하겠다. 민중시가 사회적 실천으로서의 자유의 정신을 확대하고 심화하고자 노력해 온 데 비해 그의 시는 내면적인 면에서 정신의 자유를 추구해 온 것이다. 아울러 그의 시는 이른바 80년대식 해체시와도 선명히 구별된다. 그의 시에서 발견되는 파격의 모습들은 단순히 기법적인 실험성을 넘어서 부정정신에 근거한 자유 정신의 발현이면서 동시에 시의 해방을 추구하고 있는 것으로 판단되기 때문이다.

그가 지금까지 펴낸 시집으로는 첫 시집 『사물(事物)의 꿈』(민음사, 1972)과 그것을 재수록한 시선집 『고통의 축제(祝祭)』(민음사, 1974)를 비롯하여 『나는 별아저씨』(문학과 지성사, 1978), 『떨어져도 튀는 공처럼』(문학과지성사, 1984)과 『사랑할 시간이 많지 않다』(세계사, 1989) 등이 있다. 그러고 보면 시단 생활 25년 동안 네 권의 시집을 펴냈다는 점에서 그리 다작인 편은 아니라고 하겠다. 아울러 이 네 권의 시집들은 권마다 뚜렷한 변모를 보여주지 않고 있는 게 특징이라면 특징이라고 할 수 있다. 인간존재에 대한 내면적 성찰이랄까 철학적인 관심이 하나의 동심원의 결을 이루면서 점층적으로 전개돼 가고 있는 것으로 이해되기 때문이다.

그동안 정현종의 시에 관해서는 김현을 비롯하여 김종길, 김우창, 진형준 등이 찬사 쪽의 비평을, 이명재, 이동하 등이 비판적인 관점 내지 부정적인 면에서 논의를 전개하였다. 특히 김현은 「바람의 현상학」(『월간문학』, 1971, 2) 등을 통하여 정현종의 시를 집중적으로 탐구함으로써 그의 시가 지닌 의미와 가치를 발견하는 데 크게 기여하였다. 그러나 그의 시는 아직도 논의의 여지를 많이 남기고 있는 것으로 이해된다. 그의 시가 한참 원숙을 더해가고 있는 시점이기도 하지만, 그의 시가 내면성의 넓이와 깊이를 포괄적으로 지니는 한편 난해한 측면 등 부정적인 요소도 내포하고 있기 때문이다.

2. 존재와 무(無)의 변증법

정현종의 시는 존재에 대한 탐구로부터 출발한다. 사물과 인간에 대한 근원적인 존재의 모습을 성찰하는 데서 그의 시가 시작하는 것이다. 특히 그의 시는 현존재로서 인간의 존재에 대한 지속적인 탐구를 통해 그 존재의미를 드러내려 노력하는 것으로 보인다.

> 의식(意識)의 맨끝은 항상
> 죽음이었네
> 구름나라와 은하수(銀河水) 사이의
> 우리의 어린이들을
> 꿈의 병신(病身)들을 잃어버리며
> 캄캄함의 혼란(混亂) 또는
> 괴로움 사이로 인생(人生)은 새버리고
> 헛되고 헛됨의 그 다음에서
> 우리는 화환(花環)과 알코홀을
> 가을 바람을 나누며 헤어졌네
> 의식(意識)의 맨끝은 항상
> 죽음이었네
>
> 죽음이었지만
> 허나 구원(救援)은 또 항상
> 가장 가볍게
> 순간(瞬間) 가장 빠르게 왔으므로
> 그때 시간(時間)의 매(每)마디들은 번쩍이며
> 지나가는 게 보였네
> 보았네 대낮의 햇빛 속에서
> 웃고있는 목장(牧場)의 울타리
> 목간(木幹)의 타오르는 정다움을,
> 무의미(無意味)하지 않은 달밤 달이 뜨는

우주(宇宙)의 참 부드러운 사건(事件)을.
어디로 갈까를
끊임없이 생각하며,
길과 취기(醉氣)를 뒤섞고
두 사람의 괴로움이 서로 따로
헤어져 있을 때도
알겠네 헤어짐의 정다움을.

불붙는 신경(神經)의 집을 위해
때때로 내가 밤에 깨물며
의지하는 붉은 사과, 또는
아직도 심심치 않은
오비드의 헤매는 침대(寢臺)의 노래
뚫을 수 없는 여러 운명(運命)의
크고 작은 입맛들을

—「사물의 정다움」 전문

    이러한 존재에 대한 관심은 근원적인 면에서 죽음과 삶, 소멸과 생성 사이의 갈등과 대립상으로서 제시된다. 바로 인용시「사물의 정다움」에는 존재와 무(無)의 변증법이 드러나 있다는 말이다.

    이 시에서 핵심이 되는 것은 사물과 의식의 관계이며, 죽음과 삶 또는 존재와 무의 변증법적 대립이라 할 수 있다. 먼저 이 시의 모티프는 죽음에서 비롯된다. "의식(意識)의 맨 끝은/항상 죽음이었네"라는 첫 구절이 바로 그것이다. 의식이란 무엇이던가? 그것은 인간의 지식이나 감정 또는 의지의 모든 활동을 포함하면서 동시에 그것들의 모든 근저에서 작용하는 사고 활동이라고 할 수 있다. 그렇기에 의식은 자의식이나 자각에서부터 잠재의식 또는 무의식에 이르기까지 여러 가지 기능에 의해 객관적인 실재가 갖가지로 반영되는 것이다. 이러한 인간의 근원적인 사고 활동으로서 의식의 맨 끝에 항상 죽음이 가로놓여 있다는 것, 그것은 시인의 세계관이 그만큼 비관적인 색조로 물들어 있다는 사실을 의미할 수 있다. 실상 이 시에는 '꿈의 병신(病身)/캄캄함의 혼란(混亂)/괴로움/헛되고 헛됨/알코올/가을 바람/죽음' 등의 부정 시어들과 함께 '잃어버리며/새버리고/나누며/헤어졌네'와 같은 하강적인 어미들이 시의 전반부를 가득 채우고 있는 것이다. 그만큼 시의 밑바탕에 비극적인 세계관 또는 허무주의가 관류하고 있다는 뜻이 될 수도 있으리라.

이처럼 의식의 맨 끝에는 항상 죽음이 자리하고 있다는 불안의식 또는 허무 의식 속에는 사실상 존재성에 대한 근원적인 탐구의 시선과 함께 사는 목적과 의미를 새로우면서도 깊이 있게 뿌리내리려는 실존적 지향이 담겨 있는 것으로 이해된다. 시의 두 번째 단락이 그 예가 된다. "죽음이었지만/허나 구원(救援)은 또 항상/가장 가볍게/순간(瞬間) 가장 빠르게 있으므로/그때 시간(時間)의 매(每)마디들은 번쩍이며/지나가는게 보였네"와 같이 존재론적 전환이 이루어지는 것이다. 의식의 맨 끝에 자리하고 있던 죽음의식이 구원의식으로 바뀌게 됐다는 뜻이다. 시의 분위기 자체가 '가장 가볍게/가장 빠르게/번쩍이며/대낮의 햇빛 속에/웃고있는/타오르는/부드러운/정다움'처럼 밝고 빛나는 것으로 변화되어 있는 것이다. 특히 '웃고있는/타오르는/달이 뜨는' 등과 같은 상승의 이미저리들은 앞 단락에서의 '잃어버리며/새버리며/헤어졌네' 등의 하강적 심상들과 대조되면서 시의 전반적인 톤을 낙관적인 것으로 이끌어 올려준다. 따라서 '괴로움/헛되고 헛됨'으로서의 죽음의식은 '웃고있는/부드러운' 것으로서 의미(意味) 또는 정다움을 통해 인간의 유한성에 대한 실존적 자각을 획득하게 되고, 마침내 자기 존재에 대한 구원과 초월에의 동경을 지니게 되는 것이다. "무의미(無意味)하지 않은 달밤 달이 뜨는/우주(宇宙)의 참 부드러운 사건(事件)을/어디로 갈까를/끊임없이 생각하며/길과 취기(醉氣)를 뒤섞고/두 사람의 괴로움이 서로 따로/헤어져 있을 때도/알겠네 헤어짐의 정다움을"이라는 구절에서 볼 수 있듯이 존재의 양면성에 대한 대립적인 인식 속에 긍정의 모티프를 찾아내게 된다는 말이다.

그렇기에 세 번째 단락에서 "때때로 내가 밤에 깨물며/의지하는 붉은 사과, 또는/아직도 심심치 않은/오비드의 헤매는 침대(寢臺)의 노래/뚫을 수 없는 여러 운명(運命)의/크고 작은 입맛들을"과 같이 극복과 지양의 실마리가 제시된다. 그것은 부정이나 절망이 아니고, 단순한 긍정이나 낙관만도 아니다. "때때로 깨물며/의지하는" 것이며 "심심치 않은/헤매는/뚫을 수 없는" 암중모색의 과정이기도 하다.

그리고 보면 이 시는 부정과 긍정, 절망과 낙관, 삶과 죽음 등과 같은 양면적인 존재의 모습에 대한 성찰을 담고 있음을 알게 된다. 말하자면 이러한 상반적인 요소들이 서로 대립하고 갈등하면서 존재의 근원적인 모습을 드러내는, 존재와 무의 변증법을 보여준다는 뜻이다. 존재의 근원으로서 죽음 또는 무(無)를 발견하고 의식하면서도, 살아 있음의 목적과 의미를 뿌리내리려는 실존적 지향에 바탕을 둔 현상학적 존재에의 탐구를 보여준다는 말이다. 이 점에서 이 시는 정현종의 시가 존재론적인 관심에서 시작되고 있음을 알려주는 좋은 예가 된다고 하겠다. 존재론이란 무엇이던가? 그것은 한마디로 말해 모든 존재자들에 내재하는 존재 양식의 근원적인 형식이나 기본구조를 탐구하는 것을 뜻한다. 그렇지만 정현종의 시는 그 어떤 사변적인 존재론이 아니라 실존적인 존재론에 근거하고 있는 듯이 보인다. 그의 시에는 단순히 사변적인 말장난이나 관념의 유희보다는 실존적인 문제의식이 지속적으로 작용하고 있는 것으로 이해되기 때문이다. 인용시에서도 '알코홀과 가을바람, 목장의 울타리, 붉은 사과, 침대, 크고 작은 입맛들' 등처럼 실재의 삶, 구체적인 심상들이 시의 기본구조를 이루고 있는 것이다.

결국 정현종의 시는 사물과 인생의 근원적인 모습을 존재와 무의 변증법적 관계에서 파악하려는 한 노력에서 볼 수 있듯이 존재론적인 탐구의 정신이 그 기조를 이루고 있다고 하겠다.

3. 자유사상의 몇 측면

정현종의 시가 인간존재에 관한 근원적인 탐구, 즉 존재론적 관심에서 비롯되기 때문에 그의 시에는 자유(自由)에 대한 깊이 있는 천착이 지속적으로 나타나서 관심을 끈다.

① 누가 춤을 잠근다
　피어나는 꽃을 잠그고
　바람을 잠그고
　흐르는 물을 잠근다
　저 의구한 산천을
　새소리를 잠그고
　사자와 호랑이를 잠근다
　저 의구한 산천을
　새소리를 잠그고
　사자와 호랑이를 잠근다
　날개를 잠그고
　노래를 잠그고
　숨을 잠근다

　숨을 잠그면?
　꽃을 잠그면?
　춤을 잠그고
　노래를 잠그면?

　그러나 잠그는 이에게
　자연도 웃음짓지 않고
　운명도 미소하지 않으니, 오
　누가 그걸 잠글 수 있으리오!

　　　　　　　　　　　　　　　―「꽃을 잠그면?」전문

②바깥에서 문득
　집 열쇠를 본다
　이건 뉘집 열쇠인가
　이 열쇠의 쓰임새가 어렴풋하다
　(열쇠에는……모두……무슨……재산이……딸려 있다니……우리
　를……가두는……열쇠들……)
　실은
　이 열쇠로 나는
　나무를 열고 싶다
　사다리 같은 걸 열고
　가령 강 같은 걸 열고 싶다
　이 열쇠로
　우리의 본연(本然) 헐벗음
　시간의 나체를 열고
　길들을 열고
　아, 들판을 열고
　아, 들판을 열고
　(들판을 여는 손이 보이지?)
　허공을 열고……

　　　　　　　　　　　　　　　　　　　　　　　—「이 열쇠로」 전문

이 두 편의 시에는 정현종 시에서 한 핵심을 이루는 자유의 문제가 요약적
으로 제시되어 있다. 한마디로 그것은 감금 또는 폐쇄와 해방 또는 열림이라
는 상대축을 형성한다. 마치 사물의 본원적인 모습이 존재와 무의 변증법적
관계로서 파악되듯이 자유의 본성이 구속과 해방의 양 측면을 통해 드러나는
것이다.

　먼저 시 ①에는 현상계를 둘러싸고 있는 온갖 구속으로서의 감금 또는 폐
쇄의 이미지가 가득차 있다. 그야말로 세계상이 온통 잠금으로 인해 억압돼
있고 폐쇄되어 있는 것이다. 여기에서 잠금이란 사물들로 하여금 '……로부

터의 자유'는 물론 '……할 자유'까지 온통 억압하고 구속하는 것을 의미한다. 반복되는 '잠그고/잠근다'라는 말 속에는 현실의 온갖 욕망과 억압 및 부당한 질곡이 암시돼 있다고 하겠다. 그렇기에 "숨을 잠그면?/꽃을 잠그면?/춤을 잠그고/노래를 잠그면?"이라는 반어적인 표현이 제기된다. 그렇게 되면 그야말로 모든 것이 끝장이라는 위기의식과 불안의식이 암시되어 있는 것이다. 그러므로 "그러나 잠그는 이에게/자연도 웃음짓지 않고/운명도 미소하지 않으니, 오/누가 그걸 잠글 수 있으리오!"와 같이 그러한 억압이란 불가능한 일이며, 있어서도 안 될 것이 바로 자연의 본성이며 법칙이라는 뜻을 강조하고 있다. 말하자면 자유가 만상의 본질이며 이법이라는 뜻을 역설적으로 제시했다는 뜻이다.

실상 이러한 자유와 자유에 대한 갈망은 시 ②에서 열쇠와 열림에의 갈망으로 구체화된다. 열쇠란 무엇인가? 그것은 잠긴 것을 여는 도구라는 점에서 해금 또는 자유를 표상한다. 실상 이 시에서 열쇠란 자물쇠와 대응되면서 자유지향성을 선명하게 제시하는 상징으로 쓰이고 있는 것이다. 그것은 재산이라든지 하는 삶의 모든 구속과 질곡으로부터 인간을 자유롭게 해 줄 수 있는 자유의 표상인 것이다. 그렇기에 "이 열쇠로/우리의 본연(本然) 헐벗음/시간의 나체를 열고/길들을 열고/아, 들판을 열고/허공을 열고"자 한다. 자유가 만상의 근원적인 속성이며, 존재의 이법에 해당한다는 뜻을 강조한다고 하겠다. 실상 시 ①에서 '잠그고/잠근다'와 시 ②에서 '열고/열고 싶다'라는 어구의 호응 속에는 감금과 열림, 구속과 해방, 운명과 자유로서 존재의 근원적인 모습이 제시되어 있는 것이다.

결국 인간존재란 이러한 두 측면의 갈등과 대립 속에서 끊임없이 자유를 갈망하며 추구하는 존재라는 데 대한 깨달음을 담고 있다는 말이다. 자유는 인간의 존재론적 구조를 이루는 것으로서 인간의 근원적인 존재 방식에 해당하기 때문이다. 실상 정현종의 시에는 이러한 자유의 갈망 또는 자유에의 추구가 그 주제를 이룬다고 할 만큼 다양하고 깊이 있게 나타나서 주목을 환기한다.

① 지금은 율동(律動)의 방법(方法)만을 생각하는 때
　생각은 없고 움직임이 온통
　춤의 풍미(風味)에 몰입(沒入)하는
　영혼(靈魂)은 밝은 한 색영(色影)이며 대공(大空)일 때!
　넘쳐오는 웃음은
　……나그네인가
　……중략……
　낳아, 그래, 낳아라 거듭
　자유(自由)를 지키는 천사(天使)들의 오직 생동(生動)인 불칼을 쥐고
　바람의 핵심(核心)에서 놀고 있거라
　　　　　　　　　　　　　　　　　　　　—「독무(獨舞)」 부분

② 나르는 새의 날개가 느끼는
　공기
　그 지저귐이 느끼는
　내 귀
　에 흐르는 푸른 공기
　귀 속에 흐르는 날개
　모든 것들의 경계의
　기화(氣化)
　서로 다른 것의 모양 속에 녹는다
　네 모양이 내 모양
　내 모양이 네 모양이라며
　날개와 바람
　날개와 바람처럼……
　　　　　　　　　　　　　　　　—「이 세상의 깊음 속으로」 전문

그래 살아봐야지
너도 나도 공이 되어
떨어져도 튀는 공이 되어

살아봐야지
쓰러지는 법이 없는 둥근
공처럼, 탄력의 나라의 왕자처럼

가볍게 떠올라야지
곧 움직일 준비되어 있는 꼴
둥근 공이 되어

옳지 최선의 꼴
지금의 네 모습처럼
떨어져도 튀어오르는 공
쓰러지는 법이 없는 공이 되어

—「떨어져도 튀는 공처럼」전문

이 세 편의 시에는 자유에의 갈망 또는 자유지향성이 선명히 드러나 있다. 먼저 시 ①에는 육신의 율동화 또는 혼의 양식화로서 춤이 제시되어 있다. 여기에서 춤은 '율동/움직임/영혼/대공(大空)/나그네/자유(自由)/생동(生動)/불칼/바람'의 이미지들로 형상화됨으로써 가벼움 또는 움직임으로 표상된다. 특히 춤은 율동과 함께 바람의 속성을 내포함으로써 자유를 향한 몸부림으로서의 상징적 의미를 지닌다. 실상 정현종의 많은 시에 나타나는 이 춤의 모습들은 그것이 대부분 움직임 및 가벼움의 요소를 지님으로써 육신의 무게, 운명의 질곡으로부터 자유로워지려는 안간힘을 표상하고 있는 것으로 보인다.

시 ②에서는 새와 날개가 상징성을 지닌다. 새는 흔히 날개를 지닌다는 점에서 육신의 무게, 대지의 질곡으로부터 자유로워지려는 정신을 표상한다.

말하자면 비상에의 의지 또는 수직상승력으로 인해 자유의 상징이 된다는 말이다. 바로 여기에서도 새와 날개는 '공기/푸른 공기/기화(氣化)/날개/바람' 등의 이미지와 결합되어 정신의 가벼움 또는 자유에의 비상 의지를 암시한다고 하겠다. 이러한 새와 날개가 표상하는 자유에의 갈망 또는 비상의 의지는 정현종의 시를 지속적으로 관류하는 주요 형질이 된다.

시 ③에서는 튀어 오르는 공이 하나의 상징성을 지닌다. 그것은 "그래 살아봐야지/너도 나도 공이 되어/떨어져도 튀는 공이 되어/가볍게 떠올라야지"처럼 끊임없이 튕겨 오르는 탄력성 또는 가벼움에의 의지를 지니고 있다. 그렇기에 그것은 지상의 온갖 구속 또는 물질의 무게를 거슬러 올라서 끊임없이 자유로워지려는 안간힘을 의미한다. 말하자면 삶의 온갖 질곡으로부터 자유로워지려는 자유지향성을 암시하는 것이다.

그리고 보면 이러한 춤과 새 및 공이란 하나의 근원적 동일성을 지닌다고 하겠다. 그것은 모두가 움직임 또는 상승운동을 내포하며, 바람의 이미지와 연결되는 게 특징이다. 바로 이 점에서 이들은 인간이 육신의 무게, 운명의 구속으로부터 벗어나서 가벼워지고자 하는 갈망, 즉 자유지향성을 상징한다고 하겠다. 자유에의 갈망과 지향이란 정현종 시의 핵심 주제라고 할 만큼 다양하고 깊이 있게 변주되어 나타나고 있는 것이다. 이러한 자유지향성은 다시 몇 가지의 방향성을 지니는 것으로 이해된다.

① 사람이 바다로 가서
　　바닷바람이 되어 불고 있다든지,
　　아주 추운 데로 가서
　　눈으로 내리고 있다든지,
　　사람이 따뜻한 데로 가서
　　햇빛으로 비치고 있다든지,
　　해 지는 쪽으로 가서

황혼에 녹아 붉은 빛을 내고 있다든지
그 모양이 다 갈데없이 아름답습니다.

─「갈데 없이……」전문

사람이 풍경으로 피어날 때가 있다
앉아 있거나
차를 마시거나
잡담으로 시간에 이스트를 넣거나
그 어떤 때거나

사람이 풍경으로 피어날 때가 있다
그게 저 혼자 피는 풍경인지
내가 그리는 풍경인지
그건 잘 모르겠지만
사람이 풍경일 때처럼
행복한 때는 없다.

─「사람이 풍경으로 피어나」전문

② 詩를 썼으면
그걸 그냥 땅에 묻어두거나
하늘에 묻어둘 일이거늘
부랴부랴 발표라고 하고 있으니
불쌍하도다 나여
숨어도 가난한 옷자락 보이도다.

─「불쌍하도다」전문

③ 제몫으로 지고 있는 짐이 너무 무겁다고 느껴질 때 생각하라, 얼마
나 무거워야 가벼워지는지를. 내가 아직 자유로운 영혼, 들새처럼
날으는 영혼의 힘으로 살지 못한다면, 그것은 내 짐이 아직 충분히
무겁지 못하기 때문이다.

─「절망할 수 없는 것조차 절망하지 말고」부분

몸이라는 건
(무거운 거 같애도)
떴다 하면
그냥 바람이니까

어떤 몸이든지간에
하여간 다른 몸에 가서
붙어제끼니깐
바람벽을 치듯이
붙어제끼니까!

―「몸이라는 건」 전문

   이 세 가지 인용시에는 정현종 시에서 자유의 특징이 선명하게 드러난다. 먼저 시 ①에는 자유론에서 가장 원초적이랄 수 있는 자연성의 개념이 잘 드러나 있다. 자연성이란 무엇인가? 그것은 말 그대로 모든 사물이 그 본성에 따라서 자유자재로워지는 자유의 모습을 말한다. 새는 자유로이 하늘을 날고, 나무나 풀 또한 자유로이 숨 쉬면서 줄기와 가지를 뻗는 것처럼, 사람도 자유롭게 생각하고 행동하는 것을 뜻한다고 하겠다. 특히 시 ①에서는 자연과 인간이 하나로 합일되어있는 자연스러우면서도 자유스러운 모습이 아름답게 표현되어 있어 관심을 환기한다. "사람이 바다로 가서/바닷바람이 되어 불고 있다든지,/사람이 따뜻한 데로 가서/햇빛으로 비치고 있다든지,/해지는 쪽으로 가서/황혼에 녹아 붉은 빛을 내고 있다든지" 하는 구절이 그것이다. 그야말로 무위자연(無爲自然)으로서의 자유의 모습이 제시되어 있는 것이다. 무위자연이란 과연 무엇이던가? 그것은 말 그대로 무위와 자연이 합쳐진 말이라고 하겠다. "아무것도 하지 않으면서도 하지 않는 일이 없다(지어무위 무위이무불위; 至於無爲 無爲而無不爲)"라는 뜻으로서 무위와, 인위적이고 의식적인 모든 것으로부터 완전히 벗어난 상태로서 자연이 결합된 것이다. 그렇기에 무위자연이란 무위(無爲)·무욕(無欲)·무사(無私)·무아(無我)로서 '스스로 그러한 것' 또는 '저절로 그러한 것'으로서 자유의 실천적인 모습에 해당한다. 바로 이들 시의 경우처럼 정현종의 많은 시편에는 자연성으로서의 자유의 모습이 자연스럽게 넘실거리고 있는 것이다.

시 ②에는 자유의 또 다른 모습이 제시된다. 그것은 선적(禪的)인 자유로움의 세계라 할 수 있다. "시를 썼으면/그걸 그냥 땅에 묻어두거나/하늘에 묻어두는" 것이 어쩌면 자유로운 일인지도 모른다. 그런데도 "부랴부랴 발표라고 하고 있으니/불쌍하도다 나여"처럼 모순의 모습으로 드러나는 것이다. 그야말로 명예욕이라든지 하는 욕망에 매달려 사는 것으로서의 인생에 대한 탄식이 깃들여 있다고 하겠다. 그렇지만 이 "불쌍하도다 나여"라는 구절이 "숨어도 가난한 옷자락 보이도다"라는 결구로 처리됨으로써 그러한 모순 또는 이율배반을 심화시키고 있는 것이다. 바로 여기에서 선시적(禪詩的)인 면모가 드러난다. 선(禪)이란 무엇인가? 그것은 순수한 집중을 통해서 인간의 실상을 자각하는 일, 또는 모든 속박으로부터 벗어나서 자유로워지고자 하는 마음, 즉 정신수양이라고 할 수 있다. 그렇기에 그것은 외적 강제가 아니라 내부로부터 스스로의 생명력에 의해 발현된다. 말하자면 어떤 외부적인 구속에 얽매이지 않고, 인간이 얼마나 자유로울 수 있는가 하는 자신의 법칙 또는 자발성을 창조하는 것이 바로 선이라고 할 수 있는 것이다. 이 점에서 시「불쌍하도다」는 선시적인 발상법으로 스스로 자유로워지고자 하는 본원적인 자유에의 길을 추구하고 있는 것이 특징이다. 실상 이러한 선시적인 자유자재로운 사고와 상상력의 전개는 역설 및 반어를 통해 나타나는바, 정현종 시법의 한 핵심이라고도 할 수 있을 만큼 빈번히 구사되고 있는 것이 특징이다.

시 ③에는 철학적인 의미에서의 형이상학적 자유에 대한 추구와 갈망이 제시되어 있다. 어쩌면 이것은 시 ②와 마찬가지로 인간의 내면적인 자유 또는 존재론적인 측면을 지닌다고도 할 수 있다. 그렇지만 이 경우는 특히 육신과

정신의 변증법적 갈등이 개재돼 있어서 관심을 끈다. 한마디로 그것은 육신의 무게를 거슬러 올라감으로써 정신적인 자유를 획득하고자 하는 몸부림을 말한다. 인간이란 육신의 무게가 상징하는 지상 위의 온갖 인간 조건과 함께 스스로 내면적인 정신의 감옥을 갖게 마련인 것이다. 그렇기에 이 시는 "제 몫으로 지고 있는 짐이 너무 무겁다고 느껴질 때 생각하라, 얼마나 무거워야 가벼워지는지를"이라고 노래한다. 물질의 무게, 육신의 질곡을 벗어나서 정신의 자유를 획득하고자 하는 열망이 담겨 있다는 뜻이다. 그렇기에 H.Bergson은 "생명과 정신은 물질이 지배하는 구속을 벗어나려는 노력이며, 물질을 거슬러 올라가려는 상승적 본성을 갖는다"고 말하지 않았던가?[1] 바로 시인은 그러한 육신의 무게와 정신의 감옥을 벗어나서 생명의 자유로움을 확보하려는 끊임없는 내면적인 자유에의 갈망과 상승지향성을 보여주고 있는 것이다. 실상 앞에서의 열림지향성이라든지 여기에서의 가벼움지향성도 사실은 이러한 자유에의 길을 반영한 것임은 물론이다.

이렇게 볼 때 정현종 시에서 자유는 인간의 존재론적 구조의 원리이자 그 핵심 법칙에 해당하며, 이러한 자유에의 갈망과 추구가 정현종 시의 중요한 뼈대임을 확인할 수 있다.

4. 평등의 정신, 평화의 사상

자유사상과 함께 정현종 시에 또 하나의 구조원리가 되는 것은 평등·평화 사상이라고 할 수 있다. 그의 시에는 지상 위의 만물이 스스로의 존재 원리와 가치척도를 지닌다는 점에서 대등하다는 평등의 정신, 평화의 정신이 짙게 깔려 있기 때문이다.

---

1) *L' Evolutinon Créatrice*, Press Universitaires de France, 1948, 269쪽.

새는 날아다니는 자요
나무는 서 있는 자이며
물고기는 헤엄치는 자이다
세상만물 중에 실로
자 아닌 게 어디 있으랴
벌레는 기어다니는 자요
짐승들은 털난 자이며
물은 흐르는 자이다
스스론 자인줄 모르니
참 좋은 자요
스스론 잴 줄을 모르니
더없는 자이다
인공(人工)은 자가 될 수 없다
(모두들 人工을 자로 쓰며
깜냥에 잰다는 것이다)
자연만이 자이다
사람이여, 그대가 만일 자연이거든
사람의 일들을 재라

—「자(尺)」 전문

　　사물은 각각 그들 자신의 거울을 가지고 있다. 내가 너의 거울을 가
지고 있듯이, 나와 사물은 서로 비밀이 없이 지내는 듯하여 각자의 가
장 작은 소리까지도 각자의 거울에 비취인다. 비밀이 없음은 그러나
서로의 비밀을, 비밀의 많고 끝없음을 알고 사랑함이다. 우리의 거울
이 흔히 바뀌어 있는 것을 발견한다. 거울 속으로 파고든다. 내 모든
감각 속에 숨어 있는 거울이 어디서 왔는지 나는 모른다. 사물을 빨아
들이는 거울. 사물의 피와 숨소리를 끓게 하는 입술국 거울 사랑할 줄
아는 거울. 빌어먹을, 나는 아마 시인이 될 모양이다.

—「거울」 전문

먼저 이 두 편의 인용시에는 정현종 시에서의 평등사상이 선명하게 제시되어 있다. 시 「자」에서 그것은 구체적인 표현으로 나타난다. 여기에는 새·나무·물고기·벌레·짐승 등의 생물과 함께 물과 같은 무생물까지도 시적 소재로 등장한다. 만물이 근원적인 존재상에 있어서 별 차이가 없다는 뜻이다. 거기에 "새는 날아다니는 자요/나무는 서 있는 자이며/물고기는 헤엄치는 자이며/벌레는 기어다니는 자요/짐승들은 털난 자이며/물은 흐는 자이다"처럼 각각의 사물들은 각자의 고유한 존재 방식과 고유 의미를 지닌다. 그러한 사물들은 각자의 존재 특성이나 삶의 방식이 그들 스스로의 원리와 법칙에 따라 논의될 수 있을 뿐이지, 다른 사물과 비교해서 그 우열이나 존재의미를 재단해낼 수 있는 것은 아니라는 뜻이다. "세상만물 중에 실로/자 아닌 게 어디 있으랴"라는 구절이 그것이다. 신(神)의 자로만 인간을 잴 수 없듯이 인간의 자로만 짐승들을, 나무들을 잴 수는 없는 것이다. 지상 위의 만유는 그 존재의 고유성과 독자적인 존재 원리 및 의미를 스스로의 인과율에 의해서만 지배되고 판단돼야 하는 것이 기본 이치라 할 수 있다. 그것이 바로 만상의 평등법칙이자 우주의 존재 원리인 것이다. 그렇기에 이 시에선 인공(人工)을 자로 쓰는 것에 대한 비판이 제기된다. 인공이란 그것이 인간을 위해 인간의 척도로 인간이 만든 산물이다. 그러므로 그것으로 지상 위의 모든 것들을 평가하고 재단해낸다는 것은 인간의 횡포이며 만용이라고도 할 수 있다. 사람은 "사람이여, 그대가 만일 자연이거든/사람의 일들을 재라"라는 결구처럼 사람의 척도로는 사람의 세상을 가장 잘 잴 수 있고, 재야만 한다는 뜻이다. "자연만이 자이다"라는 단정적인 구절 속에는 모든 인위적인 것, 인공적인 것들이 빚어낼 수 있는 인간적 폭력과 오류들의 위험성을 경계하는 뜻이 담겨져 있는 것이다. 그렇기에 세상의 만물들은 스스로 존재 원리와 의미를 지니며, 자연의 일부로서 그 모두는 서로 대등한 위치에 놓일 수 있고, 놓여야 만 할 당위성이 있는 것이다. 이것이 바로 정현종 시에서 평등사상이라고 부를 수 있는 내용임은 물론이다.

시 「거울」도 마찬가지이다. "사물은 각각 그들 자신의 거울을 가지고 있다 /내가 나의 거울을 가지고 있듯이"라는 이 시의 핵심 구절에서 볼 수 있는 것처럼 모든 사물들은 스스로가 주체적인 존재이며 자율적인 원리 위에 놓여질 때 바람직한 모습을 지니는 것이다. 인간뿐만 아니라 세상 만물은 각기 외부와 내면의 두 측면을 지니고 있다. 그 하나하나가 외부를 잴 수 있는 자를 갖고 있으며, 동시에 내면을 비출 수 있는 거울을 갖고 있는 것이다. 그렇기에 모든 존재는 밖의 우주와 더불어 내면의 우주를 지닌다. 마치 Jefferson이 언명한 것처럼 '모든 인간은 평등하게 태어났'지만 사람들이 각기 용모와 개성, 환경에 차이가 있는 것처럼, 만물은 대등한 위치에 놓이지만 그 실상에 있어서 차이가 있을 수밖에 없는 것이다.

평등이란 무엇인가? 그것은 'A는 B와 대등하다(A and B are equal)라는 원칙을 기본으로 한다. 그러면서도 그것은 원칙상 실현이 어렵고 관점에 따라서 변화하기 때문에 기술적이면서도 규범적인 속성을 지닌다. 결국 평등이란 세상 만물의 질서를 유지시켜 주는 기본원리이며 근본 법칙에 해당한다. 다만 그것은 상대적인 면에서 자유와 불가분의 함수관계를 지닌다고 하겠다. 무한 자유가 있기 어렵듯이 절대 평등이란 어디까지나 이상적인 것일 뿐이다. 자유가 지닌 자발성, 주체성, 자유성을 평등은 상대성, 호혜성, 공존성으로서 보완해 주는 것이다. 다시 말해서 자유가 자유롭기 위해선 평등이 전제되어야 하며, 평등이 올바로 실현되기 위해선 자유의 원리가 기반이 돼야만 한다는 뜻이다.

이 점에서 볼 때 정현종의 시가 자유 정신을 추구하는 일이 그 뼈대가 된다고 할진대 평등사상은 필연적일 수밖에 없을 것이 자명하다. 바로 여기에서 평등과 자유의 완성된 모습으로서 평화사상이 형성된다. 자유와 평등의 올바른 실현이란 모든 존재가 그 본성의 법칙에 따라 움직이면서 서로 존중

함으로써 평화로운 세계를 이루어내는 데서 참뜻이 드러나는 것이기 때문
이다.

　　　아, 시골 국민학교
　　　전경(全景)이 그 품속에 나를 안는다
　　　그 품속에
　　　나는 안긴다
　　　안기고 또 안긴다

　　　(세상을 통틀어
　　　거기에만 있는)

　　　신성 평화여

　　　시간의 꽃이여

　　　꿈꾸는 메아리여

　　　막무가내의 정결이여

　　　우주의 신성 수렴이여

　　　천하 밀림들의 아지랑이를
　　　당할 수 없는 밀도의
　　　위와 같은 생우주들의 숨결들이여
　　　(아무리 집어내려고 한들
　　　말로써 어찌
　　　거기 어린 공기의 숨결에
　　　뺨을 대볼 수 있으랴)

아, 시골 국민학교!

—「시골 국민학교」 전문

멀리 보인다
밤 시골버스

버스 안이 환하다

어렴풋이 승객들 보인다
멀리 환하게 지나가는
시골 밤 버스

그걸 몽땅 하늘에 올려놓고 싶다
제일 밝은 태양처럼

—「밤 시골버스」 전문

　　오후의 산촌(山村), 다섯 살쯤 돼 보이는 아이 하나가 앉아서 소가 풀 먹고 새김질하는 걸 바라보고 있다. 가까이 가는 사람도 못 느끼고 정신없이 보고 있다. 문득 나를 알아차리고 쳐다보며 얼른「어디 살아요?」하고 묻는다.「나는 서울사는데 너는 여기 사니?」목소리를 듣자마자 천하를 안심하고 다시 소한테로 눈길을 돌린다. 소 주려고 우리 바깥에 있는 짚을 한움큼 집는데 아이가 좋아하는 얼굴로「그거 잘 먹어요」한다. 그 목소리 속에는 친근감과 기쁨이 들어있다 (자기가 하는 짓을 낯선 사람도 하는 데서 느끼는 친근이요 기쁨이었을 것이다).
　　그 뒤로 내 마음에 또렷한 그 <풀 먹고 있는 소를 하염없이 바라보고 있는 아이>의 사진을 나는 가끔 바라본다. 잊히지 않는 그림. 지지 않는 꽃. 평화여.

—「어떤 평화」 전문

　　인용시편들에는 정현종 시의 평화사상의 한 모습이 잘 드러나 있다. 그것은 저 유명한 루소의 '생 피에로 평화론'이나 칸트의 '영구 평화론' 등과 같이 체계적인 철학사상도 아니고, 간디나 네루 식의 평화주의(pacifism) 운동의 성격을 지니는 것도 아니다. 다만 인간과 인간 사이의 따뜻한 화해와 사랑의 마음을 회복하고자 하는 소박한 의미에서의 생명존중의 태도 또는 사랑의 철학을 일컫는다고 하겠다.

시「시골 국민학교」나「밤 시골버스」에서 느낄 수 있는 소박하면서도 따뜻하고 편안한 정감 또는 사랑의 마음이 바로 정현종 평화사상의 기초를 이루고 있는 것이다. 산간이나 시골 어디에 아무렇게나 놓여 있는 한가로운 국민학교 정경에서 "신성 평화여/시간의 꽃이여/꿈꾸는 메아리여/막무가내의 정결이여/우주의 신성수렴이여"와 같이 평화의 소중한 원형적 모습을 발견해내고, 그에 대한 평화의 안도감과 유열감을 드러내고 있다는 말이다.「밤 시골버스」에서도 마찬가지이다. 어둔 세상 어딘가의 외진 한켠에서 흔들리면서 어딘가로 가고 있는 "멀리 환하게 지나가는/시골 밤 버스"를 보며 마음의 평화와 그 유열감을 느끼고 있는 것이다. 그래서 "그걸 몽땅 하늘에 올려놓고 싶다/제일 밝은 태양처럼"이라는 구절처럼 작고 소외된 삶의 풍경을 우주의 중심부로 상승시켜 보고자 하는 소망을 드러내게 된다. 무슨 세계 대전의 위험이니 핵공포니 하면서 세계평화를 외쳐대는 거창한 평화주의가 아니라, 산촌의 어둔 밤길을 흔들리며 가고 있는 시골 밤 버스와 그 속의 사람들의 평화로운 모습 속에서 작으면서도 소중한 평화의 숨결을 느끼는 그러한 미시적인 평화의 마음, 사랑의 철학이라는 말이다.

실상 그렇게 요란하게 평화를 외쳐대고 거창하게 회담을 벌인다고 해서 진정한 평화가 그리 쉽게 찾아올 것인가? 그보다는 한 사람 한 사람이 그러한 사랑의 마음, 평화의 철학을 지니고 이웃과 소외된 것들에 관심과 애정을 기울여 가는 데서 오히려 진정한 평화가 조금씩 싹트고 실현돼 갈 수 있는 것이 아니겠는가! 시「어떤 평화」에는 정현종의 이러한 평화사상이 단적으로 드

러나 있다고 하겠다. 그것은 어느 산촌에서 어린아이가 소가 풀 먹고 되새김
질하는 모습을 바라보는 일이며, 그 광경을 보고 시의 화자가 따스한 대화를
건네고 이야기를 나누고, 다시 화자가 그 '풀 먹고 있는 소를 하염없이 바라보
고 있는 아이'의 사진을 가끔 들여다보면서 미소짓는 그러한 모습들에서 드
러난다. 평화는 단지 말에 있거나 어떤 회담장에 따로 있는 것이 아니라, 바로
그처럼 자연스럽게 살아가는 일 또는 서로 마음을 나누며 화해롭게 살아가는
모습 속에 놓여 있으며 그 자체가 바로 평화인 것이다. 바로 이 점에서 자유와
평등의 올바른 실현이 평화사상으로 귀결될 수 있음은 물론이다. 그렇기 때
문에 정현종의 자유와 평등사상, 그리고 평화사상은 생명사상으로 집약되어
나타난다.

5. 생명사상과 사랑의 철학

정현종의 시를 관류하는 가장 중요한 또 한 가지는 따뜻함과 밝은 빛에 대
한 갈망으로서 사랑의 철학이며 생명에 대한 존중, 즉 생명사상이라고 할 수
있다.

> ① 흔들리는 풀잎이 내게
>   시 한 구절을 준다
>
> 하늘이 안 무너지는 건
> 우리들 때문이에요, 하고 풀잎들은
> 그 푸른 빛을 다해
> 흔들림을 다해
> 광채나는 목소리로 뿜어올린다.
> 내 눈에 두방울 큰 이슬로 만든다.

그 이슬에 비친 세상
큰건 작고
강한건 약하다
(유우머러스한 세파(世波)
참 많은 공포의 소산(所産))

이 동네 백 척간두마다
광채나는 목소리로 풀잎은……
                                        ―「광채나는 목소리로 풀잎은」 전문

1
파랗게, 땅 전체를 들어올리는
봄 풀잎,
하늘 무너지지 않게
떠받치고 있는 기둥
봄 풀잎

2
그림 속의 여자도 개구리도
꿈틀거리는
봄바람 속
내 노래의 풀소리는 저
풀잎들 가까이 흘러가야지
                                        ―「파랗게, 땅 전체를」 전문

② 하산(下山)하면서 들르는 냉면집
   총각이 방금 낳았다면서
   달걀을 하나 내게
   쥐어 준다 햇빛 속에서

   이런 선물을 받다니―

따뜻한 달걀,
마음은 이미 찰랑대는데
그걸 손에 쥐고 내려온다
새로 낳은 달걀,
따뜻한 기운,
생명의 이 신성감(神聖感),
우주를 손에 쥔 나는
거룩하구나
지금처럼
내 발걸음을 땅이
떠받든 때도 없거니!

―「새로 낳은 달걀」 전문

이 시편들에는 생명들에 대한 외경감과 사랑의 마음이 담겨 있는 게 특징이다. 먼저 시 ①들에는 풀잎 하나의 생명이 바로 세상을 떠받치는 기둥이며 힘이 된다는 의미에서 생명존중사상이 드러나 있다고 하겠다. "하늘이 안 무너지는 건/우리들 때문이에요, 하고 풀잎들은/그 푸른 빛을 다해/흔들림을 다해/광채나는 목소리로 뿜어올린다"거나 "파랗게, 땅 전체를 들어올리는/봄 풀잎/하늘 무너지지 않게/떠받치고 있는 기둥/봄 풀잎"이라는 구절들이 이러한 생명존중사상의 발현인 것이다. 실상 이 우주란 것도 사실은 이러한 생명 하나하나에 의해 떠받들어지며 움직여가는 것이 아니겠는가? 풀잎 하나에서 우주를 운행하는 질서를 꿰뚫어 보는 일, 그 풀잎 하나의 생명이 바로 온 세상을 움직이는 원동력이 된다는 사실을 발견하는 눈이야말로 사랑의 철학, 생명존중사상에서 비롯된 것이 아닐 수 없다. 실상이 풀잎 하나의 생명이야말로 전 우주와 등가를 이루는 소중한 것임에 분명하기 때문이다. 그렇기에 시인은 "어렸을 때처럼/토끼풀을 들여다본다/네잎 클로버를 찾아보려고//우주란 무엇인가/풀을 들여다보는 일이여/열반이란 무엇인가/풀을 들여다보는 일

이여/구원이란 무엇인가/풀을 들여다보는 일이여//풀을 들여다보는 일이여/
눈길 맑은 데 열리는 충일이여"(「풀을 들여다보는 일이여」 전문)라는 시에서
처럼 풀잎 하나에서 우주와 열반, 그리고 구원이라고 하는 세계와 삶의 모든
구극적인 의미를 읽어낼 수 있게 되는 것이다. 바로 이처럼 풀잎 하나에서 삶
과 세계의 구극적 의미를 찾아내고, 풀잎의 생명 하나를 온 우주와 등가를 이
루는 것으로 여겨 존중하는 생각이야말로 바로 생명사상이 아니고 그 무엇이
겠는가?

이러한 모습은 시 ②에서도 선명히 드러난다. 새로 낳은 달걀 하나, 무심코
지나치기 쉬운 그 평범한 생명 하나에서 생명의 신비와 외경감, 그리고 거룩
함을 느끼는 모습에서 그러한 생명사상의 면모를 확인할 수 있다는 말이다.
"총각이 방금 낳았다면서/달걀을 하나 내게/쥐어준다 햇빛 속에서/따뜻한 달
걀/마음은 이미 찰랑대는데/새로 낳은 달걀/따뜻한 기운/생명의 이 신성감(神
聖感)"이라는 구절에서처럼 새 생명 탄생에서 생명의 신비와 외경감을 느끼
는 것이다. 그렇기에 "우주를 손에 쥔 나는/거룩하구나/지금처럼/내 발걸음을
땅이/떠받든 때도 없거니!"와 같이 새 생명에 대한 깊은 외경심과 뜨거운 사
랑을 표출하게 된다. 새로 낳은 달걀 하나는 우주와 등가를 이룰 정도로 소중
하고 신성스럽게 받아들여진다는 뜻이다. 이러한 모습은 "내가 미친놈처럼
헤매는/원성 들판에서/이리 뛰고 저리 뛴다/세상에 나온 지/한 달밖에 안된!/
송아지//너 때문에/이 세상도/생긴지 한달밖에 안 된다!"(「송아지」 전문)에서
도 새 생명에 대한 가없는 사랑과 존중으로 나타난다. 그만큼 새 생명이 의미
하는 순수함과 생명의식에 대한 사랑과 존중이 정현종의 시편에서 중요한 형
질로서 작용한다는 말이다.

그러면서도 이러한 생명사상은 하늘과 땅, 햇빛 및 물과 어울려 생명의 전
일체를 이룸으로써 그것이 관념이 아닌 생명력의 육화를 획득해가고 있는 데
서 의미를 지닌다.

해는 출렁거리는 빛으로
내려오며
제 빛에 겨워 흘러넘친다
모든 초록, 모든 꽃들의
왕관이 되어
자기의 왕관인 초록과 꽃들에게
웃는다, 비유의 아버지답게
초록의 샘답게
하늘의 푸른 넓이를 다해 웃는다
하늘 전체가 그냥
기쁨이며 신전(神殿)이다.
해여, 푸른 하늘이여,
그 빛에, 그 공기에
취해 찰랑대는 자기의 즙에 겨운,
공중에 뜬 물인
나뭇가지들의 초록 기쁨이여

—「초록 기쁨」 부분

흙냄새 맡으면
세상에 외롭지 않다

뒷산에 올라가 삭정이로 흙을 파헤치고 거기 코를 박는다
　아아, 이 흙냄새! 이 깊은 향기는 어디 가서 닿는가. 머나 멀다. 생명
이다. 그 원천. 크나큰 품. 깊은 숨
　생명이 다아 여기 모인다.
　이 향기 속에 붐빈다. 감자처럼 주렁주렁 달려 올라온다

흙냄새여
생명의 한통속이여,

—「흙냄새」 전문

이 두 편의 시는 정현종 시의 생명사상이 단순히 관념적인 것이 아니라 육화된 것이라는 점을 단적으로 말해준다. 그것은 하늘과 땅, 햇빛과 물이 어울려 빚어내는 생명의 빛이며 향기이다. 바로 이들은 생명의 원천이자 원동력인 것이다. 이러한 하늘과 땅에 구체적으로 뿌리를 두고 있는 생명이기에 이에 대한 사랑과 외경 및 존중심이 더욱 설득력을 유발할 수 있음은 물론이다. 실상 이러한 밝고 투명한 것으로서의 생명의식은 초기시집『사물의 꿈』이나『고통의 축제』에서 출렁이던 비관적인 세계인식을 거쳐서 획득된 것이기에 생명감이 돋보일 수 있다. 흙냄새가 나는 생명, 햇빛의 열과 빛으로 달구어진 생명이기에 정현종의 시에서 생명사상은 건강성을 확보할 수 있는 것이기도 하다. 그의 후기시집으로 올수록 시집에 출렁거리는 밝은 빛과 초록 색깔, 그리고 해의 상상력(solar imagination)도 사실은 이러한 정현종 특유의 건강한 생명사상을 뒷받침해 주는 원동력이 된다고 하겠다. 그러므로 이러한 생명에 대한 사랑과 외경 및 존중은 생명의 만다라를 형성한다.

> 내 평생 노래를 한들
> 저 산에서 생각난 듯이 들리는,
> 생명 바다 깊은 심연을 문득 열어제끼는
> 꿩 소리 근처에나 갈까,
> 벌레와 흙과 그늘이
> 목에 찬듯한 허스키,
> 무슨 창법(唱法) 따위 커녕은
> 그냥 제 생명에 겨운,
> 도무지 말 같지도 않은
> 꿩 소리 근처에나 갈까
>
> 만물 속에서 타오르는
> 저 생명의 아지랭이를

내 노래는 숨 쉬느니
말이여, 바라건대
생명의 아지랭이여.

—「생명의 아지랭이」 전문

어릴 때 참 많이도 본
나팔꽃
아침을 열고
이슬을 낳은 꽃
아침하늘의 메아리
이슬 맺힌 꽃
이슬에 비친 꽃 만다라
무한반영(無限反映)의 꽃 만다라
피, 붉은 이슬
의 메아리, 그
메아리 속에 생명 만다라
눈동자
에 맺히는 이슬
그 이슬 속에 삶 만다라

—「생명 만다라」 전문

이 시들에는 생명에 대한 찬탄과 외경심이 집약되어 나타나 있다. 만물 가운데서 생명이야말로 가장 존중되어야 할 것이며, 그 무슨 인공의 것들과도 비교될 수 없는 소중한 의미를 지닌다. 그렇기에 생명 만다라며 삶 만다라가 되는 것이다. 만다라란 무엇인가? 불교에서 만다라(曼茶羅, mandala)란 한마디로 말해 순정융묘(醇淨融妙)한 것을 나타내며 그렇기에 극무비미 무과상미(極無比味 無過上味), 즉 최상의 가치를 의미한다. 말하자면 정현종의 시에서 생명이란 이 세상 그 무엇과도 비교될 수 없는 가장 소중하며 존귀한 것이라는 뜻이다. 그러므로 이러한 "무한반영의 꽃 만다라/메아리 속에 생명 만다라

/그 이슬 속에 삶 만다라"라는 시 「생명 만다라」의 결구 속에는 정현종의 생명존중 사상으로서 생명사상이 고스란히 집약돼 있다고 하겠다.

이러한 정현종 시의 생명사상은 결국 그의 자유사상과 평등사상, 그리고 평화사상이 구체적으로 집약된 것이면서 동시에 그의 시가 지향하는 한 목표점이 된다고 할 수 있다. 이 생명사상은 그러한 자유·평등·평화사상과 원성의 조응을 이루면서 정현종의 시를 이끌어가는 현실태이면서 가능태이고, 동시에 이념태에 해당하는 것으로 판단되기 때문이다. 이렇게 볼 때 시집 『사랑할 시간이 많지 않다』에 와서 나타나기 시작하는 물질문명 비판이랄까 현실 비판의 의미가 드러난다.

① 인도 보팔 시(市)에서
유니언 카바이드 가스로 눈멀어 죽은
한 소년의
흙속에 막 묻히고 있는
오 플라스틱 같은 얼굴에
저 청맹과니 뜬 눈
무얼보고 있니 너는
태양을 보고 있니?

—「그게 뭐니」부분

② 상품(商品)은 물신(物神)이며 아편
백화점은 유토피아로 가는 배
상품은 반짝이고 생글거리며 달콤하고 아늑하다
……중략……
나 가죽부대의 두 팔이 올라가느니
옷이 날개 만세!
금은구원(金銀救援) 만세!
굴러가는 절 만세!

—「상품은 물신(物神)이며 아편」부분

③ 귀신처럼 살아가는구나
　유리창을 깨며 들어온 최루탄이
　안에서 터져 삽시간에
　가스실이 된 건물 속에서
　눈물 콧물 속에서
　보지도 못 하면서
　숨도 못 쉬면서
　질식사경(窒息死境)에서
　참 귀신처럼 살아가는구나

　　　　　　　　　　　　　　　　—「귀신처럼」부분

　이 세 편의 시에는 물질문명에 대한 비판 또는 현실 비판이 단적으로 제시
된다. 시 ①은 인도 보팔시에서 일어난 화학 가스 폭발사건을 통해 과학 문명
의 발달이 초래한 엄청난 인간파괴상을 고발한다. 시 ②는 물질문명의 위세
에 밀려 왜소화해 가는 인간실존과 인간성 상실의 모습을, 시 ③은 오늘날 이
땅에서 벌어지고 있는 정치적 소용돌이와 그로 인한 비인간적 폭력의 풍경을
비판하고 있는 것이다. 그렇기에 시인은 "인제 우리가 쪼을/사람의 가슴도/꿈
틀거리는 생명도 없다,/살아 선혈이 낭자하게 쪼을/참되기 선혈과 같은 마음
도/없다,/날지 못하는 새여—/미친듯이 달리는 파산이다,/문명의 사신(死神)
이여."(「문명(文明)의 사신(死神)」)와 같이 문명과 인간들의 비인간성을 통렬
하게 비판하는 것이다. 이렇게 보면 이러한 물질문명에 대한 비판이나 현실
비판도 실상은 생명을 생명답지 못하게 하고, 인간을 인간답게 살지 못하게
하는 부당한 폭력들에 대한 저항과 분노를 표출한 것이 분명하다. 생명에 대
한 참된 사랑과 존중사상을 역설적으로 강조한 것이라는 말이다.

6. 맺음말

80년대 이후 특히 우리 시에는 민중시가 전면에 대두하면서 커다란 영향력을 미쳐온 것이 사실이다. 사회의식이나 역사의식 또는 정치적 상상력이 우리 시의 주류를 형성해 온 것이다. 아울러 이른바 해체시가 크게 유행을 이루기도 한 바 있다. 바로 이 점에서 정현종 시의 의미가 드러난다. 그의 시는 사물과 존재에 대한 철학적 탐구를 지속함으로써 이 땅 현대시에 부족한 한 요소인 형이상학적 깊이와 그 가능성을 열어 보여준 것이다. 그가 지속적으로 추구해온 사물과 인간존재의 근원적 구조이자 양식으로서 자유의 문제는 그것이 평등과 평화, 그리고 생명사상으로 확대되고 심화됨으로써 이 땅 현대시의 철학적 층위 형성에 기여한 것으로 판단되기 때문이다. 그는 시의 방법 면에서도 반복을 일삼거나 상투성에 머물지 않고 지속적인 새로움 발견의 노력을 보여주었다. 날카로운 시적 직관은 물론이거니와 뒤집어 보기로서의 역설이나 패러디를 활용한다든지, 자세히 보기로서의 반어법과 다채로운 문장부호 채용 등 섬세한 시적 장치의 구사는 이러한 시적 자유의 실천으로서 창조정신을 반영한 것이 아닐 수 없다. 말하자면 정현종 시에서 언어의 자유로움은 바로 상상력의 자유로움을 의미하며, 이것은 결국 정신의 자유로움과 그 탄력성을 반영한다고 하겠다.

다만 그의 시는 전체적인 면에서 사회학적 상상력의 층위가 현저히 결여되어있다는 점이 아쉬운 점으로 받아들여진다. 자유의 본성에서 그 중요한 한 측면이라 할 사회성의 요소가 그의 깊이 있는 내면성의 자유와 탄력 있게 길항하는 데서 보다 완성된 자유의 이념적인 모습을 발견할 수 있기 때문이다. 아울러 부분적인 면에서는 요설적인 표현 또는 언어유희적인 요소가 발견된다는 점이 아쉬운 일로 생각된다. 기성언어와 관념의 고정된 틀을 깨뜨리려는 의도적인 노력이 때로는 난해성이랄까 경박한 느낌을 유발하는 것도 사실이기 때문이다. 아울러 감수성의 서구편향성 내지 현학적 취향도 비판할 수 있을 것이다.

그럼에도 불구하고 정현종의 시는 끊임없이 사물과 인간의 현상과 본질을 꿰뚫어 보려는 노력을 통해서 자유에의 길, 생명에 대한 사랑의 노력을 보여주었다는 점에서 의미를 지닌다. 고통의 축제로서 삶의 한가운데에 서서, 물질의 무게, 운명의 질곡을 덜어내려 끈질기게 노력함으로써 그의 시는 정신의 가벼움을 획득해가는 치열하면서도 아름다운 고뇌의 과정을 보여주고 있는 것으로 판단되기 때문이다.

(『작가세계』, 1990, 9)

유안진, 고향찾기와 맨발의식 또는 자유에의 길

머리말

"눈오는 밤에는/집을 짓고 싶습니다/내 믿음의 크기로/한 채의 예배당을/사랑의 하나님/귀하신 이름은/눈 오는 밤에/눈물로 오시는 분"(「눈오는 밤의 기도」)이라면서 허망한 지상의 삶 속에서 영혼의 따스한 집 한 채 짓기를 갈망하는 시인 유안진(柳岸津, 1941~), 그는 1965년 데뷔한 이래 한국의 고유 정서와 가락을 바탕으로 삶과 존재의 문제를 지속적으로 탐구해 온 개성적인 시인의 한 사람이다.

그는 시집 『달하』를 비롯하여 『절망시편』, 『날개옷』, 『그리스도 옛애인』, 『쑥대머리 윌령가』 등을 펴낸 중견 시인으로서, 또 『우리를 형원케하는 것은』이라는 베스트셀러 수필가로서, 『바람꽃은 시들지 않는다』 등의 소설을 쓴 문인으로서, 또한 무게 있는 연구서를 내고있는 중진 아동학 교수로서 유안진 시인은 우리에게 널리 또 친숙하게 알려져 있는 사람이다. 그렇지만 유 시인은 이러한 장르선택의 다양성과 대중적인 명성들로 인해 오히려 시인으로서의 본 의미가 가려지고 시적 가치 또한 폄하돼 온 감이 없지 않은 불행한(?) 시인이기도 하다. 대체로 정신의 순일성이나 장르의 단일성 또는 지사적 품격을 선호하는 심의 경향을 지닌 우리의 문학 풍토에 비추어 이러한 장르선택의 다양성과 세속적 성공이란 어느 면에서 과욕으로 여겨지거나 대중에의 영합이라는 비판을 받기 쉬운 것이 사실이다. 실상 이러한 비판은 충분히 근거를 지닐 수 있다고 하겠다. 오늘날과 같이 상업주의와 대중문화가 판치는 인간 상실의 시대에 이러한 대중적 인기와 명성은 오히려 허위 속에서 진실을, 절망 속에서 구원을, 슬픔 속에서 힘을, 어둠 속에서 한오라기 희망을 추구하는 것을 숙명적인 업으로 하는 시인 정신에 비추어 볼 때 아쉬운 것이고 또 때로는 부정적인 것으로서 역기능을 야기할 수 있는 것으로 판단되기 때문이다.

그러나 또 한편 생각해 보면 시인에게 있어 장르선택이란 개인적인 자유 영역에 속하며 독자들을 많이 확보하고 있다는 것 자체가 크게 탓할 바가 아니다. 문학이란 창작하는 보람 이상으로 뜻있는 독자들이 많이 읽어주는 데서 의미를 지닐 수 있기 때문이다. 다만 문제가 되는 것은 그러한 다수의 문학 장르 선택 자체가 아니라 그러한 문학이 높은 문학성과 예술적 가치를 제대로 확보하고 있는가 하는 데 쟁점이 달려 있다고 하겠다.

이 점에서 30년 가까운 유안진 시인의 시적 역정에서 이제 지천명에 이르러 펴내는 열 번째 시집 『구름의 딸이요, 바람의 연인이어라』는 유안진 시의 의미를 구명하고 가치를 판단하는 데 하나의 시금석으로 작용할 것이 분명하다. 이에 소략하게나마 유 시인의 시세계를 살펴보기로 한다.

1. 추위와 어둠 또는 비관적 생의 인식

유안진의 시에서 두드러지는 한 특징은 삶을 어둠과 추위 또는 고통과 슬픔으로 바라보는 비관적인 생의 인식이라 할 수 있다.

① 나 혼자서 정리하고
　나 혼자서 용서하며

　얼었다가 풀렸다가
　한겨울도 깊어갑니다

　비바람이건 눈보라이건
　나혼자의 미친 짓입니다

　　　　　　　　　　　　　—「겨울사랑」 전문

② 벌 받는다 벌 받는다
　내 누구를 그리도 미워해서
　목뼈가 어긋나도록 어금니 앙다물어
　처음 들어보는 귀설은 서양병이름
　되로 주고 말로 받아 아파서 갚으란다

　　　　　　　　　　　　　—「목 디스크」 전문

　시집 『구름의 딸이요 바람의 연인이어라』에는 추위와 어둠으로서의 겨울 의식이 지속적으로 분출되고 있으며 아픔과 슬픔이 짙게 깔려 있어 관심을 환기한다. 말하자면 비관적인 현실 인식 또는 비극적인 세계관이 관류하고 있다는 뜻이다.

　먼저 시 ①에서는 삶이란 "얼었다가 풀렸다가/한겨울도 깊어갑니다"와 같이 하나의 겨울 상징으로 제시된다. "나 혼자서 정리하고/나 혼자서 용서하며//비바람이건 눈보라이건/나 혼자의 미친 짓입니다"라는 구절에서 보듯이 온갖 갈등과 방황, 외로움과 슬픔으로 뒤엉키며 살아가는 삶의 모습을 통해서 결국 단독자로서 일회적 인생을 살 수밖에 없는 삶의 비극성 또는 운명성을 드러내고 있는 것이다.

　시 ②는 육신을 지니고 살아갈 수밖에 없는 인간 조건의 숙명성을 예리하게 형상화한다. "벌받는다 벌받는다/되로 주고 말로 받아 아파서 갚으란다"와 같이 육신을 지니고 살아가기에 어쩔 수 없이 겪게 된 목디스크를 통해서 인간 조건으로서의 병고 체험을 드러내는 것이다. 삶이란 어차피 끝없는 아픔과 슬픔, 미움과 힘겨움의 되풀이로 전개되어 가는 것이기 때문에 비극성 또는 운명성을 지닐 수밖에 없다. 그러므로 시집에는 비극적 세계관이 짙게 깔려 있는 것으로 받아들여진다.

> 너무 쉽게들 말하는
> 반백 년을 살고보면
> 어디서나 민망하다
> 누구에게나 미안하다
> 아무때나 죄스럽다
>
> 그럼에도 또 한켠은
> 분하다
> 억울하다
>
> 등허리가 휘어진 주름살 골골이
> 희끄무레 회뿌옇게
> 소금꽃만 자욱하다
>
> 너무 쉽게들 말하는
> 반 백년살쯤 되고 보면
> 서말가옷 남짓한 소금꽃밖에 없다
> 쓰다 달다 시다 떫다……도
> 짠맛 하나로 가늠하라는가

—「소금꽃」전문

이 시에는 삶의 신산함이 '소금꽃'으로 표상되어 있다. 삶이란 "어디서나 민망하다/누구에게나 미안하다/아무때나 죄스럽다//그럼에도 또 한켠은 분하다/억울하다"와 같이 온갖 부끄러움과 미안함, 죄스러움과 분함, 억울함 등의 온갖 감정이 뒤엉키는 모습으로 제시된다. 그렇기에 '짠맛' 하나로밖에 가늠할 수 없는 무수한 가난과 풍상의 연속일 수밖에 없으며, "등허리가 휘어진 주름살 골골이/희끄므레 희뿌옇게/소금꽃만 자욱하다"라는 구절처럼 '소금꽃'의 형상성을 지닌다. 삶을 고통으로 바라보는 비극적 세계관이 짙게 깔려 있는 것이다. 비극적 세계관이란 무엇이던가? 한마디로 그것은 세계와 불화함으로써 단절과 소외를 절감하는 일이며, 운명론적 비극성으로서 삶과 세계를 바라보는 태도라고 할 수 있다. 그렇다면 육신의 병고를 운명으로 껴안고 살아갈 수밖에 없다는 비관적 인식이나 세상을 고통과 신산함으로 바라보며 살아가야만 하는 태도가 바로 비극적 세계관의 한 반영이라고 할 수 있지 않겠는가. 그렇다! 유안진의 시세계에는 삶의 모순성이나 비극성에 대한 운명론적 인식이 끊임없이 지속되고 있으며, 특히 지천명(知天命)으로서 한고비를 넘겨 가고 있는 생의 시점에서 이러한 비극적 세계관이 더욱 틀 잡혀가고 있는 모습이다. 바로 시집『바람의 딸이요 구름의 연인이어라』는 이러한 비극적 세계관이 첨예하게 드러나 있다는 점에서 관심을 환기한다고 하겠다.

2. '맨발의식' 또는 자아의 원상과 마주하여

그러므로 시집『구름의 딸이요 바람의 연인이어라』에는 운명과 마주 서 있는 자로서의 자신에 대한 적나라한 자기성찰과 쓰라린 자기 확인이 드러난다. 한마디로 우리는 그것을 '맨발의식'이라는 상징어로 불러 볼 수도 있으리라. 시집에는 고단한 삶에 대한 안쓰러운 성찰과 함께 삶의 신산함에 대한 뼈아픈 통찰이 제시되어 있는 것으로 해석되기 때문이다.

무엇을 신었어도
늘 맨발이었다
맨발처럼 민망스럽고
맨발처럼 당당했다

등뼈가 휘어지도록 반백년을 걷고 걸어
닳고 닳은 발바닥은 못과 굳은 티눈
발톱은 잦아지고 발가락들 일그러져
그물 힘줄 앙상한 발등뿐인 내 두 발아

무엇을 신겨봐도
아직도 맨발이다
맨발처럼 시리다 저리다
맨발처럼 쥐가 난다

—「맨발」 전문

마을 앞 개울물에서
노냥 맨발로 놀던 나는
오런 붉은 물봉숭아
단발머리 계집아이였지

그때는 몰랐어라
자라서도
늙어가면서도
그때 그대로의 맨발될 줄은

—「물봉숭아」 전문

시「맨발」에는 지천명(知天命)에 접어들면서 느낄 수밖에 없는 삶의 본모
습에 대한 통렬한 성찰과 확인이 담겨 있다. 등뼈가 휘어지도록 반백 년을 걷
고 걸어왔기에 발바닥은 닳고 닳아서 못이 박히고, 발톱은 잦아지고, 발가락

도 일그러져 있으며 그물 힘줄만이 발등에 드러나 있는 앙상한 모습인 것이다. 그만큼 삶이란 가도 가도 추위와 어둠뿐이라는 비관적 인식이 '맨발'로서 표상되어 있다고 하겠다. 삶의 온갖 고달픔이며 괴로움, 슬픔과 적막함, 부끄러움과 외로움 등이 맨발의 형상으로 제시됨으로써 자아의 원상과 마주 선 자의 처절한 자기 확인이 드러나 있는 것이다. "무엇을 신었어도/늘 맨발이었다/무엇을 신겨봐도/아직도 맨발이다"라는 구절 속에서 어둠과 추위 속에 맨발로 살아갈 수밖에 없는 운명적 존재, 한계적 존재로서의 인간의 본질에 대한 뼈아픈 인식이 담겨 있음이 분명하다. 그것은 바로 단독자로서 삶을 살아가야 하는 고독의 존재성에 대한 인식이며 일회적 인생으로서의 허무적 존재성에 대한 확인이라고 할 수 있기 때문이다. 시 「물봉숭아」에서 "마을 앞 개울물에서/노냥 맨발로 놀던 나"와 "그때는 몰랐어라/자라서도/늙어가면서도/그때 그대로의 맨발될 줄은"이라는 구절을 병치한 것도 이러한 맨발의 형상이 바로 절대고독과 절대 허무로서 삶의 본질에 해당한다는 깨달음을 서정적으로 드러낸 것이 된다. 따라서 이러한 맨발의식은 삶의 본질로서 자유에로 근접해 가게 된다.

　　　맨발로 걸어왔네
　　　좁은 두 어깨에 검붉은 불안만 무겁게 짐지고
　　　가시밭이든 돌자갈밭이든
　　　떠밀려도 끌려가도 맨발이었네

　　　애매모호했던 내 젊은 날의 야망들
　　　그 무수한 집착과 편견의 비단구두들
　　　보란듯이 우쭐대며 신겨보고 싶어서

　　　지나침과 모자람을 거듭하며
　　　싯누런 낭패와 객적은 성취

그 어느 것도 부끄럼뿐인 줄을
이제야 제대로 알았다네

아니 아니라
어느 인생인들 맨발이 아니었으랴
그러므로 부끄러울 것도 자랑할 것도 없어라
오오 늙는다는 것이여 자유로와짐이여
—「맨발로 걸어왔네」 전문

　이 시는 이러한 '맨발'이 삶의 의미를 비춰보는 하나의 거울로서의 상징이
자 객관적 상관물에 해당한다는 점을 말해준다. 삶이란 불안만 무겁게 짐 지
는 일이며 맨발로 돌아갈 가시밭을 가는 일이고, 그렇기에 온갖 집착과 편견,
미망과 방황으로 가득차 있는 것이고 부끄러움을 절감하며 살아갈 수밖에 없
는 일에 해당한다. 그만큼 이 시에는 고달픔으로서의 삶에 대한 자각과 함께
부끄러움으로서의 삶에 대한 인식이 제시되어 있는 모습이다. 그렇지만 이
시에는 그러한 맨발이 바로 삶의 본모습이며 동시에 인간 본질로서 자유에로
의 다가감이라는 데 대한 깨달음을 드러내고 있어서 관심을 환기한다. "아니
아니라/어느 인생인들 맨발이 아니었으랴/ 그러므로 부끄러울 것도 자랑할
것도 없어라/오오 늙는다는 것이여 자유로와짐이여"라는 마지막 연에는 맨
발로서 삶의 보편성에 대한 성찰과 함께 그것이 바로 삶의 본질이자 고향으
로서 귀환에 다름아님을 강조하는 뜻이 담겨 있다. 삶이란 애초부터 맨발이
었기에 추위와 어둠, 외로움과 고달픔, 고통과 슬픔, 부끄럼과 안쓰러움을 지
니고 살아갈 수 없을 것이 자명한 이치이다. 또한 인간이란 결국 맨발로 혼자
서 지상을 떠나갈 수밖에 없는 존재이기에 절대고독과 절대 허무 또한 자유
의 또 다른 이름에 해당할 뿐이다. 그렇기에 '맨발'로서 자아의 원상을 확인하
고 그 고독과 허무를 운명의 얼굴로서 새삼 확인하게 되는 순간에 시인은 삶
의 본질로서 자유에 대한 깨달음과 함께 그 편안함과 따뜻함을 절감하게 될

것이 분명하다.

결국 '맨발'은 오랜 자아 성찰의 과정에서 마침내 확인하게 된 삶의 본모습이며 운명의 표상성에 해당한다. 그러므로 자아의 원상 또는 운명의 얼굴을 들여다본 자로서의 부끄러움과 함께 당당함을 확보하게 되는 것이다. 바로 여기에서 유안진 시의 한 미덕이 드러난다. 그것은 인간 조건으로서 끊임없이 엄습하는 불안과 허무, 고독과 고달픔에 맞서 싸우면서 자기를 발견해가고 자기를 극복해 가려는 정신의 진솔함이 지속적으로 분출된다는 점이다. 자기성찰과 자기 극복의 과정에서 드러나는 정신의 치열성 또는 진솔성이 인간 본성과 맞닿는 데서 은은한 시적 감동을 불러일으킬 수 있는 것으로 이해되기 때문이다.

3. 고향찾기 또는 과거적 상상력의 의미

유안진의 시적 정서를 관류하는 하나의 특징은 잃어버린 것을 찾아서 또는 유소년회상의 과거적 상상력이 작용한다는 점이다.

① 쇠똥깔린
　모든 길은
　내 고향마을
　골목길이다

　질경이
　달개비……
　꼬맹이적
　맨발 동무들

　통통 튀며

쪼르르 달려와
소꿉장 먼저
놀재누나

—「쇠똥」 전문

② 디스크통증 달래주는
안락의자가 있었으면

엉덩이만 둘러대면
편히 안겨 단잠 들던 무르팍

그리웁고 그리워라
내 할머니 무릎의자여

—「무릎의자」 전문

　　인용시 ①에는 유소년시절에 대한 회상이 그리움의 정서로 표출되어 있다.
일반적으로 유소년시절이란 자아와 세계가 화해를 이루면서 온갖 꿈이 아름
답게 수놓여지는 낙원 지향적 삶의 원형성을 지닌다. 그렇다면 왜 지천명에
접어들면서 시인이 새삼스럽게 유년 회상의 과거적 상상력으로 회귀하는 것
이겠는가? 정서의 퇴행현상인가, 아니면 또 다른 이유가 있을 것인가. 그 까
닭은 시 ②에 단적으로 나타나 있다. 현재의 삶이란 '디스크통증'이 상징하듯
이 불연속적인 모습으로 다가오기 때문이다. 즉 자아와 현실 사이에 단절이
가로놓여 있다는 뜻이다. 그렇기에 "편히 안겨 단잠 들던 무르팍//그리웁고
그리워라/내 할머니 무릎의자여"와 같이 지금은 잃어버린 그 시절에 대한 그
리움과 안타까움을 표출하게 된다. 현실의 불연속적 삶은 유소년 시절과 대
비되면서 그 잃어버린 꿈속에서 삶의 온전성 또는 총체성을 회복하고자 하는
내면의식을 형성하게 되는 것이다. 따라서 시집에는 잃어버린 시절의 상징으
로서 고향찾기가 다양하게 나타난다.

① 산맥보다 줄기찬 역사가 흐른다
　역사보다 깊푸른 숨결이 흐른다
　겨레의 질긴 탯줄 도도한 맥박이 뛰느니
　낙동강 칠백리

　푸른 산빛 흰 바위 골짜기를
　낭창히 울림하며 휘돌아치는 강가에서

　내 눈빛은 낙동강 수저물빛
　내 향기는 낙동강 물비릿내
　　　　　　　　　　　　―「낙동강의 이름으로」 부분

② 내고향 박실은 임하댐 깊은 물속
　내 살아서는 고향에 못돌아가리라고 그 뉘가 말했을꼬
　이제는 어쩔 수 없이 가슴 속에만 살아있는가
　　　　　　　　　　　　―「임하댐을 찾아와서」 부분

③ 그 거룩한 슬픔은
　어머님네 초상이다
　고향의 뒷모습
　고향 옛집 내음이다

　금이 가고 이도 빠져
　맵고 짠 생활
　제 맛잃은 검은 슬픔이다
　텅 빈 충만이다
　　　　　　　　　　　　―「장독대」 부분

　이 시편들에 드러나는 것은 시인의 고향이 낙동강가에 자리 잡은 안동 임하마을이라는 점이며 그와 함께 지금은 수몰돼 사라져버린 그곳 고향에 대한 그리움을 강렬하게 표출한다는 점이다. 먼저 시 ①은 고향마을을 감돌아 흐르는 낙동강이 바로 시인에게 있어 원형적 심상이 되고 있음을 말해준다. "내 눈빛은 낙동강 수저 물빛, 내 향기는 낙동강 물비릿내"와 같이 낙동강이라는 고향 심상을 통해 자아와 세계가 화해하고 통일을 이루는 것이다. 시 ②는 고향마을이 수몰돼서 이제는 돌아갈 수 없는 곳이라는 데 대한 안타까움을 드러낸다. 실제로 지금의 고향이 옛날 그곳은 아니지만, 그곳마저 지상 위에서 사라져 안타까움을 더해준다는 말이다. 시 ③에서도 고향 심상은 장독대와 어머님의 영상으로 다가온다. 그러나 그러한 것들은 지상에서 사라져버리고 "현실의 맵고 짠 생활/텅 빈 충만"만이 존재한다. 시인에게 있어 고향이란 어디에 있는가? 시인에게는 낙동강가 임하마을이 있을 것이며, 그보다 근원적인 육신의 고향인 어머니가 있을 것이다. 따라서 고향으로 돌아감은 바로 어머니에게로 돌아간다는 일과 등가를 이룬다. 이 점에서 유소년시절 또는 고향으로 돌아간다는 것은 따뜻하고 편안한 곳으로 돌아가고자 하는 소망을 반영해서 영원성 또는 자유에로의 귀환의지를 의미한다. 실상 인간에게 있어서는 삶의 끝인 죽음 자체가 영원의 입장에서 본다면 고향으로 돌아가는 영겁회귀의 일이며, 영원한 자유에로의 귀환에 해당하지 않겠는가!

이렇게 본다면 유안진에게서 과거적 상상력 또는 고향 회귀란 인간 상실의 현실에서 낙원 회복을 꿈꾸는 일이며 인간의 본질 찾기에 해당한다. 잃어버린 시간을 찾는 일로서 유소년회상과 고향 찾아가기란 결국 불구화된 현실 속에서 삶의 온전성을 회복하고 분열된 현실 세계에서 삶의 총체성을 확보하고자 하는 열린 꿈의 반영에 다름 아닌 것이기 때문이다. 이 점에서 유년 회상 또는 고향찾기로서 과거적 상상력에의 몰입이 현실 도피적인 요소가 있음에도 불구하고 순수함과 따뜻함의 세계를 통한 자기 극복과 구원의 요소를 지닐 수 있다. 그것은 현실의 불연속성에 기인하지만 야스퍼스가 말하듯이 근원적인 면에서 자아 회복을 통한 인간의 본질 찾기에 해당한다는 점에서 의미를 지닐 수 있기 때문이다.

4. 모순의 시, 존재론의 시

유안진 시에서 시를 이끌어가는 힘의 하나는 존재론적 역설 또는 모순의 에너지라고 할 수 있다. 그의 시에는 역설로서 존재의 본원을 탐구하고자 하는 열망과 함께 모순의 요소들이 서로 충돌하여 긴장력을 형성하고 있기 때문이다.

> 사랑은 모름지기 이별로서 완성되듯이
> 삶이란 것도 죽음으로 구원되는가
>
> 죽음 앞에 불려가 보고 나서야
> 진정 인간적이 될 수 있는가
>
> 나는 배운다 이 엄숙함을
> 까무라치듯 앓으면서 비로소 알아진다.
> ─「앓으면서 배운다」 전문
>
> 아닌 때
> 아닌 길에서
> 안 잊힌 얼굴이 스쳐갑니다
>
> 단 하나 남아 있는
> 소꿉동무를 반깁니다
>
> 밟혀서
> 더 잘 크던

촌 계집애 이름입니다.

—「민들레」 전문

　인용시에는 삶의 근원적인 속성이 잘 드러난다. 그것을 우리는 모순 또는 역설의 에너지라고 불러 볼 수 있으리라. 사랑이 모름지기 이별로서 완성된다든지 삶이 죽음으로 구원될 수 있다는 시적 진술 속에는 인간존재에 대한 모순의 인식이 자리 잡고 있는 것으로 판단되기 때문이다. 인간존재가 신성(神性)과 동물성의 중간자적 위치에 놓여 있다는 사실, 그리고 육신과 정신, 현실과 이상, 정열과 허무라고 하는 양면성으로 가득차 있다는 사실 자체가 바로 이러한 인간의 존재론적 모순성을 상징하는 것이 아닐 수 없다. 그렇기에 "나는 배운다/이 엄숙함을/까무라치듯 앓으면서 비로소 알아진다"라는 결구를 통해서 존재론적 인식의 근원에 도달할 수 있게 된다. 실상 시 「민들레」에서 "밟혀서/더 잘 크던/촌 계집애 이름입니다"와 같이 민들레를 시적 화자와 동일시하여 세상살이의 어려움을 드러내는 것도 바로 이러한 존재론적 모순의 진실을 형상화한 것으로 볼 수 있다.

노랑 에리자베스
분홍 조세핀
깜붉은 클레오파트라
독사의 몸둥어리
요부의 살 향기에
성처녀의 얼굴하고
가시나무 꽃이 핀다
장미 장미꽃

오묘한 모순으로 모순의 생리로

오직 눈부시고

오직 황홀하고
오직 기막혀서
다만당 감탄사일 뿐인
가시나무 꽃이 핀다 장미 장미꽃

사람도 사랑도 결국에는 장미같은
저주와 축복과 굴욕과 은총의 웃음 또는 울음

사랑하며 미워하고
미워하며 사랑하자
살고 싶어 죽고싶다 하고
죽고싶어 하며 살자
장미피는 6월에는 오묘한 모순으로
모순의 생리로

　　　　　　　　　　　　 ―「모순의 꽃 장미」 전문

　　이 시는 모순의 꽃 장미로서 인간존재와 삶의 모순성을 잘 묘파하고 있다.
이 시가 표면적으로 말하고 있는 것은 모순의 존재 장미이지만 내면적으로
뜻하는 것은 인간존재의 모순성이고 심층적으로는 모든 존재의 모순적 속성
이다. 다시 말해서 장미꽃은 미학적 형상성을 확보하기 위한 외피적 장치일
뿐 근원적으로 말하고자 하는 것은 모순의 존재, 역설의 존재로서 인간의 존
재론적 본질이며 그로 인한 삶의 어려움이고 고뇌라고 하겠다. 이 점에서 유
안진 시의 내면성을 관류하고 있는 원리의 하나를 우리는 생의 존재론적 탐
구라고 할 수 있으리라. 그렇기에 시 「안녕!」에서는 삶의 순행원리가 시간적
존재론에 그 바탕을 두고 있음을 강조하게 된다.

　　안녕! 이 한마디는
　　헤어짐의 끝인사이자 만남의 첫인사

그러므로 한 장의 연하장은 두 해의 겹친 예의
이별이 곧 만남의 뜻이며
마지막은 언제나 시작이 되는 줄을 아노니
슬퍼하지 말자
기쁨이야말로 슬픔에서 태어나고
한해가 저물어야 새해가 열릴지니
……중략……
오묘하고 절묘해라
이별로서 만남은 준비가 되는 법
따라서 그 어떤 슬픔도 반드시 기쁨의 시작이 되는 섭리여 올해도
헤어짐의 인사로 가슴설레이며 새해를 맞이하는
오오 틀림도 어김도 없음이여

—「안녕!」 전문

　본 시집에서 가장 아름다운 시의 한 편인 이 작품은 만남과 헤어짐, 탄생과
죽음, 생성과 소멸이라고 하는 보편적인 존재의 원리와 법칙을 형상화하고
있다. 인간을 포함한 수많은 사물에 있어 그 존재론적 법칙은 바로 이러한 생
성과 소멸, 소멸과 생성이라고 하는 보편적 원리 위에 놓여진다는 "이별이 곧
만남의 뜻이며/마지막은 언제나 시작이 되는 줄을 아노니/슬퍼하지 말자/기
쁨이야말로 슬픔에서 태어나고/한해가 저물어야 새해가 열릴지니"라는 구절
속에는 시간 안에서 태어나서 온갖 모순의 시간 속을 살아가다가 마침내 시
간의 밖으로 사라져버리고 마는 인간존재의 본성에 대한 날카로운 투시가 깃
들어 있음이 분명하다. 바로 이 점에서 유안진의 시가 존재론적 서정시의 내
질을 확보하고 있음을 확인할 수 있게 된다. 아울러 이러한 내면성을 더욱 심
화하고 존재론적 탐구를 지속해가는 데서 유안진 시의 지평이 더욱 열려 갈
수 있음을 발견하게 된다.

5. 사랑의 정신 또는 자유에의 길

그렇다면 유안진의 시가 궁극적으로 지향하고 있는 세계는 무엇일까? 우리는 앞에서 그의 시가 실낙원의 시대에 낙원 회복을 갈망하는 시이며 존재론적 생의 탐구를 바탕으로 하고 있음을 살펴보았다. 따라서 그의 시적 지향은 이러한 인식의 지평에서 드러날 수 있다. 그것을 한마디로 사랑의 정신 또는 자유에의 길이라고 요약해 볼 수는 없을 것인가.

  ① 넘어오는 언덕길로 옷자락이 보인다
    아릿아릿 아지랑이떼
    건너오는 다릿목께서 목소리가 들린다
    귀에 익은 냇물소리
    접어드는 골목마다 담장 짚고 내다보는
    개나리 진달래 덜 핀 목련꽃
    바쁜 혼담이 오가기 전에 벌써
    곱고 미운 사랑이 뿌린 눈물을
    알면서도 시침떼는 민들레 피는 마을

    나는 사랑한다
    겨울 다음에 봄이 오는
    어머니와 나의 나라
    우리 마을을 사랑한다
                  —「나는 사랑한다」 전문

  ② 한오십 년 살고보니
    나는 나는 구름의 딸이요 바람의 연인이라
    눈과 서리와 비와 이슬이
    강물과 바닷물이 뉘기 아닌 바로 나였음을 알아라

수리부엉이 우는 이 겨울도 한밤중
뒷뜰 언 밭을 말달리는 눈바람에
마음헹구는 바람의 연인
가슴 속 용광로에 불지피는 황홀한 거짓말을
오오 미쳐볼 뿐 대책없는 불쌍한 희망을
내몫으로 오늘 몫으로 사랑하여 흐르는 일
⋯⋯중략⋯⋯
끊임없이 떠나고 떠도는 것이다
멀리 멀리 떠나갈수록
가슴이 그득히 채워지는 것이다
하늘과 땅만이 살 곳은 아니다
허공이 오히려 살 만한 곳이며
떠돌고 흐르는 것이 오히려 사랑하는 것이다

돌아보지 않으리
문득 돌아보니 나는 나는 흐르는 구름의 딸이요
떠도는 바람의 연인이어라

—「자화상」 전문

　이 두 편의 시에는 유안진 시의 지향점이 선명히 드러난다. 그 하나가 사랑
의 정신이며 다른 하나가 바로 자유지향성인 것이다. 이러한 사랑과 자유야
말로 유안진 시의 기본 형질이면서 동시에 궁극적인 지향점이 된다. 실상 그
의 시가 끊임없는 모순과 갈등, 방황과 갈망으로 가득히 출렁이고 있는 것도
이러한 사랑과 자유를 회복하고 스스로의 삶 속에서 체현하기 위한 오뇌의
과정을 반영한 것이라 해석할 수 있다.
　먼저 시 ①에는 사랑의 정신이 담겨 있다. 그것은 고향상징으로 나타난다.
앞에서도 살펴보았듯이 고향이란 편안함과 따뜻함으로 인해서 인간이 태초
의 시간으로 회귀함을 의미한다. 이러한 고향의 편안함과 따뜻함이란 바로

자유로움에의 안김을 뜻한다. 이 점에서 고향을 그리는 마음이란 바로 근원으로 돌아가고자 하는 마음이며 자유로 귀환하고자 하는 갈망의 반영이 아닐 수 없다. 아울러 고향이란 모든 인간에게 운명적인 요소에 해당한다. 육신이 태어난 고장으로서의 고향이나 영육의 고향으로서의 어머니는 두 가지가 다 포괄적으로 운명성을 상징하기 때문이다. 그렇기에 근원적인 고향을 그리는 마음이란 바로 자유에로 귀환하려는 의지이며, 동시에 운명을 긍정하고 껴안으려는 운명에의 몸짓에 해당한다. 바로 이 점에서 고향을 그리고 갈망하는 일이란 원초적인 운명과 운명에 속한 것들을 껴안으려고 하는 사랑의 정신을 반영한다고 하겠다. "나는 사랑한다/겨울 다음에 봄이 오는/어머니와 나의 나라/우리 마을을 사랑한다"라는 결구에는 봄과 어머니로 표상되는 평화에의 갈망 또는 사랑의 철학이 담겨 있는 것으로 해석되기 때문이다.

한편 시 ②에는 삶의 본성으로서 자유에 대한 깨달음과 함께 영원한 자유에의 갈망이 표출돼 있다. 한마디로 그것을 우리는 존재의 투명함 또는 가벼움에 대한 갈망과 지향이라고 표현해 볼 수도 있으리라. "나는 나는 구름의 딸이요 바람의 연인이라"는 구절 속에는 바로 이러한 존재의 가벼움 또는 투명성을 갈망하는 시인의 영혼이 요약적으로 상징화되어 있는 것이다. 그것은 구름이 상징하는 가벼움 또는 고독의 속성을 나타내는 동시에 바람이 뜻하는 투명함 또는 허무의 본성과 예리하게 접합되어 있는 것으로 해석할 수 있기 때문이다. 사실 생각해 보면 육신을 지닌 존재로서 인생이란 운명적인 인간 조건으로 인한 온갖 질곡과 억압에 시달릴 수밖에 없는 게 이치이다. 그렇기에 Bergson이 말했듯이 인생이란 그러한 질곡과 억압의 무게에서 벗어나 끊임없이 자유로워짐으로써 인간의 본성에 도달하고자 몸부림치는 과정이라고 할 수도 있으리라. 바로 이 점에서 유안진 시의 한 보편성이 드러난다. 그것은 "구름의 딸이요/바람의 연인이라"라는 구절이 상징하듯이 모든 인간이란 바로 근원적인 면에서 고독과 허무의 존재이며, 동시에 본질적인 면에서 자유에 대한 갈망과 지향을 지니기 때문이다. 특히 "떠돌고 흐르는 것이 오히려 사랑하는 것이다"라는 잠언적인 구절 속에는 떠돎과 흐름으로서의 인생의 본질이 바로 자유와 사랑에 놓일 수 있음을 핵심적으로 드러낸 것이라고 하겠다. 사랑을 잃고 시는 인간 상실의 시대에 사랑을 찾아 헤매는 고독한 순례자의 모습, 온갖 기계문명과 상업주의의 홍수 속에서 노예처럼 살아가는 현대에 자유를 찾아 떠나는 자유인의 초상이 바로 "구름의 딸, 바람의 연인"으로 형상화되어 있는 것이다.

맺음말

이렇게 보면 유안진의 시집 『구름의 딸이요 바람의 연인이어라』는 유안진의 시가 새로운 전환기에 접어들고 있음을 보여주는 한 증표가 된다. 시집 『쑥대머리 월령가』 등에 이르기까지 오랫동안 지속되던 고전 정서와 전원적 심상들이 현존재로서 실존에 대한 꾸준한 자기성찰과 자기 구원에 대한 오뇌 및 새로운 열망으로 변모해가고 있는 것으로 이해되기 때문이다.

이 점에서 어느 면 전통주의 내지 보수주의에 안존함으로써 다분히 추상화되고 관념화되어 있던 유시인의 시세계가 현실적인 역동성을 획득하기 시작한 것으로 해석할 수도 있을 것으로 보인다. 다분히 지금까지의 시가 '고여 있는 시'로서의 요소가 부분적으로 있었다면 이번 시집에서는 '움직이는 시'로서 역동적인 변모를 성취해가고 있다는 뜻이다. 따라서 유안진의 시는 완료형이 아니라 진행형이며 미완의 요소를 지니는 것으로 판단된다.

지금까지 그의 시에 산견되던 단점들, 즉 설명적인 요소라든가 감정의 과장성, 그리고 형태의 구조적 긴장력 및 탄력성의 아쉬운 점 등이 이번의 시집에서도 완전히 극복되고 있지 못한 것은 사실이다. 그럼에도 불구하고 유안진의 시는 독자들을 편안하고 따뜻하게 만들어 주는 시의 미덕을 지니고 있는 것도 사실이라 하겠다. 그의 시에는 우리가 고단한 현대적 삶 속에서 잃고 살아가는 고향의 편안함과 따뜻함이 살아 숨 쉬고 있으며 인간적인 생명력과 사랑에의 갈망 그리고 자유에의 지향성이 유려한 가락으로 물결치고 있기 때문이다.

이제 유안진의 시는 하나의 전환점에 놓여 있는 것이 분명하다. 훌륭한 시인이란 끊임없이 고정돼 가는 자기를 깨뜨리고 새로운 모험의 세계에 도달하려는 몸부림을 보여주는 정신의 순례자이며 고독한 자유인을 말한다. 이 점에서 이제 등단 30년에 이르는 유 시인의 시세계가 보다 순일한 시정신과 치열한 시인 정신을 통해 훌륭한 시인으로 완성돼 가기를 희망한다.

(시집 『구름의 딸이요 바람의 연인이어라』, 시와시학사, 1993)

오탁번, 투명한 지성 또는 냉소주의

　오탁번은 일찍이 「순은(純銀)이 빛나는 이 아침에」(『중앙일보』 신춘문예, 1967)로 데뷔한 이래 20년 가까이 시작 활동을 계속해 온 역량 있는 중견 시인의 한 사람이다. 그는 시작 이외에도 동화『철이와 아버지』및 소설『처형의 땅』이 당선되어 동화작가 겸 소설가로서 문단의 각광과 주목을 받아온 바 있다. 그가 첫 시집『아침의 예언』을 상재한 것은 데뷔 후 7년만인 1973년에 이르러서이다. 여기에서 그는 주로 서정적 인식에 바탕을 둔 생명 감각과 이미지, 메타포 등 주지적 방법론의 천착에 힘을 기울였다. 특히 그가 60년대의 중요 동인지인『현대시』의 동인으로 참여하여 정신과 방법으로서의 언어문제를 집중적으로 탐구한 것은 그의 시가 형상적 견고성을 확보하는 데 긴요한 바탕이 되었다. 아울러 그가 학위논문으로 준비해 온 지용시(知容詩)의 연구는 그의 시정신이 서정과 지성, 정신과 방법의 조화를 성취하고 일정한 품격을 견지하는 데 적절한 자양분을 제공해 준 것으로 이해된다. 이번에 첫 시집 이후 10여 년 만에 새로운 출발을 기약하는『너무나 많은 가운데 하나』의 발간을 축하하면서 오탁번의 시세계를 간략하게 살펴보고자 한다.

1. 감각과 서정, 은유의 집

초기작을 수록한 『아침의 예언』에는 오탁번의 시적 출발에 있어서의 특징이 잘 드러나 있다. 그것은 그가 활동을 시작한 60년대 후반의 시단적 분위기 혹은 그가 참여한 『현대시(現代詩)』 동인의 시적 기류와도 상관관계를 지닌다. 다음 작품은 그 한 예가 된다.

> 눈을 밟으면 귀가 맑게 트인다.
> 나뭇가지마다 순은(純銀)의 손끝으로 빛나는
> 눈내린 숲길에 멈추어 선
> 겨울 아침의 행인(行人)들
>
> 원시림(原始林)이 매몰될 때 땅이 꺼지는 소리,
> 천년(千年)동안 땅에 묻혀
> 딴딴한 석탄(石炭)으로 변모하는 소리,
> 캄캄한 시간(時間) 바깥에 숨어 있다가
> 발굴(發掘)되어 건강한 탄부(炭夫)의 손으로
> 화차(貨車)에 던져지는,
> 원시림(原始林) 아아 원시림(原始林)
> 그 아득한 세계(世界)의 소리.
>
> 이층방(房) 스토브 안에서 꽃불 일구며 타던
> 딴딴하고 강경(强硬)한 석탄(石炭)의 발언(發言)
> 연통을 빠져나간
> 뜨거운 기운은
> 겨울 저녁의
> 무변(無邊)한 세계(世界) 끝으로 불리어 가
> 은빛 날개의 작은 새,
> 작디 작은 새가 되어

나뭇가지 위에 내려앉아
해뜰 무렵에 눈을 뜬다.
눈을 뜬다.
순백(純白)의 알에서 나온 새가 그 첫 번째
눈을 뜨듯.

구두끈을 매는 시간만큼 잠시
멈추어선다.
행인들의 귀는 점점 맑아지고
지난 밤에 들리던 소리에
생각이 미쳐
앞자리에 앉은 계장이름도
버스 스톱도 급행번호도
잊어버릴 때 잊어버릴 때,
분해된 해를 순금(純金)의 씨앗처럼 주둥이 주둥이에 물고
일제히 날아 오르는
조용한 동작 가운데
행인들은 저마다 불씨를 분다.

행인(行人)들의 순수(純粹)는 눈 내린 숲 속으로 빨려가고
숲의 순수는 행인에게로 오는
이전(移轉)의 순간,
다 잊어버릴 때, 다만 기다려질 때,
아득한 세계(世界)가 운반(運搬)되는
은빛 새들의 무수한 비상(飛翔)가운데,
겨울 아침으로 밝아가는 불씨를 분다.
　　　　　　　　　　　　　　　　　　―「순은(純銀)이 빛나는 이 아침에」 전문

　이 시의 핵심은 눈과 석탄, 숲과 새의 유추에 놓여 있다. 그리고 겨울의 이미지가 그 중심에 자리 잡고 있다. 눈을 중심으로 하여 나뭇가지, 숲길, 원시

림, 석탄, 새, 스토브, 불씨, 귀, 해인, 화차 등의 보조 심상들이 어울려 겨울의 이미지를 조형하고 있는 것이다.

이 시에서 가장 돋보이는 것은 감각의 신선함과 섬세함이다. "눈을 밟으면 귀가 맑게 트인다/나뭇가지마다 순은(純銀)의 손끝으로 빛나는/눈내린 숲길에 멈추어 선/겨울 아침의 행인들"이라는 구절에서 볼 수 있듯이 시각과 청각, 촉각, 근육감각 등이 섬세하게 교직되어 감각 그 자체만이 아닌 생명의식으로의 고향을 감지할 수 있게 해준다. 이러한 감각적 유추에 의한 생명의식의 앙양은 다시 눈과 석탄의 결합에 의해 구체적인 관념의 육화를 얻게 된다. 눈과 석탄은 하늘과 땅과 땅속의 세계를 하나로 연결해 주는 서정성과 생명의식의 표상이다. 눈과 석탄은 흰색과 검은색, 차가움과 뜨거움, 가벼움과 무거움 등의 상대적 속성으로 인해 정신과 물질, 어둠과 밝음, 감성과 이성, 정염과 허무 등 양면성을 지니는 생(生)의 본질을 드러내 주는 것으로 보이기도 한다. 특히 눈과 석탄은 그것이 서정성과 생활성이라는 상대적 표상성을 내포함으로 해서 이 시가 단순히 감각시에 떨어지는 것을 제어해준다. 아울러 석탄이 지니는 열과 빛의 이미지는 눈과 겨울이라는 정지적 의미를 역동적으로 변화시킴으로써 겨울의 비극적 심상을 황홀한 아름다움으로 초극시키는 계기를 마련하게 된다. 이 시에 스토브, 꽃불, 연통, 불씨 등의 이미저리가 등장하여 생의 약동 또는 생명력의 분출을 유발하는 것은 이 점에서 자연스러운 일이다.

따라서 숲과 새의 이미저리가 등장하는 것은 당연하다. 숲이 눈의 이미저리 혹은 석탄의 이미저리와 연관되고, 마침내 새의 이미저리와 연관되게 되는 것이다. 숲은 눈이 내리는 하강의 공간이지만, 동시에 새가 날아오르는 상승의 터전이 된다. 또한 숲의 원시림은 석탄으로 변성되는 원초적 질료가 되고 이것이 다시 불로 변화한다는 점에서 하강과 상승, 상승과 하강, 소멸과 생성, 생성과 소멸이라는 인생과 자연의 원리를 눈과 석탄, 그리고 숲과 새의 비유를 통해서 제시한 것으로 이해된다. 아울러 겨울에서 봄으로, 다시 언젠가는 겨울로 되돌아가는 계절의 순환법칙을 통해서 인간과 대자연의 미세한 운행질서를 투시한 것으로 보인다. 이 시가 단순한 감각주의 혹은 기교주의에 함몰된 것으로 보는 것은 이 점에서 올바른 판단이 아니다. 오히려 서정적인 아름다움 속에서 인간과 세계의 원상을 섬세하게 투시하는 시범을 보여줌으로써 서정시의 한 전범이 돼 주는 것이다. 다음 시도 초기시의 특징을 잘 보여준다.

> 수은주(水銀柱)의 키가 만년필 촉 만큼 작아진 오전 여덟시
> 씽그의 드라마를 읽으려고 가다가 그를 만났다.
> 나는 목례(目禮)를 했다.
> 그는 녹슨 북을 두드리며 지나갔다.
>
> 나는 걸어가는 게 아니라, 자꾸 내 앞을 가로막는
> 서울의 제기동(祭基洞)의 겨울안개를 헤집으며 나아갔다.
> 개천의 시멘트 다리를 건너며
> 북을 치는 그를 생각해 보았다.
> 그냥 무심히 내 말을 잘 안들어 화가 나는 그녀를 생각하듯
> 그냥 무심히.
>
> 은이후니,
>
> 비극을 알리는 해풍(海風)의 문을 흔들고
> 버트레이가 죽고 그의 노모(老母)가 울고
> 막(幕)이 내린다. 씽그는 만년필을 놓는다.
> 강의실 창밖에 겨울 안개가 내리고
> 아침에 만난 그를 잠깐 생각하다가
> 커피집에 가는 오후약속을 상기했다.

말을 타고 바다로 내달리는

슬픈 사람들,
우리는 엘리제에서 커피를 마셨다
커피잔을 저으며 슬프고 가난한 시간(時間) 속으로 내달려 갔다.
아침의 그를 문득 생각해 보았다.

은이후니,

집으로 돌아오다가 석탄(石炭)처럼 검은빛
그를 다시 만났다.
길고 깊은 암흑을 파내어
아침부터 밤까지 골목을 내달리는
그에게 나는 목례(目禮)를 했다.

내 전신(全身)에 쌓인 암흑의 기류(氣流)를 파낼
그녀를 생각하며
나는 대문을 두드렸다.
은이후니
겨울저녁의 안개가 모호(模糊)한 우리의 어둠을 두드렸다.
　　　　　　　　　　　　　　　　—「굴뚝 소제부(消除夫)」 전문

　이 시에는 온갖 괴로움과 외로움으로 뒤채이던 젊은 날의 안타까운 사랑과
서글픈 애수가 투명하게 그려져 있다. 역시 겨울이 시간 배경으로 되어 있는
점이 매우 시사적이다. 겨울이라는 계절이 내포하는 추위와 어둠, 그리고 봄
을 고대하는 안타까운 심정 등의 상징성은 젊은 날의 영혼의 모습과 흡사하
기 때문이다.
　무엇보다도 '굴뚝 소제부'를 시적 인물로 등장시킨 것은 상징적이다. 겨울
을 '굴뚝'이라는 어둠의 시각 이미지와 '녹슨 북'이라는 청각 이미지를 결합하

여 표상한 것은 적절한 일로 이해되기 때문이다. 아울러 '겨울 안개'의 이미지를 중첩시킴으로써 투명하게 얼어붙은 겨울의 대기와 애수 어린 심리상태를 효과적으로 드러내게 된다. 또한 씽그의 희곡, 『바다로 간 기사(騎士)들』을 에피소드로 삽입한 것도 시의 비극적 아름다움을 고조시키는 데 한몫을 한다.

여기에서 한 가지 간과하기 어려운 것은 퍼스나의 세계를 바라보는 시선이 근원적인 면에서 비관적인 것 또는 절망적인 것으로서의 어두운 색조를 띤다는 점이다. "우리는 엘리제에서 커피를 마셨다/커피잔을 저 슬프고 가난한 시간(時間) 속으로 내달려 갔다"라는 한 구절처럼 생(生)의 색깔을 커피의 그것처럼 암갈색의 어두운 색조로 받아들이는 것이다. '커피잔'은 생의 피곤과 우울, 그리고 권태와 애수가 깃든 심정적 상관물로 이해되기 때문이다. 그렇다면 산다는 것은 이 시에서 어떻게 파악되고 있는가, 그것은 아마도 퍼스나가 애인을 만나 커피잔을 휘젓는 일이거나, 아니면 굴뚝 소제부가 굴뚝을 소제하는 일과 다름아니다. 그것은 반복과 지속, 그리고 중단과 변화라는 흐름의 원리를 지닌다. "길고 깊은 암흑을 파내어/아침부터 밤까지 골목을 내달리는 그"로서의 굴뚝 소제부의 모습은 어둠과 추위의 미로 속을 떨며 헤매는 피 나의 대리자아가 될 수도 있기 때문이다. 이 점에서 굴뚝 소제부를 등장시켜 '어둠'과 '북소리'의 이미지를 통해 겨울의 모습을 조형하고, 이것을 젊은 날의 모습과 연결시킨 것은 성공적인 일이 아닐 수 없다. 또한 '은이후니'의 반복을 통해 젊은 날의 끝없는 그리움과 갈증을 형상화한 것도 적절한 일로 판단된다. 겨울 저녁의 안개는 젊은 날의 알 수 없는 삶의 모습과 호응되며 사랑 또한 그러한 것으로 해석되기 때문이다. 이렇게 볼 때 이「굴뚝 소제부」는 오탁번의 초기시에 짙게 흐르던 비관적 세계인식을 낭만적인 서정으로 형상화한 대표적인 한 작품으로 이해된다. 그의 초기시에는 또한 언어에 대한 집중적인 관심을 기울이고 있는 점이 주목할 만하다.

① 외출(外出)의 발끝에 내리는 겨울 흰빛 휴지부(休止符),

공상(空想)을 한 컵 마시고 나온 나를
세종로 한복판에 토(吐)해 놓고
버스는 시간(時間)의 선로(線路) 위로 달아나 버렸다.

② 연안(沿岸)의 겨울 아침을 헤치며
당신의 선박은 모호(模糊)를 싣고 왔지
출항(出航)하는 나의 선박
아침마다 눈을 뜨는
우리는 연안의 긴 모래톱을 달려
대탄(對炭)으로 배를 띄웠지

①은 「강설(降雪)」, ②는 「겨울연가(戀歌)」의 서두 부분을 인용한 것이다. 이러한 '강설'이나 '겨울'의 이미지는 60년대 후반에 유행하던 끄리쉐에 속하지만, 여기에서 구사한 은유는 독창적인 것으로 볼 수 있다. '외출의 발끝/겨울 흰빛 휴지부/공상을 한컵 마시고/시간의 선로/연안의 겨울/당신의 선박/동량의 모호를 싣고/연안의 긴 모래톱' 등의 은유는 50년대 시에서는 보기 어려운 종류에 속한다. 이른바 『현대시(現代詩)』 동인들의 특징인 은유의 그물을 짜놓은 것이다. 이것이 성공적인 것인가 하는 여부는 차치하고서라도, 시가 기본적인 면에서 언어로 쓰여지며 이 언어의 문제가 현대시에서 가장 핵심에 놓여진다고 하는 생각이 시적 사고의 바탕에 깔려 있다는 점은 의미 있는 일이 아닐 수 없다. 실상 이러한 다양한 은유형태의 구사와 참신한 이미지의 창출은 오탁번의 시가 견고한 예술적 형상력을 확보하는 데 밑바탕이 된 것으로 이해된다는 점에서 중요성이 놓여진다.

이처럼 오탁번의 초기시는 대체로 젊은 날에 있어서의 생(生) 또는 사랑의 문제와 관련되면서 생의식과 생명감각을 신선한 이미지와 섬세한 감각, 그리고 예리한 비유로 형상화했다는 특징을 지닌다.

2. 현실풍자 또는 냉소주의

초기시편들을 관류하던 낭만적 서정과 신선한 감각 그리고 섬세한 메타포어 등은 젊은 날의 정신적 기류를 반영한 것으로 이해된다. 그러나 현실과 삶에 대한 친화력이 강화되면서 오탁번의 시는 현실에 대한 날카롭고 예리한 관심을 드러내게 된다.

> 그대는 아는가, 개똥참외를
> 참외를 씨채 먹은 사람이
> 오 하느님 당신의 양이 그 참외를 먹고
> 된똥을 누면 참외씨는 무슨 보석인양
> 빛나며 대지에 떨어져서,
> 수캐든 암캐든 운수좋은 날의 개가 그 똥을 먹고,
> 들판을 달리며 달리며
> 교미도 붙고 별지랄 다 하고 나서 컹컹 짖으며
> 개똥을 눌 때까지
> 사람과 개의 밥통과 창자의 깊고 질긴 어둠을 헤치고
> 다시 나오는 씨앗
> 그 빛나는 자유가 흙에 묻혀서
> 또 그 가을과 겨울이 어둠을 지내고
> 이듬해 봄에 싹이 트는 진실을
> 들판에 돌언덕에 밭두럭에 자라는 개똥참외의
> 그 개같은 똥같은 참외같은 보이지 않게 기어다니는
> 비닐하우스에서 자라는 요즘 자유의 드넓은 높이를
> 아는가 모르는가
>
> —「개똥참외」부분

이 시에는 뒤틀린 현실을 마치 개똥참외처럼 덧없이 굴러다니며 살아가는 현대인과 그 삶의 모습이 풍자되어 있다. 먼저 그것은 왜곡되고 위장된 자유와

평화에 대한 야유로 나타난다. "비닐하우스에서 자라는 요즘 자유의 드넓은 높이를/아는가 모르는가/모를 것이야 오늘밤 그대의 냄새나는 화실에서/푸른 고름이 낭자한 그 냉소를 아이스크림처럼 빨며"라는 구절 속에는 온갖 허구와 기만으로 가득찬 현실에 대한 날카로운 풍자와 야유가 담겨 있는 것이다.

이러한 타락한 현실은 꼭 정치·사회적인 문제와 연관된 것만은 아니다. 그것은 오히려 인간을 인간답게, 편하게 살지 못하게 하는 모든 현대의 구조적 모순 또는 부조리와 더 깊은 상관성을 지닌다. '개똥참외'라는 회화적인 제목이 우선 그러하다. 참외는 참외인데 사람들이 가장 천대하는 두 어휘 '개'와 '똥'이 관사로 얹어져 있다. 보잘것없는 것 또는 나쁜 것이라는 의미가 이중으로 겹쳐져 있는 것이다. 그런데도 개똥참외가 열리기까지는 그야말로 어렵고도 오랜 과정이 경과해야 한다. "사람과 개의 밥통과 창자의 깊고 질긴 어둠을 헤치고/다시 나오는 씨앗/그 빛나는 자유가 흙에 묻혀서/또 그 가을과 겨울의 어둠을 지내고/이듬해 봄에 싹이 트는 진실을" 간직한 한 개 개똥참외로 성숙하기까지의 오래고 어려운 과정, 그것은 실상 하나의 인간이 잉태되어 태어나고 다시 성장해가는 험난하고 지루한 과정과 다를 바 없는 것이다.

그러나 이렇게 어려운 과정 끝에 태어나고 성장한 인간이라고 해서 크게 사람다운 사람으로서 행세하고 대접받을 수 있는 세상인가. 아마도 그렇다라고 확실하게 대답하기는 쉽지 않으리라. 온갖 모순과 부조리, 위선과 타락이 판치는 현실에 있어 인간은 개똥참외와도 같은 어쩌면 그보다도 못한 존재일는지도 모른다. 바로 이 시가 말하려고 하는 것은 이 점이다. 온갖 정치폭력과 기계문명, 그리고 상업주의가 난무하는 현대적 삶에 있어서 개똥참외처럼 굴러다니면서도 강인하게 목숨을 이어가는 초라하면서도 끈질긴 이 땅 서민들의 생명력을 강조하고자 한 것이다. 어쩌면 이 시는 온갖 종류의 폭력이 판치고 욕망의 기름기가 범람하는 현대와 그 문명의 허구성을 비판하는 동시에 차라리 개똥참외처럼 자유롭고 편하게 살아가는 것이 더 올바르고 편안한 삶의 방식이 아닌가 하는 역설의 논리를 제시한 것인지도 모른다. 이 점에서 이 시는 참다운 인간 또는 삶다운 삶에 대한 강력한 향수를 표출한 것이며, 그렇지 못한 현실에 대한 날카로운 야유를 제기함으로써 인간 회복의 철학이 가장 긴절한 오늘날의 명제가 되어야 함을 강조한 작품으로 이해된다.

또한 시집 『너무 많은 가운데 하나』에는 현실의 뒤틀린 모습과 관련하여 이즈음 문학에 관한 예리한 풍자와 야유가 펼쳐지고 있다. 「우리 시대의 시인론」이라는 작품이 그 한 예가 된다. 이 작품은 역시 개똥참외와 마찬가지로 '개가죽 방구'라는 회화적인 소재와 야유적인 어투 또는 금기어의 과감한 사용 등으로 종래 서정시의 개념에 익숙한 독자들을 당황하게 만든다.

개가죽 방구가 무슨 뜻입니까?
거 있잖아. 풍물놀 때 땅바닥에 놓고 치는 커다란 북 모르는가. 개가죽으로 만든 북일쎄.
그러니까 개가죽 방구에서는 개같은 소리가 나겠구만요.
개년들이 오줌을 싸고 퉁소부는 놈들이 개같은 불알 하나씩 차고, 식식식, 이런 바람소리도 나겠구만요.
암, 그렇고고럼 되는 것이지, 뭘.

지훈은 죽어서도 꿈에 한번 안보이고
김수영같은 눈깔을 한 시내버스는 뛰다가 멎다가 하는데
김춘수가 꺾어 보낸 한송이 꽃은 이미 꽃이 아니다.
이중섭의 꽃대궁은 아직도 독한 향기 풍기고 뻔데기 자지도 발딱발딱 숨을 쉬는
박성룡과 박재삼은 그 빛나는 과물과 울음은 어디에 두고 이젠 붓도 말도 더듬거리는지
이 시대의 시인론은 서론에서부터 갈팡질팡 쏙빠진 논문되기는 다 틀렸다.
　　　　　　　　　　　　　　　　　　　　　　　　—「우리시대의 시인론」 부분

먼저 이 시는 '개가죽 방구'라는 알듯 모를듯한 소도구를 도입하여 시의 회화성을 유발한다. "개가죽 방구가 무슨 뜻입니까/거 있잖아 개가죽으로 만든 북일쎄/그러니까 개가죽 방구에서는 개같은 소리가 나겠구만요"라는 설명으로 시를 시작하여 '개년/오줌/개/불알' 등의 금기어를 과감하게 사용함으로써 독자를 적잖이 당황케 만들어 준다. 실상 이러한 회화적 서두의 도입은 마치 판소리 등에서의 그것처럼 작품의 흥미를 불러일으키면서 내용의 심각성을 완화해 주는 역할을 한다. 그렇게 심각하게 생각할 필요가 없는 내용이라는 암시가 되는 것이다.

이 시에는 무수한 시인들이 실명으로 제시되어 그에 대한 적절한 해석·평가·야유·냉소 등이 펼쳐진다. 때로는 비유로 또 때로는 설명과 묘사로 각 시인의 특징이 예리하게 제시되는, 이른바 시로 쓴 현대시인론이 되는 것이다. 그런데 여기에서 말하고자 하는 것은 각 시인의 특징이나 문제점 그 자체가 아니다. 대부분의 시인과 그들의 시는 긍정적이기보다는 부정적으로 묘사돼 있다. "김춘수가 꺾어 보낸 한 송이 꽃은 이미 꽃이 아니다/조태일이는 오늘도 작두날만 가는구나/그 옆에서 통속작가는 공장처녀들의 월급을 착취하여 포니에 에어콘 달고" 등과 같이 오늘날 이 땅 시인, 작가들에 있어서의 시혼과 작가정신이 경직화하거나 상품화하는 등 점차 생생한 생명력과 따뜻한 인간애를 잃고 메말라가며 상투화해가는 모습에 대해 비판과 야유를 퍼붓고 있는 것이다.

실상 이즈음의 문학과 문학인에 대한 이러한 비판은 현대와 같은 인간성과 생명력 상실의 시대에 그것들을 회복하는 일이 얼마나 중요한 문학적 작업인가를 엄중하게 경고하는 뜻이 담겨 있다. 아울러 문학, 특히 시의 참된 의미는 문학 자체를 위한 것이거나 그 어떤 이념이나 목적을 위한 것이 아니라, 인간의 삶을 보다 올바르고 풍요하게 또한 생명력 있게 고양시켜 주는데 놓여진다는 점을 강조하고자 한 것이다. 여기에서 새삼 시로써 「우리 시대의 시인론」

을 쓰지 않을 수 없는 당위성이 놓여진다. 그것은 이러한 특이한 시인론의 시를 씀으로써 오늘날의 시가 나아가야 할 바람직한 길을 모색해 보고자 시도한 것으로 이해된다. 직접적인 평론으로 쓰기는 어렵고, 수필로 쓰기에도 적당치 않기 때문에 시라는 풍자적·상징적 장치를 통해서 비판을 제기하고 동시에 바람직한 방향을 모색해 보고자 하는 것이다. 이렇게 볼 때 근자에 이르러 오탁번의 시세계는 초기시의 낭만적·비극적·장식적·은유적 서정의 세계로부터 현실적·비판적·주지적·회화적 냉소의 세계로 변모해가고 있음을 알 수 있다.

3. 역사의 수난과 거부의 목소리

시집 『너무 많은 가운데 하나』에는 이 땅 역사의 험난함과 현실의 어려움이 첨예하게 드러난다. 역사 속에 감춰진 허위와 폭력, 모순, 부조리, 덧없음 등에 대한 비판과 야유, 그리고 그에 대한 뼈아픈 탄식이 표출되는 것이다.

① 천둥산 산불이 아침이면 저절로 꺼져서 햇빛 속에 빛나는 것도 내 뱃속에 들어간 쪼꼬레뜨가 동네 여자들의 몸값이라는 것도 나는 몰랐다. 누룽지를 달라고 보채다가 부지깽이로 얻어 맞고 눈물 흘리며 바라보면, 높고 평화로운 산이 미웠다. 돌멩이를 걷어찼다. 발톱이 아파서 깨금발로 뛰기만 했다.

어두운 술집 모퉁이에서 천둥산 박달재를 흥얼거리는 지금도 나는 잘 모른다. 천둥산의 산불도, 동네에 자욱했던 잎담배의 연기도, 숯처럼 까만 아이를 낳아 젖을 물리던 창덕이 엄마의 한숨도, 나는 하나도 모른다. 천둥산이 나의 이마 높이로 와 닿아 있고 박달재의 긴 구렁 짧은 구렁이 내 가슴까지 와 있다는 것을 그저 눈곱만큼 눈치채고 있을 뿐, 정말이다 하나도 모른다 몰라!

② 보나마나한 산봉우리 하나 거느린
　그렇고 그런 전라돈줄 알았다
　산뒤에 숨어 있는 산과 산들이
　이름도 없는 그놈들이 내 심장을 뒤흔든 것은
　서울의 어둠으로 다시 돌아와
　아내와 쉰살을 섞은 그날 한밤
　배꼽을 맞부비며 무수한 내 새끼들을
　허무하게 죽였던 그 순간!
　나는 비로소 알았다. 무등산이 비로소
　다른 산과는 꼭 같을 수 없음을
　하나가 아니라 둘, 둘이 아니라 넷
　넷이 아니라 열여섯, 제곱 제곱으로 불어나는
　숨어 있는 얼굴같은 산인 줄을
　높이가 없는 크나큰 높이인 줄을

　①의 시는 「천둥산 박달재」, ②는 「무등산」이라는 제목이 붙어 있는 작품이다. 공교롭게도 '산(山)'이라는 공통점이 두 작품 사이에 가로 놓여 있다. 산(山)은 흔히 보수성·역사성의 표상으로 쓰인다. 이것은 바다가 진보성·역동성의 표상으로 사용되는 것과 대조된다. 다시 말해 인용한 시에서 우리는 산의 이미지가 역사적인 그 무엇과 관계를 맺고 있음을 짐작할 수 있다.

　먼저 「천둥산 박달재」는 퍼스나의 유년 체험을 배경으로 해서 6·25라는 전쟁의 수난체험을 담고 있다. '밤'이라는 상징적 배경과 여자사냥을 나오는 '흑인병정', 그리고 초콜레트의 암갈색 등에 나타나는 흑색 이미지는 역사의 어둠 또는 공포의식을 드러낸 것일지도 모른다. 또한 "천둥산의 산불/동네에 자욱했던 잎담배의 연기/숯처럼 까만 아이 낳아 젖을 물리던 창덕이 엄마의 한숨" 등이 환기하는 암울한 절망과 본능적 공포감, 그리고 참담한 한의 정감 등은 수난과 오욕으로 점철돼온 이 땅 역사에 대한 깊은 탄식을 담고 있는 것이다. '천둥산 박달재'는 역사의 험난함과 민족의 한스러운 삶을 표상하는 객관적 상관물로 해석할 수 있기 때문이다. 또한 이 시에는 역사의 험난함에 대한 탄식과 함께 무력한 개인에 대한 자조가 담겨 있는 것으로 보인다. '천둥산 박달재'는 험하고 높은 고개이기도 하지만 동시에 이 땅의 서민들이 억눌리고 초라해진 삶 속에서 흥얼거리고 부르는 노래이기도 하기 때문이다. "정말이다 하나도 모른다 몰라!"라는 강력한 단정의 결구 속에는 바로 이러한 공포의 역사체험과 민족의 한스러운 삶에 관한 탄식과 함께 그럭저럭 유행가나 읊조리고 살아가는 자신의 실존에 대한 날카로운 냉소가 담겨 있는 것이다.

시 「무등산」의 경우도 마찬가지이다. 「무등산」은 단순한 고유명사가 아니라 이 땅 역사의 험난함을 웅변해주는 정신의 표상이다. 이 시 역시 공포스러운 체험 또는 역사적 사건과 연결되어 있다. 이 시에 '가을비', '밤', '서울의 어둠' 등의 부정적 배경이 깔려 있는 것도 그 한 이유가 된다. 특히 "서울의 어둠으로 돌아와/아내와 쉰살을 섞은 그날 한밤/배꼽을 맞부비며 무수한 내 새끼들을/허무하게 죽였던 그 순간!"이라는 암유적인 귀절이 환기하는 것으로 미루어 이 시는 80년 5월 광주와 관련된 역사적 수난 또는 공포체험과 무관하지 않은 것이다. 따라서 "나는 비로소 알았다 무등산이 비로소/다른 산과 꼭 같을 수 없음을/숨어 있는 얼굴같은 산일 줄을/높이가 없는 크나큰 산인 줄을"이라는 결구를 통해서 잘못된 역사에 대한 거대한 분노와 울분 그리고 저항의 함성을 표출하게 되는 것으로 보인다. 목소리 높여 소리치지 않으면서도 이 땅에 있어서의 역사적 수난과 험난한 민족의 삶을 뜨거운 눈짓으로 형상화한 데서 이 시의 은근한 설득력이 놓여진다. 이러한 역사와 민족의 수난에 대한 탄식과 비판은 「왕릉에서」, 「바웬사에게」, 「지물포에서」 등의 작품에서 일관된 정신의 흐름을 형성한다. 초기시에 보이지 않던 역사와 민족, 그리고 현실에 대한 투철한 인식이 비로소 시의 전면에 드러나게 된 것이다.

4. 사라짐과 생명의 순환질서

앞에서의 시편들이 비판과 풍자, 야유와 냉소에 바탕을 두고 쓰였음에 비추어 다음의 시들은 보다 진지함을 특징으로 하여 형상화되었다. 역사·현실 등 실존의 밖에 대한 것들에 대해서는 '비판의 정신'이, 자기 자신의 내면에 대한 것에 관해서는 '성찰의 정신'이 작용한 것으로 보인다.

이승은 한 줌 재로 변하여
이름모를 풀꽃들의 뿌리로 돌아가고
향불 사르는 연기도 멀리멀리
못 떠나고
관을 덮은 명정의 흰 글자사이로
숨는다
무심한 산새들도 수직으로 날아올라
어머니 어머니
하관의 밧줄이 흙에 닿는 순간에도
어머니의 모음을 부르는 나는
놋요강이다 밤중에 어머니가 대어주던
지린내나는 요강이다 툇마루 끝에 묻힌
오줌통이다 오줌통에 비치던
잿빛 처마 끝이다
이엉에서 떨어지던 눈도 못뜬
벌레다
밭두렁에서 물똥을 누면
어머니가 뒤 닦아주던 콩잎이다 눈물이다
저승은 한 줌 재로 변하여
이름모를 뿌리들의 풀꽃으로 돌아오고

—「하관(下棺)」 전문

이 시에는 돌아가신 어머니의 죽음을 새삼 추모하는 가운데 날이 갈수록 오히려 깊어만 가는 어머니에 대한 그리움이 애절하게 담겨 있다. '한 줌 재'로 변하여 사라져 간 육신에 대한 허무감이 표출되는 것과 함께 "풀꽃들의 뿌리로 돌아가고"와 "뿌리들의 풀꽃으로 돌아오고"의 대응을 통해서 소멸과 생성, 상승과 하강이 되풀이되는 생명의 인과율 및 대자연의 순환질서를 제시하고 있는 것이다.

　비록 어머니의 육신은 지상에서 떠나가고 없지만, '나'와 '어머니' 사이에는 핏줄로서의 끊어지지 않은 영혼의 끈이 이어지고 있어서 그것이 생명 속에서 영원한 것으로 살아서 되돌아오리라는 믿음을 피력하고 있는 것이다. 특히 '지린내 나는 요강/오줌통/벌레/물통/콩잎' 등의 흙냄새 물씬한 시어의 활용은 육신의 생명 감각을 강하게 드러내는 동시에 어머니에 대한 육친애의 그리움을 더욱 진솔한 것으로 만들어 준다. '육신→재→뿌리→풀꽃'으로서의 순환구조는 지상 위의 모든 생명 있는 것들에 있어서의 영원한 생명 법칙이자 목숨의 원리인 것이다. 이러한 것에 대한 자각은 바로 시인 자신의 삶과 그를 둘러싼 세계에 대한 깊이 있는 이해와 응시의 시선에서 비로소 획득될 수 있는 깨달음이 아닐 수 없다. 이렇게 볼 때 이 시는 오탁번 시의 중요한 변모를 감지케 해준다는 점에서 주목을 끈다. 다분히 지성과 분위기에 주로 의지했던 그의 초기시가 비로소 목숨과 대지 등 현실적 생명력에 뿌리를 내려가고 있는 것으로 이해되기 때문이다. 어느 면 감수성과 재치로 가득찼던 그의 초기시들은 감각주의 또는 기교주의라는 비난을 면하기 어려울지도 모른다.

　이 점에서 그의 시가 '어머니'로 표상되는 생명의 뿌리에 대한 깊이 있는 투시를 통해 삶의 본질에 다가가려는 노력을 보이기 시작했다는 것은 충분히 의미 있는 일로 판단된다. 앞에서 살펴본 바 역사에 관한 날카로운 투시와 현실에 대한 예리한 비판도 실상 이러한 노력의 반영임은 새삼 말할 필요가 없기 때문이다.

5. 동심에의 향성, 견고에의 집념

어머니로 표상되는 생명의 뿌리의식과 순환질서에 대한 깨달음은 다시 오늘에 있어서의 내성적 삶의 자세로 연결된다. 그 하나는 아이들의 세계, 즉 동심에의 향성이며, 또 다른 하나는 순수와 견고에의 집념으로 표출된다.

> 아이들의 손에서 태어나는
> 썰매 타는 여름과 꽃피는 겨울
> 십자가 위에 앉은 까마귀가
> 몽당 크레용을 뒤집어 쓰고
> 비둘기 흉내를 내며 웃는다
> 꽃병 위에 뜬 아침해는
> 앞니 빠진 아이들의 입으로 들어가고
> 구름 사이로 솟은 미끄럼틀이
> 날개를 파닥거린다
> 아침에 자른 생일과자의 촛불은
> 어른들의 근심으로 곱게 타오르고
> 오후의 그림교실에서는
> 마차를 타고 가는 왕자님이
> 벽시계를 부딪혀 곤두박질한다
> 시계바늘이 깜짝 놀라
> 묵찌빠 묵지빠
> 가위바위보를 하고
> 하늘은 온통 화재가 났다
> 소방수 아저씨의 날개에도
> 빨주노초파남보 불이 붙었다
> 어른들의 근심은
> 참 잘했어요 별도장을 찍는다

— 「아이들의 화실」 전문

수수수수수수수수
한둘쯤은 우를 받아도 좋은거야
네가 자라서 이고 가는 하늘이
수수수수수수수수만은 아니라는 것을
우우우우우우 소리치며 달려오는
바람불고 추운 하늘이라는 것을
아빠는 하느님처럼 잘 알고 있다
너의 꿈이 만화가에서 야구선수로
앞으로는 컴퓨터 쯤으로 바뀐다는 것도
너를 빚어낸 하느님은 다 알고 말고
반찬은 골고루 먹는 게 좋은거야
너의 3학년 1학기 통지표 앞에서
오늘밤 하느님은 근심이 많다.

—「하나님의 근심」전문

　인용한 두 작품은 모두 동심과 관련된다는 점에서 공통점을 지닌다. 앞의 시에는 아이들이 그림을 그리는 화실풍경이 담겨 있다. "썰매 타는 여름과 꽃 피는 겨울/십자가 위에 앉은 까마귀" 등으로 나타나는 아이들의 상상세계는 어른들로서는 쉬 이해하기 어려운 세계인지도 모른다. 모든 것이 논리적이고, 타산적이고, 기계적으로 돌아가야만 정상으로 받아들이는 어른들이 굳어진 마음과 눈으로는 어린이들이 창조해낸 환상적인 세계는 유치한 장난에 불과한 것으로 보일 것이기 때문이다. 자유롭게 꿈꾸고 상상하며 그 환상의 세계 자체를 즐기는 어린이들의 순수한 마음은 바로 타락한 어른들이 보고 배워야 할 세계인지도 모른다. 평화나 자유와 같은 커다란 이념은 말이나 구호에 있는 것이 아니라, 바로 어린이들이 마음껏 상상하고 자유롭게 표현하는 행위 그 자체와 다를 바 없는 것이다. 이러한 천진무구한 동심의 세계는 그 자체가 이미 자유와 평화의 실천이기 때문이다.

　뒤의 시에는 마음껏 뛰놀고 자유롭게 꿈꿔야 할 어린이가 현실 속으로 끌어들여지는 데 대한 페이서스가 담겨져 있다. '수수……'만을 받아야 하고 또 받도록 강요당하는 현실의 굴레, 목숨의 굴레에 대한 가슴 아픈 탄식이 드러나 있는 것이다. 어쩌면 이것은 어느새 수를 받는 기계로 전락해 가는 우리의 아들딸들의 애처로운 모습을 반영한 것인지도 모른다. 또한 기능주의·결과주의·합리주의·이기주의 등이 지배하는 현실에 대한 비판이 담겨 있는 것일 수도 있다. 추위와 배고픔을 느끼고 그리움과 슬픔 속에서 뒤채이며, 살아가는 세대가 차라리 행복한 것이라는 깨달음이 표출된 것이다. 아울러 편식과 편견으로 가득찬 현대, 기름기와 온갖 더러움으로 범람할 미래를 헤쳐가야 할 어린 세대들에 대한 안타까움과 우려가 담겨 있는 것으로도 이해된다. 바로 이 점에서 오탁번이 시에 유년에의 그리움 또는 동심에로의 회귀가 지속적으로 표출되는 것은 예사스러운 일이 아니다. 그것은 인간다운 삶, 또는 순수와 평화, 그리고 자유의 세계에 대한 향수와 지향성을 강조하는 것이 되기 때문이다. 다음으로는 견고에의 집념이 표출된다.

> 죽어서 한 개 흰돌로 서자
> 차갑게 흐르는 한강으로
> 평생의 근심과 증거를 흘려 보내며,
> 흰 뼈와 마디마디에 스미는
> 길고 긴 겨울날의 어둠을 이야기하고
> 단추를 꼭꼭 잠근 채
> 버티는 적의,
> 몽땅 벗겨서 한 개 흰 돌로 서자.
> 눈은 내려 제천에서 쌓이고
> 돌고 돌아 서울의 문 앞에 와서
> 숨이 넘어간다.
> 잠실교에 이르면 오욕을 안고 죽는다.
> 흰 돌의 발끝에 피는 산유화를 산 자들이 가슴에 달고

치부와 허명의 별장을 짓지만,
개똥참외와 보리밥을
방귀와 섞어 먹으며 자라
유권자가 되고 시인이 됐던
나의 전생이
이름없는 산유화로 흰 돌로 변하는
흰 뼈가 안개가 되는
평범한 사랑을 너희들은 모른다.
눈감은 자들은 택도 없다.
죽어서 한 개 흰돌로 그냥 서자.

—「흰 돌」전문

이 시에는 순수에의 향성 또는 견고에의 집념이 담겨 있다. '흰 돌'이라는 제목부터가 이 점에서 암시적이다. 흰색이 흔히 표상하는 것은 순수·결백 등이며, 돌의 그것은 강인함 또는 견고함의 세계이기 때문이다. 이 시에서 세계는 어둠과 밝음, 더러움과 깨끗함, 이름 있음과 없음, 죽은 자와 산 자 등과 같이 대립적·이원적으로 파악된다. 현실이 그만큼 더럽고 추하며 타락해 있다는 말이다. 따라서 이 시에는 흰 것이 표상하는 순수의 세계에 대한 강한 향성이 드러난다. 그것은 타락한 현실에 대한 강력한 적개심의 표현이기도 하지만, 동시에 '이름없는 산유화', '흰 뼈' 등이 의미하는 무명의 진실 또는 평범한 사랑의 소중함에 대한 강조가 되기도 한다. 그렇기 때문에 "죽어서 한 개 흰돌로 서자/죽어서 한 개 흰돌로 그냥 서자"라는 순수와 견고에의 집념을 비장하게 다짐하게 되는 것이다. '흰 돌'은 어둠 속에서 허덕이며, 눈물 속에서 살아가는 이 땅의 사람들, 특히 시인들에 있어 한 정신적 지표가 될 수 있을 것이다.

□ 새출발을 위하여

이제 시인 오탁번은 또 하나의 새로운 출발점에 서 있는 것으로 이해된다. 데뷔기의 화려한 스포트라이트도 이미 어두워지고 첫 시집 무렵의 요란한 박수 소리도 이미 조용해진 지 오래다. 다만 거칠고 황량한 채로의 현실 그리고 생생한 생의 벌판만이 아스라이 펼쳐져 있을 뿐이다.

이제 필요한 것은 섬세한 서정과 투명한 감각, 그리고 예리한 비유만이 아니다. 오히려 험난한 역사를 꿰뚫어 보는 날카로운 통찰력과 현실극복의 힘찬 의지가 더욱 긴절한 것이다. 이 점에서 『너무 많은 가운데 하나』는 바람직한 방향을 제시하고 있는 것으로 보인다. 그것은 역사와 삶의 현실에 뿌리를 내리고 있으면서도 시의 시로서의 품격을 확보하여야 한다는 점이다. 역사의 허위와 현실의 모순을 풍자하고 비판하는 시정신의 치열성을 드러내면, 서도 언어예술로서의 형상적 탁월성을 견지해가는 것이다. 삶을 삶답게 하는 힘으로서의 진실성을 바탕으로 하되 시를 시답게 하는 예술성의 조화를 성취해 가려는 노력을 보여준 데서 시집 『너무 많은 가운데 하나』의 의미가 놓여진다.

이제 오탁번의 시는 보다 폭넓은 역사에의 시야 확대와 보다 깊이 있는 인간애의 심화 작업을 이루어가야 할 소중한 시점에 접어들고 있는 것으로 판단된다. 바로 이 제2시집이 새롭고 힘찬 출발의 에포크가 될 것을 믿어 의심치 않는다.

(시집 『너무나 많은 가운데 하나』 작품론, 청하, 1984)

감태준, 소외 또는 인간 회복의 꿈

감태준은 일찍이 1972년 시 「내력」으로 등단한 이래 20년 가까이 시작 활동을 계속하고 있는 역량 있는 중견 시인의 한 사람이다. 그가 첫 시집 『몸 바뀐 사람들』(일지사)을 상재한 것은 데뷔 후 6년 만인 1978년에 이르러서이다. 이 시집에서 그는 주로 변두리 소외계층의 갈등과 방황을 짙은 페이소스로 형상화하여 관심을 끈 바 있다. 아울러 그가 다시 19년 만에 펴낸 제2시집 『마음이 불어가는 쪽』(현대문학사)은 첫 시집에서 성가를 인정받았던 주요 작품 일부를 재수록하면서 대도시에서의 불안한 실존 양식을 보다 집중적으로 탐구하는 특징을 보여주었다. 그렇게 보면 그의 시는 변두리 계층의 소외된 삶에 대한 관심에서 시작하여 오늘날 산업사회에서 현대인들이 느낄 수밖에 없는 도시 문명으로부터의 억압과 소외 문제를 다룸으로써 실존적인 존재론을 주로 천착하고 있음을 알 수 있다. 현대인들의 삶의 배면에 깔린 깊은 단절과 소외, 그리고 불안 심리를 아이러니와 페이소스의 미학으로 형상화하려 한 데서 그의 시가 지닌 개성이 드러난다고 하겠다. 따라서 본고에서는 감태준 시에 관한 간략한 중간 점검을 시도해 보기로 한다.

1. 신(新) 유이민의 삶과 실향의식

감태준의 시는 삶을 찾아 떠나는 데서 시작한다. 시 「철새의 세계」가 바로 그것이다. 자세한 사연은 알 수 없지만, 정들었던 고향을 떠나서 온 가족이 마치 철새처럼 새로운 삶의 터전을 찾아 옮겨 가는 모습에서 그의 시적 출발이 이루어지는 것이다.

바람에 몇번 뒤집힌 새는
바람 밑에서 놀고
겨울이 오고
겨울 뒤에서 더 큰 겨울이 오고 있었다.

"한번……"
우리 사는 바닷가 둥지를 돌아보며
아버지가 말했다.
"고향을 바꿔보자"

내가 아직 모르는 길 앞에서는
달려갈 수도
움직일 수도 없는 때,

아버지는 바람에 묻혀
날로 조그맣게 멀어져가고, 멀어져가는 아버지를 따라
우리는 온몸에 날개를 달고
날개 끝에 무거운 이별을 달고
어디론가 가고 있었다.

환한 달빛 속
첫눈이 와서 하얗게 누워 있는 들판을 가로질러

내 마음의 한가운데
아직 누구도 날아가지 않은 하늘을 가로질러
우리는 어느새
먹물 속을 날고 있었다.

"조심해라, 애야"
앞에 가던 아버지가 먼저 발을 헛딛었다.
발 헛딛은 자리,
서울이었다.

—「철새」 전문

시 「철새」는 시의 인물이 시인 자신이라는 사실을 강력하게 암시한다. 시인의 고향이 남쪽 바닷가라는 점, 소년 시절에 일가족이 서울로 이주했다는 점 등이 그 예증이 된다. 그만큼 감태준의 시가 자전적인 요소를 많이 지니고 있다는 말이 될 것이다. 특히 이 시 「철새」를 비롯해서 「떠돌이새」 연작은 자전적 체험 및 가족사를 반영하고 있는 것으로 보인다. 시 「철새」는 시골에서 도시로 또는 지역 도시에서 대도시 서울로 이주해서 삶의 뿌리를 내리고자 하는 한 가족의 모습을 묘사하여 관심을 끈다. 실상 이처럼 삶을 찾아서 다른 지역으로 혹은 다른 나라로 흘러가거나 쫓겨가는 사람들을 보통 유이민(流移民)이라는 말로 통칭함에 비추어, 이 시에서 가족 전체가 새로운 삶의 터전을 찾아 떠나는 모습은 구한말이나 일제강점기에 이어 1960~70년대 산업화에 따라 새로 일어난 신종 유이민의 모습이라고도 할 수 있을 것이다. 구한말이나 일제강점기의 국외 유민 또는 이민과는 그 성격이 근본적으로 다를지라도 삶의 곤궁함으로 인해 고향이나 터전을 떠나 새로운 고장을 찾아 떠나가는 것은 서로 유사성을 지니기 때문이다.

이 시에서 알 수 있는 것은 바람이 상징하듯 여러 가지 풍파로 인해 시련을 겪은 한 가족이 아버지를 따라서 고향을 떠나, 삶을 찾아 서울로 이주한다는 내용이다. 그렇기에 이 가족은 철새로 비유돼 있다. 철새란 무엇인가? 그것은 먹이나 기후 문제 등으로 인해 더 나은 생존 조건을 찾아서 무리를 지어 옮겨 다니는 새 떼를 일컫는다. 이런 점에서 이 가족은 "바람에 몇번 뒤집힌 새는/ 바람 밑에서 놀고/겨울이 오고/겨울 뒤에서 더 큰 겨울이 오고 있었다"처럼 가족사적 시련과 생활고로 인해 고향을 등지고 떠날 수밖에 없는 형편으로 이해된다. 현실은 '바람'과 '겨울'이 상징하듯 이 가족에게는 고난과 시련의 연속인 것이다. 따라서 이들 가족은 아버지의 제의에 따라 바닷가 고향을 떠나게 된다. 그렇지만 어느 곳을 가도 '먹물'처럼 어둡고 추운 현실일 수밖에 없다. 결국 이 가족은 이 땅에서 가장 거대하고 험한 도시 서울에, 아버지가 발을 헛디딘 탓으로 종착하게 된 것이다.

그리고 보면 이 철새 가족은 온갖 풍파와 간난으로 시달리며 이곳저곳을 전전하는 이 땅 가난한 서민들의 삶의 모습을 반영한다고 하겠다. 실상 이러한 철새 가족의 모습은 특히 급격한 산업화가 무리하게 추진되기 시작하는 60년대 후반 이 땅의 사회현상을 반영한 것일시 분명하다. 졸속한 산업사회 형성과정에서 소외된 농민 다수가 이 무렵을 전후하여 이농하고 탈향하여 도시로, 대도시 변두리로 유이민화해 가게 됐기 때문이다.

이러한 유이민 현상을 다루면서 이 시가 시로서 성공하게 된 요인은 두 가지로 이해된다. 하나는 이 시가 그러한 사회현상을 직접적으로 표현하지 않고 철새라는 서정적 상징을 활용했다는 점에서 찾을 수 있다. 이주민의 쓸쓸한 삶이 철새의 그것과 서정적 조응을 이룸으로써 시의 예술성을 고양시켜 주기 때문이다. 실상 이러한 새의 상징은 연작시 「떠돌이새」로써 더욱 확대 와 심화를 보여준다.

①　바다를 나온 갈매기는
　　새벽기차에서 내린 잠새들 틈에 끼어

언 얼굴을 내밀었다. 표정 없는 새들과
새들의 어지러운 발자국을 보고
감쪽같이 자취를 감추었다. 서울역 뒤편으로

—「떠돌이새·1」부분

② 카키복 잠새 하나
따뜻한 국밥 앞에 날아앉아
쫓기듯 부리를 쪼고 있는
길거리 밥집에서, 아버지와 어머니
형과 나, 동생은
베니어판 밥상을 적시는 전등불에 하나씩
그림자를 흘리며
냄비국수를 기다릴 때,

—「떠돌이새·2」부분

③ "너희들이 갖고 노는 추억은
아버지 시대의 구름이고, 그건
우리 날개를 적시는 빗방울과 같아
지금은 장마철이고
더구나 여긴 서울이야"
머리 위에까지 내려앉은 구름 속을 날다가
시내에서 빌딩 허리를 들이받고 돌아온 형은
며칠째 다른 날개를 갈아달고 있었다.

—「떠돌이새·3」부분

　「철새」가족은 서울로 와서 「떠돌이새」가 되어 뿌리내릴 곳을 찾게 된다.
시 ①에는 서울역 부근의 풍정을 통해서 이러한 유·이민 현상이 어느 한 가족
사에만 국한된 것이 아니라 당대 사회의 보편적인 현상임을 말해 주고 있다.
가족사가 바로 사회사의 반영으로서 한 전형성을 지닌다는 말이다. 시 ②에

선 이들 철새 가족들의 궁핍과 새로운 고난을 말해준다. 몸 하나밖에 갖지 못하고, 날개 하나밖에 지니지 못한 이들에게는 당장 의·식·주가 걱정될 수밖에 없을 것이 자명하다. 시 ③에는 이 철새 가족들의 수난상이 보다 구체적으로 제시된다. 현실은 빗방울과 장마철이 암시하듯 어둡고 우울하기만 하다. 그러므로 부모는 물론 어린 형제들도 살길을 찾아 나설 수밖에 없다. 그렇지만 서울은 이들 형제들에게 너무나 거대한 적이기에 이들은 "시내에서 빌딩 허리를 들이받고"처럼 잘 적응하지 못하고 상처를 받을 뿐이다. 도처에서 잘 날아 보려고 애쓰지만 어딘가에 부딪히거나 지상으로 추락하는 경우가 대부분인 것이다.

이렇게 보면 그의 시에서, 최근의 후기시에까지 지속적으로 나타나고 있는 새는 인간의 객관적 상관물로서의 의미를 지닌다고 하겠다. 특히 근년의 시에서 새는 지상 위에 존재하면서 하늘을 나는 존재로서의 모순성, 양면성을 보여 줌으로써 그의 시가 차츰 존재론적인 방향으로 심화되고 있음을 알 수 있게 해준다. 이처럼 새의 표상성을 인간의 삶과 결합시켜 현실성과 서정적 상징성을 제고시킨 데서 감태준 시의 한 핵심이 드러난다고 하겠다.

아울러 또 한 가지 지적할 것은 그의 시가 아이러니(Irony)를 주요한 무기로 활용하고 있다는 점이다. 아이러니란 예기치 못한 것의 대조 또는 돌출을 통해서 사건이나 사물에 감춰진 진실을 발견해 내는 시적 장치에 속한다. 시 「철새」의 경우에 ""조심해라, 애야"/앞에 가던 아버지가 먼저 발을 헛딛었다/발 헛딛은 자리,/서울이었다"라는 결구에 아이러니의 한 모습이 집약돼 있다. 바람에 묻혀 조그맣게 멀어져가던 아버지, 가장으로서의 책임이 힘겨운 아버지가 발을 헛디디어서는 안 되는데도 헛디딘 것이 그러하며, 그 헛디딘 자리가 뜻밖에도 '서울이었다'라고 함으로써 독자들의 허를 찌르고 있는 데서 더욱 그러한 것이다. 이러한 아이러니의 돌출은 결과적으로 철재 가족에 대한 연민을 불러일으킴은 물론 대도시에서의 삶 또는 산다는 일 자체에 대한 비애를 유발하는 효과를 거둔다고 하겠다. 이처럼 유이민의 가족사적 체험을 철새로 상징화하고, 아이러니를 구사하여 비애미를 고양시키려 노력한 데서 감태준 시의 한 특징이 드러난다.

2. '집 없음'과 비관적 현실 인식

감태준의 시가 기본적인 면에서 떠돌이의 삶으로서 신유이민 시의 한 모습을 지니고 있음을 살펴보았다. 그렇기에 그의 시에는 고향 상실의 비애와 함께 새로운 도시에서 삶의 근거를 찾기 위한 안간힘 및 그에 대한 고달픔이 드러난다.

> 신사동 산마을에 누가 길을 닦겠니, 발 붙일 데 없는 사람들, 아니면 손발이 짧은 뜨내기끼리 서로 손발이 되어주며 주저앉은 동네, 허리 휘어진 골목에는 끝내 이름없이 가을이 된 풀꽃 두엇, 우리도 두엇, 마음을 한나절 여린 햇볕에 말린다.

> 아시는 분은 아시리라, 장마에서 덜 마른 사람들, 늘 한쪽 귀가 떨어져 나간 웃음으로 만들어진 얼굴과 얼굴, 밤이 되어도 눈시울에 해가 걸려 며칠째 밤이 되지 못한 채 오늘은 등뒤로 하루를 제쳐놓고 노을 속에 가라앉은 사람들, 앞서 가라앉은 몇몇은 몸만 남고 마음은 한 길에 한길을 잇대는 사람들

> 집에는 아내와 아이들이 살고있다. 밤 깊도록 길을 묻다 돌아오는 한 젊음, 아니, 다수의 젊음, 뒤에는 눈뜬 채 구겨져 뒹구는 약도, 그 위에 많은 불빛을 밟고 지친 발자국들이 떨어져 쌓인다. 하나씩 둘씩, 풀어져 흐늘거리며 오는 마음들, 눈 비비고 새로 보아도 어떤 몸이 내 것인지, 골목에 띄엄 띄엄 널려 있는 몸들은 그예, 선도 하나 색깔도 하나, 대체 지금 내가 어느 몸 속으로 들어가고 있는지, 아시는 분 없습

니까, 내가 어디 있습니까?

―「내게 묻는 말」 전문

산자락에 매달린 바라크 몇 채는 트럭에 실려가고, 어디서 불볕에 닳은 매미들 울음소리가 간간이 흘러왔다

다시 몸 한 채로 집이 된 사람들은 거기, 꿈을 이어 담을 치던 집 폐허에서 못을 줍고 있었다

그들은, 꾸부러진 못 하나에서도 집이 보인다

헐린 마음에 무수히 못을 박으며, 또, 거기, 발통이 나간 세발자전거를 모는 아이들 옆에서, 아이들을 쳐다보고 한번 더 마음에 못을 질렀다

갈 사람은 그러나, 못 하나 지르지 않고도 가볍게 손을 털고, 더러는 일찌감치 풍문(風聞)을 따라간다 했다 하지만, 어디엔가 생(生)이 뒤틀린 산길, 끊이었다 이어지는 말매미 울음소리에도 문득문득 발이 묶이고,

생각이 다 닳은 사람들은, 거기 다만 재가 풀풀 날리는 얼굴로 빨래처럼 널려 있었다

―「몸 바뀐 사람들」 전문

감태준 시의 두드러진 특징의 또 한 가지는 그의 시에 비관적인 현실 인식 또는 비극적 세계관이 지속적으로 작용하고 있다는 점이다. 특히 그의 초기시에는 변두리 소외계층의 정처 없는 삶과 그로 인한 울분과 비애가 다양하게 표출되고 있어서 관심을 끈다.

그의 초기시에 주로 나타나는 시적 배경은 영등포역 굴다리 근처나 신사동 산마을 등과 같이 유동 인구가 많은 곳이거나 비교적 소외계층이 많이 사는 소위 달동네 등이다. 그만큼 불안한 삶, 뿌리내리지 못한 삶에 초점이 맞춰져

있다는 말이다. 실상 이농 등의 이유로 고향을 떠난 사람들이 도시에서 찾아들 곳은 변두리 지역일 수밖에 없다. 따라서 이들의 현실 인식은 '없는/짧은/주저앉은/휘어진/덜 마른/떨어져나간/못한/가라앉은/구겨져 뒹구는/지친'이나 '매달린/닳은/꾸부러진/헐린/뒤틀린/끊인/묶이고/재가 풀풀 날리는' 등과 같이 지치고 일그러진 모습으로 나타난다. 실상 이러한 하강적인 이미지와 부정적인 시어들 속에는 삶과 현실을 바라보는 시인 자신의 눈이 그만큼 어둡고 비관적이라는 의미가 담겨져 있다고 하겠다.

이 점에서 그의 많은 시들은 자전적인 체험과 연결되어 있는 것으로 보인다. 시적 인물만 하더라도 그 대부분이 '발붙일 데 없는 사람들/손발이 짧은 뜨내기/장마에서 덜 마른 사람들'이거나 '몸 한 채로 집이 된 사람들/생각이 다 닳은 사람들'과 같이 이른바 뿌리 없는 사람들이 주류를 이룬다. 그만큼 도시 빈민들의 소외된 삶, 어두운 삶에 관심이 집중돼 있다는 뜻이 될 것이다. 그렇기에 이들 시에는 소외계층의 좌절과 울분, 체념과 비애가 함께 얼크러져 있다. "대체 내가 지금 어느 몸 속으로 들어가고 있는지, 아시는 분 없습니까, 내가 어디 있습니까?"라는 한 결구에서 보듯이 소외된 삶, 고달픈 삶에 대한 깊은 비탄을 드러내고 있는 것이다. 특히 "내가 어디 있습니까?"라는 절규 속에는 가난과 소외로 얼룩진 일상성 속에서 마모돼 가고, 상실돼 갈 수밖에 없는 자아 또는 인간성에 대한 안타까운 하소연이 담겨 있다고 하겠다. 아울러 이 구절에는 인간다운 삶에 대한 애달픈 갈망도 착색돼 있음이 분명하다. 시「몸 바뀐 사람들」에서 이러한 면모는 보다 구체화되어 나타난다. 이 시에도 도시 변두리 소외계층의 비관적인 현실 인식이 담겨 있는 것은 마찬가지이다.

특히 이 시에는 이러한 도시 빈민들의 가난과 소외가 '집 없음'의 문제와 연관되어 주목된다. '집 없음'의 문제란 일제강점기 이래로 특히 강조된 궁핍화의 상징에 해당한다. 이것이 다시 '60년대 이후 산업화에 따른 급격한 이 땅 사회 질서의 변화와 맞물리면서 새롭게 제기되기 시작한 것이다. 농촌에서 도시로, 지역 도시에서 대도시로 흘러들어온 유민, 이민들에게 집이란 가장 먼저 해결해야 할 생존의 조건이 아닐 수 없다. 바로 여기에서 가난과 소외의 상징으로 '집 없음'이 가장 절실한 개인 문제이면서 동시에 사회 문제로 대두하게 되는 것이다. 이 시에서 "몸 한 채로 집이 된 사람들"이라는 구절은 많은 것을 암시한다. 그것은 이른바 '몸으로 노동력을 팔아서 살아가는 사람들'로서 프롤레타리아를 의미할 수도 있다. 그렇지만 이 시인의 시는 기본적으로 능동적인 사회의식 또는 계급의식과는 별로 관계가 없는 것으로 이해된다는 점에서 계급적 인식으로 해명하기는 어렵다. 따라서 이 구절은 소박하게 소시민들의 소외된 삶이라는 관점으로 보는 것이 온당할 듯하다. 실상 "산자락에 매달린 바라크 몇 채는 트럭에 실려가고"라는 구절이나 "무허가집 새들은/철거반이 내젓는 팔에 밀려 떠나고/남은 새들은 뒤에서/온몸을 흔들었다// 리어카에 봇짐을 싣고/봇짐 위에 새끼새를 태우고/흔들 흔들 산길을 내려가는 새들도/단풍든 손을 흔들었다"(「떠돌이새·7」)라는 구절에서처럼 강제 철거가 제시되긴 하지만 이러한 억압의 힘에 대한 능동적인 항거나 투쟁의식의 징후가 전혀 발견되지 않기 때문이다.

오히려 이 시에는 짙은 페이소스(Pathos)가 드러나는 게 특징이라고 할 것이다. 이러한 페이소스는 실상 감태준 시의 중요한 미학적 요소라고 할 수 있다. 페이소스란 무엇인가? 그것은 앞서도 잠깐 언급했지만 어긋남에 의해 환기되는 삶의 비애적 요소 또는 약자의 진실에 대한 깨달음에서 환기되는 애달픈 연민의 정조라고 할 것이다. 이 시에서 페이소스는 "몸 한 채로 집이 된 사람들/재가 풀풀 날리는 얼굴로 빨래처럼 널려 있는 사람들"과 "꾸부러진 못 하나에서도 집이 보인다/헐린 마음에 무수히 못을 박으며/아이들을 쳐다 보고 한번 더 마음에 못을 질렀다"라는 구절의 대비 속에 선명히 드러난다. 그것은 좌절에 대한 일어섬의 의지이며 부정으로부터 긍정을, 절망으로부터 희망을 이끌어내려는 안간힘에서 유발되는 비애의 정서이다. 어둠과 밝음의 엇갈림 속에서 스스로의 삶을 긍정하고자 하는 안타까운 자기 연민이자 자기 극복의 몸부림이라고 할 것이다.

특히 '헐린 마음에 무수히 못을 박는' 어른들과 '발통이 나간 세발자전거를 모는' 아이들의 대조 속에는 실존적인 삶의 어려움에 대한 탄식과 함께 무(無)의 존재로서 삶의 본원성에 대한 비탄이 아로새겨져 있어서 더욱 페이소스가 느껴진다고 하겠다.

이렇게 볼 때 감태준의 시는 현실적인 가난과 소외로 인한 비관적인 현실 인식이 주조를 이루고 있음을 알 수 있다. 특히 '집 없음' 내지 '몸밖에 없음'을 기본 모티프로 하여 소외계층의 울분과 비애를 집중적으로 형상화한다. 그렇지만 그의 시는 그러한 비관적 정서를 외향화하지 않고 내면화를 지향하여 페이소스의 정조를 유발함으로써 자기 극복 또는 인간 회복의 꿈을 표출하는 데서 그 특징을 지니는 것이다.

3. 흔들림의 시, 일어섬의 시

감태준의 시는 대체로 사건·상황의 제시 또는 대사에 의해 사실감을 획득하는 게 일반적인 한 특성으로 이해된다. 다분히 극적 기법(dramatic plot)의 활용이라고 하겠다. 그러면서 그의 시는 정서적인 내면 풍경을 형상화하려는 꾸준한 노력도 보여준다.

　　포장술집에는 두 꾼이, 멀리 뒷산에는 단풍 쓴 나무들이 가을비에
　　흔들린다 흔들려, 흔들릴 때마다 한잔씩, 도무지 취하지 않는 막걸리
　　에서 막걸리로, 소주에서 소주로 한 얼굴을 더 쓰고 다시 소주로, 소주
　　에서 소주로 한 얼굴을 더 쓰고 다시 소주로, 꾼 옆에는 반쯤 죽은 주
　　모가 살아 있는 참새를 굽고 있다. 한 놈은 너고 한 놈은 나다. 접시 위

에 차례로 놓이는 날개를 씹으며, 꾼 옆에도 꾼이 판 없이 떠도는 마음
에 또 한잔, 젖은 담배에 몇번이나 성냥불을 댕긴다 이제부터 시작이
야, 포장 사이로 나간 길은 빗속에 흐늘흐늘 이러저리 풀리고, 풀린 꾼
들은 빈 술병에도 얽히며 술집 밖으로 사라진다 가뭇한 연기처럼, 사
라져야 별수없이, 다만 다 같이 풀리는 기쁨, 멀리 뒷산에는 문득 나무
들이 손 쳐들고 일어서서 단풍을 털고 있다.
―「흔들릴 때마다 한잔」 전문

서울역에서, 한번은 영등포 굴다리 밑에서 잠깐 스치고 흘러흘러
너를 다시 만났을 땐 눈이 오고, 그해도 저물었다 말이 없는 친구, 손
에는 넝마줍기 삼 년에 절도 이범(竊盜二犯), 기차표 한 장, 마음 한구
석에는 아직 불구(不具)의 조각달이 떠 있다. 되는 것은 안 되는 것뿐
이라고 한없이 쓸쓸해 하는 네 얼굴에 눈은 날아가 앉고, 눈은 날아가
앉고, 우리는 타관 불빛을 맞으며 하룻밤 깡소주에 혹한을 녹였다. 머
리에 채 남은 눈을 떨면서, 살아도 곱게 살자 꽃같이 살자, 흩어진 마
음을 챙겨들고, 우리는 갈라섰다. 끝없이 몰리고 풀리는 행렬 속으로,
너는 이제 기적소리에도 가볍게 떠밀리고, 떠밀리는 너의 등에서, 아
니, 너의 물결소리가 들리는 머리 위 공간(空間)에서, 나는 그때 새들
의 고향을 얼핏 보았다.
―「귀향(歸鄕)」 전문

감태준의 시에서 변두리 삶이 지니고 있는 내면 풍경을 잘 보여주는 작품
으로는 이「흔들릴 때마다 한잔」과「귀향(歸鄕)」을 꼽을 수 있다. 그의 대표
작이라고 할 수 있는 이 작품들은 흔들림으로서의 내면 풍경을 바탕으로 하
여 그로부터 일어서려는 안타까운 몸짓을 보여주기 때문이다.

먼저「흔들릴 때마다 한잔」은 변두리 삶의 걷잡을 수 없는 흔들림을 보여
준다. 그것은 뿌리 없는 삶이 도시에 뿌리내리고자 하는 데서 오는 좌절과 갈
등에 기인한다. 시에 배경과 인물이 등장하고 사건이 서술된다는 점에서 이
시는 하나의 극시적 요소 혹은 이야기 시의 성격을 지니고 있는 것으로 볼 수

도 있겠다. 이 시의 배경은 변두리 어느 산자락의 포장마차이며, 등장인물은 삶에 지친 두 술꾼과 피곤에 지친 주모이다. 따라서 변두리 인생들의 삶과 그 속에 담긴 내면 풍경을 조명하고 있는 것이다. 이 시의 이야기는 간단하다. 가을비에 젖은 두 술꾼이 술을 마시면서 흔들리고, 그 흔들림 속에서 삶의 고달픔과 울분을 풀면서 새로운 시작을 다짐하는 내용이 그것이다. 여기서의 내면 풍경은 '가을비·참새·젖은 담배·빈 술병·단풍 쓴 나무들'로써 제시된다.

특히 여기에서 핵심이 되는 것은 빗물과 술, 그리고 성냥불의 삼각관계이다. 좌절과 비애의 상관물로서의 가을비와 젖은 담배, 그리고 그러한 좌절과 비애로부터 일어서고자 하는 의지의 상징으로서의 성냥불이 서로 대립항을 형성하고 있는 것이다. 바로 여기에서 술의 의미가 드러난다. 술은 질료적 의미에서의 물, 상징적 의미에서의 불의 속성을 함께 지닌다. 다시 말해서 좌절과 비애로 인한 흔들림을 풀어주면서 그로부터 일어설 수 있게 하는 새로운 힘의 원천을 마련해주는 촉매로서의 의미를 지닌다.

여기에서 술은 참새구이와 연결돼 있다. "꾼 옆에는 반쯤 죽은 주모가 살아 있는 참새를 굽고 있다 한 놈은 너고 한 놈은 나다"라는 진술 속에는 삶에 지쳐 내동댕이쳐지고 박제화돼 가는 변두리 인생들의 모습이 '반쯤 죽은 주모'와 '살아 있는 참새'의 대조적인 아이러니를 통해서 날카롭게 표출되어 있는 것이다. 그렇기에 "접시 위에 차례로 놓이는 날개를 씹으며, 꾼 옆에도 꾼이 판 없이 떠도는 마음에 또 한잔, 젖은 담배에 몇번이나 성냥불을 댕긴다. 이제부터 시작이야"라는 자기 극복의 다짐을 스스로 마련하게 된다. '씹으며/또 한잔/불을 댕긴다'라는 동작 속에서 삶의 온갖 피로며 울분, 좌절을 스스로 위무하면서 그러한 흔들림으로부터 일어서려는 극복 의지를 분출하게 된다. 술이 표상하는 물과 불의 갈등 에너지는 흔들림을 풀림으로, 다시 풀림에서 조임과 일어섬으로 전화시키는 촉매로서 작용한다. "다만 다같이 풀리는 기쁨, 멀리 뒷산에는 문득 나무들이 손 쳐들고 일어서서 단풍을 털고 있다"라는 결구가 그것이다. 가을비에 젖어 흔들리던 나무와 같이 끝없이 흔들리기만 하던 시적 자아의 모습이 술을 촉매로 하여 '손 쳐들고 일어서게' 되는 것이다. 그야말로 한잔 술에 위무받고, 또다시 일어서는 변두리 인생의 내면적인 풍경이 아이러니와 페이소스로써 형상화된 데서 이 시의 묘미가 드러난다고 하겠다.

「귀향(歸鄕)」의 경우에는 삶을 찾아 도시로 흘러온 떠돌이 또는 변두리 삶의 구체적인 좌절체험이 묘파돼 있다. 여기서도 시의 배경은 겨울의 한 포장마차라고 하겠다. 등장인물도 너와 나 두 사람이다. 그러나 나와 너는 똑같이 뿌리 없이 흔들리며 사는 모습이지만, '너'의 경우가 훨씬 좌절체험이 아프게 드러난다. '너'는 "넝마줍기 삼년에 절도 이범"이라는 밑바닥 생활에 상처받은 모습이며, "되는 것은 안 되는 것뿐"과 같이 절망적인 현실 인식을 지니고 있다. 그만큼 도시로 흘러들어온 유민·이주민들의 현실에 대한 뿌리내림이 힘들고 고통스럽다는 사실을 반증한다고 하겠다. 특히 "되는 것은 안 되는 것뿐"이라는 구절 속에는 몸 하나밖에 가진 것 없는 유이민이 대도시의 현실에 뿌리내린다는 일이 얼마나 어려운 것인가 하는 데 대한 뼈아픈 탄식과 함께 도시적 삶의 비정상과 횡포성에 대한 울분이 담겨 있다고 할 것이다.

그러면서도 이 시에서 현실극복의 모티프가 제기되는 것은 주목을 요한다. 여기에서 현실의 수난과 시련은 '눈'과 '겨울'로 표상돼 있다. 그렇기에 술이 갈등과 방황의 표상이면서 동시에 현실극복의 촉매로서 제기된다. 현실의 추위와 어둠 속에서 술은 그 잠재된 열로 인해서 슬픔을 녹여주고 일어설 수 있게 하는 힘의 촉매가 되는 것이다. "우리는 타관 불빛을 맞으며 하룻밤 깡소주에 혹한을 녹였다"와 같이 '불빛'과 '깡소주'에 의해 어둔 마음의 상처를 위무받으며, "살아도 곱게 살자 꽃같이 살자"라는 새로운 출발을 다짐한다는 말이다. 아울러 이 시에 '물결소리'와 '새들의 고향'이 결구에 암시된 것은 대도시적 삶에서 변두리로 밀려난 마음들이 고향의 따뜻함과 편안함으로 돌아가고 싶다는 심정의 한 반영으로 풀이된다.

다만 이들 시에서 변두리 삶의 소외와 그로 인한 좌절 및 울분이 술을 매개로 하여 자기 극복의 모멘트를 마련한다는 내용 정도로 이들 시가 머무는 것은 아쉬움이 아닐 수 없다. 이들을 소외시키고 좌절하게 만든 환경과 구조적 모순을 직시하고 능동적으로 풍자하고 야유하는, 그야말로 건강한 비판 정신이 아쉽다는 말이다. 그것은 꼭 목소리 높은 비판이나 저항의 표출이 아니어도 좋은 것이다. 시인 특유의 풍자적 아이러니와 페이소스를 보다 적극 활용하는 것이 바람직한 시적 응전이 되리라는 뜻이다. 변두리 삶의 비관적인 내면 풍경을 실감 있게 묘파하여 그들의 소외된 삶을 중심부화하는 일과 함께 비판적인 현실 인식을 날카롭게 섭수해 들였더라면 그러한 아이러니의 효과가 배가됐을 것이기 때문이다.

4. 소외 또는 문명비판의 의미

감태준의 시는 시간적인 전개 면에서 볼 때 형성형 시 또는 성장형 시의 성격을 지닌다. 그의 시는 시가 쓰여진 순서에 따라 시적 사유와 정서가 자리잡혀 가는 모습을 보여주기 때문이다. 떠 있음에서 뿌리내림, 흔들림에서 중심잡음 현상이 엿보인다는 말이다.

> ① 상상이나 할 수 있었는가
> 소년이었던 나는 이제
> 거울을 보고, 넥타이를 고쳐 매고
> 절로 꾸며지지 않는 얼굴에
> 향긋한 스킨을 바른다
>
> 세월이여, 화려한 서울이여

내 얼굴을 실은 냇물은 흘러
어디로 갔는가?

―「세월이여」 전문

② 서울을 보고 있으면
　내가 점점 작아진다. 눈을 감아도
　머리 위에 떠 있는 육교 고가도로

　수십층 빌딩이
　나를 내려다보고 서 있다
　내 꿈의 머리까지 보이는 듯
　공중에 철근을 박고

　철근 위에 벽돌과 타일을 붙인 너는
　정말 늠름해

　너를 보고 있으면
　어쩔 때는 내가 안 보인다, 너무
　작아져서
　던지면 날아가고
　발로 차면 굴러가는,

　나는 이즈음
　철근과 벽돌을 가슴에 얹고 산다.

―「소인일기(小人日記)」 전문

③ 내 갈 곳은
　바람 자는 집, 사람들의 따뜻한
　피가 도는 가슴속

　가자

뒤돌아보지 말고

거리의 사람들
서로 사람을 잊은 듯 무심히 헤어지고
차들마저 사람들을
길 양쪽으로 갈라놓고 달리는 꼴
더 보고 싶지 않으니

가자 가자
뒤돌아보지 말고
마음 둘 데 없으면
마음 끝까지

—「내 갈 곳은」전문

    특히 제2시집『마음이 불어가는 쪽』에서는 도시적 삶에 대한 문명 비판적
항의가 제기되어 관심을 끈다. 실상 떠돌이로서의 삶, 뿌리 없는 삶으로부터
차츰 안주하게 되고 뿌리내리게 됨으로써 대도시적 삶의 비정성과 기형성에
눈을 돌리게 되는 것이다.
    먼저 시 ①에는 이렇게 시골 소년으로부터 도시 사람으로 성장한 모습이
제시돼 있다. "물때 낀 내 몰골/내 날개에 밴 우수와/소외의 물이 빠질 때까지/
손바닥만한 나뭇잎으로 얼굴을 가리기도 했지만/물때 낀 내 몰골"(「떠돌이
새·4」)처럼 헐벗고 메마르던 지난날의 모습이 "거울을 보고, 넥타이를 고쳐
매고/절로 꾸며지지 않는 얼굴에/향긋한 스킨을 바른다"와 같이 세련된 모습
으로 변모한 것이다. 그야말로 촌티를 벗고 "세월이여, 화려한 서울이여"를
영탄하듯이 대도시적 생활양식과 관습에 젖어 들게 된 것이다. 그렇기에 그
의 많은 시에는 도시적 삶의 징후가 다양하게 나타난다.

    우리는

종각이 내려다보이는 찻집에 마주 앉아
차를
못 마시고
찻잔 위를
바람에 쫓겨 다니는 민들레 꽃씨를
메마른 눈으로 좇는다

　　　　　　　　　　　　　　　　　—「종로별곡」부분

좋구나 하늘나라에서 굽어보니
내 살던 자리
웃지 않는 서울도 아름다운 것을
어둠 속에 총총히 박혀 있는
오만가지 불빛은
별로 살아 반짝이고

　　　　　　　　　　　　　　　—「바람 부는 도시의 꿈」부분

나는 한동안
나를 따라온 추억들도 한동안
서울을 더 닮은 거리에서
빈 달구지를 붙들었다
마음집을 잃은 채,

　　　　　　　　　　　　　　—「서울특별시 고향구」부분

　　이 세 인용 부분에서 확인할 수 있는 것은 이미 시적 자아의 삶이 도시적
양식에 깊이 길들여져 있다는 사실이다. 서울, 종로가 삶의 터전이 돼 있으며,
이미 그곳은 어린 시절의 고향 이상으로 또 다른 고향이 되어 있는 것이다. 그
러면서도 떠나온 바닷가 고향이 이미 마음의 집이 아닌 것처럼, 살고 있는 이곳
대도시도 진정한 마음의 집이 되지 못하는 비애가 가로놓여 있다고 하겠다.
　　바로 이 지점에서 시인 특유의 소외의식과 문명비판의식이 날카롭게 펼쳐

진다. 시 ②가 그 한 예이다. 이 시는 제목부터가 매우 풍자적이다. 오늘날의 현대인들이 도시 문명이라는 거대한 주인 또는 상전을 모시고 살아가고 있는 소외된 모습을 소인으로 야유하고 있기 때문이다. 인간들이 그들의 생활을 편리하게 하기 위해 만들어낸 온갖 도시 문명이 오히려 주인 행세를 하고, 인간들은, "서울을 보고 있으면/내가 점점 작아진다"처럼, 그 밑에서 하인 또는 소인으로 전락하고 말았다는 문명비판이 담겨 있는 것이다. 따라서 모두 네 연으로 짜여져 있는 이 시는 앞의 두 연에서 거대한 콘크리트 구조물로서의 대도시 서울을 중점적으로 묘사하고, 뒤의 두 연에서는 그에 대비되는 왜소한 소인으로서의 '나'를 묘사함으로써 아이러니를 날카롭게 유발한다. 위압적으로 '나'를 내려다보는 수십 층 빌딩의 모습과 그에 대비되어 너무나 작아져서 아주 안 보이게 돼버린 초라한 인간의 대조 속에는 상반되는 감정 또는 모순의 태도가 전제돼 있기 때문이다.

아이러니란 무엇이던가? 바꾸어 말해서 그것은 겉에 표현된 내용과 속에 담겨 있는 진짜 의도 사이에서 발행하는 충돌의 감정이며 갈등의 긴장 미학이라고 불러볼 수도 있다. 이렇게 본다면 「소인일기(小人日記)」라는 제목에서부터 내용의 전개에까지 깊이 작용하고 있는 아이러니는 그것이 그의 시에 있어서 페이소스를 환기해주는 중요한 방법론으로 활용되고 있다는 점에서 의미를 지닌다고 하겠다. 특히 "너를 보고 있으면/어쩔 때는 내가 안 보인다. 너무/작아져서/던지면 날아가고/발로 차면 굴러가는"이라는 구절은 도시 문명에 압도당할 뿐 아니라 거대한 상업주의 또는 조직사회에서 하나의 부속품 또는 톱니바퀴로 시달리면서 마모돼 가는 현대인들의 불안하고 덧없는 실존에 대한 깊은 탄식과 우수가 깃들어 있는 것으로 풀이되어 관심을 끈다. 아이러니의 구사에 의한 페이소스의 유발이라고 할 것이다.

아울러 "나는 이즈음/철근과 벽돌을 가슴에 얹고 산다"라는 결구 속에는 도시 문명의 허구성 또는 허망성에 대한 날카로운 비판이 제시돼 있다. 이러한 결구 속에는 벽돌과 철근이 상징하듯이 나날이 광물 인간, 기계 인간으로 전락해 가는 현대인의 비정성에 대한 신랄한 풍자와 함께 부드러움과 따뜻함으로서의 인간적 체온 또는 사랑을 갈망하는 뜻이 담겨 있다고 하겠다. 결국 이 시는 '서울'이 상징하는 대도시적 삶의 황량함과 도시 문명의 삭막함을 풍자함으로써 인간성 회복을 힘주어 강조한 데서 의미가 놓여진다.

바로 여기에서 시 ③의 세계가 전개된다. 도시 문명의 위압상을 비판하고 그 허구성을 풍자하는 배면에는 인간다운 삶을 향한 의지와 갈망이 깔려 있는 것이다. "내 갈 곳은/바람 자는 집, 사람들의 따뜻한/피가 도는 가슴속"의 세계가 바로 그것이다. '사람', '피', '가슴'의 의미 연쇄 속에는 인간 상실의 현대적 삶으로부터 인간다운 인간의 삶을 갈망하는 인간 회복의 꿈이 아로새겨져 있는 것이다. 도시 문명에 대한 비판과 풍자는 인간 회복을 갈망하는 하나의 문학적 장치인 셈이다. 문명비판과 저항의 목소리를 높이지 않으면서도 초라한 인간의 모습에 대한 사랑을 아이러니로 표현, 하여 짙은 비애미를 불러일으키는 데서 감태준 시의 한 미덕이 드러나는 것이다.

5. 사랑에의 길, 자유에의 길

기본적으로 감태준의 시는 실향의식과 떠돌이의식을 원점으로 하여 출발한다고 하겠다. '고향 없음'과 '집 없음'이 그의 문학에서 중요한 모티프로 작용하고 있는 것이다. 따라서 그의 많은 시에는 소외와 불안의식, 갈등과 방황의 심리가 관류되고 있다. 그의 시에 반복적으로 등장하는 겨울과 바람, 눈과 비 등의 이미지는 이러한 고난과 시련의 상징이면서 동시에 그의 시에 서정성을 불어 넣어 주는 촉매가 된다. 실상 그의 시가 불안과 소외, 갈등과 방황을 기반으로 전개된다는 점은 주목을 요한다. 그것은 그의 시에 어머니 결핍증 또는 여성 콤플렉스가 흐르고 있다는 사실과 연관된다. 그의 시에는 흔들림, 즉 소외와 불안에 기인하는, 따뜻함으로서의 모성 또는 여성의 사랑에 대한 갈망이 끊임없이 표출되기 때문이다. "어머니는 죽어서 달이 되었다/바람에게도 가지 않고/길 밖에도 가지 않고,/어머니는 달이 되어/나와 함께 긴 밤을 같이 걸었다"(「사모곡」)가 그 한 예증이 된다. 그것은 그만큼 오랫동안 그의 삶이 소외되어 있었고, 그가 비관적인 현실 인식을 지니고 있으며, 시「희망병원」에서처럼 아직도 무엇엔가 갈증을 느끼고 있다는 반증이 될 것이다.

그렇기에 그의 문학의 출발점이 실향의식과 소외의식에서 비롯된다면, 그 지향점은 사랑과 자유의 지향성 또는 인간 회복을 목표로 한다고 하겠다. 실상 그의 초기시에 지속되는 술과 바다의 상징도 실향의식에 따르는 뿌리 없는 삶, 도시적 삶의 소외로부터 따뜻한 인간적 체온으로서의 고향 또는 사랑을 회복하고자 하는 꿈의 반영일 것이 분명하다. 또한 철새는 먹이와 안식처를 찾아다니는 실존의 표상이기도 하지만, 동시에 날아다닌다는 점에서 자유지향성의 한 표징이 되는 것이다. 이것은 그의 시가 원천적인 면에서 먹이냐 자유냐, 현실이냐 이상이냐 혹은 물질이나 정신이냐 하는 갈등 축 위에서 전개되고 있다는 사실을 의미할 수도 있겠다. 그의 시는 갈등과 방황의 시이면서, 사랑과 자유에 대한 갈망의 시로서의 성격을 지니고 있다는 말이 될 것이다.

그러나 그의 시에는 아쉬운 점도 발견된다. 그의 시에는 중요한 내용이라고 할 소외된 삶에 대한 끈질기면서도 지속적인 천착이 차츰 줄어들고 있는 것이 그 한 가지이다. 물론 그의 시가 점차 내면화되고 있어서 그렇기도 하겠지만, 그의 시 특유의 소외된 삶에 대한 관심과 애정에서 오는 아이러니의 긴장미와 페이소스의 은은함이 근래의 시에서 현저히 감소되어가고 있는 것으로 여겨지기 때문이다. 이러한 아이러니의 시법이 하나의 체계를 이룰 때 문명비판이라는 주제가 더욱 확대되고 심화될 것이기 때문이다. 아울러 또 한 가지 그처럼 인간의 삶을 소외시키고 비인간화시키는 현실적 모순과 부조리에 대한 날카로운 통찰과 비판정신이 확대·심화되지 못하고 있는 점도 아쉬운 점이다. 이것은 물론 그가 개인적인 면에서 유수한 잡지의 편집장이라는 번다한 일에 매여 있다는 사실이나, 학위를 얻기 위해 노력했던 일들과 무관하지 않을 것이 분명하다. 이 점에서 그의 시는 이제 새로운 출발을 기약해도 좋을, 또 약속해야만 할 중요한 시점에 놓여 있다고 할 것이다. 시의 길, 그것은 끝없이 참담한 소외의 길 또는 자기 진실과의 치열한 격투의 길을 의미하기 때문이다.

어떻든 감태준의 시가 이 땅 60년대 산업화 과정에 있어서 새롭게 대두하기 시작한 신종 유이민의 소외된 삶에 대한 진지한 관심과 애정을 형상화한 것은 소중한 의미를 지니는 것으로 판단된다. 앞으로 그의 시는 나날이 비인간적 상황으로 치닫는 오늘날 현대인의 삶에서 각종 각양의 인간 소외 문제를 자신의 특징인 아이러니와 페이소스의 미학으로 심화하되, 그러한 노력들이 사회적·역사적으로 열린 정신을 더욱 확보해 감으로써 인간의 상실된 전체성을 회복하고 진정한 인간 회복의 시, 무게 있는 휴머니즘의 시로서 우리 시사에 뚜렷하게 자리 잡아 가기를 희망한다.

(『현대사상』, 1989. 가을호)

제4부 한국시의 형이상(形而上)

박두진, 가시면류관 또는 부활의지

1. 존경받는 원로시인 혜산

시인 혜산 박두진(兮山 朴斗鎭, 1916~), 그는 지금 이 땅의 문단에서 생존해 있는 시인 가운데 가장 존경받는 원로시인의 대표 격인 인물이라 할 수 있다. 분단 이래 남쪽 문단에서 일관성 있게 시적 신념을 추구하면서 인간적인 절조를 굳게 지켜 온 많지 않은 대가 시인의 한 사람이기 때문이다.

그는 오로지 시작생활과 신앙생활에 전념하면서 세속적인 명리에는 애써 초연하려 노력해 왔다. 그러면서도 4·19혁명과 유신 쿠데타 등 험난한 역사의 고비에 처할 때마다 정치적 모순과 사회적 부조리에 대해서는 준열한 꾸짖음의 자세로 맞서 싸우기에 주저하지 않았다. 예언자적 지성으로서의 시인 또는 신앙인의 본도에 충실하되 불의와 부정에 대해서는 항거와 비판을 할 수 있는 실천적 지성의 꼿꼿한 면모를 보여준 것이다.

주지하다시피 박두진은 1940년 『문장(文章)』지에 「향현(香峴)」, 「묘지송(墓地頌)」 등 작품이 천료되어 등장하였다. 정지용에 의해 "삼림에서 풍기는 식물성의 것" 또는 "시단에 하나 신자연(新自然)" 등으로 소개되면서 등장한 이래 그는 지금까지 약 50년간 박목월, 조지훈과의 3인 시집 『청록집(靑鹿

集)』을 비롯하여 『해』(1949), 『오도(午禱)』(1954), 『박두진시선(朴斗鎭詩選)』
(1956), 『거미와 성좌(星座)』(1961), 『인간밀림(人間密林)』(1963), 『하얀 날개』
(1967), 『고산식물(高山植物)』(1973), 『사도행전(使徒行傳)』(1973), 『수석열전
(水石列傳)』(1973), 『속수석열전(屬水石列傳)』(1976), 『야생대(野生代)』(1977),
『하늘까지 닿는 소리』(1981), 『포옹무한』(1981) 등의 창작시집과 이를 묶은
『박두진시전집(朴斗鎭詩全集)』, 기타 시선집, 시론, 에세이 등을 발간하였다.
그는 고희를 훨씬 넘긴 지금에도 이 땅의 존경받는 원로시인의 한 사람으로
서 시작생활과 신앙생활에 몰두함으로써 바람직한 시인의 삶이 어떠한가 하
는 데 대한 하나의 소중한 교훈을 던져주고 있다고 하겠다.

2. 비관적 현실 인식과 미래지향성

박두진의 시세계는 대략 몇 가지로 그 특징을 요약할 수 있다. 일제강점하
에서부터 시작된 그의 초기시는 비관적인 현실 인식을 드러내는 가운데 미래
지향성을 지속적으로 표출하는 데 특징이 놓여진다. 「묘지송」, 「도봉」, 「푸
른 하늘 아래」 등의 시들은 비관적인 현실 인식을 바탕으로 하면서도 그에 좌
절하거나 절망하지 않고 미래 지향적인 낙원 회복의 꿈을 간직한 것이다.

물론 이러한 낙원 회복의 소망을 간직한 것은 그가 신앙을 갖기 시작한 데
서 비롯된 것이라 할 수 있다. "모든 문제를 해결할 수 있는 유일한 길로서 나
는 종교 신앙의 길을 택하기에 이르렀고 어느 비 내리는 주일에 스스로 찾아
가 기독교회의 문을 두드렸다."[1]라는 시인 자신의 술회가 있듯이 『문장』지
추천을 받기 6, 7년 전부터 기독교 신앙을 갖게 되었던 것이다. 그의 시에 비
관적 현실 인식이 두드러지면서도 그에 함몰되지 않았던 힘은 바로 기독교적
신앙과 세계관에서 말미암은 것이라 할 수 있다. 『청록집』에 수록된 초기시

---

1) 박두진, 「나의 추천시대」, 『시인의 고향』, 범조사, 1958, 208쪽.

를 관류하는 시정신은 바로 기독교적 믿음의 힘에서 우러난 미래 지향의 건강성이라 할 것이다.

　아울러 해가 발간되는 1949년 무렵까지의 이 초기시에는 대자연의 생명력과 남성적인 '해의 상상력'2)이 분출되는 특징을 지닌다. 그의 한 대표작인 「해」와 「청산도(靑山道)」가 상징하듯이 그의 시에는 '산'이 상징하는 자연의 생명력에 대한 신앙적 믿음과 '해'가 상징하는 새 역사의 아침에 대한 희망찬 기다림이 드러난다. 특히 해는 지상의 어둠과 악을 몰아내는 정의와 광명의 표상이면서, 동시에 지상의 모든 생명들에게 열과 빛으로서 에너지를 불어넣어 주는 근원적인 생명력의 표상이 된다. 따라서 '해'는 생명의 표상이자, 그 영속성의 상징이며, 새 역사의 도래에 대한 확신이며 갈망이고, 그러한 모든 것을 주재하시는 원천으로서 하나님에 대한 숭모심의 발현이라 할 수 있다. 이처럼 박두진의 초기시는 기독교 정신을 바탕으로 하면서도 그것이 신앙시라는 측면보다는 예술시 자체로서의 성격이 더 드러나는 것이 특징이라 하겠다.

　박두진의 중기시는 대략 6·25 이후 간행한 『오도』와 『거미와 성좌』, 『인간 밀림』, 『하얀 날개』가 간행되는 1960년대 후반까지가 속한다고 할 것이다. 이 시기의 시들은 대략 지상의 삶에 있어서의 고통과 수난 및 이에 대응되는 천상적 삶의 자유에 대한 갈망이 지속적으로 분출된다고 하겠다. 이른바 지상의 척도와 천상의 척도가 선명하게 대비되면서 수직 상상력이 작용하게 되는 것이다. '거미'는 지상의 척도, '성좌'는 천상의 척도를 반영하는 한 상징이며 그렇기에 '기(旗)'와 '새'가 이러한 표상으로서 지속적으로 나타난다. 실상 6·25라는 처참한 비극과 4·19라는 민주화의 열망과 시련을 겪으면서 지상에서의 삶, 역사적 존재로서의 인간의 삶이 얼마나 고통스러운 것인가를 새삼 깨닫게 된 데서 더욱 천상의 척도로서 신앙에의 몰입이 자연스럽게 심화될 수 있을 것은 자연스러운 이치이기 때문이다. 아울러 이 시기에는 사회적

---

2) 김재홍, 「박두진론」, 『한국현대시인연구』, 일지사, 1986, 398~406쪽.

현실과 역사적 상황에 대한 관심이 두드러지게 드러나게 된다. 「우리들의 기빨을 내린 것이 아니다」, 「우리들의 8·15를 4·19에 살자」 등의 시편들은 4·19를 겪으면서 박두진이 역사와 현실, 민족의 공동체적인 운명성에 관심을 적극 갖게 되었음을 말해주는 것이 된다. 이른바 기독교적 예언자적 지성이 진정한 사랑의 실천을 위한 실천적 지성으로 전환하게 된 것이라 하겠다.

박두진의 후기시라 할 수 있는 70년대 이후에 이르러서 그의 시는 신앙시로 집중되는 양상을 보여준다. 그의 시는 출발점 자체가 기독교 정신과 신앙심을 바탕으로 한 것이었지만, 이러한 기독교 정신과 신앙심은 그의 전 생애와 시작에 있어서 지속적으로 작용함으로써 연작시 「사도행전」을 비롯한 수많은 신앙시를 탄생시킨 것이다. 그의 후기시라 할 수 있는 70년대 이후 시에 이르러서 그의 시는 신성사(神聖事)에 대한 집중적인 탐구와 깊은 신앙심을 드러내게 된 것이다. 그것은 예수 그리스도의 수난과 고통, 영광과 은총을 함께 노래하면서 그 속에서 진정한 삶의 길, 시의 길을 발견하려는 노력으로 나타난다. 아울러 이 무렵에는 『수석열전(水石列傳)』 등의 연작시집 속에서 자연사와 인간사, 그리고 신성사가 자연스럽게 화해되고 합치됨으로써 그의 시는 정점으로 향해 나아가게 된다. 마침내 그의 시는 '수석(水石)'이라고 하는 돌의 형상 속에서 인간사와 자연사, 그리고 신성사의 모든 모습을 함께 투시하고 통합해낼 수 있게 됨으로써 인생과 예술, 예술과 종교가 마침내 행복한 화해를 이룩하게 된 것으로 풀이된다. 이러한 탐구는 오늘날에도 다양하고 또 깊이 있게 지속되고 있음은 물론이라 하겠다.

3. 신성사와 세속사의 갈등, 화해

이번 시선집 『가시 면류관』은 박두진의 신앙시만을 모은 것이다. 이 점에서 본 시선집은 신앙시집의 범주에 든다고 하겠다. 신앙시는 흔히 말하는 시,

즉 일반적인 예술시와는 구별된다. 이것은 같은 시이지만 일반시가 시로서의 성격, 즉 시성(詩性)을 강조하는 데 비해서 신앙시는 신성 지향성이나 신앙 고백, 즉 종교성에 더 중점을 둔다. 다시 말해서 신앙시는 신성 찬양과 신앙 고백이라고 하는 뚜렷한 목적을 가진 시이며, 따라서 신앙시 자체로서의 은혜가 충만하면 그것으로 충분한 것이다.

실상 크게 보면 박두진의 시는 기독교 정신과 신앙심이 그 바탕에 흐르고 있기 때문에 그의 시를 신앙시라고 부를 수도 있겠다. 그렇지만 시의 창작 의도와 목적이 어디에 더 중점이 놓여 있느냐 여부를 따라서 신앙시를 규정해야 하기 때문에 앞에서 살펴본 것처럼 그의 후기시를 주로 신앙시라고 보는 것이 온당하리라 생각한다.

이번 『가시 면류관』에 묶여진 시들은 대체로 신앙시의 범주에 해당한다고 할 것이다. 그런데 그 내용을 자세히 살펴보면 이 신앙시들은 크게 보아 두 가지 계열로 나눌 수 있다. 그 하나는 신성사로서의 측면이며, 다른 하나는 세속사로서의 측면이라고 말할 수 있겠다. 전자는 예수 그리스도의 고난에 찬 행적과 신이한 신성성에 대한 탐구와 찬양이며, 후자는 연약한 인간으로서의 '내'가 겪는 신성 체험과 신앙 고백이라 할 것이다. 이러한 두 가지 측면은 마침내 주 예수 안에서 거듭 태어나기를 통해서 생활 자체가 바로 신앙으로 통합되고 고양되는 모습을 보여주지만, 그 과정에 있어서는 때로 분리되기도 하면서 전체로서 통일을 지향해 나아가는 특징을 지닌다.

먼저 신성사로서의 측면은 하나님 같은 사람, 사람 같은 하나님인 예수 그리스도의 행적에 집중되어 있다. 예수의 탄생으로부터 인류사에 있어서 가장 큰 비극의 하나라 할 수 있는 예수의 죽음에 이르기까지, 그리고 부활에 대한 확신과 기다림의 전 과정을 치열하게 탐구하고 있는 것이다.

오늘도 아기는 오시네. 눈이 내리는 마을에 오시네.

아기가 오시면 마을에는 하얀 눈이 내리고,
하얀 눈이 내리는 마을에는 예쁜 아기가 오시네.
가난하고 허술한 말구유가 있는 마을,
그 망아지가 서서 울던 말외양깐처럼
외롭고 쓸쓸한, 쓸쓸한 마을의 사람들을 위하여
외롭고 쓸쓸한, 쓸쓸한 사람들의 마을에 오시네.
눈이 내리는 마을에 오시네.
……중략……
하늘에는 영광이…… 땅에는 평화가……
천사들은 노래하며 다가오는데,
목자들 무릎 꿇고 동방박사 절하고,
마리아는 기도하고, 요셉은 말이 없이 아길 지켜섰는데,
아기는 아기왕은 가난한 마을
등불이 켜져있는 외양깐에 오시네.

오늘도 아기는 오시네. 눈이 내리는 마을에 오시네.
누구나의 기다리는 어디에든지 오시네.
어디에든지 기다리는 누구의 마음에나 오시네.
누구나의 상처입은 아픈 영혼에
누구나의 갈한 영혼 목마른 영혼에 오시네.
누구에든지 어두운 땅에 참빛을 밝히시려
누구에든지 바라는 심령에 새 생명을 부으러 오시네.
눈이 내리는
오늘도 여기는 아기가 오시네.
하이얗게 눈이 내리는 어느 마을에든지 오시네.
　　　　　　　　　　　　　　　　　　　　　　　－「오늘도 아기는 오시네」 부분

이 시는 하얀 눈이 내리는 것을 보면서 예수께서 탄생하시던 그날을 되돌이켜 보는 작품이다. 일반적으로 신앙시, 특히 박두진 신앙시의 특징은 대체로 길이가 길고 내용이 다소 설명적이라는 데서 드러난다. 여기에서도 70여

행이라는 일반 서정시보다는 긴 형식을 취하고 있다. 예수 탄생의 모습을 회상하면서 그 탄생이 오늘날의 삶에 던져주는 의미와 보람을 되새겨 보고자 하는 것이다. 따라서 '오늘도 아기는 오시네'처럼 현재형으로 시가 진행되고 있다. 예수의 탄생은 오랜 옛날의 일이지만, 그 교훈과 의미 그리고 정신은 여전히 오늘날에도 이어져서 우리들 마음속에 참 빛을 밝혀주고 새 생명을 일깨워주고 있음을 형상화한 시라 할 수 있다. 이 시에서 예수가 오신 것은 "하늘에는 영광이…… 땅에는 평화가……"처럼 "지극히 높은 곳에서는 하나님께 영광이요 땅에서는 기뻐하심을 입은 사람들 중에 평화로다"(누가복음 2:14)를 실현하기 위해서인 것이다. 다시 말해서 어둠과 고통으로서의 인류의 삶을 구원하고 지상 위에 하나님의 영광과 평화를 구현하기 위해서 예수께서 오셨다는 점을 강조하였다고 하겠다.

이 시가 예수 탄생의 의미를 형상화했다면 「갈보리의 노래」 연작시는 예수께서 십자가에 못 박혀 운명하시던 그날의 광경을 회상하여 지은 작품이다.

> ① 엘리…엘리…엘리…엘리…스스로의 목숨을 스스로가 매어달아, 어떻게 당신은 죽을 수가 있었는가? 신(神)이여 어떻게 당신은 인간(人間)일 수가 있었는가? 인간이여! 어떻게 당신은 신(神)일 수가 있었는가? 인간이여! 어떻게 당신은 신(神)일 수가 있었는가? 아…방울방울 떨구어지는 핏방울은 잦는데, 인자(人子)여! 인자(人子)여! 마즈막 쏟아지는 폭포(瀑布)같은 빛줄기를 어떻게 당신은 주체할 수 있었는가?
>
> ―「갈보리의 노래」 부분

> ② 엘리…엘리…엘리…엘리…아으, 사랑하게 하라. 사랑하게 하라. 이제야 다시 한번 사랑하게 하라…진달래꽃 짓이기듯 이겨진 가슴, 피와 살로 저희들을 싸안게 하라. 죽음을, 원수를, 어둠을, 밤을, 이제야 다시 한번 껴 안게 하라, 쏟아지 는 먹비대신 찬란한 빛발, 하늘 함빡 빛발들이 쏟아져 오면, 가슴마다 새로

발(發)해 빛이 솟으면, 사랑이어! 꽃 빛발, 꽃 빛발에 스러지게
하라. 파다아하게 서로 안고 쓰러지게 하라, 파다아하게 서로
안고 일어나게 하라.

—「갈보리의 노래」 부분

시 ①은 예수 그리스도가 십자가에 못 박혀 죽어가는 마지막 장면을 묘사
하고 있다. 어둠, 치욕, 고독, 채찍질, 입맞춤, 창, 피, 죽음, 사랑, 신, 인간 등의
어휘들이 서로 맞부딪치고 말줄임표, 쉼표, 느낌표, 물음표 등이 다급하게 반
복되면서 그리스도의 죽음이 얼마나 비장한 것이었으며 또 절박한 것이었는
가를 말해준다. 가장 많이 고통받고 가장 위대하게 사랑한 예수 그리스도의
십자가 죽음을 통해서, 모든 인류의 죄를 대신해서 죽음을 수락하고 그 죽음
의 고통을 통해서 인간적 완성과 신적 초월을 성취한 마지막 순간을 비장하
게 형상화한 것이다.

시 ②는 예수 처형 이후의 갈보리언덕 십자가를 형상화하였다. 이 시에서
노래하는 것은 예수 죽음의 숭고함이며, 그것이 인류에게 참된 하나님의 사
랑을 전파하려는 데 참뜻이 놓여 있음을 말해준다. 이 시에서 노래하는 사랑
은 온 세상 인류에게로 향하는 불붙는 외침이기도 하다. 인류 역사 이래 참으
로 많은 사랑의 노래가 불리워졌으나 절대적 의미의 이러한 사랑은 예수의
그것이 가장 완성된 모습이라는 점이 강조된 것이다. 요한복음 19장 28절의
말씀에 짓이겨진 지상 위의 고통스러운 삶을 노래했으며, 특히 십자가를 멘
인생의 고행길에서 인간들은 모두가 서로서로 사랑하며 살아야 한다는 뜨거
운 절규를 담고 있다고 하겠다. 이렇게 본다면 이 시편들은 예수 그리스도의
십자가의 죽음을 통해서 하나님의 참된 사랑을 강조하고 신께로 향한 뜨거운
신앙과 사랑을 고백한 시라고 할 것이다. 그렇기 때문에 예수의 부활과 재림
을 간절히 기다리는 자세가 드러난다.

눈같이 흰 옷을 입고 오십시요. 눈 위에 활짝 햇살이
부시듯 그렇게 희고 빛나는 옷을 입고 오십시요.

달 밝은 밤, 있는 것 다아 잠들어 괴괴한 보름밤에 오십시요⋯⋯빛
을 거느리고 당신이 오시면 밤은 밤은 영원(永遠)히 물러간다 하였으
니 어쩐지 그 마즈막 밤을 나는 푸른 달밤으로 보고 싶습니다. 푸른 월
광(月光)이 금시에 활닥 화안한 다른 광명(光明)으로 바뀌어지는 그런
장엄하고 이상한 밤이 보고 싶습니다.

속히 오십시요. 정녕 다시 오시마 하시었기에 나는 피와 물의 여러
서른 사연은 지니고 기다립니다.

흰 장미(薔薇)와 백합(百合)꽃을 흔들며 맞으오리니 반가워 눈물 먹
음고 맞으오리니 당신 눈같이 흰옷을 입고 오십시요. 눈 위에 활짝 햇
살이 부시듯 그렇게 희고 빛나는 옷을 입고 오십시요.
―「흰 장미와 백합(百合)꽃을 흔들며」 전문

요한 계시록 22장 20절에 근저를 둔 이 시에는 예수의 재림을 갈망하고 기
다리는 자세가 드러나 있다. 여기에서 대립되는 것은 빛과 어둠이며, 그것은
예수의 재림이 지상 위의 온갖 사악과 불의를 물리치는 근본적인 힘이 된다
는 깨달음을 담고 있다. '흰옷/눈/보름달/햇살/월광/흰장미/백합' 등과 같은 빛
의 상관 체계는 바로 지상 위의 어둠을 예수 그리스도의 재림을 통해서 물러
가게 할 수 있다는 믿음을 상징한 것이라 하겠다. 이러한 예수 그리스도의 위
대한 면모는 다음 몇 가지로 구체화되어 나타난다.

① 땅버러지 하나만큼의 인간 인류의 생명살음
　인간 인류의 하는 행위
　참고 참고 기다리시며 노하심은 더디시게
　아끼고 아끼고 사랑하시며

용서하심을 빠르시게

오늘 그냥 아직
당신의 뜻 그 손바닥 위에 우리들 모두는 놓여 있느니
당신의 가슴의 뜨거운 상처로
우리들 모두는 안겨 있느니.

—「뜨거운 상처(傷處)」부분

② 쫓겨서 벼랑에 홀로일 때
　뿌리던 눈물의 푸르름
　떨리던 꽃잎의 치위를 누가 알까

　하고 싶은 말 너무 높은 하늘의 말 땅에서는 모르고
　너무 낮춘 땅의 말도
　땅의 사람 모르고
　이만치에 홀로 앉아 땅에 쓰는 글씨
　그땅의 글씨 하늘의 말을 누가 알까

　몸은 형틀에 끌려가고
　형틀은 몸에 끌려가고
　땅 모두 하늘 모두 친친 매달린
　죄악 모두 죽음 모두
　거기 매달린
　나무형틀 그 무게를 누가 알까

　모두는 돌아가고
　적막
　그때
　당신의 그 울음소리를 누가 알까.

—「성고독(聖孤獨)」부분

이 두 편의 시에는 예수 그리스도의 큰 사랑과 함께 인간적인 고독이 생생하게 제시되어 있다. 먼저 시 ①은 "주의 약속은 어떤 이가 더디다고 생각하는 것과 같이 더딘 것이 아니라 오직 너희를 대하여 오래 참으사 아무도 멸망치 않고 다 회개하기를 원하시느니라"라고 하는 베드로후서 3장 9절의 말씀을 바탕으로 해서 스스로의 숭고한 희생과 끝없는 용서 속에 사랑의 참뜻이 놓여 있음을 강조한 것이 된다. "참고 참고 기다리시며 노하심은 더디시게/아끼고 아끼고 사랑하시며/용서하심은 빠르시게"라고 하는 구절 속에는 이러한 무한 용서와 무한 사랑으로서의 예수의 크신 사랑의 정신이 담겨져 있는 것이다.

시 ②는 인간 예수의 참담한 고독과 슬픔에 대한 깊은 응시가 두드러진다. 예수께서 지상에 계실 때 아무도 제대로 이해하지 못했고, 함께 해줄 수도 없었던 혼자만의 깊고 깊은 고독과 참담한 절망이 제시되어 있는 것이다. 아울러 그러한 참담한 고독과 절망들을 생각하면서 그러한 것들을 조금이라도 이해하려는 안타까운 마음을 성서의 여러 구절들을 인유하여 형상화했다고 할 수 있다. 이러한 예수의 인간적 절망과 고독을 이해함으로써 삶의 본질에 더욱 깊이 있게 근접하면서 하나님께 향한 뜨거운 신앙과 사랑이 더 깊고 견고해져야 하겠다는 다짐을 담고 있는 시라고 할 것이다.

이처럼 신앙시집 『가시 면류관』에는 하나님 같은 사람, 사람 같은 하나님인 예수 그리스도의 행적과 성서의 내용, 그리고 기독교적 세계관에 대한 형상화가 다양하게 전개되고 있다. 예수의 죽음과 부활, 그리고 재림에 대한 확고한 믿음과 기다림의 자세를 통해서 절대자에 대한 신앙을 고백하고 다짐하는 뜻이 다양한 이야기로 형상화되어 있는 것이다.

4. 삶과 시, 신앙의 일체화

한편 신앙시집 『가시 면류관』에는 신성사로서의 예수의 고난에 찬 행적과 함께 연약한 한 인간으로서 '내'가 겪는 신성 체험과 신앙 고백이 진지하게 펼쳐져 있다. 물론 참신앙에 들게 되면 '나'의 세계는 없어져 버리고 모든 것이 하나님의 뜻대로의 경지에 이르게 되는 것이 사실이다. 그렇지만 그렇게 되기까지에는 수많은 회의와 좌절, 기다림과 성숙의 시간이 필요한 것이다. 바로 이러한 신앙 과정이 진솔하게 드러나 있다고 하겠다.

먼저 『가시 면류관』에는 사도들의 행전을 통해서 신앙심을 본받고 익히고자 하는 갈망이 제시되어 있다.

> 환란이나 핍박이나 위험이나
> 칼이라고 하신 이여.
>
> 만일 하느님이 우리를 위하여 행하시면
> 누가 능히 우리를 대적하리오라고 하신 이여.
>
> 그렇게도 뜨겁게 그리스도의 사랑을
> 그렇게도 철두철미 하느님의 사랑을 믿은 이여.
>
> 눈에서 벗어지던 은총의 고기비늘
> 혀에서 뿜어내던 말씀의 불의 불길
>
> 독사에게 물려도 상하지 않던 손가락의 소유자여
> 믿음의 사자여
>
> 환란과 핍박 위험과 칼 앞에
> 앞장서 휘날리던 믿음의 깃발이여.

피로써 물들였던 믿음의 장한 역정
싸우고 또 싸웠던 믿음의 승리자여
　　　　　　　　　　　　—「사도(使徒) 바울에게」 전문

　이 시는 로마서 8장 35절, 사도행전 9장 17, 18절, 28장 3, 5절 등 여러 내
용을 바탕으로 해서 쓰인 것으로 보인다. 그 내용은 한결같이 사도 바울의 굳
은 신앙을 예찬하면서 그것을 본받고 싶다는 갈망을 담고 있다. 따라서 이 시
는 사도 바울의 행적을 통해서 더 크고 깊은 믿음을 간구하는 시인의 자세가
드러나 있는 것이다. 실상 연작시 「사도행전」의 여러 시편들은 대부분 여러
믿음이 강한 사도들의 행적을 탐구하면서 시인 자신의 신앙에 대한 결의를
새롭게 다지고자 한 데 뜻이 있다고 하겠다. 이러한 참된 신앙에 이르기까지
의 과정은 여러 가지 모습으로 변주되어 나타난다.

　①아으
　　높은 곳
　　하늘이신 하느님
　　그때 그 아득한 때
　　어떻게 당신은 처음 나를 있게 하셨을까
　　비로소 처음
　　내가 나이도록
　　어떻게 당신은 처음 나를 빚으셨을까
　　　　　　　　　　—「어떻게 나를 빚으셨을까」 부분

　②하느님, 하느님,
　　내가 더 어렸을 때에도
　　당신의 이름을 듣기는 들은 적이 있었읍니다.
　　그것은 하늘천자, 나의 아버지가
　　처음 천자문을 가르쳐 주신 여섯 살 때

배운 하늘의 하늘천자로서였습니다.

……중략……

정말 정말 어떻게
나로 하여금
내가 당신을 만날 수 있게 하셨는지요.

    —「머나먼 갈보리 그 뜨겁고 진하고 아름다운 말씀의 핏방울」 부분

③ 닭 울기 전

거듭 세번 몰랐담을 뉘우쳐 통곡(痛哭)하던, 당신의 늙은 제자(弟子)
베드로는 그래도
가야바의 뜰에까지 딸아래로 갔지만,

오오,
중얼거리며 나는
잡히시는 그 자릴 피(避)해 달아나 숨은 채
감람산(橄欖山).
어느 나무 뒷그늘에 혼자서 주크리고,
당신과 또 스스로의 배반(背叛)을
몇줄기의 눈물론들 뉘우쳐나 봤을지요.

    —「감람산」 부분

시 ①은 존재의 근원에 대한 물음을 제시한다. '나'를 존재하고 살아가게 하는 것은 '당신'이라 할 수 있다. 나를 있게 하시고, 세상과 우주를 있게 만들어주시고 주재하시는 분은 바로 당신으로서 하나님인 것이다. 이 점에서 이 시에는 모든 것이 하나님이 만든 것이고 주재해 가는 것이라고 하는 기독교의 섭리 사관을 드러낸 것이라 하겠다. 시 ②에는 어렸을 때부터의 신앙생활 과정을 피력하고 있다. 하나님을 알게 되고 믿게 되는 모든 과정은 결국 하나의 운명이고 섭리라고 하는 데 대한 깨달음과 확신을 제시한 것이다. 시 ③은 연약한 인간으로서의 한계를 마태복음 26장의 여러 내용을 통해서 형상화함

으로써 하나님 앞에 무릎 꿇는 겸손한 신앙인의 자세를 드러내고 있다. 예수를 판 유다나 예수를 모른다고 세 번이나 부인한 베드로보다도 더 연약하고 부족한 인간으로서의 '나'의 한계를 자각함으로써 더 굳은 신앙을 갖고자 하는 갈망을 표출한 것이다.

이렇게 본다면 '나'의 신앙인으로서의 부족함과 부끄러움을 자책하고 참회하는 여러 신앙 고백을 통해서 더 깊고 큰 신앙을 갈망하는 겸손한 신앙인의 자세가 집중적으로 드러나 있다고 하겠다. 이러한 자책과 참회, 갈망과 기도를 통해서 시인은 마침내 시와 신앙이 하나로 일치하고 통일되는 신성 체험을 갖게 된다.

① 이제야
그 뜻을
겨우 겨우 아네
하느님과 나 사이

한치 한푼
일분 일초

머나먼 높고 높음
있을 수가 없는
바로
내 안에 당신이
당신 안에 내가 있어
내가 바로 당신
당신이 바로 나인, 한몸
……중략……
바로 당신
내안의 당신

왜 여태 몰랐었을까

당신 안의 나인 나를
왜 여태
몰랐을까.

—「성내재(聖內在)」 부분

② 아브라함이
난꽃을 외면하고 돌아앉아 있다
바라볼 때마다 아브라함은 옆으로 나를 외면하고 있다
바람기도 없는데 난잎이 흔들리고
수직으로 떨어지는 아브라함의 정수리의 햇덩어리
……중략……
지금 서울 한국 창천동 돌꾼방에 다시 온
회디허연 수염의 침묵뿐의 아브라함
한 점 바람기도 없는데
그 수염
난잎처럼 볕에 펄펄 흔들리고 있다.

—「아브라함 좌상(坐像)」 부분

이 두 편의 시는 박두진에게 있어서 인생과 예술, 그리고 신앙이 어떻게 하나로 일체화를 이루고 있는가를 선명하게 보여준다. 먼저 ①시는 시편과 요한복음 14장 7절에서의 "내가 아버지 안에 있고 아버지께서 내 안에 계심을 믿으라" 등의 말씀을 바탕으로 해서 '나' 자신의 몸이 바로 성령이 내주하시는 성전이라는 데 대한 깨달음을 표현하고 있다. 특히, 이 시의 결구인 "어떻게 나는 이제까지/그것을 까맣게 몰랐고/못 믿었을까"라는 구절 속에는 주 예수 안에서 거듭 태어난 새 삶에 대한 신기롭고 놀라운 깨달음을 담고 있다고 하겠다.

시 ②는 시인이 수집한 수석 중에서 '아브라함 좌상'으로 명명한 것을 보면서 쓴 시로 이해된다. 시인에게 있어서 수석은 물질로서의 돌이 아니라 정신으로서의 돌이고, 예술로서의 돌이고, 신앙으로서의 돌이라는 의미를 지닌다. 그의 수석 속에는 자신의 인생과 민족, 인간, 국토, 예술, 신앙 등 모든 관념과 사상이 폭넓고 깊이 있게 투영되어 있다.[3] 특히 이 시는 믿음의 조상인 아브라함이 지녔던 철저한 하나님께 대한 순종과 사랑과 경외심을 회상하면서 더 큰 믿음을 다짐하는 내용을 담고 있다. 창세기 22장의 내용을 바탕으로 해서 이미 신앙과 시와 스스로의 인생이 하나로 고양되어 있는 것이다.

이렇게 본다면 '내'가 느낀 온 우주의 자연 현상이나 인간적인 고뇌와 갈등, 그리고 예술에 대한 사랑이라든가 하는 그 모든 것들은 실상 하나님의 말씀, 즉 신성 체험 속에서 거듭나기 위한 준비 단계로서의 의미를 지닌다고 할 것이다.

신앙시집 『가시 면류관』은 박두진 신앙시의 한 정수를 모은 것이라 할 수 있다. 이 시집에는 성서의 수많은 가르침이 온축되어서 아름다운 말씀의 무늿결을 이루고 있기 때문이다. 여기에는 '인자상(人子像)'에서 보는 바와 같이 사람의 아들로서 예수가 겪은 온갖 분노, 안타까움, 외로움, 그리고 하나님까지 외면하시는 듯한 철저한 완전 고독의 상태로서의 마지막 죽음의 순간 등 신으로서가 아닌 인간으로서의 진실한 면모가 구체적으로 제시되어 있다. 그러면서도 끊임없이 지상의 온갖 불의와 사악에 대항하여 싸우면서 참된 인간의 길을 제시하려는 예언자적 지성과 실천적 지성이 함께 번득이고 있는 것이다. 아울러 지상 위의 온갖 지식과 도덕 기타 인간의 소유를 뛰어넘어서 진정한 신앙에의 길에 도달하고자 하는 시인의 안간힘이 표출되어 있다고 하겠다. 이 시집에서 '나'는 바로 시인 자신이며, 구체적으로 박두진 자신과 동일 인물이다. 따라서 박두진은 예수 그리스도의 위대한 행적과 말씀들을 좇아서 그 속에서 참된 신앙인으로서, 예술가로서 다시 거듭 태어나고자 하는

---

3) 졸저, 『한국현대시인연구』, 일지사, 1986, 423~426쪽 참조.

부활에의 갈망을 지속적으로 노래하고 있는 것이다.

　『가시 면류관』 그것은 온갖 헛된 지상의 소유를 넘어서서 예수 그리스도의 품속에서 진정한 존재로서의 삶을 지향하는 것이며, 신앙 속에서 부활을 성취하고 마침내 영원한 생명에 이르고자 하는 갈망과 기도를 형상화한 것이다.

(「가시 면류관의 노래」, 종로서적, 1988)

김달진, 무위자연과 은자의 정신

머리말

"이 우주(宇宙)/여기에/지금/씬냉이꽃 피고/나비 날은다"처럼 무위자연(無爲自然)을 우주와의 교감으로 깊이 있게 노래한 시인 월하 김달진(月下 金達鎭, 1907~1989), 그는 이 땅에선 드물게 노장적(老壯的)인 세계관을 집중적으로 형상화한 개성적인 시인의 한 사람이다.

그는 일찍이 경남 창원에서 출생하여 스물세 살 되던 해인 1929년『문예공론(文藝公論)』에 시「잡영수곡(雜詠數曲)」 등이 추천되어 등단했다.[1] 1934년엔 금강산 유점사에 출가하고, 35년에 시전문지『시원(詩苑)』 및 36년에『시인부락(詩人部落)』에 동인으로 참여하면서 본격적으로 시작 활동을 전개하였다. 이어 1939년엔 불교전문(佛敎專門)을 졸업하고, 40년에 시집『청시(青柿)』(청색지사)가 간행되면서 시단에서의 위치를 확보했다. 해방 후 그는 대구의『죽구(竹筍)』 동인에 참여하고 진해에서 주로 교편생활에 종사하였다. 1960년대에 상경하여서는 주로 불경 번역작업에 몰두하면서『법구경(法句經)』,『장자(莊子)』,『허응당전(虛應堂傳)』,『한산시(寒山詩)』,『한국선시

---

[1] 이하 작품 인용은『김달진시전집(金達鎭詩全集)·올빼미의 노래』, 시인사, 1983, 참조

(韓國禪詩)』,『한국한시(韓國漢詩)』 등의 역경·역시 작업을 활발하게 전개함으로써 불교의 대중화 내지 고전정신의 계발에 크게 기여하였다. 특히 80년대에 들어서서는 다시 시작에도 관심을 보여 시전집『올빼미의 노래』(첫 시집『청시(靑柿)』및 미간행 시집『올빼미의 노래』합본시집)를 간행하는 한편 합동사화집『샘물 속에 바다가』(이성선·조정권·최동호와 공저)를 상재하는 등 활발한 시적 재기를 보여준 바 있다.

그렇지만 그의 시에 대한 조명은 비교적 소극적으로 이루어져 왔다. 그가 산문(山門)의 수도 생활과 방랑 및 은거 생활을 즐겨한 때문이기도 하겠지만, 해방 후에도 진해지역에서의 교편생활 및 역경 작업에 몰두하여 문단 또는 세속의 명리에 비교적 초연한 자세를 취해온 데도 기인할 것이다. 그러던 차 80년대에 들어서서 시전집 간행이 계기가 되어 새삼 그의 존재와 시적 의미에 대한 관심이 제기되면서 그의 시는 새롭게 조명을 받기 시작하였다. 김동리, 오탁번, 김인환, 조남현, 신상철, 최동호 등의 논평이 그 한 예가 된다. 그러나 아직도 그의 시적 의미나 시사적 위치에 비해 본격적인 탐구는 미진한 형편이라고 하겠다. 이에 소략하게나마 그의 시세계를 살펴 그에 대한 주목을 환기해 보고자 한다.

1. 쓸쓸함의 시, 고독의 내면화

김달진의 시에서 기저가 되는 것은 홀로 있음의 문제, 또는 쓸쓸함의 정서라고 할 수 있다. 그의 많은 시에는 현실과의 단절 또는 소외의식이 짙게 깔려 있는 것으로 보이기 때문이다. 삶과 세계를 바라보는 기본 시선이 고적감에 바탕을 둔 내면화를 지향하고 있는 것이다.

① 혼자 돌아오는 늦은 밤 산(山)길
　　길가에 외로운 무덤이 하나 있고
　　그 후에 들국화 한 포기
　　이슬에 젖이우며 밤을 새인다

　　고독한 넋이여
　　오늘밤 너는 나의 꿈의 안창을 두드리라
　　　　　　　　　　　　　　　　　　　—「밤길」 전문

② —묵은 지붕 넘어로 가만히 노려보는 헬쑥한 쪽달……
　　—유령같이 기어드는 이슥한 뜰 우의 나무그림자……

　　「이 방 주인(主人)은 차디찬 침대 우에 눈감고 누웠습니다.
　　고독의 애인(愛人)과 함께 마음을 앓으면서……」
　　　　　　　　　　　　　　　　　　　—「개짖는 소리」 전문

③ 묵은 책장을 뒤지노라니
　　여기저기서 기어나오는 하얀 미래들
　　나는 가만히 그들에게 애기해 봅니다—
　　고독과 적막을 슬픈 사상(思想)을

　　그들은 햇빛 아래 빛나는 이 세상인정(世上人情)의
　　더욱 쓰리다는 것을 잘 아는 나의 어린 동무들입니다.
　　　　　　　　　　　　　　　　　　　—「고독한 동무」 전문

④ 그는 나에게 밤 올빼미의 눈물을 주었다.
　　그는 나에게 땅 속의 두더쥐의 자적(杅跡)을 주었다.
　　그는 나에게 다람쥐와 고슴도치의 비겁(卑怯)도 주었다.
　　그러나 그가 가진 참으로 자랑스러운 영광(榮光)인
　　삼림(森林) 속의 이름없는 어린 꽃의 「미(美)」와 「향기(香氣)」와
「힘」을 배우지 못했기 때문에

나는 아직 그를 놓지 못하고 껴안고 있다.

―「고독」 전문

　　김달진 시에서 그 원형질이 되는 것은 고독의 정감이라고 할 수 있다. 그만큼 그의 많은 시에는 쓸쓸함의 정서 또는 고독한 마음이 짙게 깔려 있기 때문이다. 먼저 시 ①, ②에는 김달진 시의 원형적인 모습이 선명히 드러난다. 그것은 내용적인 면에서 고독의 정감이 그 원천을 이루고 있다는 점이며, 형식에 있어서 선경후정(先景後情)이라고 하는 한시(漢詩)의 작법에 기대고 있다는 점이다. 「밤길」에서는 시어 자체가 이러한 쓸쓸함의 정감을 담고 있다. "혼자 돌아오는/늦은 밤 산(山)길/외로운 무덤 하나/들국화 한 포기/이슬에 젖이우며" 등의 시구에서 보듯이 '혼자/늦은/외로운/한/젖이우며'와 '밤/산(山)길/무덤/들국화/이슬'의 대응 속에 속 깊은 쓸쓸함의 정서가 아로새겨져 있는 것이다. 그리고 이러한 정감은 뒤의 연에서 "고독한 넋이여"로 집중됨으로써 시의 내용을 보다 분명히 한다. 실상 앞 연에서 늦은 밤 산길을 혼자 걸어가는 사람과 이슬에 젖이우며 피어 있는 들국화 한 포기의 모습을 대조하는 데서도 시적 퍼소나의 쓸쓸한 심사가 암시되지만, 이것이 뒤의 연에서 "고독한 넋이여"로서 고독의 정감으로 구체화되어 나타나는 데서도 고독의 깊이를 짐작할 수 있다. 이른바 앞에서 경치를 묘사하고 뒤에서 관념이나 정서를 드러내는 전통적인 선경후정의 작시법을 취함으로써 시의 주제를 선명히 한다는 말이다. 시 「개짖는 소리」도 마찬가지이다. 앞 연에서는 "헬쑥한 쪽달/유령같이 기어드는/이슥한 뜰우의 나무그림자"와 같이 '쪽달'과 '나무그림자'로서 쓸쓸한 정감을 암시하고, 뒤의 연에서 "고독의 애인과 함께 마음을 앓으면서"처럼 고독이라는 관념적인 주제를 분명히 하는 것이다. 이처럼 쓸쓸함 또는 고독의 정감을 주제로 하면서 정서적 상관물을 통해 관념을 형상화하는 데서 정서의 긴장체계가 뚜렷이 드러난다고 하겠다. 이밖에도 그의 시에는 "어느 성좌의 낮별이 떨어지는가?/바다처럼 깊어가는 나의 고독은……"(「자연조직체」)이나 "밤새껏 다만 들리는 건 창밖의 빗소리/쓰러진 화(花)병처럼 홀로 누은 침대는 차다"(「회한」), 그리고 "금붕어는 혼자다"(「금붕어」) 등의 구절에서 볼 수 있는 것처럼 고독이 심화되어 나타나며, 많은 경우에 그것은 단독자의식과 연결되어 있는 것이 특징이다. "금붕어는 혼자다"라는 인식 속에는 홀로 이 세상에 태어나 살아가다가, 끝내 홀로 죽어갈 수밖에 없는 모든 존재들, 특히 인간에 대한 존재론적 인식이 투영돼 있는 것이다.

시 ③과 ④에서 고독의 정감은 더욱 심화된 모습으로 제시된다. 먼저 시 ③에서는 그것이 "고독과 적막의 슬픈 사상(思想)"으로 나타난다. 묵은 책장에서 기어 나오는 하얀 벌레들에게서 고독과 적막과 슬픔으로서의 삶의 원리를 다시금 절감하는 것이다. 그리고 그러한 고독과 적막과 비애는 "세상 인정(世上 人情)이 더욱 쓰리다는 것"과 연결되어 세상에 대한 부정적 인식을 드러내준다. 시 ④에는 고독이 운명적인 것이며 삶의 보편적인 원리라는 데 대한 인식이 담겨 있어서 관심을 끈다. 그것은 올빼미와 두더지, 다람쥐와 고슴도치처럼 소외되거나 연약한 모습으로 표상된다. 또한 삼림 속의 이름 없는 어린 꽃의 형상으로 비유되기도 한다. 그러나 고독의 형상으로서의 그 "이름없는 어린 꽃"은 "미(美)와 향기(香氣)와 힘"을 지니고 있다는 점에서 주목을 환기한다. 고독은 이름 없는 어린 꽃의 형상을 하고 있지만, 그것은 삶에 아름다움과 향기를 불어넣어 주는 원천이자 힘을 던져주는 원동력이라는 데 대한 깨달음이 제시돼 있기 때문이다. 이 점에서 시의 퍼소나는 "나는 아직 그를 놓지 못하고 껴안고 있다"라는 구절처럼 고독을 운명적인 것으로 감싸 안게 되며, 그렇기에 고독의 내면화를 성취하고 있다고 하겠다. 그것은 정서적인 징후에서 한 걸음 더 나아가 '고독과 적막의 사상(思想)'을 형성하고 있는 것이다.

2. 비관적 세계인식 또는 소멸의 시학

또한 김달진의 시에는 삶과 세계에 대한 비관적인 인식이 짙게 깔려 있는 것으로 보인다. 사라져가는 것들에 대한 연민의 정과 함께 덧없음으로서의 인생에 대한 탄식이 담겨 있기 때문이다. "우리 모두 귀양살이 나그네"(「차(車)중에서」에서)로서의 인생관이라고 할 것이다.

① 연(鉛)빛 구름 무겁게 덮인 사이로
　빤하게 빛나는 것은 넘는 저녁 햇살
　그것을 바라보는 내 마음은 슬프다.

　―거기는 야릇한 맛을 잃은 힐푸른 애울(愛鬱)이 떠돌고
　그 여자(女子)의 싸늘한 눈길
　사상(思想)에 시달린 내 가슴의 한 줄기 빛 엷은 정서(情緖)……

　연(鉛)빛 구름 사이로 저녁 햇살 빤한 저믄 하늘
　뜰 위에 서서 물끄러미 바라보는 내 마음은 슬프다.
　　　　　　　　　　　　　　　　　　　　―「저녁햇살」 전문

② 눈섭 끝에 안개발처럼 떨어지는 어둠
　별이 하늘에 얼어붙은 밤 들길 우에

　기울은 달 남은 빛마저 사라지는
　하늘ㅅ가를 바래기는 외로운 심사이니

　돌이키매 그림자 문득 잃어졌네,
　눈 앞 환상(幻像)넘어 어둠은

　고달픈 걸음 몇 걸음 걷고 서도

휘파람 멋적어 안 불리네

세(細)모래밭에 쏟은 물발처럼
슬픔에 폭 먹히지 않는 내 마음의 슬픔

찬바람 검은 주의(周衣)자락을 날리는데
나는 그의 생일(生日)날을 외우지 못하고나!

―「낙월(落月)」 전문

③ 한 종일 창 밖에는
   궂은 비가 오고 있었다.

   빈 방에 꽃 한 송이도 없는
   고적을 고적대로 참고 누워 있었다.

   「약」이라는 나 어린 계집애 소리에
   놀라깨니 고향 천리, 꿈을 꾸고 있었다.

   괴론 꿈을 깨어 땀을 씻고 앉았으면
   창경 밖 실비들이 불처럼 흔들렸다.

   한동안 뜬 일을 잊고 있었다.
   생각은 금강산을 달리고 있었다.

   감긴가 몸살인가 몰라도
   분명한 오직 중생병(衆生病)이다.

   어둔 방에 시간이 흐르고, 흐르고
   아, 모든 것은 이미 덧없었다.

―「병(病)」 전문

김달진의 시에서 짙게 드러나는 특징의 또 하나는 이처럼 비관적인 생의 인식 또는 소멸의 시학이라고 할 수 있다. 그의 많은 시에는 저녁과 밤, 어둠과 찬바람 및 궂은 비가 환기하는 비관적인 정감이 짙게 깔려 있기 때문이다. 제목에 있어서도 「저녁햇살」, 「낙월(落月)」, 「천대받는 마음이」, 「회한(悔恨)」, 「오인(嗚咽)」, 「빗발 속으로」, 「겨울밤」, 「쓸쓸한 밤」, 「실락(失樂)」, 「백일애상(白日哀傷)」, 「추성(秋聲)」, 「낙엽(落葉)」, 「슬픔」, 「시름」, 「병(病)」, 「수인(囚人)」 등과 같이 비관적인 인식 또는 소멸의 애상적 정서를 지니고 있는 경우가 다수 발견되기도 한다. 그만큼 비관적인 생의 인식과 소멸의 세계관을 지니고 있다는 뜻이 되겠다.

먼저 시 ①에는 이러한 모습이 선명히 드러난다. 그것은 저문 하늘을 바라보는 퍼소나의 슬픈 마음으로 요약할 수 있다. "연(鉛)빛 구름 사이로 저녁 햇살 빤한 저믄 하늘/뜰 위에 서서 물끄러미 바라보는 내 마음은 슬프다"라는 결구 속에는 사라져가는 것에 대한 연민과 함께 언젠가는 그렇게 사라져갈 수밖에 없는 존재의 숙명성에 대한 비탄이 담겨 있는 것이다. 시 ②는 그러한 비관적 생의 인식 또는 소멸의 세계관을 더욱 분명히 드러낸다. "유랑생활(流浪生活)의 삼년(三年)으로 고향에 돌아온 그 익일(翌日)에 나는 나의 안해를 잃었습니다. 이 일편(一篇)은 그의 삼우(三虞)날 밤의 작(作)입니다"라는 부기가 달린 이 시는 아내의 죽음을 모티브로 하고 있어서 그만큼 직접성과 구체성을 던져준다고 하겠다. 여기서 세계인식은 '떨어지는 어둠/얼어붙은 밤 들길/기울은 달 남은 빛마져 사라지는/외로운/어둠은 쌓여/고달픈 찬바람 검은' 등의 하강적인 시어 속에 선명히 드러난다. 아울러 '잃어졌네/안 불리네/먹히지 않는/외우지 못하구나' 등과 같은 부정시어로서 극명히 제시된다. 삶과 세계를 바라보는 비관적인 시선이 떨어지는 달, 즉 낙월(落月)의 이미지로서 소멸의 시학을 형성하고 있는 것이다.

시 ③도 마찬가지이다. 여기에서도 비관적인 생의 인식 또는 허무의 세계관이 선명히 표출돼 있기 때문이다. 그것은 "한 종일 창 밖에는/굿은 비가 오고 있었다//빈 방에 꽃 한 송이도 없는//어둔 방에 시간은 흐르고, 흐르고/아, 모든 것은 이미 덧없었다"라는 구절로 요약할 수 있다. 한마디로 그것은 중생병(衆生病)에서 짐작할 수 있듯이 제행무상 제법무아(諸行無常 諸法無我)로서 삶을 바라보는 불교적 인생관의 한 반영이라고 하겠다. 실상 이러한 소멸의 세계관 또는 허무의 인생관으로서 불교적 세계관은 시집 『청시(靑柿)』와 『올빼미의 노래』를 관류하는 세계인식의 중요한 한 형질을 이룬다고 할 수 있다. "사막 끝 저 너머 무엇이 부르기에 /쫄레쫄레 어둠 속으로 사라지는 그림자//아, 너 나 우리 모두/우리 모두/사막을 끌려가는 낙타가 아니뇨?"(「낙타떼」)나 "어둔 창경에 번지는/내 얼굴의 슬픈 그림자/돌처럼 찬「허무(虛無)」의 빌딩 위에/나는 추워라, 어실어실 추워라"(「사무실」), 그리고 "한숨에 들이키고 남은 빈 술잔//마음은 조소(嘲笑)하고/이성(理性)은 물거품/아, 세상일 진정 슬픈 것이뇨?"(「슬픔」) 등의 구절에서 보듯이 비관적인 삶의 인식 또는 소멸과 허무의 세계관이 지적으로 발현되는 것이다. 이러한 하강적인 이미지들과 부정적 시어 속에는 애처로움과 슬픔으로서의 인생관 또는 허무의 세계관이 짙게 깔려 있다고 하겠다. 그렇지만 그러한 세계관은 관념적인 내용이 아니라 정서적인 표현성으로 표출됨으로써 시성(詩性)을 북돋워주는 특징을 지닌다. 불교적인 세계관이 지속적으로 작용하고 있으면서도 그것이 관념이 아닌 서정적 형상으로 빚어져 있는 것이다. 어느 면에서 감상적이라고도 할 수 있을 정도로 인간적인 모습을 보여준다는 말이 되겠다.

3. 사랑의 정감과 영원주의

김달진의 시가 대체로 비관적인 생의 인식 또는 허무의 세계관을 지니고 있음은 이미 살펴보았다. 그런데 그의 시에는 특이하게도 사랑의 정감 내지 사랑의 영원주의가 표출되고 있어서 관심을 끈다.

① 불 앞에 앉아
　　이제 뜰 우에서 혼자 바래보다가 들어온 밤하늘을 생각한다.
　　나는 그 은(銀)모래알 같은 수많은 성좌(星座)밑에 앉아 있다.
　　별, 별, 별, 별, ……우주(宇宙)
　　그리하야 나는 그 빛나는 별 아래서
　　M夫人을 연모(戀慕)한다.

—「M부인(夫人)」 전문

② 먼 북국(北國)의
　　별하나 떨어지는 하늘 저쪽―
　　목마른 동경(憧憬)
　　연모(戀慕)가 그만 머리를 쩔레쩔레 한숨에 흔들다

　　애인(愛人)아 이 밤의 춘추(春秋)는 오직
　　애끊게도 비만(肥滿)한 내 마음이 고뇌(苦惱)의 이 뜰에 깊었습니다.

　　불순(不純)한 끓는 피에 우주(宇宙)가 좁아라……신음(呻吟)에 지쳐
　　지친 나머지……

　　그러기에 나는 차라리 요카낭의 늑골(肋骨)과 같이 여윈 저 조각 달빛을
　　내 심장(心臟)으로 하고 싶다.

—「연모(戀慕)」 전문

③ 모든 것 다 없어져도
　　사랑을랑 버리지 말자.

　　찬비 나리는 지리한 날에
　　두 손발 얼어서 어이 가리.

여기 저기 토깝불 이는 밤
밤빛 함께 떠오는 장미꽃 향기.

우리 사랑을랑 버리지 말고
모든 것 대신해 지니고 가자.

　　　　　　　　　　　　　　　 ─「사랑을랑」전문

④ 가없는 동해(東海)를 바라보며
　　내 님의 생각 저만하다 하다가
　　눈들어 푸른 하늘 바라보고는
　　내 사랑 목숨보다 큰 줄을 알았네.

　　　　　　　　　　　　　　　 ─「동해(東海)」전문

⑤ 깊은 밤 뜰 우에 나서
　　멀리 있는 애인(愛人)을 생각하다가
　　나는 여러 억천만년(億千萬年) 사는 별을 보았다.

　　　　　　　　　　　　　　　 ─「애인(愛人)」전문

　김달진의 시에서 사랑의 정감은 중요한 모티브로 작용하고 있다. 그만큼
세계에 대한 비관적인 인식과 인간적인 외로움이 깊고 깊다는 사실을 반증하
는 것일 수도 있으리라.

　먼저 시 ①에는 그러한 사랑의 정감이 구체적인 대상으로 제시되어 있다.
M부인이 바로 그 대상이다. M부인에 대한 연모의 마음이 직접적으로 표출되
면서 '별, 별, 별, 별, …우주(宇宙)'와 조응됨으로써 천상의 척도 또는 영원주
의를 지향하고 있는 것이다. 실상 이 시에서 별, 그 빛나는 별의 성좌와 연모
의 마음이 서로 조응을 이루고 있는 것은 사랑의 마음을 우주적인 감각으로
고양시킴으로써 영원성을 획득하고자 하는 의도의 한 반영이라고 할 수 있기
때문이다. 시 ②에는 그러한 연모의 정감으로 인한 사랑의 고뇌가 강렬하게

드러나 있다. "목마른 동경/연모(戀慕)가 그만 머리를 쩔레쩔레 한숨에 흔들다//애끓게도 비만한 내마음이 고뇌(苦惱)//불순한 끓는 피에 우주가 좁아라 신음(呻吟)에 지쳐"라는 구절에서 보듯이 사랑의 오뇌와 열정에 뒤채이게 되는 것이다. 여기서도 사랑이 "불순한 끓는 피에 우주가 좁아라……"와 같이 우주적인 감각으로 확대돼 있는 것은 주목을 요한다. 그만큼 사랑의 열정과 오뇌가 강렬하며, 그것이 영원에의 지향성을 내포하고 있다는 뜻이 될 것이다. 특히 "그러기에 나는 차라리 요카낭의 늑골과 같이 여윈 저 조각 달빛을/내 심장(心臟)으로 하고 싶다"라는 결구에서 보듯이 조각달빛과 심장의 교감이 날카롭게 표출됨으로써 사랑의 오뇌가 얼마나 깊고 심각한 것인가 하는 점을 잘 말해준다. 따라서 시 ③에서는 사랑의 절대성 또는 영원지향성이 보다 선명히 드러난다. "모든 것이 다 없어져도/사랑을랑 버리지 말자"라는 첫 구절과 "우리 사랑을랑 버리지 말고/모든 것 대신해 지니고 가자"라는 결구가 그것이다. 그만큼 사랑은 세상의 모든 것이자 그 이상의 의미를 지닌다는 뜻이 될 것이다. 그러면서도 "여기저기 토깝불 이는 밤/별빛 함께 떠오르는 장미꽃 향기"처럼 사랑은 지고지선의 아름다운 모습으로 다가온다. 사랑은 '별빛', '장미꽃 향기'와 등가를 이루며 삶에 빛과 향기를 던져주는 힘으로서 작용하는 것이다.

이 점에서 사랑은 시 ④에서 보듯이 바다와 하늘과 같이 무한한 것, 또는 목숨보다 더 큰 것으로 표현된다. "내 사랑 목숨보다 큰 줄을 알았네"라는 구절 속에는 사랑의 절대성 또는 영원주의가 담겨 있다고 할 것이다. 아울러 시 ⑤에서 사랑은 별과 등가물이 된다. "깊은 밤 뜰 우에 나서/멀리 있는 애인을 생각하다가/나는 여러 억천만년 사는 별을 보았다"라는 구절에서 보듯이 '애인=억천만년 사는 별'로 고양되어 있는 것이다. 말하자면 사랑의 대상으로서 연인은 퍼소나의 삶에 별이 상징하는 것처럼 동경과 갈망, 신비와 영원의 의미를 일깨워주는 촉매로써 작용한다고 하겠다. 연인과 별은 서로 등가적 의미를 지니면서 사랑의 영원주의 또는 구원의 가치를 표상하고 있는 것이다. 실상 이러한 사랑 또는 연인이 하늘이나 우주 혹은 달과 별과 같은 천체 이미저리와 연결된 것은 사랑의 지고지선성 또는 영원주의를 말해주는 것이 아닐 수 없다고 하겠다. 지상에서 인간의 사랑이 하늘의 척도로 연결됨으로써 무상한 것으로서의 삶에 영원한 가치를 부여하고자 하는 뜻이 숨겨져 있다는 말이다.

4. 무위자연(無爲自然) 또는 소요(逍遙)의 세계

김달진 시의 본령은 아무래도 무위자연으로서의 세계인식, 즉 노장적(老莊的) 세계관을 깊이 있게 탐구한다는 점에서 찾을 수 있겠다. 그의 시에는 인간의 궁극적인 가치를 자연과의 완전한 조화에서 찾으려고 하는 도가적(道家的) 세계관이 짙게 깔려 있는 것이다.

①	비온 뒤 산(山)에 올랐다가
	아무 것도 없이
	송화(松花)가루 젖은 채 어지러이 깔려 있는 붉은 흙 보고
	그저 무심한양 범연(泛然)한양 시름없이 돌아온다
	—「우후(雨後)」 전문

②	숲 속의 샘물을 들여다본다.
	물 속에 하늘이 있고 흰구름이 떠가고 바람이 지나가고
	조그마한 샘물은 바다같이 넓어진다
	나는 조그마한 샘물을 들여다보며
	동그란 지구(地球)의 섬 우에 앉았다.
	—「샘물」 전문

③ 고요한 이웃집의 하얗게 빛나는 빈 뜰 우에
　작은 벚나무 그늘 아래
　외론 암탉 한 마리 백주(白晝)와 함께 조을고 있는 것
　판자너머로 가만히 엿보인다.

　빨간 촉규화(蜀葵花) 한낮에 지친 울타리에
　빨래 두세조각 시름없이 널어두고 시름없이 서 있다가
　그저 호젓이
　도로 들어가는 젊은 시악시 있다.

　　　　　×

　깊은 숲 속에서 나오니
　유월(六月) 햇빛이 밝다
　열무우 꽃밭 한 귀에 눈부시며 섰다가
　열무우 꽃과 함께 흔들리우다.

　　　　　　　　　　　　　　　　—「유월(六月)」전문

④ 사람들 모두
　산으로 바다로 신록(新綠)철 놀이간다 야단들인데
　나는 혼자 뜰 앞을 거닐다가
　그늘 밑의 조그만 씬냉이 꽃을 보았다.

　이 우주(宇宙)
　여기에
　지금
　씬냉이꽃이 피고
　나비 날은다.

　　　　　　　　　　　　　　　　—「씬냉이꽃」전문

김달진 시의 가장 근원적인 의미는 그의 많은 시가 무위자연의 철학을 보여준다는 점에서 드러난다. 그의 시에는 무리함이나 억지가 없이 자연대로 살아가는 모습이 주로 나타나 있다. 무위(無爲)란 무엇이고, 자연이란 무엇인가? 먼저 무위란 문자 그대로 행동하지 않는 것을 의미하지만 사실은 행동을 가리키는 개념이며 실천의 원칙이라고 하겠다.[2] 그것은 아무것도 하지 않으면서 하지 않는 일이 없음(지어무위 무위이불위, 至於無爲 無爲而無不爲)이며, 이 점에서 도(道)를 파악하는 행위이며, 도에 따라 있는 그대로 살아감을 의미한다. 그렇기에 무위란 자연과의 절대적 조화를 구하는 행위라고 하겠다.

그렇다면 자연이란 무엇인가? 자연이란 인위적이고 의식적인 모든 것으로부터 완전히 벗어난 상태, 즉 '스스로 그러한 것', '저절로 그러한 것'을 의미한다.[3] 따라서 무위자연이란 무위(無爲)·무욕(無欲)·무사(無私)·무아(無我)의 상태에서 자연과의 완전한 조화를 이루는 태도라고 할 것이다. 그렇기에 자연을 법도로 삼으면서(도법자연; 道法自然) 자연을 따르는 것(순자연; 順自然)으로서, 무위·무사·무욕을 통해 완전한 자유를 누릴 수 있게 되는 경지라고 하겠다. 앞에 인용한 시편들에는 이러한 무위자연의 모습이 잘 나타나 있는 것이다.

먼저 시 ①은 비 온 뒤 산보길에 나서서 숲속에 송홧가루 젖어 있는 모습을 통해서 자연의 자연스러운 정취를 맛보는 정경을 제시한다. 여기에는 무위(無爲)·무욕(無欲)·무사(無私)로서의 맑고 한 기운이 엿보인다. 윤리라든가 지식, '나'라든가 '너'라고 하는 관점에 얽매임이 없이 "송화가루 젖은 채 어지러이 깔려 있는 붉은 흙"만이 자연스럽게 펼쳐져 있다. 그렇기에 "그저 무심한 양 범연(泛然)한양 시름없이 돌아온다"라는 편안하고 자유로운 심경을 지닐

---

2) 박이문, 『노장사상』, 문학과지성사, 1989, 104~105쪽 참조.
3) 김학주, 『노자와 도가사상』, 명문당, 1988, 13쪽 참조.

수 있게 되는 것이다. 인간 자신을 대자연의 질서 속에 맡기고, 아무것도 하지 않는 듯하면서도 무위의 원칙대로 살아가는 자연스러운 모습이 선명하게 형상화돼 있다고 하겠다.

시 ②에는 무위자연의 태도가 우주적인 관점으로 확대되어 관심을 끈다. 이 시는 표현 그대로 "숲 속의 샘물을 들여다본다/물 속에 하늘이 있고 흰구름이 떠가고 바람이 지나가고"처럼 변화무궁한 자연의 모습을 자연 그 자체로서 받아들이는 태도라고 하겠다. 말하자면 "쉬면서 천지 사이에서 유유히 소요하고 마음을 한가로이 자득하여이다, 어찌하여 천하 따위를 일삼겠소이까"(소요어천지간, 이심의자득 오가이천하득; 逍遙於天地之間, 而心意自得 吾可以天下得)라는 소요(逍遙)의 경지를 드러낸 것이다. 그렇다면 이러한 소요의 경지에 어떻게 이를 것인가? 그것은 각자가 자기의 자아라는 작은 관점에서 벗어나 우주라는 대국적인 입장에 다가섬으로써 가능해진다.4) "조그마한 샘물은 바다같이 넓어진다/나는 조그마한 샘물을 들여다보며/둥그란 지구의 섬 우에 앉았다"라는 구절은 바로 이러한 우주적 관점의 획득이라고 할 수 있다. 샘물과 바다라고 하는 대자연의 거울에 '나'를 비춰볼 때 삶의 온갖 번뇌와 질곡이 뜬구름처럼 사라져버리고, 비로소 "둥그란 지구의 섬 우에 앉았다"처럼 우주적 차원 위에 놓여지게 되는 것이다. 그야말로 초월과 달관의 경지에 들어서 있다고 하겠다.

시 ③과 ④에도 이러한 소요의 세계와 그 이념을 실천에 옮기기 위한 행동의 원칙으로서 무위자연의 태도가 잘 드러나 있다. 먼저 시 ③은 세 가지의 모습이 제시된다. 첫 연에서는 이웃집 빈 뜰에 암탉 한 마리 졸고 있는 것을 가만히 엿보는 화자의 모습이다. 둘째 연은 한낮 지친 울타리에 빨래 두세 조각 널어두고 시름없이 서 있다가 호젓이 도로 들어가는 젊은 시악시 모습이다. 셋째 연은 유월 햇빛 아래 열무우 꽃밭에 눈부시며 섰다가 열무우꽃과 함께

---

4) 박이문, 앞책, 126쪽.

흔들리우며 서 있는 화자의 모습이다. 이렇게 보면 이 시는 '고요한, 빈, 작은, 외론, 지친, 깊은'과 같이 정밀한 분위기와 '벗나무 그늘, 암탉 한 마리, 촉규화, 젊은 시악시, 햇빛, 열무우 꽃밭'처럼 자연스러운 풍정, 그리고 '조을고 있는, 시름없이 서있다가 호젓이 들어가는, 눈부시게 섰다가 꽃과 함께 흔들리우다'라는 무심한 심사가 함께 조응을 이루면서 무위(無爲)·무욕(無欲)·무사(無私)로서의 허심(虛心)의 세계를 드러내고 있다고 하겠다. 온갖 세상의 대립과 분열, 갈등이 해소되고, 나와 세계가 하나로 합일되는 조화로운 모습이 아름답게 형상화된 것이다.

시 ④도 마찬가지이다. 산보길에서 문득 발견한 씬냉이 꽃 한 송이 속에서 우주를 깨닫게 된 것이다. 부분적인 관점으로부터 전체적인 관점, 소아(小我)적인 관점에서 우주적인 관점을 획득함으로써 일거에 자연과의 완전한 조화 또는 우주와의 교감을 성취하게 됐다는 말이다. 바로 이러한 경지가 무위자연 또는 소요 속에서 비로소 깨닫게 되는 지의(至樂)이며, 도(道)의 발견이고, 허심(虛心)의 완성이라고 하겠다.

이렇게 본다면 김달진에게 있어서 삶은 바로 시이며, 도의 실천이라고 할 수도 있겠다. 그만큼 그의 시는 물 흐르듯 자연스러운 삶의 모습을 있는 그대로 드러냄으로써 노장적 세계관을 펼쳐 보여준 데서 개성과 특징이 드러난다고 하겠다.

5. 허정(虛靜) 또는 은일(隱逸)의 정신

시집 『청시(靑柿)』와 『올빼미의 노래』에는 무위자연(無爲自然)의 노장적 세계관과 함께 맑고 고요한 몸가짐으로 천하를 바르게 한다(청정위천하정; 淸淨爲天下正)는 자세로서 허(虛)·정(靜)의 태도 또는 풀의 정신이 드러나서 관심을 끈다.

① 깊은 산(山)골 바위 틈으로 옥(玉)같은 샘물
　　차디차고 가난한 샘물
　　흘러가는 그림자 밑에 나의 슬픔이 있다.
　　　　　　　　　　—차츰차츰 엷어가는 나의 꿈의 빛깔을 본다.
　　　　　　　　　　　　　—「샘물 속의 슬픔」 전문

② 깊은 산(山) 깊은 숲 속에
　　바위 하나 있다
　　숨어 살으매 이름없는 돌바위

　　싸늘한 마음을 참고 살았다
　　바람소리에 꿈꾸며 늙었다

　　토끼똥이 놓였다
　　부엉이 깃이 있다

　　해와 달과 그늘과 별이 가고온 자취—
　　칡넝쿨 인동(忍冬)넝쿨들이
　　어지러이 얼컬어지고

　　푸른 이끼 뿌리를 헤쳐 향그런 냄새
　　여름 한나절 한 꿈이 아득하다

　　처녀의 젖가슴에 자라나는 사랑인양
　　발뿌리에 숨어흐르는 샘물
　　비밀한 이야기를 싣고 바다로 갔다

　　사슴이 가끔 달빛을 따라와 잔체하는 곳
　　길잃은 안개가 쉬어 가는 곳

　　천만년(千萬年) 살아도 말없는 돌바위

천만년(千萬年) 늙어도 千萬年 젊었다.

먼바다에 해가 넘고 황혼(黃昏)이 와도
등불을 볼 수 없는 돌바위는
밤마다 찬 별을 우러러 밤을 새운다.

―「돌바위」 전문

③ 밤이 깊어가서
　비는 언제 멎어지었다
　꽃향기 나직히
　새어들고 있었다.

　모기장 밖으로 잣나무 숲 끝으로
　달이 나와 있었다.
　구름이 떠 있었다.

　풍경소리에 꿈이 놀란듯
　작약꽃 두어 잎이 떨어지고 있었다.
　의희한 탑 그늘에
　천 년 세월이 흘러가고, 흘러오고……

　아, 모든것
　속절없었다.
　멀리 어디서
　버꾸기가 울고 있었다.

―「고사(古寺)」 전문

김달진의 시에서 발견할 수 있는 또 하나의 특징은 그의 시가 청허(淸虛) 또는 허정(虛靜)의 노장적(老壯的) 세계에 침잠해 있다는 점, 즉 은자(隱者)의 사상을 지니고 있다는 점이다. 은자의 사상이란 무엇인가? 그것은 세상을 등지고 자연 속에 숨어 한적한 생활을 즐기는 생각이라고 할 것이다. 다시 말해서 인위적인 행위를 부정하고 자연의 소박한 상태로 돌아가고자 하는 노장적 세계관 또는 도가(道家)의 사상을 일컫는다고 하겠다. 그러므로 이들은 무위(無爲)·무욕(無欲)·무명(無名)을 주장하면서 청허(淸虛)함으로써 스스로의 근본을 지키고 스스로의 생활을 지키고자 하는 것이다.5) 말하자면 맑고 고요하고 비어서 참된 자유의 본성 또는 이상적인 인간의 모습에 도달하고자 한다는 뜻이 되겠다. 시 ①에는 이러한 은일(隱逸)의 사상이 투영되어 있다. 그것은 "깊은 산골 바위틈으로 옥(玉)같은 샘물/차디차고 가난한 샘물"이라는 구절에 집약돼 있다. '깊은, 옥(玉)같은, 차디차고, 가난한'이라는 수식어에는 맑고 그윽하며 허(虛)하고 고요한 허정(虛政)의 모습이 담겨 있기 때문이다. 또한 '산골, 바위틈, 샘물' 속에는 아무런 작위나 의식이 가해지지 않아 진실로 소박한 자연의 모습이 그대로 표현돼 있는 것으로 여겨지기 때문이다. 아울러 "흘러가는 그림자"나 "차츰 엷어가는 나의 꿈"에도 근원으로 되돌아가는 정(靜)의 모습이 투영돼 있는 것이다. 따라서 이 시는 허·정을 바탕으로 하여 근원으로 회귀해 보고자 하는 청정한 꿈을 담고 있다고 하겠다.

시 ②에는 이러한 은일의 사상이 보다 심화되어 나타난다. "깊은 산(山) 깊은 숲 속에/바위 하나 있다/숨어 살으매 이름없는 돌바위"라는 첫 연에 은자의 모습이 선명히 제시된다. 깊고 깊은 산속에 자연을 벗하여 살아가는 모습이 "숨어 살으매 이름없는 돌바위"로 표상돼 있는 것이다. 그렇기에 "싸늘한 마음을 참고 살았다/바람소리에 꿈꾸며 늙었다"와 같이 세속적인 인위와 윤리적 덕목들을 버리고 소박한 자연의 상태로 삶을 살아가게 된다. 그야말로 '학문을 끊어버리니 걱정이 없게 된다'라는 경학무애(經學無碍)의 심경에 들었다고 하겠다. "토끼똥이 놓였다/부엉이 깃이 있다/해와 달과 그늘과 별이 가고 온 자취/칡넝쿨 인동(忍冬)넝쿨들이/어지러이 얼컬어지고/푸른 이끼 뿌

---

5) 김학주, 『노자의 도가사상』, 명문당, 1998, 62~70쪽 참조

리를 헤쳐 향 그런 냄새/여름 한나절 한 꿈이 아련하다"라는 구절들에는 무사(無私)·무심(無心)을 거쳐 무사(無事)·무아(無我)의 경지에 이르는 그야말로 무위자연(無爲自然)의 심경이 펼쳐져 있음이 분명하다. 더구나 "처녀의 젖가슴에 자라나는 사랑인양/발뿌리에 숨어흐르는 샘물/사슴이 가끔 달빛을 따라와 잔체하는 곳/길잃은 안개가 쉬어가는 곳"에는 지식의 대상, 의식의 질곡으로부터 벗어나서 자유로와진 자연의 참모습이 드러나 있다고 하겠다. 그렇기에 '천만년(千萬年) 늙어도 천만년(千萬年) 젊었다'와 같이 마음을 허하게 하고 고요함을 지키는 근원적인 의 세계에 놓여지게 되는 것이다. 그야말로 영원에의 길, 자유에의 길에 들어서는 모습이라고도 할 것이다. 이렇게 본다면 이 시에는 무위자연을 기반으로 한 노장(老莊)의 세계관 또는 은일의 사상에 기초한 도가적(道家的) 세계인식을 잘 보여준다고 하겠다.

시 ③에도 이러한 허·정의 세계 또는 은일의 정신이 잘 드러나 있다. "비는 언제 멎어지었다/꽃향기 나직히/새어들고 있었다//작약꽃 두어 잎 떨어지고 있었다/멀리 어디서/빼꾸기가 울고 있었다"와 같이 아무런 인위의 개입이 없이 자연이라는 존재의 자궁 속으로 들어감으로써 크나큰 자연의 지락(至樂)을 맛보게 되는 것이다. 그렇기에 "의희한 탑 그늘에/천 년 세월이 흘러가고, 흘러오고//아, 모든 것/속절없었다"라는 구절처럼 삶의 완강한 질곡 또는 인위적인 세계로부터 해방되어 자유로움의 본원적인 상태에 놓여지게 된다. 이처럼 김달진의 시는 허·정의 세계를 바탕으로 한 은일의 정신을 내밀하게 형상화하고 있는 데서 그 독자성이 확연하게 드러남을 알 수 있다.

6. 식물적 상상력과 생명감각

김달진의 시는 독자들에게 친근감을 던져주는 것이 중요한 미덕의 하나라고 할 수 있다. 그의 시가 이러한 친근감을 갖게 하는 원천은 그의 시가 전원

적인 배경과 함께 식물적 상상력에 크게 의지하고 있기 때문인 것으로 풀이
된다.

① 유월(六月)의 꿈이 빛나는 작은 뜰을
　이제 미풍(微風)이 지나간 뒤
　감나무 가지가 흔들리우고
　살진 암녹색(暗綠色) 잎새 속으로
　보이는 열매는 아직 푸르다.

　　　　　　　　　　　　　　　　　　　　　—「비시(扉詩)」 전문

② 옅은 제 그늘에 한 잎 두 잎 지쳐누운 목단(牧丹)꽃 조각
　빛이 너무 붉어 여름 한나절이 애잔케 깊었노니

　꿈길처럼 아스라한 먼 산(山) 아지랑이
　뻐꾸기 소리 빈 골을 울려오는 게으른 창앞

　보던 책 덮고 팔짱 끼며 고요히 눈 감아보니
　마음은 햇빛 아래 조으는 노란 장미꽃에 비최일듯 환하다.

　　　　　　　　　　　　　　　　　　　　　—「목단(牧丹)」 전문

③ 밤깊어 혼자 돌아오는
　교외(郊外)의 어두운 산(山)기슭 외로운 길
　왈칵 안기는 내음새 있다.
　향긋이 젖은 날카로운 향기—

　다발 다발 드리운 아카시아꽃이
　석랍(石蠟) 등불처럼 희뿌엿이 빛난다.

　　　　　　　　　　　　　　　　　　　　　—「아카시아 꽃」 전문

④ 볕바른 잔디밭 우에 둘러 앉아

무언가 속살거리는 서넛 처녀들
그 가운데 반쯤 피어나온 할미꽃 한 포기
한 처녀의 하얀 손길에 어루만지우고 있다.

—「할미꽃」 전문

⑤ 달은 열 하루 밤밤중을 기울고 있었다.
우리들의 걷는 길은 익은 보리 향(香)기에 젖어 있었다.
나는 어린 소녀(小女)의 사랑을 참아 아주 못 잊었다.
멀리 산(山)그늘 뻐꾸기는 울었다.

—「귀로(歸路)」 전문

김달진의 시에 드러나는 또 한 가지 특징은 이처럼 식물적 상상력과 생명 감각이 두드러진다는 점이다. 그의 시집 도처에는 식물적인 소재와 제재가 다수 등장하며, 그것들이 촉매가 되어 시상을 전개해 가고 있는 것이다. 먼저 그의 시에는 제목부터 식물심상을 취하고 있는 것이 많이 발견된다.「목단(牧丹)」,「아카시아 꽃」,「수련(水蓮)」,「할미꽃」,「새꽃」,「배나무」,「구룡목(木) 꽃」,「낙엽(落葉)」,「열무우꽃」 등이 그것이다. 아울러 그의 시집에는 소재 면에서도 감나무·잎새·열매·꽃 들국화·장미꽃·풀·삼림·신록·꽃수풀·작약·아카 시아꽃·촉규화·열무우꽃·전나무·소나무·벚나무·산갈대꽃·대잎·칡넝쿨·네잎클 로버·보리·송홧가루·고목(古木)·망개잎·장미·파초잎·인동넝쿨·석류꽃·난초 등 헤아릴 수 없이 많은 초본류 및 화훼류가 등장한다. 그야말로 식물성 빛깔과 향기로 온통 얼크러져 있다고 하겠다. 이러한 식물적인 소재와 제재들은 시 에 서정적 향기를 불러일으킴으로써 생명감각을 환기해주는 촉매가 되는 것 이다.

시 ①은 시집『청시(靑柿)』의 서시에 해당된다. 그만큼 시집 전체에 대한 암시적 성격을 지닌다고 하겠다. 이 시는 시집 제목처럼 감나무가 그 제재가 되어 있다. 감나무 가지와 암녹색 잎새, 그리고 열매가 미풍에 흔들림으로써 생명감각을 일깨우고 있는 것이다. 특히 "유월(六月)의 꿈이 빛나는 작은 뜰"에서의 시각심상과 "이제 미풍이 지나간 뒤/감나무 가지가 흔들리우고"에서의 촉각 이미지 및 "살진 암녹색 잎새 속으로/보이는 열매는 아직 푸르다"에서의 촉각·미각·시각 이미지 등이 공감각적 심상을 형성하여 생의 감각을 고조시켜 준다고 하겠다.

시 ②에서도 마찬가지이다. 여기에서 모란꽃과 장미꽃은 마음을 비춰 볼 수 있는 거울의 의미를 지닌다. 모란꽃 붉은빛에 여름 한나절이 애잔하고 장미 노란빛에 마음이 어려 비치는 것이다. 여기에 빈 골을 울려오는 뻐꾸기 소리가 다시 생명력의 충일을 위해 인위(人爲)를 버리고 자연 중심으로 생각하는 노장적(老壯的) 기운이 생동하고 있음이 분명하다. 그렇기에 "보던 책 덮고 팔짱 끼며 고요히 눈 감아보니/마음은 햇빛 아래 조으는 노란 장미에 비춰일듯 환하다"와 같이 무위자연(無爲自然)의 경지를 드러내게 되는 것이다.

시 ③에서도 아카시아꽃이 생명감각을 일깨워주는 촉매가 된다. 그것은 '밤 깊어/어두운 산 기슭'과 "아카시아꽃이/석람 등불처럼 희뿌옇이 빛난다"의 선명한 대조를 통해 제시된다. 여기에서도 "왈칵 안기는 내음새 있다/향긋이 젖은 날카로운 향기/아카시아꽃이/석람등불처럼 희뿌옇이 빛난다"와 같이 촉각·후각·미각·지각 등의 공감각적 이미지들이 함께 얼크러져 생명감각을 흔들어주고 있는 것이다.

시 ④도 마찬가지이다. "무언가 속살거리는 서넛 처녀들/그 가운데 반쯤 피어나온 할미꽃 한 포기/한 처녀의 하얀 손길에 어루만지우고 있다"라는 구절에서 보듯이 공감각적 식물심상이 생명감각을 환기해주고 있는 것이다. 특히 '할미꽃'과 '처녀의 하얀 손길'의 대조가 '어루만지우고'라는 촉감적 이미지에 의해 생명감각을 구체화하고 있어서 관심을 끈다고 하겠다.

시 ⑤의 경우에는 보리향기가 촉매가 된다. 그리고 그것이 "젖어 있었다/멀리 산그늘 뻐꾸기 울었다"와 같이 공감각적 심상을 형성하고 있는 것도 앞의 시들과 유사하다고 할 수 있다. 그러면서 "나는 어린 소녀(小女)의 사랑을 참아 아주 못 잊었다"라는 구절처럼 사랑의 정감과 연결시킨 것이 특이하다. 생명감각이 사랑의 정감으로 고양돼 있는 것이다.

이렇게 볼 때 김달진의 시는 전원 서정 또는 식물적 상상력에 크게 의지하고 있음을 알 수 있다. 그것은 생명감각으로 연결됨으로써 유약(柔弱)의 철학으로서의 도교사상 또는 무위자연으로서 노장적 세계관과 접맥된다고도 할 것이다. 무엇보다도 이러한 전원심상과 식물적 상상력은 오늘날 시멘트, 철근, 유리, 석유 등 온갖 광물적 심상으로 얼룩진 현대인들에게 생명감각을 일깨워준다는 점에서 소중한 의미를 지닌다고 하겠다.

맺음말

김달진의 시는 우리 시사의 관습에서 볼 때 분명히 특이한 성격을 지닌다. 그의 시세계는 사회현실과 밀착돼 있지도 않으며, 언어·현실과의 싸움을 전개하지도 않았다. 그렇다고 해서 신성사(神聖史)에 대한 함몰이나 형이상학적인 관념에 대한 편향성을 노골화한 것도 아니다. 그의 시는 허정의 세계 또는 무위자연의 세계를 추구함으로써 인간의 본원적인 자유에 대한 갈망을 보여준 데서 그 본령이 드러난다. 산보길이나 명상의 시간에 조용히 흘러가는 구름이나 물소리, 바람 소리 속에서 자연의 정수를 맛보고 이것을 우주적인 감각으로 확대함으로써 삶을 시로써 고양시키려 노력한 것이다. 따라서 자연과 인간의 조화를 모색하면서 자연 그대로의 삶, 정신의 자유를 실현하고자 하는 데서 특유의 개성을 지니는 것이다.

이러한 그윽한 청허의 인생관 또는 소요의 세계를 주로 노래한 시인이 이 땅 현대시사에 과연 그 몇 사람이나 될 것인가. 바로 이 점에서 김달진의 시사적 의미가 확연히 드러난다고 하겠다. 그의 시가 보여준 선적(禪的) 감각과 허심(虛心)의 세계야말로 우리 시의 내면적 진실을 심화하고 전통적인 서정의 질을 고양시켜준 데서 소중한 의미를 지니기 때문이다.

다만 그의 시는 이러한 독자적인 세계를 확보하고 있었음에도 불구하고 지속적인 확대와 심화의 노력을 체계적으로 보여주지 못한 점에서 아쉬움을 던져준다. 실상 그의 시가 오랫동안 소외되어 왔던 것도 은일을 즐기는 그의 심성과 잘못된 이 땅의 중앙집권적 문단관습에 기인하기도 하는 것이 분명하다. 그러나 보다 중요한 이유는 그의 시적 천착이 꾸준하게 지속되어 오지 못한 데 기인하는 것으로 여겨진다. 자신의 독보적인 문학세계를 보다 심화된 문학사상으로 확립하려는 끈질기면서도 치열한 노력이 부족했다는 뜻이 될 수도 있겠다. 그가 20년대부터 80년대까지 무려 60년간 문단 생활을 계속했던 이 땅 최고참 원로시인의 한 사람이면서도 시집이 한두 권에 불과한 사실이 그 단적인 예증이 된다고 하겠다.

그럼에도 불구하고 그의 시는 우리 현대시에 가장 부족한 요소의 하나라고 할 청정심의 세계 또는 선적(禪的) 명상의 소중함을 일깨워주었다는 점에서 의미를 지닌다. 그의 시는 오늘날과 같이 각양의 폭력과 공해에 시달리는 현대인들에게 청정한 허심을 간직하게 함으로써 올바른 삶이란 과연 무엇인가 하는 문제를 내밀하게 반성하게 해주었다는 점에서 소중한 의미를 지니는 것이다. 그것은 외부적인 소외는 물론 우리 마음속의 감옥까지도 허물고 근원적인 자연의 세계, 영원한 자유로서 올바른 삶을 살아가라는 그윽한 가르침을 던져주고 있는 것이 분명하다. 그의 시는 우리 현대시사가 지닌 밝고 깊은 정신의 샘물로서 오랫동안 우리 지친 영혼을 위무해주고 갈증을 씻어줄 것이 확실하다.

(『서정시학』, 1990. 6)

오세영, 사랑과 존재의 형이상

—시집 『무명연시(無明戀詩)』론

1. 시의 궤적

1968년 「잠자는 추상(抽象)」 등의 작품으로 『현대문학』지를 통해 등장한 오세영(吳世榮)은 시작과 시 연구, 그리고 비평에 있어 정력적인 활동을 보여주고 있는, 이 땅에 그리 흔치 않은 시인 겸 시학자이며 비평가의 한 사람이다.

시인으로서 그는 일찍이 첫 시집 『반란(反亂)하는 빛』(1970)을 간행하고 이어서 제2시집 『가장 어두운 날 저녁에』(1982)를 상재한 바 있다. 첫 시집에서 그의 관심은 주로 내면의식의 환상적 추구와 언어실험에 집중돼 있었다. 이것은 그가 『현대시(現代詩)』 동인의 한 사람으로 참여한 사실과 무관하지 않다. 그러나 이 시집은 아직 독자적인 자기 세계를 구축한 것이라고 보기에는 다소 미흡한 점이 없지 않았다. 제2시집에 이르러서 이러한 내면의식의 비유적 형상화는 차츰 생에 관한 서정적 탐구로 변모하게 된다. 초기시에서의 불안정했던 언어문제도 이 시기에 이르러서는 그가 새롭게 모색하던 생철학적 주제 탐구와 어울려 형상적 견고성을 획득하기 시작한 것으로 이해된다.

1970년대 이후에 그는 시작과 병행해서 시사연구와 시비평을 전개하기 시작하였다. 『한국낭만주의시연구』, 『서정적 진실』, 『현대시와 실천 비평』, 『20세기한국시연구』, 『문학연구방법론』 등의 시연구서는 그 방면의 한 성과에 속한다.

이같이 좀처럼 양립시키기 힘든 시작과 시연구를 성공적으로 병행해 나아가고 있는 오 시인은 그간 80여 편의 연작시『무명연시(無明戀詩)』를 써서 이번에 시집으로 상재한다. 이 시집은 종래의 실험적인 언어편향성이나 생철학 탐구의 단편성을 벗어나서 본격적인 사랑의 시학, 존재론의 시학을 천착하고 있어서 관심을 끈다. 따라서 본고에서는 간략히「무명연시」의 세계를 검토해 보기로 한다.

2. 고·집·멸·도(苦·集·滅·道)의 순환구조

시집 『무명연시』는 84편의 시가 기·승·전·결(起·承·轉·結)의 구성을 지니고 있는 연작시이다. 기·승·전·결은 각각 춘·하·추·동(春·夏·秋·冬)이라는 사계(四季)의 순환구조와 대응된다. 어쩌면 이것은 생·로·병·사(生·老·病·死)라는 생의 원리를 반영한 것인지도 모른다. 아니면 고·집·멸·도(苦·集·滅·道)의 사제(四諦)를 표상한 것일 수도 있을 것이다. 첫 시「님은 가시고」에서 "님은 가시고/꿈은 깨었다"라는 첫 구절은 그대로 마지막 시「화로(火爐)」에서의 "빈 가슴에 지피는 외로운/불"이라는 마지막 구절과 상응됨으로써 원성(圓成)의 조응(照應)을 이루는 것이다.

> 님은 가시고
> 꿈은 깨었다.
> 뿌리치며 뿌리치며 사라진 흰옷
> 빈 손에 움켜진 옷고름 한짝
> 맺힌 인연 풀길이 없어

보름달 보듬고 밤새 울었다.
열은 내리고
땀에 젖었다.
휘적휘적 사라진 님의 발자국
강(江)가에 벗어논 헌 신발 한짝
풀린 인연 맺을 길 없어
초승달 보듬고 밤새 울었다.
베갯머리 놓여진 약탕기(藥湯器) 하나
이승의 봄밤은 열에 끓는데
님은 가시고, 꿈은 깨이고

—「님은 가시고」 전문

이 시의 모티프는 이별에 있다. "님은 가시고, 꿈은 깨이고"라는 연인의 상실에서 시가 비롯된다. 특히 '흰옷·옷고름 한짝·신발 한짝'의 조응은 이 시의 이별이 죽음상징과 연관되어 있음을 말해준다. 아울러 그것은 전통적 정서, 즉 슬픔과 한(恨)의 정조에 바탕을 두고 있다. 님과의 이별, 님의 떠나감이 던져주는 충격은 퍼스나에게 무화(無化)의 충격과 함께 열병을 앓게 만든다. 모진 인연을 떨치고 사라져간 님은 퍼스나에게 사랑의 괴로움과 슬픔을 남겨준 것이다. 목숨의 법칙으로서의 사랑, 사랑의 인과율로서의 이별은 그 자체가 괴로움의 원인이며 결과일 수밖에 없다. '약탕기(藥湯器)'와 '열' 그리고 '땀'이란 바로 이 삶의 괴로움을 표상한 것으로서 그것은 사랑의 병에 연유한 것이다.

특히 이 시에서 '달'의 상징은 삶과 사랑의 원리를 잘 표상하고 있다. '보름달'과 '초승달'의 대조는 충만과 소실 또는 생성과 소멸이라는 인생과 사랑의 원리를 반영한 것이다. 이 시에서 보름달이 초승달로 전이한 것은 삶의 충만에서 소실로의 전환으로서 낙관에서 비관, 희망에서 낙망으로의 이행을 의미한다. "보름달 보듬고 밤새 울었다/초승달 보듬고 밤새 울었다"의 대응은 만남과 이별, 생성과 소멸, 충만과 소실을 되풀이하는 것으로서의 사랑 또는 인생의 모습을 표상한다. 또한 달은 강(江)의 이미지와 어울려 변화하는 것, 흘러가는 것으로서의 인생의 의미를 반추하게 한다.

이 시에서 무엇보다 중요한 것은 "님은 가시고, 꿈은 깨이고"라는 마지막 구절이다. 이 결구는 님의 상실과 그에 따른 절망과 고통을 '꿈은 깨임', 즉 고통스러운 현실에 대한 자각으로 연결시킨 데 특징이 있다. 꿈은 사랑의 열병이자 몽환이지만, 이것은 깬다는 것이 오히려 님이 부재하는 현실에 대한 쓰라린 절망감을 자각하게 하는 깨달음, 즉 각(覺)의 단초가 된다. 다시 말해, 사랑과 이별 자체의 고통도 크지만 그 뒤에 엄습하는 허무와 절망에 대한 자각이 더욱 고통스러운 것이다. 따라서 이 시는 파란만장하게 펼쳐질 번뇌의 시작에 불과하다. '님이 가심'으로 해서 사랑의 고통이 소멸하는 것이 아니라 오히려 더 큰 번뇌가 시작되는 것이다. 연작시 「무명연시」는 바로 이러한 님과의 이별에 따르는 번뇌의 생겨남으로부터 시작되며, 이 「님은 가시고」가 그 출발점이 된다. 이렇게 볼 때 '봄[춘(春)]' 시편들은 소생과 희망의 시작이 아니다. 오히려 그것은 절망과 고통의 시작이며 번뇌의 출발점에 해당한다.

> 망치로 쳤다.
> 칠수(七首)를 위하여
> 번득이는 칼날을 위하여
> 무른 쇠를 쳤다.
>
> 무른 육신(肉身)을 달궜다.
> 가슴의 열병(熱病), 이마에 찬 얼음
> 거친 목숨을 물에
> 식혔다.
>
> 세상은 달아오른
> 용광로,

사랑으로 눈멀고
증오로 눈뜨는
무쇠,
원수의 손으로 만들어진
칼,

망치로 쳤다.
칼날을 세우기 위하여
잠든 증오를 깨우기 위하여

—「용칼로」전문

　'여름[하(夏)]' 시편의 첫 작품인 이 시에는 님을 떠나보낸 후의 괴로움이 심화되어 나타난다. '용광로'라는 시어 그 자체가 이미 하나의 상징이다. 그것은 이별 후의 삶이란 마치 번뇌의 용광로에 들어 있는 것과 마찬가지라는 것을 비유하기 때문이다. '망치·칠수(七首)·칼날·쇠' 등의 광물적 이미지들은 그만큼 모질고 견고한 고통과 함께 그에 대한 초극의지를 담고 있다.

　특히 2연에서는 물과 불의 대립이 나타난다. '열병'과 '얼음', '달굼'과 '식힘'의 이미지가 그것이다. 이것은 사랑이 지닌 대립적 본성, 즉 감성과 이성, 육체와 영혼, 정염과 허무, 열애와 증오 등의 치열한 갈등에 이 시의 핵심이 놓여 있음을 의미한다. 그렇기 때문에 사랑은 번뇌를 더할 수밖에 없으며, 그것은 이별이 주는 고통과 합쳐져서 격렬한 존재론적 격투, 즉 끝없는 열병에 휩싸이게 된다. 3연에서 "세상은 달아오른/용광로"라는 표현은 이러한 번뇌의 열병에서 헤어나지 못하는 모습을 드러낸 것이다. 그러므로 "사랑으로 눈멀고/증오로 눈뜨는"과 같이 사랑의 맹목성·절대성에 사로잡혀 사랑이 오히려 증오의 감정으로 전이되는 상태까지 이른다. 사랑은 어쩌면 평생을 두고 극복해 나아가야 할 '원수'일지도 모른다. 또한 사랑의 고통과 번뇌는 그 원수와의 싸움에서 일어날 수밖에 없는 피 흘림을 반영한 것일 수 있다.

여기에서 문제가 되는 것은 용광로에서 달구어진, 무쇠로 만들어지는 '칼'이 무엇을 뜻하는가 하는 점이다. 칼은 날과 등으로 구성돼 있기 때문에 흔히 대립성·이중성을 표상하거나, 그 날카로움으로 인해서 지성·정신성을 뜻하기도 한다. 때로는 단단함으로 인해서 공격성·대결정신 혹은 의지력의 표상으로 쓰이기도 한다. 이 시에서의 칼도 이러한 다양한 표상성을 함께 포괄한다. 그것은 갈등의 표상이며, 지성화에의 열망이고, 중심을 잃지 않으려는 견고한 극복 의지의 반영으로 이해된다. '망치를 쳐서/칼날을 세우는' 행위에는 사랑의 번뇌와 이별의 고통 속에서 외로움·슬픔·절망감·허무감 등을 극복하고 사랑의 정수 혹은 고독과 허무로서의 삶의 본질에 다가가려는 가열한 의지가 담겨 있는 것이다.

이 시 이외에도 '여름' 시편들은 대부분 이별 후의 고통과 절망, 비애와 탄식, 적막과 허망과 함께 그에 대한 극복 의지를 노래하고 있다. 이러한 부정적·절망적 정감들이 번뇌의 용광로에서 광물적 이미지들로 형상화되어 들끓으면서 정신적 무(無)의 통과과정(néantisation)을 겪는 것이다. 여름의 계절적 속성이 암시하는 격렬한 들끓음과 용광로가 표상하는 가열한 시련, 그 속에서 퍼스나는 이별이 던져준 충격을 번뇌의 열로 녹여서 무(無)를 통과시키게 되는 것이다. 그러므로 '가을' 시편에서는 하나의 전환을 보여주게 된다.

> 새벽 세시,
> 강물이 강물로 흐르고
> 바다는 바다로 푸르고
> 까투리 장끼 곁에 눕고
> 새벽 세시,
> 달빛은 눈썹 위에 쌓이고
> 은하(銀河)는 귀밑머리 적시고
> 별빛은 이마에서 꿈꾸는 시간,
> 세시에 깨어

경(經)을 읽는다.

일(一)은 다(多)이며 다(多)는 일(一)이며, 가르침에 따라서 의미를
알고 의미에 의하여 가르침을 알며, 비존재는 존재이며 존재는 비존
재이며, 모습을 갖지 않은 것이 모습이며, 모습이 모습을 갖지 않은 것
이며, 본성이 아닌 것이 본성이며 본성이 본성이 아니며……

화엄경 보살십주품(華嚴經 菩薩十住品), 그 말씀
아, 가슴으로 내리는 썰물 소리
갈잎 소리

—「새벽 세시」 전문

이 시는 '가을[추(秋)]' 시편의 작품으로서 가을 시편들의 주제를 함축하고
있는 것으로 이해된다. 그것은 곧 깨달음[각(覺)]의 문제로 집약된다. 사랑의
고통과 슬픔, 이별의 절망과 허무로부터 깨달음에 이르는 과정이 잘 나타나
있다. '여름' 시편에서 용광로처럼 들끓던 번뇌의 열이 식어가는 동안, 즉 무
(無)의 통과과정에서부터 비롯되는 깨달음의 발현과정이 제시된 것이다.

먼저 이 시의 첫 연에는 자연사와 인간사의 어우러짐이 자연스럽게 드러나
있다. 특히 시간 자체가 한밤의 어둠이 조금 엷어진 새벽 세 시로 된 것은 혼
돈[미(謎)]으로부터 깨달음[각(覺)]이 서서히 이뤄진다는 점을 암시하는 것이
된다. '달빛·은하·별빛'과 '눈썹·귀밑머리·이마'의 조응은 자연의 질서와 인간
의 질서가 서로 화해하고 교감하는 것을 뜻한다. 그것은 어긋남 혹은 뒤틀림
이 아니라 조화로움 또는 어우러짐의 정신상을 반영한 것이다. 더구나 '흐르
고·푸르고·눕고·쌓이고·적시고·꿈꾸는'이라는 연결어의 나열은 세계상의 간
단없는 지속과 그에 대한 순응 의지를 드러낸 것이다.

따라서 둘째 연에는 깨달음의 내용이 제시돼 있다. 경(經)의 내용으로 돼
있는 "일(一)은 다(多)이며 다(多)는 일(一)이며 본성이 아닌 것이 본성이며 본

성이 본성이 아니며"라는 구절은 바로 이별 후의 격렬한 고통과 절망 끝에 도달하게 된 깨달음의 내용과 다를 바 없다. 오히려 "세시에 깨어/경(經)을 읽는다"라고 간접화한 표현은 깨달음의 내용을 자연스럽게 드러내고자 하는 기교적 장치에 불과하다. 이렇게 본다면 깨달음의 내용은, 삶에서 일어나는 온갖 생성과 소멸이란 결국 현상계에서의 되풀이에 불과할 뿐이라는 점을 말하고자 하는 데 초점이 놓여진다. 사랑과 이별도 증오와 만남에 다름아니며, 그것은 또한 불성(佛性)이라는 만물의 본성으로 회귀될 수밖에 없다.

그렇다면 이 만물의 본성은 무엇인가. 그것은 있음도 없음도 아닌 것으로서의 무(無) 그 자체이다. 실상 무(無)는 있음도 없음도 아닌 상태, 즉 생멸(生滅)이 따로 존재하지 않는 무시무종(無始無終), 무내무외(無內無外)의 상태인 것이다. 따라서 사랑도 이별도 어디까지나 현상계에 있어서의 가상으로서 움직임이며 드러남이지 불변하는 것으로서의 본성, 즉 불성(佛性) 그 자체는 아니라는 데 대한 깨달음이 제시되어 있는 것이다. '강물'이나 '달빛'의 표상이 바로 그것이다. 그것은 끊임없이 변화하는 시간의 모습이며 동시에 인생[사랑]의 모습과 같다. 현상계에서 그러한 것들은 끊임없이 생멸(生滅)을 거듭하지만 본질에 있어서는 하나의 모습으로 귀일된다. 그 본질적 모습이 바로 있음도 없음도 없는 영원한 무(無)의 상태, 즉 불성(佛性)에 해당하는 것이다. "아, 가슴으로 내리는 썰물 소리/갈잎 소리"라는 결구 속에는 이 없음으로서의 생(生)의 본질에 대한 깨달음과 함께 그 허무에 대한 탄식이 드러나 있는 것이다. 사랑의 오뇌도 이별의 아픔도 결국은 유구한 자연의 변화, 시간의 흐름 속에서 사라져버리고 말 무(無)의 존재에 불과하며 오직 그러한 것들이 영원의 모습, 즉 불성(佛性)으로서 존재할 뿐이라는 데 대한 깨달음이 깃들어 있는 것이다. 이 시가 성공적인 것은 이러한 깊은 깨달음을 자연계의 서정적 현상들과 결합하는 데서 오는 심미적 긴장과 질서를 성취하고 있기 때문인 것으로 이해된다.

화로(火爐)에 불을 지핀다.
빈 방 섣달 하순 어두운 밤
기다려도 그대는 오지를 않고
뒷문 밖에는 눈 오는 소리.
뒷문 밖에는 갈잎 소리.
눈이 되어 오랴,
바람 되어 오랴,
얼어붙은 이승의 차거운 육신(肉身).
귀멀고 눈멀어서 밤은 길다.
빈 방 섣달 하순 어두운 밤,
그대의 찬 손 녹여 주려고
빈 가슴에 지피는 외로운
불

— 「화로(火爐)」 전문

그러나 깨달음을 얻었다는 사실로 해서 번뇌가 소진되는 것은 아니다. 인생이나 사랑은 깨달음 그 자체로 완성되는 것이 아니기 때문이다. 어디까지나 생생한 살아 있음의 현실이 또다시 깨달음의 전면에 가로놓인다. 그러기 때문에 인간은 살아 있는 한 고뇌하고 방황할 수밖에 없는 것이다.

시집 『무명연시』 '겨울'의 마지막 편인 이 「화로(火爐)」는 삶의 허적과 함께 지향 없는 그리움과 안타까움 그리고 기다림을 노래하고 있다. "화로에 불을 지핀다"라는 행위는 허무로부터의 생성을 갈망하고 추구하는 모습을 반영한다. 기다려도 쉬 그대는 오지 않지만 죽음의 저 너머 영원 속에서라도 언젠가는 돌아오고 말 것이라는 신앙적 확신이 있다. 그렇기 때문에 떠난 뒤의 나의 삶이란 '귀멀고 눈멀은' 상태로 '얼어붙은 차가운 육신(肉身)'을 이끌고 살아가지만, 언젠가는 님이 돌아오리라는 시공을 초월한 확신으로 인해서 좌절하지 않고 기다릴 수 있는 것이다.

따라서 "눈이 되어 오랴/바람 되어 오랴"라는 구절 속에는 안타까운 기다림의 심정이 표출돼 있다. '빈 방 섣달 하순 어두운 밤'으로서의 현실에서 기다림과 그리움은 생의 의지를 간직할 수 있게 해주는 원동력이 된다. 따라서 "빈 가슴에 지피는 외로운/불"은 이별로부터 만남이, 소멸로부터 생성이, 절망으로부터 희망이 봄의 새싹처럼 싹터 오르는 부활의 불인 것이다. 이것은 또한 자기 극복 과정에서 마침내 성취되는 깨달음의 불빛이며, 동시에 무(無)와 존재가 부딪쳐 일으키는 극복의 한 실현이자 새로운 생성의 불꽃인 것이다.

이렇게 볼 때 『무명연시』는 대체로 '님이 떠남[춘(春)]→님이 떠난 후의 괴로움[하(夏)]→무(無)의 깨달음[추(秋)]→님이 돌아올 것을 믿고 기다림[동(冬)]'이라는 기·승·전·결의 순환구조를 지니고 있는 것으로 이해된다. 아울러 이것은 인간의 생로병사에 따르는 고·집·멸·도(苦·集·滅·道)라는 사제(四諦)의 인생관을 반영한 것으로 보인다. 고·집·멸·도, 즉 4제란 무엇인가? 사제란 불교에서 네 가지 진리를 말한다. 네 가지 진리란 첫째 고(苦)로서 '미혹의 이 세상은 모두 다 고(苦)이다'라는 가르침이며, 둘째는 '고(苦)의 원인은 구하고 탐하여도 그치지 않는 집착이다'라는 가르침이다. 셋째는 그 집착을 완전히 끊어 없앰으로 고(苦)를 멸한 때가 이상경이라는 가르침이며, 넷째는 이처럼 고(苦)가 없는 열반경에 도달하기 위하여 8정도, 즉 올바른 깨침을 이루기 위하여 여덟 가지 올바른 수행도를 실현하는 일이다.

따라서 이 시집 『무명연시』는 고·집·멸·도로서 4제의 원리를 사랑의 원리 또는 삶의 순환법칙으로서 고양시킨 작품이라고 하겠다. 표면상으로는 이 연작시가 사랑의 이야기로서 사랑의 원리를 탐구해간 것처럼 보인다. 그러나 심층적인 면에서 이 시집은 인생의 문제로 집중되어 있다. 사랑을 말하는 것은 시에 서정적 긴장과 예술적 탄력을 불어넣는 데 긴요한 방법적 장치이다. 또 실상 이 시가 사랑 그 자체를 형상화했다 해도 조금도 문제 될 것이 없다. 사랑의 변증법적 원리는 그대로 존재의 그것과 상통하기 때문이다. 그러나 더욱 중요한 것은 이 시가 불교적인 세계인식을 기저로 하여 존재에 관한 근원적 질문을 제기하고 있으며, 아울러 그것들이 지닌 여러 모순들을 극복하고자 하는 치열한 암투를 보여준다는 점에 있다. 따라서 사랑의 고통과 허무를 인생의 그것으로 치환함으로써 존재의 극복과 초월을 시도한 것이다. 존재의 본질인 무(無)를 발견하고 이것의 궁극적 원리로서 불교적 존재론을 인식함으로써 존재를 초극하려는 데 사랑의 의미 또는 존재의 참뜻이 놓여짐을 제시한 것이다. 이 점에서 시집 『무명연시』가 사랑과 존재의 형이상성(形而上性)을 어느 정도 성취한 것으로 볼 수 있다.

3. 비극적 세계관의 문제

시집 『무명연시』에 가장 두드러지는 것은 비관적인 현실 인식의 태도이다. 이별이라는 상황설정 자체가 그러한 것을 암시한다.

> 새도 아닌 것이 벌레도 아닌 것이
> 눈감지도 않은 채 잠들어 있다.
> 날지도 못한 것이 기지도 못한 것이
> 붙들지도 않은 채 매달려 있다.
> 네 춤추는 곳은 허무(虛無)의 중간(中間)
> 네 사랑하는 곳은 박명(薄明)의 공간(空間)
> 구천(九天)에 내리는 밧줄에 매여
> 거미 한마리 인연을 풀고 있다.
> 땅도 아닌 곳에
> 하늘도 아닌 곳에
> 네가 가는 곳은 박명(薄明)의 공간(空間)
> 낮도 밤도 아닌 무명(無明)의 공간(空間).
>
> ―「네가 가는 곳은」 전문

이 시의 기본인식은 '않은', '아닌', '못한' 등의 부정어에서 알 수 있듯이 현실 부재에 그 기초를 두고 있다. 그것은 비관적 세계인식 또는 부정적 세계관에 연유하는 것으로 보인다. 또한 "눈감지도 않은 채 잠들어 있다/붙들지도 않은 채 매달려 있다"와 같이 실존의 양상도 '잠듦', '매달림' 등 불안한 것으로 파악된다. 따라서 현상계는 '허무(虛無)의 공간(空間)/박명(薄明)의 공간(空間)'으로 받아들여지며, 이것은 세계를 보는 눈이 어둠으로 가득차 있음을 의미한다. 이것은 비단 현상계에 관한 것으로서뿐이 아니다. 오히려 그것은 인생을 바라보는 태도가 근원적인 면에서 비극적인 것 또는 부정적인 세계관에 연원하는 것으로 풀이될 수 있다. 다시 말해서 세계상을 비관적인 것으로 파악할 수밖에 없는 것은 퍼스나 혹은 시인 자신이 세상의 어둠이나 번뇌에서 벗어나지 못하고 있다는 사실을 반영해준다. '박명(薄明)의 공간(空間)/무명(無明)의 공간(空間)'으로서의 세계인식은 이 시의 퍼스나 혹은 시인 자신의 세계관을 표출한 것으로 해석할 수 있기 때문이다. 실상 님이 떠나감으로 해서 생기는 부재(不在)의 현실은 어둡고 비관적으로 파악될 수밖에 없다. 무명(無明)은 바로 그러한 세계인식 또는 시인의 심리상태를 적절하게 표상한 말이다.

무명이란 무엇이던가? 한마디로 그것은 사물의 있는 그대로를 보지 못하는 불여실화견(不如實和見)을 뜻한다. 다시 말해서 진리에 눈이 어두워서 사물이 통달치 못하고 사물의 현상이나 도리를 확실히 이해할 수 없는 정신상태로서 어리석음을 그 내용으로 한다. 이 점에서 『무명연시』라 제한 이 시집의 의미가 드러난다. 그것은 헛된 사랑의 미혹(迷惑)에 사로잡혀 어둠 속에서 헤어나지 못하는 인간적 슬픔과 고통을 노래한 것이다. 어쩌면 그것은 사랑자체가 이미 부질없는 것이며 인생 역시 어둠 속을 헤매이다가 사라지고 마는 덧없는 것이라는 깨달음에 대한 탄식을 담고 있는지도 모른다. 또한 그러한 깨달음을 알면서도 인간으로서 숙명적으로 받아들일 수밖에 없는 생·노·

병·사 등의 인간 조건들에 대한 번뇌가 표출되어 있는 것이다. 따라서 세계를 바라보는 기본시각이 어둡고 비관적일 수밖에 없으며, 그러한 비극적 세계관이『무명연시』라는 제목으로 압축 요약된 것으로 보인다.

> 갈잎이 하나의 소리로 운다.
> 울면서 암흑 속을 떠난다.
> 달빛이 하나의 소리로 운다.
> 살 속에서,
> 살아가는 뼈 속에서, 욕정(欲情) 속에서,
> 갈잎이 울고 있다.
> 피리여.
> 살아 있는 것들의 구멍이여,
> 시방, 이승은 바람뿐이다.
> 바람에 날리는 갈잎뿐이다.
>
> —「갈잎」 전문

이 시에는 비관적 세계인식이 더욱 선명히 드러나 있다. 우선 배경 자체가 어두운 밤으로 되어 있다. 더욱이 사용된 용언이 '운다·떠난다·삭아간다·날린다' 등과 같이 부정적·하강적 이미지들로 가득차 있다. 무엇보다도 "시방, 이승은 바람뿐이다/바람에 날리는 갈잎뿐이다"라는 결구 속에 비관적 세계인식을 극명하게 압축하고 있는 것이다. '바람뿐', '갈잎뿐'으로 파악되는 세계상은 존재에 대한 허무주의에 기인한다. '바람'은 만사, 특히 인간의 시간적 존재성의 표상이며, '갈잎'은 공간적 질료성에 대한 표상이다. 이는 사라지는 것, 즉 허무의 본성을 드러내는 데 적합한 소재이다. 따라서 세상은 울음으로 가득찬 어두운 곳이며 인생은 그곳을 떠도는 바람, 혹은 갈잎 하나에 불과하다는 비관적 인식이 이 시에 짙게 깔리게 되는 것이다. 이러한 비관적인 세계인식은 "돌아보면 세상은 적막한 벌판/쓸쓸한 강변(江邊)/피안(彼岸)에 벗겨진 신발밖에 없는데/세영(世榮)아 하고/강변(江邊)의 시든 풀이 나를 부른다"

(「세영(世榮)아」) 등의 한 예에서도 볼 수 있듯이, 시집 『무명연시(無明戀詩)』
의 주조를 형성하고 있음을 알 수 있다. 그러면서도 이 비관적 세계인식은 '갈
잎·달빛·피리·바람' 혹은 '풀·이슬·돌·강(江)' 등의 전원심상들과 효과적으로
결합함으로써 서정의 내질화(內質化)를 섬세하게 육화시키고 있다. 이 점에
서 『무명연시』의 성공적인 면모가 드러날 수 있는 것이다. 시 「너를 보았다」
에는 비극적 세계관이 확고히 자리 잡게 된다.

> 너를 보았다.
> 문 밖에서,
> 닫혀진 우주(宇宙) 밖에서
> 너를 보았다.
> 가지 끝에서
> 어두운 하늘 끝에서
> 너를 보았다.
> 보이는 것은 안개, 눈 내리는 저녁 불빛
> 불빛 가득 고인 발자국.
> 자작나무 숲에 울던 바람은
> 시방 내 귀밑머리를 날리고
> 깨어진 피리 하나,
> 눈 속에 묻혀 있다.
> 너를 보았다.
> 문 밖에서
> 닫혀진 우주(宇宙) 밖에서
> 하나의 별, 한마리의 새,
> 너를 바라보는 절망의 눈

—「너를 보았다」 전문

이 시의 핵심은 세계의 불연속적 파악에 있다. 너와 나의 세계, 안과 밖의
세계가 칼로 베듯 나누어져 단절돼 있는 것이다. '내'가 있는 '밖'의 세계는 어

둠으로 가득 차 있다. '닫혀진·어두운·울던·깨어진·절망의' 등의 관형어는 이 시의 세계인식과 태도를 그대로 드러내 준다. 그것은 한마디로 말해 비극적 세계관이다. '너와 나/안과 밖'의 세계가 서로 단절돼 있을 뿐 아니라, 닫혀 있는 너의 세계나 밖에 있는 나의 세계가 다 같이 어둠과 깨어짐으로서의 절망적 상황인 것이다. 이것은 사랑의 본성을 고통으로 보거나, 인생의 본질을 허무로 파악하는 비극적 세계관에 근거한 것이 분명하다. "닫혀진 우주(宇宙), 어두운 하늘, 깨어진 피리 하나, 너를 바라보는 절망의 눈"이라는 구절들 속에는 세상의 온갖 어둠과 번뇌에 사로잡혀 절망하는 인간의 모습이 생생하게 담겨 있다. 그렇다면 이러한 비극적 세계관의 근원은 무엇일까. 다음 두 편의 시는 그에 대한 한 해답이 될 수도 있다.

> ① 흙위에 눈물 한 방울
> 돌아보면 이승은 메마른 갯벌
> 목선(木船) 하나 삭고 있는데
> 꽃씨를 날리듯
> 그렇게 날렸다
> 강변에 잿가루 한 줌.
>
> 　　　　　　　　　　　　　—「꽃씨를 날리듯」 부분

> ② 수술실 문은 잠기고
> 人生의 문은 잠기고
> 들것에 실려간 지어미는 말이 없다
> 가지런히 벗어놓은
> 이승의 옷
> 무사히 끝났을까
> 저무는 인생(人生)의 한 끝에서서
> 담배의 불을 비벼 끈다
> 식어버린 재를 날린다.
>
> 　　　　　　　　　　　　　—「이승의 옷」 부분

①시는 '흙·눈물·목선(木船)·꽃씨·잿가루' 등의 시어가 한군데로 집중된다. 그것은 곧 존재의 문제이며, 동시에 죽음의 문제이다. '목선(木船)'과 '꽃씨'는 인간존재의 표상이다. 그것은 낡아감과 사라짐, 그리고 묻힘을 속성으로 한다. 따라서 '흙', '잿가루'와 유추적 관계가 성립된다. 눈물은 그러한 네 가지 오브제에 공통적으로 관련된다. 눈물은 물로서의 자연사에 있어 순환의 원리와 눈물로서의 인간사에 있어서의 비극성을 함께 표상한다. 이는 눈물이 떠남과 만남, 소멸과 생성 등의 상징성을 내포하고 있기 때문이다. 따라서 ①시는 비극으로서의 생(生), 허무로서의 생(生)을 드러낸 것이 된다.

②시도 마찬가지이다. 여기에는 육신을 지닌 존재로서의 인간의 비극성이 제시되어 있다. 인간은 육신을 지니고 있기 때문에 운명적 굴레를 벗어날 수 없다. 그것은 '수술실'이 상징하듯 아픔과 괴로움의 현장이며, 그렇기 때문에 '재'로 돌아갈 수밖에 없는 허무를 본질로 한다.

이렇게 볼 때 고뇌의 근원은 육신이며, 이로 인해 생·로·병·사(生·老·病·死)가 있게 마련이고, 특히 사랑과 죽음의 문제가 가장 큰 번뇌로서 다가오는 것이다. '고(苦)'의 집으로서의 육신과 그것의 본질로서의 사랑과 허무야말로 인간이 무명(無明)으로부터 쉬 벗어날 수 없게 만드는 원인이 된다. 시집『무명연시』가 사랑과 인생의 존재론적 탐구를 테마로 한 바에야 이러한 무명고(無明苦)의 문제, 즉 비극적 세계관으로부터 자유로울 수 없을 것은 자명한 이치이다.

4. 운명과 자유에의 길

시집『무명연시』는 제목 그대로 연시(戀詩)이다. 때문에 사랑은 이 시집을 관류하는 근본문제이다. 그렇다면 사랑의 본성은 무엇인가, 사랑은 그 서양 어원이 Amor로서, 이는 죽음에 대한 저항(anti morte)을 의미한다고 한다. 다시 말해 사랑은 '살아 있음'의 표징으로서 인간다운 삶의 원동력인 것이다. 따라서 사랑은 항상 삶과 죽음의 문제와 관련되어 나타난다. 삶이 그러한 것처럼 사랑의 본성은 영혼과 육신, 감성과 이성, 신성과 세속, 운명과 자유 등이 부딪침에서 드러난다. 실상 「무명연시(無明戀詩)」라는 제목 자체가 어둠과 밝음, 이성과 감성, 신성과 세속, 운명과 자유라는 양면성을 함께 포괄하고 있음은 물론이다. 시(詩)가 불러일으키는 서정적 가벼움 또는 밝음과 '무명(無明)'이 내포하고 있는 미혹한 정신상태와 번뇌고로서의 관념적 무거움 또는 어둠이 서로 대립되고 긴장하면서 사랑의 존재론적 드라마를 형성하는 것이다.

따라서 시집 『무명연시』에는 사랑의 본성적 양면성이 지속적으로 나타난다. 그중에서도 특히 운명과 자유의 구속으로 받아들여짐을 볼 수 있다.

먼저 사랑은 항상 운명적인 구속으로 받아들여짐을 볼 수 있다.

① 네 수틀에
    나의 하늘은 갇히고
    너는 일만(一萬) 발의 색실로
    바늘을 뜨고 있다
    네 수틀에서
    초생달로 뜨는 눈썹
    네 명경(明鏡)에
    나의 하늘은 갇히고
    너는 일만(一萬) 살의 참빗으로
    머리를 빗고 있다
    네 명경(明鏡)에서 별이 되어 빛나는 눈물
                                    ―「나는 하늘은 갇히고」 부분

② 그것은 신음소리가
    아니다
    그것은 비명소리가 아니다

전신(全身)으로 이름 하나 부르는 소리
에밀레
그의 사랑도 갇히고
그의 미움도 갇히고
갇힌 하늘에서
비천(飛天)들이 울고
있다
금속(金屬)으로 잠든
이목구비(耳目口鼻)
어둠에서 깨우려고

—「비천(飛天)들에게」부분

　이 두 편의 시에서 공통되는 것은 사랑의 구속성이다. 먼저 ①에서는 사랑
이 '수틀/색실/초생달/눈썹/참빗/명경(明鏡)' 등의 유미적(唯美的)·전통적 표상
으로 나타난다. 이는 시집『무명연시』에서의 사랑이 그만큼 전통적 감수성으
로 바탕을 두고 있다는 점을 의미한다. 그런데 중요한 것은 사랑이 '갇힘'으
로 나타난다는 점이다. 사랑은 해방이나 열락이 아니라, 오히려 구속이며 슬
픔으로 받아들여진다. 실상 사랑의 본성은 놓여남으로서의 자유보다는 얽
매임으로서의 구속에 더 가까운 것인지 모른다. 인간의 구성이 육신과 정신
으로 돼 있다는 점은 이에 좋은 시사를 던져준다. 사랑이 아무리 정신적인
것을 지향한다 해도 그것은 육신의 문제로부터 완전히 자유로울 수는 없기
때문이다.
　②시에서도 마찬가지이다. 사랑은 '갇힘'으로 나타난다. '전신(全身)으로
이름 하나' 부르지만, 그것은 '갇힌 하늘'에서의 울림일 수밖에 없다. 운명적
인 사랑이며, 동시에 사랑의 운명적 구속성이 에밀레종의 비천상(飛天像)으
로 표상된 것이다. 사랑은 '금속(金屬)으로 잠든' 것으로서, '어둠' 속에서 헤어
나지 못하고 전신으로 울고만 있는 번뇌의 종 그 모습인 것이다. 사랑은 가혹

한 목숨의 형벌이며 운명적 업고로서 받아들여진다. 실상 그렇기 때문에 '무명연시(無明戀詩)'일 수밖에 없을 것이다. "머리카락 하나/내 심장에 잠들고 있다/밤마다 흐느끼는 머리칼 하나/이승과 저승을, 번뇌(煩惱)의 번뇌(煩惱)를"(「머리카락하나」)라는 구절은 바로 이러한 운명적 사랑의 업고와 그 번뇌를 잘 드러내준다. 이러한 사랑의 운명성 또는 구속성은 존재론의 문제로 이행된다.

> 나룻배 한척
> 빈 강변 모래밭에 매여 있다.
> 철없는 어린 것이 잠들어 있다.
> 보리수 그늘 아랜 꽃잎 두어 닢
> 물결에 실려 흔들려 가고
> 깊은 잠 흘러흘러
> 강(江)물은 몇천 리,
> 귀 먼 사공은 돌아간 지 오래인데
> 여어이 여어이
> 강건너 피안(彼岸)에선 부르는 소리
> 여어이 여어이
> 갈대밭 피안(彼岸)에선 갈바람 소리.
> ─「강(江)물은 몇천리」 전문

배는 흔히 거친 바다에 떠서 흔들린다는 외로움과 흔들림이라는 속성으로 인해서 인생의 모습으로 표상된다. 바다 혹은 강으로서의 세상을 홀로 헤쳐 가는 나룻배 또는 뗏목으로 인생의 모습이 비유되는 것이다. 인용시에서 나의 존재는 나룻배로 비유되어 있는바, 그것은 '매여 있음'의 상태로서이다. 배가 매여 있다는 것은 정지이면서 동시에 구속을 의미한다. 더구나 어린 것이 잠들어 있는 것으로서의 나룻배, 묶여 있는 것으로서의 나룻배의 모습은 생의 온갖 애증에 흔들리고 질곡에 매여 있는 인간의 모습과 다를 바 없는 것이다. 혼들려 떠가는 꽃잎의 모습이나 몇천 리 흘러흘러가는 강물에 비해볼 때 매여 있는 나룻배로서의 인생은 고달프면서도 덧없는 모습이 아닐 수 없다. 이 점에서 육신과 정신, 구속과 자유의 갈등 및 대립이 일어날 수밖에 없는 것이다. 나룻배로서의 육신을 지니기 때문에 인간은 운명적인 구속 또는 인간 조건들로서의 고통을 겪게 된다. 여기에서 바로 이러한 운명의 구속으로부터 벗어나고자 하는 끈질긴 정신의 암투가 전개되는 것이다.

> ① 바람이
>   내 귀에 속삭인다
>   떠나가라고
>   이슬과 안개와 꿈의 나라
>   햇빛이
>   내 눈에 속삭인다
>   깨뜨려라고
>   부질없이 간직한 거울의 나라
>   병(病)든 지어미, 손에 든 거울
>   이승의 가을은 금이 가는데
>   깨뜨려라고
>   깨뜨려라고
>   길섶의 까치가 속삭인다
>   떠나가라고
>   떠나가라고
>   길섶의 민들레가 속삭인다.

—「내 귀에 속삭인다」전문

> ② 네 모습 지우려 지우려
>   흐린 등불 아래서
>   거울을 본다
>   내 모습 지우려 지우려

흐린 눈을 비비며
어둠을 본다
눈썹 하나 지우고 자식 죽이고
입술 하나 지우고 부모 죽이고
연지곤지 찍고 스승 죽이고
탈 하나 쑥대머리
풀고 있다
쑥대머리 속눈썹 울고 있다
자식 죽이러, 부모 죽이러
마침내 나를 죽이러
삼경(三更) 어둠 속에서
쓰는 탈
네 모습 지우려 지우려
흐린 등불 아래서
거울을 본다.

                                  —「거울을 보며」 전문

인용한 두 시의 공통점은 사랑의 얽매임으로부터의 벗어남을 갈구하는 데 있다. ①시의 핵심은 '떠나가라, 깨뜨려라'라는 두 가지 명제에 집중된다. 그것은 사랑의 구속으로부터의 벗어남, 즉 자유에의 향성에 초점이 놓여진다. "부질없이 간직한 거울의 나라/병(病)든 지어미, 손에 든 거울"이라는 구절 속에는 사랑의 덧없음에 뒤채이면서도 그것으로부터 벗어나지 못하는 인간적인 연민과 비탄이 깃들어 있다. ②시에는 이러한 자유에의 갈망이 더욱 극명하게 나타난다. 그것은 '지우려, 죽이고'의 반복으로 표출된다. '네 모습', '내 모습'을 지우려고 발버둥 치는 것은 존재의 구속성 또는 운명적인 업고를 벗어나려는 '열린 정신'을 반영한다. 특히 '부모 죽이고/스승 죽이고/자식 죽이러/마침내 나를 죽이러'라는 구절은 이른바 살불살조(殺佛殺祖)로서 기성의 관습과 인식의 틀을 깨뜨리고 부정을 통해 새롭게 자아를 찾으려는 몸부림을 반영한다. 다시 말해서 모든 운명적인 질곡으로부터 해방되고자 하는 자유에의 갈망과 지향을 담고 있다. 여기에서도 '거울'은 중요한 상징성을 지닌다. 그것은 사랑의 표상이자, 존재의 본질을 비춰주는 소도구의 의미를 지닌다. 다시 말해, 거울의 이미지는 이 시가 근원적인 면에서 자기 초월 또는 자기극복의 테마와 연관돼 있음을 시사하는 것이 된다. 이 자기 극복의 노력은 사랑의 구속으로부터의 해방 혹은 운명의 질곡으로부터의 벗어남에 집중돼 있다. 이것을 우리는 자유에의 갈망과 지향이라 부를 수 있을 것이다. 이렇게 볼 때 『무명연시』의 중요한 테마의 하나는 사랑의 구속성에 관한 탐구와, 그것으로부터 벗어나고자 하는 자기해방의 길, 자유에의 길에 대한 천착에 놓여지는 것이다.

5. 사상과 서정의 미적 긴장

그렇다면 『무명연시』의 사상적 기저는 무엇인가. 이것을 단순히 무엇이라 규정하기는 어렵다. 왜냐하면 『무명연시』에는 인연설과 비극적 세계인식 그리고 허무사상을 골자로 하는 불교적 세계관이 가로놓여 있으며, 또한 종시론(終始論)을 핵심으로 하는 주역(周易)의 사상이 흐르고 있기 때문이다. 아울러 전통적인 샤머니즘 혹은 한(恨)의 가락도 밑바탕에 깔려 있기 때문이다.

이 점에서 이 시집은 오세영 시의 문학사상이 하나의 문학적 지평에 근접하고 있음을 알 수 있게 해준다. 『무명연시』에는 그 밑바탕이 되는 여러 사상들이 서정적인 오브제들과 자연스럽게 조화되어 미적 긴장을 획득함으로써 예술적 형상화에 어느 정도 성공하고 있는 것으로 판단되기 때문이다. 엘리어트의 말을 빌릴 것도 없이 훌륭한 시란 철학성과 예술성이 탄력과 긴장을 이룸으로써 사상과 서정이 서로 등가를 형성해야 하는 것이 바람직하다. 그의 시는 무엇을 주장하거나 소리치지 않는다. 다만 시 자체로서 보여줄 뿐이다. 사랑의 노래를 표층으로 하면서도 삶의 근원을 이루는 여러 문제들, 특히 구속과 자유를 핵심으로 하는 생의 극복과 초월을 심층의미로 담고 있는 것이다. 즉, 인간존재의 본질을 사랑의 시학으로서 탐구함으로써 사랑과 존재의 미적 형이상을 동시에 성취하고 있다는 점에 시집『무명연시』의 시적 우수성이 드러나는 것이다.

이 점에서『무명연시』는 철학성을 바탕으로 하면서도 서정성이 알맞게 조화를 이루는 바람직한 시로의 출발점이 될 수 있을 것이다. 분명 시집『무명연시』는 오세영 시사의 새로운 전환점이 될 것이 분명하다.

(『현대문학』, 1985. 10)

김종철, 참회와 명상

　"사시사철 눈오는 겨울의 은은한 베틀소리가 들리는/아내의 나라에는 집집마다 아직 태어나지 않은 마을의 하늘과 아이들이 쉬고 있다/마른 가지의 난동(暖冬)의 빨간 열매가 수(繡)실로 뜨이는 눈 내린 이 겨울날/나무들은 신(神)의 아내들이 짠 은(銀)빛의 털옷을 입고"로 시작되는 이 「재봉(裁縫)」으로 1968년 데뷔한 이래 김종철(金鍾鐵) 시인은 25년 동안 꾸준히 자신의 영역을 개척해 온 개성 있는 중견 시인의 한 사람이다. 그는 시집 『서울의 유서(遺書)』, 『오이도(烏耳島)』, 『오늘이 그날이다』 등을 통해서 상상력의 아름다움을 추구하는 가운데 삶의 본원적인 슬픔과 쓸쓸함을 노래하면서 사회와 문명에 대한 풍자를 펼쳐 왔다. 그러던 차 근년에 들어서는 '못'에 관한 연작시를 집중적으로 발표함으로써 다시금 주목을 환기하기 시작하였다. 말하자면 못을 통하여 인간과 신의 상호교섭 속에서 내면적인 삶을 비춰보면서 실존적인 아픔을 형상화하고 사회적 삶의 모습과 역사적인 존재론을 탐구하기 시작한 것으로 보인다. 이에 시인의 지난 4반세기 시작 생활의 한 결산이자 새로운 출발로서 펴내는 시집 『못에 관한 명상』의 시세계를 간략히 살펴보기로 한다.

1. 사람 사는 일, 못 박고 박히며 빼는 일이여

연작시집『못에 관한 명상』에서 핵심을 이루는 것은 못의 상징성이다. 시집에서 못은 소재이며 제재이고, 동시에 주제를 형성하고 있기 때문이다.

> 오늘도 못질을 합니다
> 흔들리지 않게 삐걱거리지 않게
> 세상의 무릎에 강한 못을 박습니다
> 부드럽고 어린 떡잎의 세상에도
> 작은 못을 다닥다닥 박습니다
> 그러나 익숙치 않은 당신들은
> 서로 빗나가기만 합니다
> 이내 허리가 굽어지기도 합니다
> 그때마다 굽어진 우리의 머리 위로
> 낯선 유성이 길게 흐르는 것이 보였습니다
> ─「오늘도 못질을 합니다」전문

이 시에서 보듯이 못질이란 바로 세상 살아가는 일을 암유한다. 세상을 살아가는 일이란 "흔들리지 않게 삐걱거리지 않게/세상의 무릎에 강한 못을 박습니다/부드럽고 어린 떡잎의 세상에도/작은 못을 다닥다닥 박습니다"라는 구절처럼 온갖 종류의 못을 그 쓰임새에 맞게 박으며 살아가는 일로 비유되어 있는 것이다. 못이란 무엇이던가? 실제적인 도구로서 못은 사물과 사물을 연결하거나 고정시키는 기능을 수행한다. 그렇기에 못은 그 생김새부터 각양각색일 수밖에 없으며, 그렇기에 그 쓰임새 또한 다양하기 마련이다.

못은 그 생김새에 있어 대못·중못·소못이라는 일반적 구분에서 시작하여 나사못, 핀못, 나무못, 콘크리트못, 압침, 클립 등 기능적인 쓰임새에 이르기까지 다양하다. 또한 존재 양태에 있어서도 구부러진 못, 부러진 못, 녹슨 못, 삭은 못, 기름칠한 못, 색깔 있는 못 등과 같이 여러 모습을 지닌다. 마치 사람들이 그러하듯이 못은 각양각색의 생김새와 존재 방식 그리고 천차만별의 쓰임새를 지니고 있는 것이다.

이렇게 본다면 우리는 이러한 못의 다양한 생김새와 쓰임새가 바로 인간존재의 다양성을 암유하는 동시에 못질하는 일로써 인간이 살아가는 일을 총체적으로 상징화하고 있음을 짐작하게 된다. 인간이 살아가는 일이란 이처럼 여러 종류의 못들이 서로 어울려서 각기 나름대로의 생김새와 개성으로 각양각색의 기능과 역할을 수행하면서 세상을 이루어 나아가는 것과 같은 이치를 지닌다는 뜻이다. 그러므로 세상 사는 일이란 어떤 종류의 못이든 끊임없이 박고 박히고 빼는 일로써 암유화된다. 말하자면 도구로서의 못, 재료로서의 실제의 못은 인간이 살아가면서 겪을 수밖에 없는 노동의 고달픔을 은유하기도 한다. 아울러 그것은 온갖 종류의 유형무형의 고난과 시련, 한(恨)과 슬픔, 죄와 벌, 운명과 자유, 구속과 해방을 표상하는 상징의 못, 은유의 못으로서 포괄성까지도 내포하게 된다.

따라서 이 시집에서 못이란 하나하나 존재로서, 즉 단독자로서의 운명의 모습을 표상한다. 어떤 형상으로든지 이 세상에 내어던져진 존재(Geworfenheit)로서 인간은 실존적 층위 또는 운명성을 지닐 수밖에 없음을 암유한다고 하겠다. 그러면서도 못은 다른 못과 어울려 하나의 상관관계를 형성한다. 못의 상관관계와 그 상대적 쓰임새를 못의 사회학 또는 못의 사회적 층위라고 말할 수는 없을 것인가? 사실 인간관계란, 아니 인간사회란, 온갖 종류의 못들이 서로 얽혀 박혀 있는 거대한 못의 연쇄 또는 건축인지도 모른다. 그만큼 한 사회란 각양각색의 못이 천차만별 고유기능과 역할을 하도록 짜여있다는 뜻이다. 아울러 못은 그 장구한 인류사회, 문명의 발달 과정 속에서 끊임없이 변모하여 왔다. 못은 사회성과 함께 역사성을 지닌다는 말이다. 실상 모든 인간은 역사에 어떤 종류의 못이든지 하나씩을 박으면서 살아왔다고 할 것이다. 긴 역사 속에서 비록 일회적인 것이라고 할 수도 있겠지만 어떤 이는 커다란 대못을, 어떤 이는 작지만 아름다운 아기 못을 박으며 한 번뿐인 목숨, 일회적 인생(一回的 人生, einigen leben)을 살다 갔다는 뜻이다. 이 점에서 못은 상징적인 면에서 인간과 등가를 이룬다.

그런가 하면 못은 신성사적 층위와도 연결되어 주목을 환기한다. 그것은 지금으로부터 2000여 년 전 십자가에 매달려 못 박혀 죽은 예수그리스도의 신성사적 체험과 연관된다. 그렇기에 못은 성서와 관련된 신성체험, 원죄의식, 순교와 박해, 속죄와 참회, 죄와 벌, 용서와 구원 등의 문제에 걸쳐 폭넓은 상징성을 지닌다. 못은 신성사적 층위를 포괄하기도 한다는 뜻이다. 특히 못은 인간의 본원적 속성으로서 육신과 영혼, 정신과 물질, 본능과 이성이라는 모순되는 양 측면과 관련되면서 성(性)상징 또는 원죄의식을 내포하기도 한다. 말하자면 신성사와 세속사가 얽히면서 갈등하고 화해하는 모습이 또 하나의 층위로서 제시되어 관심을 환기하는 것이다.

이 점에서 연작시집 『못에 관한 명상』은 못 또는 못질하는 일로써 인간의 삶을 총체적으로 비유하면서 개인적·실존적 층위, 사회적·역사적 층위, 신성사적 층위를 포괄적으로 형상화하려 하고 있다는 점에서 의미를 지닌다고 하겠다.

2. 손에, 가슴에 박혀 있는 시퍼런 못 하나!

못은 먼저 삶의 실존적 층위 또는 존재론적 층위로서 나타난다. 하루하루를 살아가는 실제적인 삶의 노동행위 또는 내성의 모습으로 나타나기 때문이다.

> 마흔다섯 아침에 불현듯 보이는 게 있어 보니
> 어디 하나 성한 곳 없이 못들이 박혀 있었다.
> 깜짝 놀라 손을 펴 보니

아직도 시퍼런 못 하나 남아 있었다.
아, 내 사는 법이 못 박는 일뿐이었다니!

—「사는 법」 전문

　대저 삶이란 무엇이던가? 그것은 하루하루가 못을 박는 일에서 시작하여 못 빼는 일로 이어진다. 못을 박는 일이란 또 무엇인가? 그것은 새로 시작하는 일, 무엇인가를 만드는 일, 인연을 짓는 일로부터 시작된다. 물건 만들기, 집 짓기와 같은 노동의 의미를 내포하기도 하지만 사람과 사람이 관계하는 일, 관계지워지는 일을 뜻하기도 한다. 우리는 손에 못이 박힐 정도로 어떤 일에 몰두하면서 노동하기도 하지만, 어딘가에 관계하면서 뜻하게 또 뜻하지 아니하게 누군가의 가슴에 못을 박거나 또 박히기도 한다. 때로는 못을 뽑거나 뽑히우면서 일상을 살아가기도 한다. 말하자면 사는 일이란 실제적인 면에서나 상징적인 면에서도 늘상 못 박고 못 박히고 못 빼는 일로서 암유화될 수 있는 것이다. 날마다 우리는 못을 박고 빼듯이 뜻을 세우기도 하고 죄(罪)의 씨앗을 심기도 하며, 또 상처받기도 하면서 상처를 주기도 하고 반성과 속죄를 하기도 한다는 뜻이다. 그렇기에 인용시에서도 "마흔다섯 아침 불현듯 보이는 게 있어 보니/어디 하나 성한 곳 없이 못들이 박혀 있었다//아, 내 사는 법이 못 박는 일 뿐이었다니!"처럼 사는 일이 못 박는 일, 못 박히는 일로 상징화돼 있다. 그만큼 산다는 일이 아픔과 슬픔, 고통과 시련으로 점철된다는 뜻이리라. "나는 못으로 기도한다/못 박는 일에서부터 못 뽑는 일까지/못이 하는 일을 순례하는 동안/당신 외에는 누구에게도 들키지 않았다/그런데 저 눈물의 골짜기에/이제 비로소 못이 된 유다가 보였다/유다는 못이었다/그래 그래 밤마다 굶주린 내 머리 위에/떨어지는 폭포가 바로 너였구나!/내가 못 속에서 너를 찾을 수 있다니!"(「눈물 골짜기」 전문)와 같이 사는 일은 못 박고 못 빼는 일이며, 그렇기에 그것은 삶의 진실과 연결되게 된다. "저 눈물의 골짜기에/비로소 못이 된 유다"라는 진술 속에는 살아가는 일로서의 고달픔과 슬픔, 죄와 벌이 마침내 속죄와 참회를 통해 진실미를 획득하는 순간의 뼈아픈 모습이 담겨 있다. 어느 면에서는 태어나는 일, 살아가는 일 자체가 하나의 죄업일 수 있다는 기독교적 세계관의 한 반영일 수도 있겠다.

> 매형은 목수일을 삼십 년 가까이 해 왔다
> 매형이 요셉을 닮은 것은
> 구렛나루 수염이 아니고
> 나무 다루는 기술이 아니고
> 다만 그가 지은 집에서는
> 한번도 살아보지 못했기 때문이다
> 집이 완성되면 또 다른 집을 지어야 하기 때문에
> 요셉이 그날을 가장 슬퍼하듯이
> 매형은 그날 깡소주를 가장 많이 마신다
>
> 매형은 자식을 위해서 집 한 채 짓는 것이 소원이었다
> 비가 오나 눈이 오나 바람이 부나
> 튼튼히 땅 붙들고 있는 지상의 집 한 채를
>
> 오늘도 요셉은
> 재개발지역 혹은 달동네 어느 곳에서
> 그때 그 어린 예수가 지은 작은 집을 그리며
> 대팻날을 퍼렇게 세우고 있다
> 목수의 아들인 그 청년은
> 이 겨울날 일자리 없어 소줏잔을 비우는데도
> ―「매형 요셉」 전문

이 시는 사는 일을 집 짓는 일로 상징화하고 있다. 그만큼 사는 일이란 노동하는 일로서 어렵고도 고통스러운 일이라는 뜻이 담겨 있다고 하겠다. 그렇지만 더 중요한 것은 "다만 그가 지은 집에서는/한번도 살아보지 못했기 때

문이다/집이 완성되면 또 다른 집을 지어야 하기 때문에/요셉이 그날을 가장 슬퍼하듯이/매형은 그날 깡소주를 가장 많이 마신다"라는 시구에서 첨예하게 드러난다. 그것은 사용가치로서가 아니라 교환가치를 위한 노동 속에 한평생을 살아가야 하는, 살아갈 수밖에 없는 가난한 삶, 소외된 삶에 초점이 놓여진다. 몸 하나로 집을 삼아 살아가면서 남의 집을 지어주며 겨우겨우 먹고 살아가는 이 땅에서의 고달픈 삶의 모습이 형상화돼 있는 것이다. 말하자면 제집도 마련하지 못한 채 남의 집만 지어주는 가난한 목수의 삶이란, 그 못질하는 일이란 바로 자신의 가난하디 가난한 가슴에 슬픔의 대못을 박는 일이 아닐 수 없다. 그렇기에 "매형은 자식을 위해서/집 한 채 짓는 것이 소원이었다/비가 오나 눈이 오나 바람이 부나/튼튼히 땅 붙들고 있는 지상의 집 한 채를//그때 그 어린 예수가 지은 작은 집을 그리며/대팻날을 퍼렇게 세우고 있다"와 같이 울분의 못, 한(恨)의 대못을 가슴 속에다 쾅쾅 박아대고 있다는 말이다. 이러한 매형 요셉의 울분과 한은 실상 시의 화자 자신의 것으로 치환될 수 있다는 점에서 못의 실존적 층위, 존재론적 층위를 보여준다고 하겠다. 바로 이 점에서 이 연작시들의 시적 진실성과 감동성이 드러난다.

어머니 유해를 먼 바다에 뿌렸다
당신 생전에 물 맑고 경치 좋은 곳
산화처로 정해주길 원했다
그런데 이게 어찌 된 일인가
비오고 바람 불어 파도 높은 날
이토록 잠 못 이루는 나는 누구인가
저놈은 청개구리 같다고
평소 못마땅해 하였던 어머니가
어째서 나에게만 임종 보여주시고
마지막 눈물 거두게 하셨는지 모르지만
당신 유언대로 물명산을 찾았는데

오늘같이 비만 오면 제 어미 무덤 떠내려 간다고
자지러지게 우는 청개구리가
이 밤 내 베개맡에 다 모였으니 이를 어쩌나
한번만 더, 돼지 발톱 어긋나듯
당신 뜻에 어긋났더라면
비오고 바람 부는 날
이처럼 청개구리가 되어 울지 않아도 될 것을.

—「청개구리」전문

　이 시집의 시 가운데 가장 아름다운 시의 하나인 이 작품은 짙은 감동을 던져준다. 그것은 가슴에 한(恨)의 못이 박힌 자로서, 어머니를 떠나보낸 청개구리로서 시의 화자가 펼쳐 보이는 슬픔의 내밀성과 그 진실성에서 비롯된다. "저놈은 청개구리 같다고/평소 못마땅해 하였던 어머니가/어째서 나에게만 임종 보여주시고/마지막 눈물 거두게 하셨는지"라는 구절과 "오늘같이 비만 오면 제 어미 무덤 떠내려 간다고/자지러지게 우는 청개구리가/이 밤 내 베개맡에 다 모였으니 이를 어쩌나"라는 구절의 대조 속에는 어머니 생전에 다하지 못한 자식의 불효에 대한 탄식과 비통함이 아로새겨져 있기 때문이다. 이 시에 출렁이는 바다와 비바람, 파도의 이미지는 바로 어머니가 살아생전 오직 인고의 슬픔으로 헤쳐가지 않으면 안 되었던 한의 바다이며 인고와 비바람이고 슬픔의 파도로서 상징성을 지니기에 어미 잃은 자식의 가슴에는 한과 비탄의 대못이 박히게 된다는 말이다.

　어머니의 고통스러운 생애를 상징하는 바다와 비바람, 파도의 심상들은 비 내리는 깊은 밤 시의 화자의 베개 맡에 모여드는 청개구리, 즉 회한(悔恨)의 눈물로 연결됨으로써 또 내밀한 극기의 노력을 보여 줌으로써 비애미를 한껏 고양시키게 된다. 인간의 죽음이라는 운명적 사실 자체가 이미 가슴에 못 박히는 일인데, 더구나 온갖 슬픔과 고난의 생애를 힘겹게 살아온 육친으로서 어머니의 죽음을 맞이하게 된 자식으로서는 다하지 못한 도리로 인해 가슴속에 한의 대못을 질리우게 된다는 뜻이다.

이렇게 볼 때 실존적 층위에서 못이란, 못 박는 일이란 인간이 살아가면서 실제적인 일을 하고 뜻을 세우며 마음을 일으키는 모든 일을 표상하면서 동시에 운명적인 고난과 시련을 비롯한 온갖 종류의 고통과 슬픔까지도 포괄하는 총체적 상징성을 지닌다고 하겠다. 핏줄로 운명의 못이 박히고 노동으로 손에 못이 박히면서, 가슴속에 무수히 못을 박고 뽑는 일 가운데 인간의 한 생애가 속절없이 흘러가기 마련인 까닭이다.

3. 못의 사회학을 위하여

인간사회는 수많은 인간관계의 연속과 성층으로 이루어진다. 연장으로 비유컨대 대패, 망치, 뺀찌, 몽키스패나, 톱, 도끼, 줄자, 못 등 각양각색의 도구들이 어우러져 또 다른 대상들과 관계되면서 거대한 체계와 질서를 구성한다. 이러한 연장들은 생김새도 서로 다를뿐더러 쓰임새 또한 차이가 나게 마련이다. 그렇게 보면 이러한 연장들의 다양한 모습과 쓰임새는 마치 인간들이 자기 나름의 모습과 개성, 그리고 사회적 기능과 역할을 수행하는 것과 서로 대응된다.

못 하나만 하더라도 그렇다. 앞에서 언급한 것처럼 각양각색의 못은 그 생김새도 다를뿐더러 쓰임새 또한 다양하다. 이러한 여러 종류의 못들이 다양하게 제 기능을 다 하면서 서로 어울리는 데서 어떤 사물의 제작이 가능하듯이 인간관계 또한 각양각색의 사람들과 그 기능이 서로 함께 협동하고 조화를 이루는 데서 사회가 올바로 건설되고 유지되는 것이다. 이러한 못의 관계적 기능을 우리는 못의 사회학이라고 불러볼 수 있으리라. 시집 『못에 관한 명상』에는 이러한 못의 사회학에 대한 원초적 자각이 나타나서 관심을 끈다.

못을 모아 둡니다
큰 못 작은 못 굽어진 못 짤린 못
녹슨 못 몽특한 못 방금 태어난
은빛 못까지 한자리에 모아 둡니다

재개발지역 사람들은
한자리에 모여 토론을 합니다
걱정뿐입니다 걱정과 회합 뒤에는
으레 술도 마시고 화투도 칩니다
아낙네는 해묵은 이야기로 입씨름하고
골목길은 아이들의 울음으로 더욱 좁아집니다
—「소인국의 꿈」 부분

각양각색의 못들이 모여 못의 사회를 이루듯이 각종각양의 사람들이 모여 인간사회를 구성한다. 바로 이러한 원리를 우리는 못의 사회학이라고 불러볼 수 있으리라. 인용시에서도 '큰 못, 작은 못, 굽어진 못, 짤린 못, 녹슨 못, 몽특한 못, 은빛 못' 등과 같이 크기나 형상, 색깔이 다른 종류의 못들이 모여 못의 사회를 구성하듯이 사람들도 남자, 여자, 어린아이, 늙은이들, 이긴 사람, 진 사람, 웃는 사람, 우는 사람, 그리고 상처 주는 이, 상처받은 이들이 함께 모여 인간사회를 구성한다. 그렇기에 이 시의 배경이 된 재개발지역과 같이 여러 문제가 발생하고 그로 인해 시끌벅적한 풍경이 연출되기 마련이다. 바로 이 점에서 이 시집에는 각종의 사회문제들이 중요한 관심사로 대두한다.

① 저녁 한 때, 포장마차에서 씹히는
노가리나 산낙지
더러운 세상 탓하며
소주 한 병으로 씻고 또 씻어도
씹히지 않는 울분을 너는 모른다

Y세무서 소득세과에서 나온 노가리와 산낙지
지난 가을 폐업신고한 손때묻은 장부 들추며
협박과 회유로 다섯 장을 요구하는 그의 손바닥에
나는 비굴하게 고개 숙였다
순간 내 가슴에 질려지는 새파란 못 하나!
온라인 번호에 쓰여진 가명
그래, 결국 나는 그 가명 앞으로 죄 없이
죄지은 사람처럼 몰래 돈을 보냈다
대한민국 만세!
썩은 민주주의를 짓는 한보종합건설만세
　　　　　　　　　　　　　　　—「개는 짖는다」 부분

② 새를 날려보냈다
저희 사는 세상으로
저희 말과 꿈과
저희 노동과 내일이 있는 곳으로
빌어먹을, 내가 이제야 새장을 열다니!

잠들기 전에 시국사범으로 독방에 들어가 있는
조카에게 편지를 썼다
조금 덜 먹고 덜 자고 덜 생각하기로 했다고
빈 새장을 보니 네가 생각 난다고
아니, 네가 날아간 빈 새장 앞에
근간 신문과 우유 배달부가 다녀갔다고!
　　　　　　　　　　　　　　　—「빈 새장」 부분

③ 대리모가 늘어나고 있다.
정자은행이 비밀구좌를 개설하고
아버지와 어머니는 가면을 쓰고 드나든다
너희들은 말한다
김천댁이 박씨 문중의 대리모라면

마리아는 하느님의 대리모라고

　　　　　　　　　　　　　　　　　　　　　　　　—「대리모」 부분

④ 머지않아, 너희들이
　아직은, 하고 안심하고 있을 때
　겨울꽃도 피지 않았을 때
　모두 눈사람이 되어 있을 것이다
　왜, 무엇 때문에
　탄식과 울부짖음이 끝나기 전에
　너희들이 애써 가꾼 땅은 싸늘히 식고
　핵겨울이 너희 이마를 하얗게 덮을 것이다
　일진광풍이 살아 있는 것들의 뿌리를 뽑아내고
　너희들은 죽음의 눈덩이가 되어 한없이 불어날 것이다
　그 잘난 문명, 유구한 전통이 찬 돌덩이로 변할 줄이야

　　　　　　　　　　　　　　　　　　　　　　　　—「핵겨울」 부분

이 네 편의 시는 사회의 온갖 모순과 부조리를 날카롭게 고발한다. 잘못 박혀 있는 못, 뒤틀려 왜곡되고 녹슬어 썩어 가는 못이 널려 있는 것처럼 온갖 모순과 부조리로 가득 찬 사회현실에 대한 비판과 풍자가 제시돼 있는 것이다.

먼저 시 ①은 세무 부조리를 날카롭게 고발하면서 온갖 권력형 부조리가 만연돼있는 이 사회의 부패상을 풍자하고 있다. 「개는 짖는다」라는 동물이미지리의 제목 아래 먹고 살기 위해서 비굴하게 세무서원에게 굽실거리며 가명으로 뇌물을 온라인 입금하는 개와 같은 모습이 "그 순간 내 가슴에 질려지는 새파란 대못 하나!"로 예리하게 박혀온다. 또한 "죄 없이/죄지은 사람처럼 몰래 돈을 보냈다/대한민국 만세!/썩은 민족주의를 짓는 한보종합건설 만세"와 같이 온갖 허위와 권력형 부조리가 판치는 오늘의 사회를 야유하게 되는 것이다. 그러므로 "나는 폭탄선언이나 양심선언할 것 없어/포장마차 뒷전에 밀린 안주처럼/울지 않고도 술을 마신다/짖지 않는 개는 아무도 거들떠보지 않

는다"라는 시의 결구에서처럼 이 시대 오늘의 부패한 사회에서 밀려나 소외된 채로 살아가는 울분과 아픔 그리고 자학을 비애미로써 형상화하게 된다.

시 ②에서는 감방의 상징으로서 온갖 구속과 억압으로 짓눌려 살아가는 시대와 사회의 불모성을 풍자하면서 자유의 소중함을 노래한다. "시국사범으로 독방에 들어가 있는/조카"란 이 땅의 혼란과 불모의 역사 속에서 걷어 채이며 살아온 민중의 소외된 삶, 억압된 삶이 상징화되어 있다. 그렇기에 새를 날려 보내는 행위를 통해서 자유에 대한 동경과 갈망을 드러낸다. 이 땅에서 지난 한 세기의 삶이란 일제강점기로부터 오늘날 분단시대에 이르기까지 못 박고 못 박히는 일로서 온갖 종류의 억압과 질곡이 횡행해 온 것이 사실이다. 이러한 질곡은 오늘날까지도 그 어둠의 그늘이 제대로 걷혀진 것은 아니다. 이런 점에서 이 시는 오늘의 정치 현실에 대한 비판과 풍자를 담고 있는 것이 분명하다. 시집에 '새'의 표상이 빈번히 등장하는 것도 이러한 억압과 질곡의 현실로부터 벗어나 자유의 하늘로 날아가고자 하는 자유지향성을 강하게 암유하고 있는 것으로 풀이되기 때문이다.

시 ③에는 온갖 종류의 성(性)적 부패와 타락이 만연하는 시대상이 암유되어 있다. 아울러 점차 기계화되고 상품화되며 획일화되어 가는 시대에 인간 상실을 풍자하고 있는 것으로 보인다. 대리모와 정자은행, 그리고 가면을 쓴 사람의 상징이 바로 그것이다.

시 ④에는 문명비판이 날카롭게 제시돼 있다. 인류를 위한 과학과 인간을 위한 문명이 어느새 인간을 위협하고 파괴시키는 거대한 공포의 대상으로 다가오는 것이다. "탄식과 울부짖음이 끝나기 전에/핵겨울이 너희 이마를 하얗게 덮을 것이다/너희들은 죽음의 눈덩이가 되어 한없이 불어날 것이다/그 잘난 문명, 유구한 전통이 찬 돌덩이로 변할 줄이야"라는 구절 속에는 결국 언젠가는 인류의 종말이 인류 자신의 손으로 빚어질 수도 있을 것이라는 날카로운 비판적 예언과 함께 그에 대한 경각심을 일깨우는 뜻이 담겨 있다고 하겠다. 실상 시 「걸리버와 함께」를 비롯한 많은 시편에 "성냥갑 같은 건물을 짓고 빌딩이니 문화니 하며" 떠들어대는 인간의 허망한 모습에 대한 풍자와 비판이 날카롭게 제시돼 있음은 물론이다.

이러한 못의 사회적 상징성은 이 땅의 해방 후 고단한 역사 전개와 맞물리면서 역사적 상징성의 차원으로 확대되기도 한다. 「굴뚝과 나일론 팬티」, 「서양귀신」, 「주팔이와 콘돔」, 「천막학교」, 「완월동 누나」 등 6·25와 50년대 전후 폐허의 고단한 삶의 풍경을 노래한 작품들이 그것들이다.

① 삼십여 년 전 보릿고개 시절, 우리들의 국정교과서에는 잘사는 나라 소개하는 글 가운데 선진국 산업지대의 글과 사진이 실려 있었다. 커다란 공장 굴뚝들이 하늘 찌를 듯 수없이 세워져 있고, 검은 연기가 힘차게 뻗쳐 나오는 모습이었다. ……중략……거리의 포스터에는 굴뚝에서 내뿜는 검은 연기는 더욱 시커멓게, 푸른 하늘은 잿빛에 흐려져 있을수록 잘 그린 그림으로 누구나 인정했다.
나일론 팬티가 질겨서 좋다는 그때는, 새벽마다 대못처럼 굴뚝처럼 빳빳하게 발기도 잘 되는 그때는.
　　　　　　　　　　　　　　　　　　　　―「굴뚝과 나일론 팬티」 부분

② 학교로 가려면
　우리는 완월동을 지나가야 했다.
　……중략……
　입술은 물론 손톱 발톱까지 예쁘게 칠한 누나들이
　떠들고 웃고 싸우는 것이 정말 보기 좋았다
　골목 뒷편에는 쩍쩍 껌을 씹는 미군놈이 부릉부릉 짚차를 울리고
　있었다
　우리는 흰 가솔린 연기에 코를 박았다
　횟배를 앓는 사람은
　이 냄새를 많이 맡으라고 어른들이 말했다
　　　　　　　　　　　　　　　　　　　　　　　―「완월동 누나」 부분

③ 한문시간이다

　　미국이라는 글자도 배웠다

　　아름다운 나라, 미국(美國)

　　우리나라를 도와주는 고마운 나라라고 한다

　　밀가루 포대에 그려져 있는

　　굳게 악수하는 나라

　　별이 유난히 많은 나라

　　쵸콜릿과 껌의 나라

　　그들의 똥도 먹을 수 있다고 주팔이가 말했다

　　U.S.A.의 U자가 완월동에서 보았던 주둥이가 넓은 풍선을 닮았다.

　　……중략……

　　저녁에는 아버지가

　　이장집에서 구제품을 받아왔다

　　나는 알사탕이 제일 좋았다

　　그리고 몇 장의 그림엽서가 있었는데

　　처음 보는 총천연색이었다

　　십자가에 못질된 한 남자의 슬픈 눈빛과

　　처음으로 마주쳤다

　　가시관 사이로 피가 진짜처럼 흘러내렸다

　　아버지는 그 알몸의 남자가 서양귀신이라고

　　벽장 깊이 감추었는데

　　이상하게도 그 서양귀신이 애처로와 못을 빼주고 싶었다

　　나중에 안 일이지만

　　어떤 집에는 서양귀신 때문에

　　콩가루집안이 되었다고 동네가 수근거렸다

　　　　　　　　　　　　　　　　　　　　　—「서양귀신」 부분

　　이 세 편의 시에는 6·25 전란과 그로 인해 급격히 궁핍화해 가고 외세에 종속돼 가는 이 땅의 50년대 풍정이 잘 묘사돼 있다. 먼저 시 ①에는 보릿고개로 시달리던 이 땅 역사의 슬픈 상처가 잘 드러나 있다. 이 땅의 험난한 역사 전개 속에서 가장 넘기 힘들다던 생존의 고개인 보릿고개, 그러면서도 전후의 폐허 속에서 그 험준한 보릿고개를 넘어 근대화로 나아가려 허리띠를 졸라매던 50년대의 헐벗은 모습이 아이러니칼하게 제시돼 있는 것이다. "굴뚝에서 내뿜는 검은 연기는 더욱 시커멓게, 푸른 하늘은 잿빛에 흐려져 있을수록 잘 그린 그림으로 누구나 인정했다"라는 구절과 "나일론 팬티가 질겨서 좋다는 그때는 새벽마다 대못처럼 굴뚝처럼 빳빳하게 발기도 잘 되는"이라는 결구의 대조 속에는 근대화 과정에서의 명암(明暗)과 굴곡이 아이러니칼하게 제시되는 가운데 은근한 해학과 페이소스가 발현되고 있다는 말이다. 말하자면 아이러니로서 이 땅 근대화의 모순과 허울을 묘파하는 가운데 해학으로써 비애를 차단하는 전통적인 풍자기법이 활용되고 있다는 뜻이다.

②의 경우에는 완월동과 미군이 상징하는 전후 폐허와 비극적인 모습이 선명히 드러난다. 떠들고 웃고 싸우는 완월동 누나들과 쩍쩍 껌을 씹는 미군들의 대조 속에는 50년대 전란의 소용돌이 속을 끈질기게 헤쳐 나아가던 이 땅의 잡초 같은 인생들의 아픔과 슬픔이 예리하게 부각돼 있는 것이다. 아울러 횟배 앓는 어린이들이 미군 짚차의 개솔린 매연을 맡는 모습을 통해 무지와 가난 속에 골병들며 살아오던 민족의 시련과 궁핍상이 예리하게 풍자되어 있기도 하다.

시 ③의 경우도 마찬가지이다. 가난과 무지 속에서 미국과 그 문화는 하나의 충격이자 신화로서 다가온다. 그것은 '완월동의 풍선'이 상징하는 미국식 자본주의 지배와 제국주의 유린의 모습이기도 하며, 서양 귀신이 표상하는 서양식 이식문화와 외래적 세계관의 일방적 유입상이며 그로 인해 빚어지는 가치관의 혼란과 기존질서의 붕괴상이다. 아름다운 나라 미국, 고마운 나라 미국이기에 그들의 '똥도 먹을 수' 있으며, "서양귀신 때문에/콩가루집안이 되었다"라는 구절들 속에는 8·15 이후 이 땅 역사 전개의 파행성과 비극성에 대한 통탄과 함께 날카로운 비판이 내포돼 있다고 하겠다.

어쩌면 이들 시편들은 과거적 상상력의 발현을 통해서 잃어버린 시간의 안타까움을 반추하려는 과거 회상의 미학을 지향하고 있는지도 모른다. 그러나 이러한 아픈 이야기의 심층에는 해방 후 이 땅을 휩쓸고 간 6·25 전란과 전후의 잘못된 근대화의 그늘을 딛고 일어나 삶의 온전성을 회복함으로써 인간 시대를 열어가야 하는 것이 이 시대의 참된 과제라고 하는 열린 자각이 담겨 있는 것으로 해석하는 것이 옳다. 불행한 역사의 갈피마다 아프게 박혀 있는 구부러진 못, 부러진 못을 찾아 그것을 바로 펴고 옳게 빼냄으로써 올바른 역사의 시대를 열어가고 싶다는 소망과 의지를 내재하고 있는 것으로 해석되기 때문이다.

바로 이러한 점들에서 우리는 못의 사회학적 층위 또는 역사적 상징성에 대한 탐구가 이 시집의 소중한 테마로 작용하고 있다는 점을 알 수 있겠다.

4. 신성사(神聖事), 저 높고 깊은 곳을 향하여

시집 『못에 관한 명상』이 그 내면성을 심화하고 진실미를 강화하게 되는 것은 이 시집이 지닌 신성사적 층위에 말미암음이 크다. 실존적인 삶의 문제가 사회·역사적 층위와 맞물리면서 다시 종교적 내면성을 확보함으로써 시적 깊이를 획득하는 데 성공하고 있는 것으로 판단되기 때문이다. 그 대표적인 예가 시 「고백성사」이다.

> 못을 뽑습니다
> 휘어진 못을 뽑는 것은
> 여간 어렵지 않습니다
> 못이 뽑혀져 나온 자리는
> 여간 흉하지 않습니다
> 오늘도 성당에서

아내와 함께 고백성사를 하였습니다
못자국이 유난히 많은 남편의 가슴을
아내는 못 본 체하였습니다
나는 더욱 부끄러웠습니다
아직도 뽑아내지 않은 못 하나가
정말 어쩔 수 없이 숨겨둔 못대가리 하나가
쏘옥 고개를 내밀었기 때문입니다

—「고백성사」전문

　이 시의 핵심은 '못을 뽑는다'는 행위로서 드러난다. 이 시에서 못이란 무엇이고, 못을 뽑는다는 행위는 또한 무엇의 상징인가? 한마디로 여기에서 못이란 인간의 죄업(罪業)을 심는 일이고 못을 뽑는다는 것은 속죄 또는 참회를 의미한다. 그렇기에 못을 뽑는다는 일은 여간 어려운 일이 아니며, 못이 뽑혀 나온 자리는 오랫동안 흉터로서 남게 되는 것이 상례이다. 바로 이 지점에서 이 시의 묘미가 드러난다. 그것은 못 자국이 유난히 많은 남편의 가슴을 못 본 체하는 아내의 모습으로 상징화된다. 못 뺀 자리, 흉터 많은 가슴이란 온갖 사는 일의 고달픔과 슬픔에 시달리고 욕망과 본능에 뒤채여 온 한 사내의 황폐화한 모습이자 보편적인 인간의 형상에 해당한다. 그것을 못 본 체하는 아내의 행위는 바로 이해와 용서의 미덕을 암시할 수 있다. 그러므로 나는 더욱 부끄러울 수밖에 없다. 이해하고 용서하는 영혼 앞에 선 죄지은 자의 본능적인 두려움이며 부끄러움이기 때문이다. 그것은 원죄(原罪)의식의 발현이자 속죄 의식의 뒤엉킴에서 우러나는 내면 성찰의 부끄러움에 연유한다.

　그러면서도 인간적인 속죄와 참회는 또다시 인간적인 한계를 지니게 된다. "아직도 뽑아내지 않은 못 하나가/정말 어쩔 수 없이 숨겨둔 못대가리 하나가/쏘옥 고개를 내밀었기 때문입니다"라는 이 시의 결구가 그것이다. 하느님 앞에 죄지은 자로서 인간이 고백성사를 하는 순간에도 그 원죄는 말끔히 씻겨지지 않는다는 뜻이다. 그것이 인간으로서의 한계이자 인간적 삶의 숙명성이라 할 수 있다. 고백성사의 순간에서도 고개 쳐드는 못대가리 하나가 상징하는 그 무엇, 그것은 동물성과 신성(神性)의 중간자로서 인간이 그 잠재의식 속에 내포하고 있는 리비도(libido)의 본능적 성충동이면서 모순성의 상징이라고 하겠다. 못대가리 하나가 환기하는 성(性)상징은 원죄의식과 연결되면서 그것 자체가 바로 어쩔 수 없는 인간의 길이며 운명의 길임을 일깨워주는 촉매가 되기 때문이다.

따라서 이 시는 참회하고 속죄하는 인간 영혼의 아름다움과 그 숭고함을 노래하면서도 인간이 뜨거운 육신과 피를 지닌 점에서 끝내 인간다울 수밖에 없는 운명의식과 그 육체적 본성 또는 비극적 한계성을 섬세하게 사랑의 진실로 투시해낸 데서 시적 성공의 포인트가 드러난다. 참회와 속죄란 인간의 몫이고, 용서와 사랑이란 인간의 몫이면서 동시에 신(神)의 영역에 속한다. 그렇기에 이 시는 인간적인 비애미와 신성사적 숭고미가 적절히 어울림으로써 시적 성공을 거두고 있는 것으로 판단된다. 인간의 길이란 무엇인가? 그것은 신성사의 입장에서 보면 죄의 길이라 할 수 있다. 그러므로 그것은 부끄러움과 속죄의 길이며, 용서와 사랑의 길일 수밖에 없을 것이 자명하다. 따라서 이 시집에는 신성사와 인간사로서 세속사의 갈등과 화해가 지속적으로 드러난다.

① 훈련병시절 차렷! 식사개시! 하면
　빡빡 깎은 중머리 장정들이
　감사히 먹겠습니다! 목터져라
　복창하고 식사합니다
　어떤 친구는 그것도 부족해
　한동안 눈 감았다가 수저를 듭니다

　어쩌다 술집들리면 술김에 여자가 먹고 싶은데
　그놈의 십계명이 목가시처럼 걸려 우물쭈물할 때가 있습니다

이를 보고 누가 속삭였습니다
그까짓 것, 눈 딱 감고 감사히 먹겠습니다
복창하면 되지 않느냐고
그래 그래 감사기도 있으면
너와 나, 하나될 수 있으리니

그래도 한동안 눈감았다가 수저 드는 친구가
요즘도 왜 그렇게 가까이서 보이는지 모르겠습니다.

—「감사기도」 전문

② 내 뼈 중의 뼈
　살 중의 살, 여인아
　네 몸 속의 못을 뽑고 또 뽑는다
　독오른 붉은 못대가리 하나가 오늘은 너무 깊구나

　오, 시온의 딸들아
　독오른 못대가리가 여지껏 네 치마 속
　가랭이 사이에 숨겨져 있었다니!

—「못·4」 부분

③ 해미마을에 갔습니다
　낮에는 허리굽혀 땅만 일구고
　밤에는 하늘 보며 누운 죄뿐인 사람들이
　꼿꼿이 선 채 파묻힌 땅을 보았습니다
　요한아 요한아 일어나거라
　이조시대의 천주학쟁이들은
　아직까지 요를 깔고 눕지 못했습니다
　꼿꼿한 못이 되어 있었습니다
　못은 망치가 정수리를 내리칠 때
　더욱 못다워집니다
　순교는 가혹할수록

더욱 큰 사랑을 알게 합니다
겨자씨만한 해미마을에서
분명히 보았습니다
십자가의 손과 발등을 찍은
굵고 튼튼한 대못을 겨자씨보다도 작은 이 마을이
두 손으로 들고 있었습니다.

—「해미마을」 전문

　인용시들에는 세속사와 신성사의 갈등과 함께 그 초극 속에 진정한 삶의 길, 바람직한 인간의 길이 놓여진다는 기독교적 세계관이 잘 드러나 있다. 먼저 시 ①에는 신앙의 길로서 신성사에 발을 들여놓았음에도 불구하고 어쩔 수 없이 세속사로서 인간의 길로 기울어져 가는 모습이 안타깝게 묘사돼 있다. 식욕과 성욕이란 인간의 육신이 원초적으로 필요로 하는 본능적 욕구에 해당한다. 그렇기에 인간은 본능적으로 이러한 세계에 탐닉하기 마련이다. 바로 이 시에는 이러한 세속사와 신성사의 갈등 속에 인간의 본성이 가로놓여 있음을 말해주는 뜻이 담겨 있다.

　시 ②에는 인간이 본성적인 면에서는 신성(神性)보다는 동물성으로서 육신성에 더 기울어져 있음을 적나라하게 제시한다. "독오른 못대가리가 여지껏 네 치마 속/가랭이 사이에 숨겨져 있었다니!"라는 구절 속에는 이러한 인간의 육체성이 본능적인 것이며 동시에 운명적인 것이라는 사실에 대한 탄식의 안간힘이 담겨 있는 것으로 보인다.

　그렇지만 시 ③에는 인간의 인간다움이란 신성의 지향 속에서 그 참모습을 찾을 수 있다는 신앙적 깨달음을 제시하여 관심을 끈다. "못은 망치가 정수리를 정확히 내리칠 때/더욱 못다워집니다/순교는 가혹할수록/더 큰 사랑을 알게 합니다"라는 구절에서처럼 인간이 인간다움을 확보하는 길이란 육신성을 바탕으로 하면서도 정신성으로서의 신성을 획득하는 일에서 찾아질 수 있다는 깨달음이 제시돼 있는 것이다. 그렇기에 "십자가의 손과 발등을 찍은 /굵고 튼튼한 대못을/겨자씨보다도 작은 이 마을이/두 손으로 들고 있었습니다"라는 결구와 같이 절대자로서 하나님과 인간의 길이 순교 체험을 통해 하나로 고양될 수 있음을 보게 된다. 인간이 그 인간적 본성으로서 세속성에 쉽게 기울어지면서도 끊임없는 속죄와 참회의 길을 통해 신성사(神聖事)를 지향함으로써 마침내 인간 정신의 승리를 가져오게 된다는 확고한 깨달음이 제시돼 있기 때문이다.

이처럼 시집 『못에 관한 명상』은 인간의 실존적 삶을 사회·역사적 층위로 상승시키면서 신성사적 층위로 고양시키고, 그것을 인간승리로 심화시켜 가려는 노력을 보여준 데서 의미가 드러난다고 하겠다.

맺음말

이렇게 본다면 시집 『못에 관한 명상』은 인간 또는 삶의 등가물로서 못을 상징적으로 사용하면서 인간과 인생을 집중적으로 탐구한 작품이라는 점에서 의미를 지닌다고 하겠다. 못 하나에서 시인은 삶의 진실을 깨닫고, 사회적 아픔을 보며, 역사의 고뇌를 섬세하고 깊이 있게 투시해내고 있는 것이다. 이 점에서 이 시집은 이 시대 삶에 관한 하나의 명상록이자 시로 쓴 참회록이라고 할 수도 있으리라. 그만큼 시인이 일관성 있고 깊이 있는 시세계를 어느 정도 확보하고 있는 것으로 판단된다는 뜻이다.

이즈음 시단 인구가 팽창하면서 각양의 아마추어리즘과 매너리즘이 팽배하고 그때그때 쓴 시를 묶은 구멍가게식 시집이 범람하는 현실에 비추어 볼 때 김종철 시인의 이러한 못을 테마로 한 집중적인 탐구는 관심을 환기하기에 충분하다. 시인이란 개성적인 시각과 방법으로 한 세계를 발견하여 그것을 새로운 정신세계로 이끌어 올리는 창조자가 아니고 무엇이겠는가?

그렇다고 해서 아직 김 시인이 못 하나로서 새로운 정신세계를 체계 있고 깊이 있게 창조해내는 데 성공했다고 판단하는 일은 시기상조에 속한다. 그의 이번 시집에는 종교성이 시성을 압도하여 시적 감동이나 재미를 감쇄하는 경우가 적지 않다. 또한 시집 전반에 체계적인 탐구의 심도가 약화되어 있고, 때로 동어반복적인 요소가 발견되며, 독자적인 표현기법이나 미학적 방법론의 확보가 다소 부족한 것으로 판단되기도 한다. 이 점에서 김 시인은 못을 한평생의 테마로 삼아서 그 실존적 층위, 사회사적, 역사적 층위, 신성사적 층위를 더욱 체계화하고 심도 있게 탐구하는 일이 중요할 것으로 판단된다. 아울러 김 시인 특유의 풍자 정신과 기법을 개척해 보는 일도 의미 있는 일이라 하겠다. 한 예로 골계로서 비애를 파괴하고 차단함으로써 왜곡된 현실에 저항하고 어려운 삶을 극복해 나아가던 우리 선인들의 문학정신과 기법, 즉 판소리, 탈춤 대사, 서사민요 등 우리의 고전 전통적인 시방법을 오늘의 시 속에 과감하게 도입해 보는 일도 바람직 한 일이 될 수 있으리라 생각한다.

그러한 아쉬움에도 불구하고 시집 『못에 관한 명상』은 시인 개인에게 있어서나 90년대 우리 시의 진로에 있어서 하나의 시금석이 될 것이 분명하다. 개인적인 면에서는 한평생의 시적 주제를 비로소 이 시집에서 발견해냈다는 점이 그러하고, 90년대 시사에서는 이 땅의 서정시가 개인적 층위와 사회·역사적 층위 그리고 철학적·신성사적 층위를 변증법적으로 꿰뚫어내는 데서 그 바람직한 활로를 열어갈 수 있을 것으로 전망된다는 점에서 그러하다.

못 하나에서 삶의 진실을 깨닫고 사회·역사적 고뇌와 부딪치며 형이상적 진리를 천착해 들어가기 시작함으로써 새로운 시의 길, 삶의 길을 찾아 모험을 떠날 수 있는 시인은 행복하다. 모쪼록 사상성과 예술성을 더욱 탄력 있게 조화시켜 냄으로써 김 시인의 삶과 시가 깊이의 시학, 행복의 시학으로 독창적인 한 세계를 이루어가기를 기원한다.

(시집『못에 관한 명상』, 시와시학사, 1992)

조정권, 염결주의와 초극의 정신

1

80년대의 우리 시는 하나의 전환기적 상황에 처해 있었던 게 사실이다. 분단으로 인한 각양각색의 통제와 금기체계가 무너지기 시작하면서 전면적인 소용돌이에 휩싸이게 됐던 것이다. 억압과 저항, 대립과 갈등, 혼돈과 모색이 교차되면서 사회 전반이 격심한 흔들림의 시대 또는 물갈음의 시대에 접어들었기 때문이다.

사회 전체가 그렇듯이 시도 전환기적 갈등을 겪는 가운데 80년대 시가 형성되고 전개되었다. 사실 80년대가 그 벽두에 광주민주화항쟁을 겪었던 것 자체가 그러한 격심한 변화의 시대를 예고한 것임에 분명하다. 따라서 극심한 억압과 그에 대한 유형무형의 저항 및 대항 논리가 80년대 시의 주류를 형성하였다. 말하자면 시의 정치적 기능 또는 사회적 기능이 크게 강조되면서 이른바 민족문학시대를 열어가게 된 것이다. 운동으로서의 문학, 무기로서의 문학적 열기가 온통 들끓으면서 현실주의 문학 전성시대를 열어갔다는 뜻이다. 아울러 문학 내적인 면에서도 이른바 해체시로 불리는 실험시운동이 크게 대두하였다. 고함소리 드높은 가운데 시적 반동으로서의 해체의 몸부림이 부글부글 끓어오른 소용돌이의 형국이라고 하겠다.

　이러한 전환기의 와중에서도 묵묵히 또 강인하게 시의 본도로서 서정주의와 정신주의를 자기 세계로 끌어안고 분투해 온 분들이 적지 않다. 그중에서 우리는 정신주의의 철골을 강화해 온 한 개성적인 시인을 만나게 된다. 조정권이 바로 그 시인이다. 조정권은 우리 정신사의 한 핵심이라 할 염결주의와 초극의 정신을 천착하면서 시대의 어둠과 허무를 이겨내고 시의 위의를 지키려고 진력해 왔는바, 시집『산정묘지』가 그 성과에 해당한다. 그는 어둠과 폭력의 시대에 현실의 허위 또는 세계상의 모순에 맞서서 시의 시대다움을 확보하고 정신적 존재로서 인간의 인간다움을 깊이 있게 드러내 보여주려 노력하고 있다는 점에서 주목할 만하다고 하겠다.

2

　조정권은 1970년 등단한 이래 시집『비를 바라보는 일곱 가지 마음의 형태』,『시편(詩篇)』,『허심송(虛心頌)』,『하늘이불』등의 개성적인 시집을 낸 바 있는 중견 시인의 한 사람이다. 특히 근년에 이르러 그의 시는 동양적인 정신주의를 바탕으로 하여 무(無)와의 끈질긴 격투를 전개하고 있어서 관심을 환기한다.

　이번에 간행된 시집『산정묘지』는 고통스러운 이 땅의 삶 또는 허무와의 싸움을 통해서 마침내 정신적인 극복을 성취해가는 초인주의를 심화하고 있어 관심을 끈다. 실상 이러한 정신주의 또는 초극의 몸부림은 시집『시편』이래 지속적으로 탐구되고 있는 조정권 시정신의 한 핵을 이룬다. "가장 높은 정신은 가장 추운 곳을 향하는 법//육신이란 바람에 굴러가는 헌 누더기에 지나지 않는다/영혼이 그 위를 지그시 내려누르지 않는다면"(「산정묘지·1」)이란 시구는 바로 그러한 정신주의 또는 초인주의의 단적인 한 예가 된다.

조정권 시의 출발은 비극적인 현실 인식 또는 부정적인 세계관으로부터 이루어진다.

> 아녀자가 기른 난(蘭)에도 향기가 없고
> 대장부가 기른 죽(竹)에도 기품(氣品)이 없다
> 세상 온 구석에
> 뼈를 찔러넣는 한기(寒氣)마저 없다.
> ──「산정묘지·6」 부분

> 나의 위안은 늦종소리 들으며 산(山)길을 걷는 일
> 하지만 허공의 나무 잎사귀 발등에 떨어져
> 부재(不在)를 알리는 바람소리 숲 속 스산하고
> ……허공에다 일월(日月)을 그리며
> ……어둠 짙은 산길을 서성댈 뿐이다.
> ──「산정묘지·10」 부분

인용시에서 볼 수 있듯이 조정권의 현실 인식은 '없다'의 반복이나 '허공', '부재' 등의 시어에서 보듯이 부정적이거나 비관적인 색채를 띠고 있다. 그만큼 세계를 보는 눈이 어둡다는 뜻이 될 수 있으리라. 그의 시에서 이러한 비관적인 세계인식의 태도는 어휘선택 자체에서 선명히 드러난다. 즉 그의 시에는 '밤/어둠/겨울/웃음/벼랑/끝/결빙/꼭대기' 등과 같은 하강 시어들과 함께 '없다/않다/못한다' 등의 부정종지, 그리고 '가장/못내/끝내/마침내' 등의 단정부사 및 '뿐/만' 등의 한정 조사가 반복적으로 사용되고 있음을 볼 수 있다. 어휘선택이나 장구법 자체에서 세계인식의 비관적 태도가 잘 드러난다는 뜻이다. 이러한 비관적인 세계인식의 태도는 무(無)와의 맞섬 또는 태허(太虛)와의 대면으로 응집된다.

오, 까닭도 없이 생겨난 허공에
둥그런 심연, 둥그런 무(無)의 열매
이미 일찍이 장자(莊子)의 담장 위에 열려 있었던 것

오, 그대들, 허공의 탈출자
동양의 담장 위에서는 무(無)의 성숙한 열매가 보이고
―「산정묘지·7」 부분

선사(禪師)들이 공산(空山)에서 듣던 눈방울 떨어지는 소리를 귀동
냥해서 들었다. 그들은 보다 근원의 소리를 듣고자 맨 처음 지구를 덮
었던 빙하기의 얼음처럼 소리치는
태허(太虛)의 고요에 귀기울였다.
―「산정묘지·12」 부분

조정권의 시가 동양적 의미의 무(無)의 발견과 그 응시에 집중되고 있음은
그의 시집 『허심송(虛心頌)』에서 이미 엿볼 수 있었다. 삶의 본질로서의 무
(無), 세계상의 근원으로서의 태허(太虛)를 응시하고 그것을 자신의 내면 속
으로 끌어당겨 통과시킴으로써 무의 초극을 시도하고 있는 것이다. 실상 시
집의 제목인 『산정묘지(山頂墓地)』에서 산정(山頂)과 묘지(墓地)가 상징하는
것도 바로 이러한 무와의 대면 또는 무의 초극과 무관하지 않다고 하겠다. 산
정이란 바로 지상의 맨 끝이며, 묘지란 죽음의 존재, 즉 무가 자리 잡은 삶의
마지막 장소로서 상징성을 지니기 때문이다. 바로 이러한 점에서 조정권의
시는 몇 갈래의 지향성을 지닌다.
첫째, 우리는 그것을 높은 곳을 향하여, 또는 높이 지향성의 시학이라고 불
러 볼 수 있으리라.

가장 높은 정신은 가장 추운 곳을 향하는 법
육신이란 바람에 굴러가는 헌 누더기에 지나지 않는다

영혼이 그 위를 지그시 누르지 않는다면,

―「산정묘지·1」 부분

갈가마귀 울음 자옥이 찾아가는
언 하늘에
온통 시퍼런 청죽(靑竹)을 치겠다
삭풍이여, 삭풍이여
우리를 다시 한 몸으로 묶으라.

―「산정묘지·5」 전문

지상(地上)에 비내리고 산정(山頂)엔 눈내린다.
눈은 어찌하여 지상(地上)까지 오기 꺼리는가
산봉우리에 학처럼 깃들고 싶은
저 뜻 숨기기 위함인가.

―「산정묘지·22」 부분

이 세 편의 시구에서 우리는 조정권의 시가 대체로 정신의 높은 곳을 향하여 솟구쳐 오르려는 상승의지 또는 초극의지를 드러내고 있음을 본다. 그냥 높은 곳을 오르려는 것이 아니다. 육신의 무게를 덜어내고, 감성과 맞서면서 운명의 한계 또는 무(無)와의 격투를 통해서 정신의 극점에 도달하려는 치열한 초극의지가 발현되고 있는 것이다. "갈가마귀 울음 자옥이 찾아가는/언 하늘에/온통 시퍼런 청죽(靑竹)을 치겠다/삭풍이여, 삭풍이여"라는 구절이 그 한 예이다. 여기에는 지상을 살아가는 존재, 또는 유한자로서 겪을 수밖에 없는 온갖 억압과 질곡, 그리고 육신의 무게를 뛰어넘으려는 초극의지가 매섭게 휘몰아치고 있다. 이러한 초극의지는 그의 시 도처에서 '후려치다/물어뜯다/회오리치다/찔러넣다'와 같은 강렬한 시어와 '하라/말라'와 같은 명령형 종지로서 의지의 단호함을 예각화하고 있다.

두 번째로 그의 시는 곧고 굳음을 향하여 내지 견고지향성을 두드러지게
나타낸다.

> 어느날 나는 산정(山頂)을 헤매다가
> 설풍(雪風)을 뿌리며 피어 있는 꽃 한 송이를 발견했다.
> 그것은 일찍이 어둠 속에 뒹굴어 있던
> 잉태를 꿈꾸지 못하는 한낱 광석이었다.
>
> ─「산정묘지·15」 부분

> 겨울 산을 오르면서 나는 본다
> 가장 높은 것들은 추운 곳에서
> 얼음처럼 빛나고
> 얼어붙은 폭포의 단호한 침묵
> 가장 높은 정신은
> 추운 곳에서 살아 움직이며
> 허옇게 얼어터진 계곡과 계곡 사이
> 바위와 바위의 결빙을 노래한다.
>
> ─「산정묘지·1」 부분

얼핏 뽑아본 두 편의 시구만 하더라도 여기에는 '광석/얼음/바위/바위의 결
빙' 등과 같이 광물적인 이미저리들이 산견된다. 조정권의 시에는 광물 심상
들이 표상하는 바 이러한 정신의 철골이 매우 강하고 끈질기게 버티고 있는
것이 주요한 특징이다. 마치 "겨울은 강철로 된 무지갠가 보다"라는 이육사의
「절정」이나 "나 죽어 한 개 바위가 되리라"라고 하는 유치환의 바위를 연상
케 하는 강인함과 단호함이 도사리고 있는 것이다. 실상 이러한 광물적 상상
력이 표상하는 정신의 강인함 내지 극복 의지는 "이 겨울 내내 산중(山中)에
서 두문불출(杜門不出)하고 있는 어느 강철의 근육을 향그러운 쇠망치로 때
려 깨우는"(「수유리시편」) 모습일 수도 있으리라. 어쩌면 이러한 정신의 격

투는 시인 조정권이 80년대의 암울한 시대 상황을 이겨내기 위해 펼쳐 보이는 정신의 참담한 고뇌를 반영하는 것일는지도 모른다. 아니면 자기 극복 확보하기를 위한 안간힘일 수도 있을 게 분명하다. 이 점에서 이러한 광물적 상상력이 표상하는 곧고 굳셈에의 의지 또는 견고지향성은 시인 특유의 초인주의를 반영하는 것으로 풀이된다.

초인이란 무엇이던가? 니체에 의하면, 초인(Ubermensch)이란 우리가 태어나 성장하고 살아가고 있는 이편의 세계, 즉 대지(Erde)에 뿌리박고 살면서 자력에 의해 자기 극복을 성취해 감으로써 정신의 상승을 획득하는 이상적인 인간의 모습이다. 다시 말해서 초인이란 어떤 초자연적, 초현실적 존재가 아니라 자신의 내면과의 격투를 통해 자기 극복과 구원을 이루어가는 현실적인 인간의 모습이며, 동시에 하나의 이상적 모습인 것이다. 따라서 인간의 한 본질로서 모순이라든지, 고독이며 허무 또는 운명과 같은 인간 조건들을 무수한 고뇌와 절망을 통해 극복해 나아감으로써 정신적인 고양과 초월을 획득하고자 하는 노력을 초인주의라고 불러 볼 수 있다는 뜻이다. 조정권 시에 빈번히 드러나는 결빙이나 강철, 광석, 얼음, 그리고 씨앗이나 뼈 등과 같은 견고성의 이미지군들은 바로 시인 자신의 이러한 자기 극복과 초월의지, 즉 초인주의를 실현하기 위한 안간힘이자 그 객관적 상관물에 해당한다고 하겠다. 그것은 마치 이육사가 "하늘도 지쳐 끝난 고원(高原)/서릿발 칼날진 그 위에 서다"에서 '끝'과 '위'가 상징하는 백척간두의 첨예한 극한상황 제시와 함께 그러한 정신의 위기와 당당히 맞섬으로써 마침내 "겨울은 강철로 된 무지갠가 보다"라는 자기 극복과 초월을 이루어내는 모습과 비견될 수도 있다. 이 점에서 조정권의 '산정묘지'란 바로 이육사의 '고원(高原)'과 '절정'이 표상하는 초인주의와 하나의 등가를 이룬다고 할 수 있으리라.

세 번째로는 조정권 시에 나타나는 생명 지향성을 눈여겨보아야 하리라. 다시 말해 조정권의 시에는 지상 위에 가장 고귀한 것으로서 생명의 핵을 찾아내고 옹호하려는 생명사상이 엿보이기 때문이다.

> 누가 이 한밤중 쇳덩어리 속에 피와 신경을 통해 놓은 것인가
> 누가 이 한밤중 깃든 천근 침묵을 깨우며 응전(應戰)하겠는가
> 누가 이 한밤중 땅속 깊은 광석(鑛石)의 혈관을 터뜨려
> 우리들의 어둠 속에다 낭자히 수혈해 놓겠는가.
>
> ─「산정묘지·2」 부분

> 저 대지(大地)의 북소리 속에서
> 내 피를 푸르게 튀게 하라
> 거기서 내가 듣던 꽃들의 은밀한 타종(打鍾).
>
> ─「산정묘지·3」 부분

그런데 이러한 생명사상은 많은 경우에 광물적 상상력으로부터 생성된다. 조정권의 광물적 상상력은 그 자체가 대타적 맞섬의 양식을 지니면서 동시에 즉자적 육화의 내면성을 지향하는 것이 또 다른 특징이다. 말하자면 단단한 속에 생명의 핵 또는 생명의 피를 간직하고 있다는 뜻이다. 그의 광물적 상상력은 강철 같은 강인함과 견고함을 지니지만 동시에 '쇳덩어리 속에 피와 신경'이나 '광석의 혈관'처럼, 아니면 '피/꽃들의 은밀한 타종(打鍾)'과 같이 생명의 꿈틀거림을 담고 있는 데서 조정권 특유의 육화된 생명사상을 읽을 수 있게 해준다. 그의 시에 무수히 등장하는 '뼈/씨앗/열매' 등의 이미저리도 결국은 그것들이 생명의 핵을 내포하고 있다는 점에서 그 생명적 특성을 찾아볼 수 있다는 말이다. 이처럼 조정권의 견고지향성은 그 자체가 경직된 모습을 지니면서도 그 속에 생명의 핵을 확보하고 있다는 점에서 그의 초인주의가 관념적인 것이 아니라 육화된 것임을 확인할 수 있게 해준다. 실상 그의 많은 시편들에서 '뿌리'와 '씨앗' 또는 '뼈'와 '피'의 이미저리들이 지속적으로 드러나는 것도 이러한 조정권 생명사상의 한 반영임은 물론이다.

네 번째는 가벼움을 향하여 또는 자유지향성이 드러난다.

> 새가 죽었다. 참새가
> 조심스럽게 다가가
> 하늘을 조금 찢어내어
> 덮어주자.
>
> ―「산정묘지·20」 부분

> 나뭇가지들이 오히려 삭풍을 후려치고 있다.
>
> ―「1행시」 전문

짤막한 예거이지만 이 두 편의 시에는 가벼움 지향성 또는 상상력의 자유로움과 역동성이 두드러진다. 참새가 죽자 "하늘을 조금 찢어내어/덮어주자"고 하는 시구 속에는 촌철살인의 자유의지가 담겨 있다고 하겠다. 활물론적 은유에 의한 역동적 상상력이 발휘됨으로써 정신의 유연성 또는 자유로움이 굽이치게 되는 것이다. "나뭇가지들이 오히려 삭풍을 후려치고 있는" 모습도 마찬가지다. 나뭇가지에 삭풍이 분다라는 기존의 관점을 뒤집어 오히려 나뭇가지들이 삭풍을 후려친다고 봄으로써 자유로운 정신의 유연성을 엿볼 수 있다. 말하자면 은유와 역설에 의해서 기성의 관점이나 관습적 표현을 깨뜨리고 사물이 지니고 있는 새로운 모습 또는 자유로운 본성을 꿰뚫어 보고 있다는 뜻이다. 실상 조정권의 시가 많은 경우 선시풍(禪詩風) 또는 노장적 세계관을 드러내 보여주는 것도 기실은 조정권 시의 이러한 자유로움 지향성을 반영한 것이 아닐 수 없다.

선시란 무엇이던가? 그것은 기존의 사유방식이나 관습의 굴레를 뒤집어 보거나 표현을 뛰어넘어 봄으로써 자유의지를 실천하고자 하는 노력에 다름 아니다. 조정권의 시에 이러한 선시적 요소가 짙게 깔려 있는 것도 결국은 그의 시가 끊임없이 가벼움 지향성 또는 자유에의 정신을 추구하는 것과 무관치 않다고 하겠다. '비움/가벼움'이란 바로 정신적인 자유에의 길을 의미하기 때문이다.

3

조정권의 시적 역정이란 한마디로 말해 시의 시다움을 확보하려는 노력의 과정이며 인간적인 진실의 아름다움을 심화하려는 안간힘의 도정이었다고 해도 과언이 아니다. 그에게 있어서 시란 그 어떤 현실적인 발언이나 주의·주장이 아니라, 기본적으로 자기 극복의 길이며 궁극적으로는 정신적 구원을 향해 열려진 자유에의 길이다.

조정권의 시는 깊이 있는 정신주의의 세계를 천착하면서 극기와 초월을 추구하는 데서 특징이 드러난다. 그의 시에는 옛 선사들이 추구하던 허적(虛寂)의 세계가 바탕을 이루고 있으며, 고사(高士)들의 서릿발 같은 정신 또는 자기 엄격성이 날카롭게 서려 있다. 마치 얼음의 향기같이 맵고 찬 기상과 생목(生木)의 향기 같은 신선하고 풋풋한 생명력 및 정신의 유연함이 출렁이고 있는 것이다. 어쩌면 조정권의 이러한 정신주의 또는 초극주의는 멀리는 노장풍(老莊風)과 한국적 선비의식, 그리고 가깝게는 육사(陸史)와 청마(青馬) 및 혜산 박두진(兮山 朴斗鎭)의 시정신에 한 연원을 두고 있는 것으로 보인다.

조정권이 근년에 추구하고 있는 이러한 정신주의는 온갖 혼돈과 파행 속을 헤쳐가고 있는 오늘날 우리 시의 밑바탕을 든든하게 해주고 있는 것이 사실이다. 그의 시에 엿보이는 지나친 고답주의와 결벽증 내지 염결주의가 좀 더 생명력을 강화하고 사람 사는 냄새로 육화해가는 것이 바람직하지 않을까 생각된다.

그럼에도 불구하고 조정권의 시는 온갖 고함소리가 난무하고 각종 공해와 탐욕으로 얼룩진 이 시대에 서정적 진실의 소중함과 인간적 염결성의 따뜻함을 일깨워줌으로써 인간의 인간다움, 시의 시다움을 일깨워주고 있다는 점에서 의미를 지닌다. 오늘날 이 시대에 필요한 진정한 시의 위의란 인간을 인간답게, 시를 시답게 고양시켜 가는 데서 비로소 회복될 수 있는 것이기 때문이다.

(『세계의 문학』, 1991. 9)

제5부 한국시 자유인의 한 계보

천상병, 무소유 또는 자유인의 초상

　"나 하늘로 돌아가리라/새벽빛 와 닿으면 스러지는/이슬 더불어 손에 손을 잡고//나 하늘로 돌아가리라"라면서, 새와 하늘을 노래하던 시인 심온 천상병 (深溫 千祥炳, 1930. 1. 29~1993. 4. 28), 그는 온갖 정치적 폭력이 난무하고 물질문명과 상업주의가 판치던 시대에 마지막 남아 있던 한국의 토종 시인이자 영원한 자유인의 한 사람이었다.

　일제강점하 적지 일본에서 태어나 고국으로 돌아왔던 고향 없는 소년 천상병, 그러나 해방된 조국은 또다시 혼란과 6·25 전란의 소용돌이였다. 전란 중인 1950년 피난지 부산을 전전하다가 그는 삶의 구원을 찾아 시를 쓰기 시작했고, 마침내 1952년 모윤숙·유치환에 의해 『문예』지 추천을 받아 등단하게 되었다. 그러나 그는 어지러운 이 땅의 소용돌이 속에서 제대로 뿌리내리고 살기가 쉽지 않았다. 천부적으로 자유인이었던 그는 역사의 격랑 속에서 제대로 몸과 마음을 가누기 쉽지 않았던 것이다. 그는 이후에도 일정한 직업이 없이 방황하면서 한때 행려병자로 정신병원에 입원하기도 했고, 죽었다고 소문이 나는가 하면 동백림사건에 연루되어 어처구니없이 수난을 당하기도 하였다.

　더는 빼앗길 것도 없고 빼앗을 것도 없는 영원한 자유인으로서 시 하나를 삶의 등불 삼고 지팡이 삼아 어두운 길 가고 있던 천상병 시인, 그가 저세상으로 떠나감으로써 이 땅에서 시인의 신화시대는 사라져 가고 만 것이다.

이에 추모의 마음으로 그의 시세계를 간략히 살펴보기로 한다. 텍스트로는 시집 『새』(조광출판사, 1971), 『주막(酒幕)에서』(민음사, 1979), 『천상병은 천상 시인이다』(오상, 1984), 『요놈! 요놈! 요 이쁜 놈!』(답게, 1991) 및 근작시(『시와시학』, 1992. 9) 및 유고작(『현대문학』, 1993. 6) 등을 사용했음을 밝혀둔다.

1. 무소유 또는 가난의 철학

천상병의 시는 초기부터 말기까지 끊임없이 가난의 문제를 다루고 있는 것이 특징이다. 전 생애에 걸쳐 일정한 직업이 없이 떠돌 수밖에 없던 그로서 시대와 불화를 겪을 것은 당연한 이치였고, 가난과의 끈질긴 갈등과 화해 속에서 가난 길들이기에 이력이 날 것도 자명한 이치이기 때문이다. 가난이란 어쩌면 그에게 자연스러운 일이고 또한 운명적인 것이었으며, 따라서 사람의 본성으로 받아들여졌는지도 모른다.

아버지 어머니는
고향 산소에 있고

외톨배기 나는
서울에 있고

형과 누이들은
부산에 있는데

여비가 없으니

가지 못한다.

저승 가는데도
여비가 든다면

나는 영영
가지도 못하나?

생각느니, 아,
인생은 얼마나 깊은 것인가.

—「소릉조(小陵調)」 전문

　이 시의 핵심은 뿌리 깊은 고절감이며 가난으로 인한 소외감이다. 가족 친척들과 떨어져 있음에서 오는 고독과 단절감이 표층적인 정서를 이루며, 경제적인 궁핍에서 기인하는 뼈저린 가난의 체감이 그 심층의식에 해당한다. "여비가 없으니/가지 못한다"라는 구절 속에는 뿌리 깊은 가난에 대한 좌절과 절망감이 아로새겨져 있다. 그러나 이 시에서 가난의 문제가 한탄이나 진부한 타령으로 끝나지 않고 시적 품격을 유지하는 것은 특이하다. 한마디로 그것은 아이러니의 돌출에서 비롯된다. 가난에 지치고 병들어서 세상을 혐오하고 저주하는 게 아니라, "저승 가는데도/여비가 든다면//나는 영영/가지도 못하나?"와 같이 아이러니에 의한 해학과 풍자, 그리고 페이소스를 유발한다는 점에서 그러하다. 가난하여 찌들고 병들었다면 저승 가기가 쉬울 것이 분명한데도 오히려 "나는 영영/가지도 못하나?"라고 뒤집어 능침으로써 가난하기에 저승에 갈 염려도 없고 그래서 행복하다는 역설의 진실을 드러내고 있는 것이다. 그만큼 가난에 시달릴 대로 시달려 가난 길들이기에 익숙해짐으로써 가난의 고통과 힘을 동시에 체득한 모습이라고 하겠다. 이러한 정신의 반전으로 인해 "생각느니, 아,/인생은 얼마나 깊은 것인가"라는 구절처럼 가난이 삶의 한 본성이며, 그를 통해 인간이 비로소 진실해질 수 있고 깊이 있게 살 수 있다는 깨달음을 획득하게 된 데서 이 시의 참뜻이 놓여진다. 가난의 진실이야말로 인간을 깊이 있고 의미 있게 만들어 주는 근원적인 힘이며, 시적 진실의 핵(核)을 이룬다는 뜻이다.

> 오늘 아침을 다소 행복하다고 생각는 것은,
> 한 잔 커피와 갑 속의 두둑한 담배,
> 해장을 하고도 버스값이 남았다는 것.
> 오늘 아침을 다소 서럽다고 생각는 것은
> 잔돈 몇 푼에 조금도 부족이 없어도
> 내일 아침 일도 걱정해야 하기 때문이다.
> 가난은 내 직업이지만
> 비쳐오는 이 햇빛에 떳떳할 수가 있는 것은
> 이 햇빛에도 예금통장은 없을 테니까……
> 나의 과거와 미래
> 사랑하는 내 아들딸들아,
> 내 무덤가 무성한 풀잎으로 때론 와서
> 괴로왔음 그런대로 산 인생 여기 잠들다. 라고,
> 씽씽 바람 불어라……
> ―「나의 가난은」 전문

이 시에는 천상병 특유의 행복론이 담겨져 있다. 그것은 물질이란 삶을 위해 필요한 최소한의 조건이지 그 자체가 인생의 목적이 아니라는 점을 확신하는 데서 얻어진다. 돈이란 최소한의 생활을 위해 필요할 뿐이지 그 이상은 무의미하다는 뜻이다. 말하자면 가난을 긍정하고 나아가서 사랑하는 청빈의 철학이랄까 가난의 사상이 깃들여져 있는 것이다. "가난은 내 직업"이라는 구절 속에는 가난의 질곡으로부터 해방되어 무소유의 기쁨을 누리고 만족해하는 가난의 사상이 확립되어 있는 것으로 풀이되기 때문이다. 바로 여기에서 가난에 대비되는 배금주의 또는 상업주의에 대한 거부감이 풍자로서 제시된다. "가난은 내 직업이지만/비쳐오는 이 햇빛에 떳떳할 수가 있는 것은/이 햇빛에도 예금통장은 없을 테니까"라는 구절들이 그 단적인 표현이라고 하겠다. 얼마나 돈에, 가난에 시달려왔기에 햇빛에 예금통장이 없을 것이라고 단정하겠는가? 그렇다! 모든 인간이 햇빛 앞에 평등할 수 있는 것처럼 가난 앞에 모든 인간, 특히 시인이 떳떳할 수 있음은 물론이다. 돈 앞에 괜히 주눅 들고 기가 죽어서 살아가는 인생도 그렇지만, 욕망에 눈이 멀어 탐욕으로 살아가는 인생 또한 그만큼 초라하고 덧없는 것이라는 날카로운 풍자가 담겨 있는 것이다. 말하자면 가난으로부터의 해방, 돈으로부터 자유로워질 수 있을 때 비로소 참된 인간성을 누릴 수 있다는 소중한 깨달음이 제시된 것이다. 그렇기에 "내 무덤가 무성한 풀잎으로 때론 와서/괴로왔음 그런대로 산 인생 여기 잠들다"라는 묘비명처럼 죽음을 생각함으로써 새삼 삶 앞에 경건해지고 엄숙해질 수 있게 된다. 가난을 긍정하고 사랑하며 나아가서 온몸으로 껴안음으로써 마침내 자유로워진 영혼의 모습이라고 하겠다. 시인 자신이 자주 인용하듯이 '부자가 천국에 가는 건 낙타가 바늘귀로 들어가는 것과 같은 것'일는지도 모른다. 가난으로부터 자신을 해방시킴으로써 비로소 자유인의 참 모습에 도달한 데서 천상병 시인 정신의 한 승리를 엿볼 수 있다는 뜻이다.

2. 소외와 외로움의 정서

천상병 시의 밑바탕을 이루는 또 다른 형질은 소외감과 외로움이라고 할 수 있다. 그의 시세계 전반에 걸쳐 이러한 소외의식과 외로움의 정서가 깔려 있기 때문이다. 이 점에서 천상병에게 있어 시란 소외의 양식이자 결핍의 양식이고, 동시에 외로움의 형식이라는 점을 시사하는 것으로 풀이된다.

이 근처(近處)는 버스로 도심지(都心地)까지 가려면
약(約) 1시간(時間)이 걸리는 변두리.
수락산(水落山) 아랫마을이다.

물 좋고 산(山) 좋은 이곳,
사람도 두터운 인심(人心)이다.
그래서 살기 좋은 고장이다.

오늘은 부실 보실 비가 오는데,
날은 음산하고 봄인데도 춥다.
그래서 나는 이곳이 좋아 이곳이 좋아.

　　　　　　　　　　　　　　　　　　　—「변두리」전문

　　이 한 편의 시에서 우리는 천상병 시의 한 거점이 변두리의식에 자리 잡고 있음을 발견할 수 있다. 실제로 연작시 「수락산하변(水落山下邊)」 등이 있듯이 변두리 외딴곳은 천상병 시의 주요한 배경이자 시적 거점으로 빈번하게 등장한다. 그만큼 아래(下) 또는 가장자리(邊)가 시인에게 편안함과 따뜻함을 느끼게 해주기 때문일 것이다. 그것은 그대로 시인의 소외의식을 반영하는 것임에 분명하다. '변두리/수락산 아랫 마을'이 살기 좋다는 진술과 "날은 음산하고 봄인데도 춥다/그래서 나는 이곳이 좋아"라는 진술 사이에는 시적 아이러니가 발생한다. 소외감이 울분이나 저항감을 수반하지 않고 즐거움과 만족감을 유발하는 것이 매우 특징적이다. 그렇지만 변두리가 표상하는 소외감이란 필연적으로 외로움의 정감을 밑바탕에 지니기 마련이다. 변두리란 편안함을 느끼게 해주지만 동시에 외로움을 느끼게 하기 때문이다.

산등성 외따론 데,
애기 들국화.

바람도 없는데
괜히 몸을 뒤뉘인다.
가을은
다시 올 테지.

다시 올까?
나와 네 외로운 마음이,
지금처럼
순하게 겹친 이 순간이—

　　　　　　　　　　　　　　　　　　　　—「들국화」 전문

환한 달빛 속에서
갈대와 나는
나란히 소리없이 서 있었다.

불어오는 바람 속에서
안타까움을 달래며
서로 애터지게 바라보았다.

환한 달빛 속에서
갈대와 나는
눈물에 젖어 있었다.

　　　　　　　　　　　　　　　　　　　　—「갈대」 전문

　이 시편들에는 소외감의 내면정서로서 외로움과 슬픔의 정조가 짙게 드러
나 있다. 시인의 뿌리 깊은 소외감이 외로움의 정서와 연결되면서 슬픔의 정
감을 불러일으키는 것이다. "나와 네 외로운 마음이/지금처럼/순하게 겹친 이
순간이"라는 구절은 그대로 "환한 달빛 속에서/갈대와 나는/눈물에 젖어 있
었다"와 서로 조응을 이룬다. 그만큼 삶의 외로움과 슬픔이 깊고 깊다는 뜻이

될 수 있으리라. 그러면서 관심을 끄는 것은 이러한 슬픔과 외로움의 정서가 식물적 상상력으로 표상된다는 점이다. 들국화나 갈대는 다 같이 외로움 또는 슬픔의 객관적 상관물에 해당한다. 실상 그의 시에는 이러한 식물 심상이 빈번하게 등장하는바, 이것들은 대부분이 외로움과 슬픔을 표상하면서 상승지향성을 내포하는 게 특징이다. "사람들은 모두 그 나무를 썩은 나무라고 그랬다. 그러나 나는 그 나무가 썩은 나무는 아니라고 그랬다. 그 밤, 나는 꿈을 꾸었다. 그리하여 나는 그 꿈 속에서 무럭무럭 푸른 하늘에 닿을 듯이 가지를 펴며 자라가는 그 나무를 보았다"라는 산문시 「나무」에서 보듯이 나무는 수직 상상력의 반영으로서 상승지향성을 상징하기도 한다.

이처럼 천상병의 시는 소외의식을 기저로 하면서 외로움과 슬픔의 정서를 드러내고 나아가서 수직 상상력의 방향성을 지니는 것이 주요한 또 하나의 특성이라고 하겠다.

3. 과거적 상상력과 흐름의 시학

천상병 시의 또 다른 특징은 그의 시가 과거적 상상력에 의지하는 경우가 많고, 흐름의 시학을 형성하고 있다는 점이다. 그의 시에는 현재보다는 과거 시제가 많고, 고정된 것보다는 흘러가는 것, 생겨나는 것보다는 사라져가는 것이 현저하게 많이 나타난다.

> 수만(數萬)년 전부터
> 전해 내려온 하늘에,
> 하나, 둘, 셋, 별이 흐른다.
>
> 할아버지도
> 아이도

다 지나갔으나
한 청년(靑年)이 있어, 시(詩)를 쓰다가 잠든 밤에……
　　　　　　　　　　　　　　　　　　　　　　　　—「어두운 밤에」전문

태고적 고요가
바다를 덮고 있는
그곳.

안개 자욱히
석유불처럼 흐르는
그곳.

인적 없고
후미진
그곳.

새 무덤,
물결에 씻긴다.
　　　　　　　　　　　　　　　　　　　　　　　　—「진혼가(鎭魂歌)」전문

　　인용시에서 구조적 견인력으로 작용하는 것은 과거적 상상력이며 흐름의
원리이다. 그의 시에서 소재 또는 제재로서 등장하는 것으로서는 비·강물·시
냇물·구름·조류(潮流)·장마·길 등과 같이 흘러가는 것, 사라져가는 것들이 상
당한 비중을 차지한다. 아울러 죽음이나 무덤도 중요한 테마로서 등장한다.
시인들을 노래하는 경우도 「김관식(金冠植)의 입관(入棺)」, 「곡신동엽(哭申東
燁)」, 「고박봉우(故朴鳳宇)를 추억하며」, 「곡석재대사(哭石齋大師)」, 「윤동주
론(尹東柱論)」 등의 제목이나 조지훈·김수영·최계락 등의 등장인물에서 보듯
이 작고한 분들이 대부분이다. 말하자면 사라져가는 것들, 돌아오지 못하거
나 흘러 가버린 것들에 대한 안타까움과 그리움을 드러내고 있는 것이다.

인용한 시들에서도 사라져감, 흘러감은 인생을 비롯한 많은 사물들의 한 본성을 이룬다. 지속과 변화, 중단과 소멸이라는 흐름의 원리는 과거와 현재, 미래라는 시간의 흐름 속에서 변화하고 사라져 가는 인생의 원리를 반영한다고 하겠다. 「어두운 밤」에서는 수만 년 전부터 하늘에 흐르는 별과 지상에서 죽어간 사람들을 대조시킴으로써 만물의 본성이 흐름과 소멸의 원리 위에 놓여짐을 말해준다. 또한 「진혼가」에서는 "태고적 고요가/바다를 덮고 있는/그곳//인적 없고/후미진/그곳//새 무덤/물결에 씻긴다"와 같이 사라져감으로서 소멸을 흘러감의 모습과 연결하여 인생의 본질로서 허무를 조명하고 있다. 아울러 여기에서 주목할 한 가지는 이러한 과거적 상상력과 소멸 또는 흐름의 원리가 비극적인 세계인식을 반영한다는 점이다.

> 강물이 모두 바다로 흐르는 그 까닭은
> 언덕에 서서
> 내가 종일 울었다는 그 까닭만은 아니다.
>
> 밤새 언덕에 서서
> 해바라기처럼 그리움에 피던
> 그 까닭만은 아니다.
>
> 언덕에 서서
> 내가 짐승처럼 서러움에 울고 있는 그 까닭은
> 강물이 모두 바다로만 흐르는 그 까닭만은 아니다.
> ─「강물」전문

강물의 흐름이란 시간의 흐름이고 근본적으로는 인생의 흐름을 상징한다. 그러므로 강물의 흐름은 종국에는 죽음, 즉 인생의 소멸을 의미할 수 있다. 사라져가는 것으로서 강물의 흐름이란 허무를 향해 달려가는 인생의 모습과 하등 다를 바 없으며 그렇기에 비극적인 것일 수밖에 없다. 지난날 강물의 흘러 감을 바라보며 울었고, 지금도 울고 있다는 것은 삶이 그만큼 고달프고 힘들며 궁극적으로는 허무한 것이라는 비극적 인식에 근거한다. 비극적인 세계인식이란 무엇인가? 그것은 자아의 진실과 세계의 현실상이 서로 어긋날 때 생성되는 세계인식의 태도이며 그렇기에 비극적인 특성을 지닌다. 아니면 적극적으로 저항하기 어렵거나, 그렇다고 쉽게 순응하기에도 어려운 상황에서 취할 수밖에 없는 부정적인 세계인식이라고 할 것이다. 바로 이 점에서 천상병의 시가 과거적 상상력에 몰입하거나 소멸 또는 흐름의 원리에 기대는 것은 그의 비극적 세계인식을 반영한다는 점에서 자연스럽다. 현실에 만족하거나 쉽게 타협하기 어렵기 때문에 과거를 그리워하고 상실된 것, 소멸된 것, 사라져가는 것들에 대한 연민과 그리움을 표출하게 되는 것이다. 이러한 비극적인 세계인식이란 현상적인 면에서는 현실에 대한 좌절에 기인하지만, 근원적인 면에서는 절대고독과 절대 허무로서의 인간존재에 대한 본질적 인식에서 비롯된 것이라고 말할 수 있다. 이 점에서 천상병의 시가 존재론적인 측면을 지니며 형이상학적 내면성을 확보하게 됨은 물론이다.

4. 새와 하늘, 자유지향성의 의미

천상병의 시에서 그 핵심을 이루는 것은 새의 상징이며 하늘 표상이다. 새와 하늘은 그의 초기시부터 후기시까지 지속적으로 나타나는 중심 이미저리이기 때문이다. 그런데 이 새는 여러 가지 상징성을 지니는 게 특징이다.

> ① 외롭게 살다 외롭게 죽을
> 　　내 영혼(靈魂)의 빈 터에
> 　　새날이 와, 새가 울고 꽃잎 필 때는
> 　　내가 죽는 날

그 다음 날

산다는 것과
아름다운 것과
사랑한다는 것과의 노래가 한창인 때에
나는 도랑과 나뭇가지에 앉은
한마리 새
……중략……
살아서
좋은 일도 있었다고
나쁜 일도 있었다고
그렇게 우는 한 마리 새.

—「새」 부분

② 이젠 몇년이었는가
　아이론 밑 와이샤쓰같이
　당한 그날은……

　이젠 몇년이었는가
　무서운 집 뒷 창가에 여름 곤충 한마리
　땀 흘리는 나에게 악수를 청한 그날은……

　내 살과 뼈는 알고 있다
　진실과 고통

　그 어느 쪽이 강자인가를……

　내 마음 하늘
　한 편 가에서 새는 소스라치게 날개편다.

—「그날은-새」 전문

③ 날개를 가지고 싶다
  어디론지 날 수 있는
  날개를 가지고 싶다
  왜 하나님은 사람에게 날개를 안 다셨는지 모르겠다
  내같이 가난한 놈은
  여행(旅行)이라고는 신혼여행(新婚旅行)뿐이었는데
  나는 어디로든지 가고 싶다
  날개가 있으면 소원성취다
  하나님이여
  날개를 주소서 주소서—

  —「날개」전문

이 세 편의 시에는 새의 상징성이 잘 드러나 있다. 한마디로 그것은 목숨의
가벼움지향성 또는 비상의지로서 자유지향성의 표상으로 작용한다. 먼저 시
①은 새가 시적 화자의 대리 자아로서 시인의 내면 풍경을 대변한다. 새는 외
로움과 아름다움 및 사랑의 표상이기도 하면서 동시에 부활의 새, 영혼의 새
로서 나타난다. "살아서/좋은 일도 있었다고/나쁜 일도 있었다고 /그렇게 우
는 한 마리 새"와 같이 새는 시인 자신의 객관적 상관물로서 포괄적인 상징성
을 지니는 것이다. 시 ②는 새로서 억압상황을 고발하면서 자유에 대한 갈망
을 노래한다. 여기에서 시적 사건의 모티브는 "아이론 밑 와이샤쓰같이/당한
그날"에 대한 회상으로부터 비롯되는바, 이 사건은 시인 자신이 겪은 1967년
의 동백림사건 연루와 그에 따른 고문체험을 말하는 것으로 받아들여진다.
군사정권하에서의 억압과 고통 속에서 "내 마음 하늘/한 편 가에서 새는 소스
라치게 날개편다"라는 결구가 의미하듯 새는 자유에 대한 갈망의 표상인 것
이다. 특히 여기에서 새가 하늘심상과 연결된 것은 자연스러운 일이다. 하늘
은 새가 자유로이 날아다니는 공간이기도 하지만 동시에 양심이나 진실을 비
추어보는 거울로서의 상징성도 지니기 때문이다. 하늘은 순수와 진실, 영원

의 상징으로서 새의 삶터이자 비상의 공간으로서 의미를 지니는 것이다. 아울러 그곳은 기독교적 세계관에 따르면 하느님이 계시는 영생의 나라로서 천국의 상징이라는 점에서 절대성의 표상이 되기도 한다. 시 ③은 새의 속성으로서 날개를 노래한다. 날개란 동력의 굴레로서 상승지향성과 비상의지의 한 표상이 된다. "날개를 가지고 싶다/날개를 주소서"라는 소망과 염원이란 기실 가벼움으로서의 순수한 삶과 비상으로서의 자유로운 목숨을 누리고 싶다는 의지의 발현이다. 이 점에서 날개란 상승지향성·자유지향성의 단적인 표상에 해당한다.

따라서 새란 인간이 신성(神性)에 근접할 수 있는 하나의 상징적 매개체가 된다. 육신을 지니는 존재로서의 인간, 온갖 운명과 인간 조건을 지니며 지상에서 살아갈 수밖에 없는 인간존재가 생명의 상승과 비상의 자유로움을 통해 하늘의 척도로서 신(神)의 세계로 근접해 가고 싶다는 열린 소망을 상정하고 있는 것이다. 그러므로 새는 천상병의 시에서 기쁨과 슬픔, 외로움과 고통이 함께 깃들어 있는 복합적인 상징이며, 이 점에서 일종의 대리 자아 또는 자화상의 성격을 지닌다. 새란 생명적인 것의 표상이자 자유지향성의 상징이고 동시에 시인의 객관적 상관물로서 존재한다는 뜻이다. 삶의 구체성을 지니면서도 정신적 상징성을 지니고, 동시에 지상과 천상의 매개체로서 위치한다는 점에서 새는 천상병의 시가 감각의 이념화를 획득할 수 있게 하는 촉매이자 원동력으로 작용한다. 바로 이 지점에서 대표작 「귀천」의 성공적인 요소가 드러난다.

　　　나 하늘로 돌아가리라
　　　새벽빛 와 닿으면 스러지는
　　　이슬 더불어 손에 손을 잡고,

　　　나 하늘로 돌아가리라

노을빛 함께 단 둘이서
기슭에서 놀다가 구름 손짓하며는,

나 하늘로 돌아가리라
아름다운 이 세상 소풍 끝내는 날,
가서, 아름다웠더라고 말하리라……

　이 시는 이 세상의 삶을 귀양 온 것으로 생각하는 가톨릭적인 인생관과 함께 놀이 또는 소풍 온 것으로 생각하는 노장사상의 세계관이 함께 어우러져 형이상적 깊이를 더해준다. 그러면서 삶에 대한 달관과 명상 및 죽음에 대한 체관이 아름답게 조화를 이룸으로써 진실미를 획득한다. 아울러 천상병 시 특유의 단순 소박한 어법과 형식구조가 단순성의 힘, 무기교의 기교를 느끼게 하는 점도 관심을 끈다. 특히 '새벽빛/노을빛'의 대조와 '이슬/구름'의 대응이 인생무상이라는 덧없음을 아름다운 서정성으로 고양시킴으로써 내용성과 표현성, 사상성과 예술성의 조화를 성취한 점은 주목을 요한다.

　"나 하늘로 돌아가리라/아름다운 이 세상 소풍 끝내는 날/가서, 아름다웠더라고 말하리라"라는 결구에는 정신의 상승과 초월을 이룬 사람만이 비로소 느낄 수 있는 비극적 황홀이 담겨 있는 것으로 이해되기 때문이다. 말하자면, 이 시는 사상의 깊이와 표현의 아름다움이 진실미와 비장미, 그리고 숭고미를 담보해냄으로써 천상병의 전체 시세계를 한 단계 고양시켜준 것으로 판단된다. 새와 하늘이 표상하는 정신의 투명화를 통해서 마침내 자유 지향성이 이념의 감각화를 획득한 데서 귀천의 성공적인 면모가 드러난다는 뜻이다.

　이처럼 새와 하늘은 천상병 시의 핵심 이미저리이면서 이념지향성의 한 지표가 된다는 점에서 중요성을 지닌다. 지상의 고통스러운 현실에서 벗어나서 하늘이 표상하는 정신의 자유로움과 초월성을 획득하고, 마침내 신(神)의 질

서로 나아가려는 소망과 염원이 이념적인 모습을 성취한 데서 천상병 시의
한 승리가 놓여진다는 뜻이다.

5. 동심지향성 또는 천진성의 시학

천상병 후기시에 드러나는 특징의 또 한 가지는 순수한 것으로서의 동심지
향성 또는 순진성의 시학이 형성돼 있다는 점이다. 그의 시에는 어린 것과 순
진한 것, 약하고 착한 것으로서 동심에 대한 사랑과 지향성이 드러나기 때문
이다.

집을 나서니
여섯살 짜리 꼬마가 놀고 있다.

'요놈 요놈 요놈아'라고 했더니
대답이
'아무것도 안 사주면서 뭘' 한다.
그래서 내가
'자 가자
사탕 사줄께'라고 해서
가게로 가서

사탕을 한 봉지
사 줬더니 좋아한다.

내 미래의 주인을
나는 이렇게 좋아한다.
　　　　　　　　　　　　　　　　　　—「요놈 요놈 요놈아!」 전문

우리 부부에게는 어린이가 없다.
그렇게도 소중한
어린이가 하나도 없다.
그래서 난
동네 어린이들을 좋아하고
사랑한다.
요놈! 요놈 하면서
내가 부르면
어린이들은
환갑 나이의 날 보고
요놈! 요놈 한다.

어린이들은
보면 볼수록 좋다.
잘 커서 큰일 해다오!

—「난 어린애가 좋다」 전문

　　이 두 편의 시에는 천상병의 동심지향성 또는 천진성의 시학이 선명히 제시돼 있다. 시 「요놈 요놈 요놈아」에는 사탕 한 봉지로 쉽게 서로 친구가 될 수 있는 동심의 순수함과 장난스러움이 익살로서 제시된다. 시 「난 어린애가 좋다」도 마찬가지이다. 시의 화자와 어린이가 "요놈! 요놈"이라는 말로 아무런 거리감 없이 하나로 화해된다. 선의와 장난기, 해학과 익살만이 천진스럽게 시의 행간에 출렁인다. 그야말로 자아와 세계가 동심 하나로 화해와 통일을 이루고 있는 형상이다.

　　그렇다면 이러한 동심지향성 또는 순진성의 시학이 의미하는 것은 무엇일까? 한마디로 그것은 오늘날과 같이 거칠고 살벌한 현실의 질곡에서 벗어나 인간성의 요람으로서 동심을 통해 휴머니즘에 도달하려는 안간힘을 반영한다고 하겠다. 온갖 물질적 질곡과 현실의 폭력에서 벗어날 수 있는 것은 동심이 상징하는 순진무구성과 선지향성을 통해 획득될 수 있는 것이기 때문이다. 약한 것, 외로운 것, 슬픈 것, 불쌍한 것, 착한 것들을 아끼고 사랑하는 마음이야말로 동심과 휴머니즘의 공통분모에 해당한다는 점에서 그러하다.

따라서 천상병 시에서 동심지향성은 그대로 선지향성의 표상이자 천진성의 시학에 원천이 되며, 휴머니즘 정신의 실질적 기반이 된다. 이것은 현실 도피나 패배의식에서 비롯된 것이라기보다는 천상병 특유의 생래적 선지향성과 휴머니즘의 자연스러운 유로라고 볼 수 있겠다. 동심과 선지향성이야말로 천상병 시정신의 한 고향이면서 동시에 한 유토피아로 볼 수 있다는 말이다.

6. 신앙시와 기독교적 세계관

천상병의 말기 시에서 드러나는 또 다른 특징은 기독교적 세계관의 확립이다. 그의 유고들에는 신앙시로서 하느님을 찬양하고 그의 섭리와 은총에 감사하는 내용이 한 핵심을 이루고 있다.

> ① 하느님은 어찌 생겼을까?
> 대우주의 정기(精氣)가 모여서
> 되신 분이 아니실까 싶다.
>
> 대우주는 넓다.
> 너무나 크다.
> 그 큰 우주의 정기(精氣)가 결합(結合)하여
> 우리 하느님이
> 되신 것이 아니옵니까?
> ―「하느님은 어찌 생겼을까?」 전문

② 봄비가 온다. 봄비가 온다.
　겨우내 얼어붙었던 땅에
　봄비가 온다. 봄비가 온다.

　따사로운 이 감촉은
　하느님이 인간에게
　베풀어주시는 큰 은총이다.

　봄비는 소리없이 오는 것 같다.
　부드럽고 촉촉한 봄비여
　온화한 기분으로 맞아도 좋다.
　　　　　　　　　　　　　　　　　　　　　　　—「봄비」 전문

③ 카페 '귀천(歸天)'에 와서
　옆에 있는 사진을 보니
　박봉우(朴鳳宇)의 사진이 있었다.

　살아 생전에
　그렇게도 다정다감(多情多感)했던 봉우.
　그렇게도 말 잘하던 봉우
　생각느니
　천국(天國)에 갔으리라 믿는다.
　전국에서 다복(多福)을 누리리라……
　　　　　　　　　　　　　—「고 박봉우(故 朴鳳宇)를 추억하며」 전문

　　이 세 편의 유작시는 천상병 말년의 시가 기독교적 세계관에 깊이 침잠돼
있음을 잘 말해준다. 천상병의 시는 크게 보아 신 앞에선 인간의 길, 즉 주(主)
안에서 진리의 길, 은총의 길, 구원의 길, 영생의 길을 발견하는 데서 대단원
의 막을 내린다. 기독교적 세계관은 그의 많은 시편들에 지속돼온 것이긴 하

지만, 특히 근년의 시에서 더욱 두드러지는 특징이다. 그의 생애와 시는 신앙 시로서 신성 지향을 드러내면서 고통과 신산, 체념과 미련, 달관과 초월로 이어져 온 그 막을 내리게 되는 것이다.

인용시에는 이러한 특성이 선명히 드러난다. 먼저 시 ①에는 하느님으로서 절대자에 대한 무궁한 외경심과 찬양심이 담겨 있다. 하느님은 마치 대우주가 너무나 크고 넓은 것에 비견된다. 만물의 창조주로서 주 하느님은 "그 큰 우주의 정기가 결합하여/우리 하느님이/되신 것"이란 뜻이다. 창조주이자 만물의 근원이신 하느님에 대한 영원무궁한 외경심과 찬양을 담고 있는 것이다. 시 ②와 ③에선 기독교적 신앙심의 핵심으로서 섭리사관과 은총론, 그리고 종말사관과 천국사상이 제시돼 있다. 먼저 시 ②는 인류의 삶에 있어서 그 존재의 밑바닥에는 언제나 하느님, 즉 신의 섭리와 은총이 존재한다는 섭리사관이 담겨 있다. 다시 말해서 온 우주와 역사 형성의 주재자를 하느님 유일신으로 보고, 그 큰 섭리와 은총 속에서 자연의 순환과 인간의 삶이 전개된다는 기독교적 세계관이 표출돼 있는 것이다. "따사로운 이 감촉은/하느님이 인간에게/베풀어주시는 큰 은총이다"라는 구절처럼 하느님의 섭리와 은총에 대한 감사와 찬양이 넘쳐 흐른다는 뜻이다. 시 ③에서는 특히 다정한 친구 박봉우의 부음에 접하여 그의 고혼이 하늘나라, 즉 천국에 가서 행복을 누리리라는 믿음과 소망을 담고 있다. 우주 만물의 창조자·조물주로서의 신의 섭리 하에 인간의 탄생과 죽음이 놓여지며, 인간의 죽음 뒤에는 신의 질서, 즉 천국에서 영생을 얻을 수 있다는 확신이 표출돼 있는 것이다. 그만큼 기독교적 세계관은 후기 천상병 시인과 시에 있어서 삶을 규정하고 지배하며, 시를 이끌어가는 원리이자 법칙으로서 작용한다고 하겠다. 인간사와 신성사(神聖事)가 하나로 화해하고 교감함으로써 마침내 지상에서의 삶이 하느님의 뜻대로 이루어지길 소망하며 하느님의 섭리와 은총에 감사하고 있는 것이다. 바로 이러한 신에 대한 찬양과 은총 속에서 "모든 일을/이왕 할 바에야/아주 즐겁게 하자//일 하는데/괴로움을 느끼면/몸에도 나쁘고……/일에 즐거움을 느끼면/일의 능률도 오르고/몸에도 아주 좋으니……//그러니/즐거운 마음과/건강한 생각으로 일을 합시다"(「일을 즐겁게」)라고 하는 화해와 긍정의 철학을 형성하게 됨은 물론이다. "좋다! 좋다! 다 좋다!"라는 대긍정의 철학이야말로 천상병의 기독교적 세계관에서 자연스럽게 우러난 행복의 시학이자 평화의 사상일시 분명하기 때문이다.

7. 결언: 참자유인의 한 계보

이렇게 보면 천상병의 시는 온갖 폭력이 횡행하는 이 불모의 연대, 인간 상실의 시대에 인간 회복의 메시지이자 시적 양심선언으로서의 상징적 의미를 지닌다. 이 기계문명의 시대, 상업주의와 첨단 문명의 시대에 가장 죄 없는 사람으로서 시인의 길을 가면서 무소유로서 가난의 철학·자유의 사상을 소박하게 실천해 감으로써 참인간의 길을 조용히 일러준 것으로 이해되기 때문이다.

이 점에서 역설적으로 천상병의 시는 고차적인 정치성을 지니는지도 모른다. 과격한 구호를 외치거나 정치적인 선언성을 제시하지 않으면서도 자유·사랑·인간 구원의 뜻을 하나씩 일러주는 것만큼 고차적인 정치시가 어디 있겠는가? 그것은 온갖 폭력과 질곡에 맞서 참사랑의 길, 자유에의 길을 일깨워 준 예수의 조용한 피 흘림 또는 인간선언을 상기하게 해준다. 양심과 순수, 사랑과 희생의 정신만큼 더 큰 힘을 지니는 것이 지상 위에 또 있겠는가? 이 전에서 천상병은 우리 근대시사에서 연면히 이어온 진짜 자유인의 계보에 속한다. 멀리는 원효로부터 김시습 그리고 김삿갓, 가까이는 만해와 공초, 이상으로부터 김관식·고은·박용래·박봉우 그리고 김지하·박정만 등에 이르는 진짜 시인, 참자유인의 계보에 한 중심으로 놓여질 수 있다는 뜻이다. 흔히 기행 또는 만행으로도 일컬어지는 그들의 일그러진 몸짓이야말로 세상에 때 묻고 욕망에 찌든 많은 요즘 사람들에게 무애행 또는 자기해방을 통한 참자유의 길, 인간의 길을 일깨워주는지도 모른다는 점에서 그러하다.

천상병의 시가 설명적 서술이나 넋두리조, 이원론에 의한 단순시각, 그리고 동어반복적인 요소 등 단점을 내포하고 있으며, 전체적인 면에서 스케일이 크고 깊지 않다는 아쉬움이 있는 것도 사실이다. 그럼에도 불구하고 그와 그의 시는 곤궁한 삶의 극한 속에서 세속의 때 묻은 관습이나 타산적인 생활양식으로부터 자신을 해방하여 인생의 의미를 깊이 있게 일깨워준 참자유인, 진짜 시인의 초상을 보여준다는 점에서 주목에 값한다. 천상병 시인의 타계로 지상에서 가장 죄 없는 자로서의 시인, 순종 한국인 또는 시의 전설시대가 그 막을 내렸다고 한다면 필자만의 지나친 표현일까?

새삼 "저쪽 죽음의 섬에는 내 청춘의 무덤도 있다"라는 니체의 말과 함께 물결에 씻겨가는 천상병의 새 무덤에 깔려 있을 태곳적 고요가 아프게 부딪쳐 온다.

(『현대문학』, 1993. 6)

박용래, 전원상징과 낙하의 상상력

박용래의 시집 『싸락눈』과 『강아지풀』 그리고 근작 『백발(白髮)의 꽃대궁』을 근원적으로 관류하고 있는 것은 자연사와 인간사의 화응이다. 아울러 상상력의 측면에서는 정지적이고 과거적이며 식물적인 낙하의 상상력이다. 그의 시는 자연 친화에 바탕을 둔 전원상징(natural symbolism)에 크게 의존하고 있으며 이러한 전원상징과 인간적인 생명 감각의 결합은 박용래 시의 골격을 이룬다. 이 점에 비추어 본고는 자연사와 인간사의 화응이라는 이원적 세계관으로 박용래의 시정신을 파악하여 그 시세계의 편모를 더듬어보고 아울러 상상력의 몇 가지 유형을 추출해 보고자 한다.

1. 전원상징 향수와 그리움의 시

> 잠 이루지 못하는 밤 고향집 마늘밭에 눈은 쌓이리
> 잠 이루지 못하는 밤 고향집 추녀밑 달빛은 쌓이리
> 발목을 벗고 물을 건드는 먼 마을
> 고향집 마당귀 바람은 잠을 자리
>
> ―「겨울밤」 전문

시 「겨울밤」은 '눈/달빛/물/바람' 등의 전원상징의 시어와 '잠/고향/마늘밭/
추녀/발목' 등 인간적 체취의 소재가 결합됨으로써 자연과 인간에 대한 근원
적 향수를 표출하고 있다. 이러한 근원적 향수는 '눈/달빛'의 시각적 이미지와
'물/바람'의 청각적 심상의 대응을 통해 그리움과 외로움의 정서를 유발하게
된다. 자연의 본질적 고독과 인간의 생래적 외로움이 전원상징의 시어 속에
서 향수와 그리움으로 변모해가는 것이다.

> 어두컴컴한 부엌에서 새여나는 불빛이여
> 늦은 저녁 상(床) 치우는 달그락 소리여. 비우고 씻는 그릇 소리여
> 어디선가 가랑잎 지는 소리여. 밤이여 섧은 잔(盞)이여
> 어두컴컴한 부엌에서 새여나는 아슴한 불빛이여
>
> ―「삼동(三冬)」 전문

이 시에서 자연은 '밤'과 '가랑잎 지는 소리'로 표상되고, 인간은 '불빛', '달
그락 소리', '그릇소리'로 형상화돼 있다. 이것은 어둠과 밝음의 대응, 그리고
청각과 시각의 교차에서 오는 아련한 생명에의 그리움과 그 생명감각을 환기
시켜 준다. '가랑잎 지는 소리'라는 자연사의 쓸쓸함과 '저녁상 치우는 달그락
소리'라는 인간적 생명감각이 그리움의 정서로 내면화되면서 이 시의 뼈대를
이루고 있는 것이다.

> 늦은 저녁때 오는 눈발은 말집 호롱불 밑에 붐비다
> 늦은 저녁때 오는 눈발은 조랑말 발굽 밑에 붐비다
> 늦은 저녁때 오는 눈발은 여물 써는 소리에 붐비다
> 늦은 저녁때 오는 눈발은 변두리 빈터만 다니며 붐비다
>
> ―「저녁 눈」 전문

이 시의 구조 역시 '저녁', '눈발'의 전원상징과 '호롱불', '주말 여물 써는 소리'의 인간적 심상의 대응으로 이루어져 있으며 '호롱불·여물 써는 소리' 등 시각과 청각의 교차에 의해 자연의 쓸쓸함과 함께 삶의 뿌리 깊은 허적을 형상화하고 있다. 바로 이 점에서 박용래의 시는 전원상징의 시어를 통해 자연과 인간의 교감과 친화를 추구하고 있으며, 그것들의 본질이 쓸쓸함과 외로움, 그리고 그에 대한 변증법적 향수와 그리움에 바탕을 두고 있음을 말해준다. 박용래 시의 전원상징들은 바로 자연의 깊이에 자리 잡고 있는 근원적 고독 그리고 인간의 내면에 감춰져 있는 생명적 허적과 그리움의 표상인 것이다. 전원상징은 자연사와 인간사라는 이원적 세계관이 향수와 그리움이라는 시적 주제로 합일되는 지점이기 때문이다.

2. 휴머니즘 또는 애상과 달관

전원상징을 통한 자연과 인간의 허적과 그리움은 약한 것, 외로운 것, 슬픈 것을 응시하는 휴머니즘으로 응결되어 애상주의를 형성하고 나아가서는 늙음의 표정 속에서 죽음의 이미지로 이행되어 달관의 시로 변모하게 된다.

> ① 후루룩 후루룩 처마깃에 나래 묻는 이름모를 새, 새들의 온기(溫氣)를 생각합니다. 숨을 죽이고 생각하지요.
> ──「월훈(月暈)」부분

> ② 한오라기 지풀일레
>   ……중략……
>   창(窓)을 내린
>   하행열차(下行列車)
>   곳간에 실린

한마리 눈 속 양(羊)일레

―「자화상(自畵像)·II」 부분

　　인용시 ①에서 "이름모를 새, 새들의 온기(溫氣)를 생각합니다"라는 구절
이나 ②에서 '한오라기 지풀·한마리 눈 속'의 이미지는 약한 것, 어린 것, 순수
한 것에 대한 사랑과 응시의 시선을 내포하고 있다. 이처럼 약한 것들에 대한
연민과 사랑의 휴머니즘은 그의 시의 전반적인 이미저리가 서민적 체취의 식
물적인 것으로 이루어져 있으며, 또한 동물적인 이미저리의 경우라도 '조랑
말, 산까치, 기러기 떼, 방울새, 제비, 잠자리, 개구리, 송아지, 삽살개, 고양이'
등과 같이 약하고 순한 것들만이 등장한다는 점에서 확인될 수 있다. 이러한
약한 것에 대한 응시와 사랑의 휴머니즘은 외로운 것, 슬픈 것에 대한 애상의
정서를 표출하게 된다.

눌더러 물어볼까
나는 슬프냐
장닭꼬리 날리는 하얀 바람
봄길
여기사 부여(扶餘), 고향이란다
나는 정말 슬프냐

―「고향(故鄕)」 부분

노을 속에 손을 들고 있었다
도라지빛
……중략……
그리고 아무 말도 없었다
손끝에 방울새는 울고 있었다

―「별리(別離)」 부분

상금(尙今)도 밖은
장대같은 억수비
귓전에 맴도는
목놓은 소리
오오. 이런 시간에 나는
우, 우니라

　　　　　　　　　　　　　　　　　　　　　　　—「장대비」부분

　　이 세 편의 시는 슬픔과 눈물이라는 애상의 정서로 충만되어 있다. 이러한
애상의 정서는 실상 전원시의 뿌리 깊은 허적과 향수에 근원을 둔 것이며, 약
한 것, 슬픈 것, 외로운 것을 응시할 때 유발되는 자기 연민의 자연스러운 유
로인 것으로서 박용래 시 정서의 기본 형질이 된다. 슬픔의 정서에 의한 자기
위안과 눈물의 카타르시스는 문명과 과학의 시대를 살아가야만 하는 숙명적
인 전원시인 박용래가 삶의 가장 근원적인 것에 접근하는 유일한 길이며, 이
는 동시에 순수해질 수 있는 정신에 힘을 주는 원동력이 되고 있다. 자연의 근
원적 고독을 통한 인간적 외로움의 극복, 그리고 눈물에 의한 자기 정화의 안
간힘은 실상 박용래 시정신의 근간이 되고 있기 때문이다.

구구 비둘기는
이제 밤마다
울지 않는다
자다 깨다
목침(木枕) 돋우면
마른 손
복사뼈에
달빛 스며
초간(草間)에 살으란다.

살으란다.

—「목침(木枕) 돋우면」 전문

깊은 밤 풀벌레 소리와 나뿐이로다
시냇물은 흘러서 바다로 간다
어두움을 저어 시냇물처럼 저렇게 떨며

—「가을의 노래」 부분

슬픔과 눈물의 정서는 "마른 손/복사뼈에/달빛 스며", "깊은 밤 풀벌레 소리와 나뿐이로다"라는 구절에 이르러서는 견고한 슬픔의 정적으로 가라앉게 된다. '마른 손'의 자아성찰, '나뿐'이라는 자기 확인의 지점에서 슬픔과 눈물의 애상적 정감은 죽음의 이미지와 만나게 된다.

고양이는 더위에 쫓겨 누다락 오르고 모기향(香)에
바람 한 점 없는 밤 내 눈감은 면벽(面壁) 5분 멀리 달빛 어린 벼이
삭 스치는 꽃 상여
어하어하……
어하어하……

—「면벽(面壁)·I」 전문

가난이 푸르게
눈자위마다
밀리는

상둣군 요령

—「요령」 부분

외로운 인간의 실상, 고독의 본질이 허무에 있음을 인식했을 때 애상의 정서는 쉽게 주검의 이미저리와 연관을 갖게 된다. 이들 시에서 '꽃상여·요령소

리'의 이미지는 박용래에 있어 고독과 애상의 필연적인 귀결이 아닐 수 없다. 그러나 이러한 주검의 이미지는 바라보고 들을 수 있는 외부의 것, 타인의 것으로서일 뿐 시인 내부의 죽음의 인식과 삶 그 자체에 직접 연루돼 있는 것은 아니다. 아직 박용래 시에 있어서의 죽음은 타인의 것, 즉 가정으로서의 의미를 지니고 있기 때문이다. 이러한 점은 주검의 이미지가 최근의 시집인 꽃대궁에 이르러 체념 혹은 달관의 이미지로 변모해 있는 것으로도 입증된다.

① 달아 달아
　　어느덧
　　반백(半白)이 된 달아
　　수염이 까슬한 달아
　　독배기(獨盃器) 속 달아

—「독배기(獨盃器)」 부분

② 상치상치 꽃대궁 백발(白髮)의 꽃대궁 아욱아욱 꽃대궁 백발(白髮)의 꽃대궁

—「건들 장마」 부분

③ 오오냐 오냐, 들녘 끝에는 누가 살든가
　　오오냐, 오냐 수수이삭 머리마다 스쳐간 피얼룩
　　오오냐, 오냐 화적(火賊)떼가 살든가
　　오오냐, 오냐 풀모기가 날든가
　　오오냐, 오냐 누가누가 살든가.

—「누가」 전문

　　시 ①과 ②는 '반백(半白)'과 '백발'의 이미지로서 이미 그리움도 넘어, 애상도 넘어, 또한 주검의 그림자도 넘어, 체념과 달관의 흰색으로 변모해 버린 늙음의 표정을 보여준다. 특히 시 ③에 이르러서는 '피얼룩'·'화적떼'·'풀모기' 등

이 조금도 감정의 동요나 흔들림 없이 "누가누가 살든가"라는 허심탄회한 심경으로 가라앉아 마침내 "오오냐, 오냐"라는 달관의 미학을 형성하고 있는 것이다.

이렇게 볼 때 약한 것, 순수한 것, 외로운 것에 대한 애정의 휴머니즘은 자기 동정과 자기연민으로 변모되어 슬픔과 눈물의 애상적 정서를 형성하고 이러한 눈물의 카타르시스에 의해 애상을 극복하는 지점에서 주검의 이미저리와 만나게 되며, 마침내는 체념과 달관의 세계로 나아가게 되는 것이다.

3. 여성주의 혹은 female complex

박용래의 시에서 빼놓을 수 없는 또 하나의 특징은 그의 시가 여성적인 취향 또는 여성편향의 콤플렉스에 깊이 침윤돼 있다는 점이다.

① 코스모스
　또 영
　돌아오지 않는
　소녀(少女)의
　　　　　　　　　　　　　　　　　　　　―「코스모스」 부분

② 누이야 가을이 오는 길목 구절초 매디매디 나부끼는 사랑아
　내고장 부소산 기슭에 지천으로 피는 사랑아
　뿌리를 대려서 약으로 먹던 기억
　여학생이 부르면 마아가렛
　여름모자 차양이 숨었는 꽃
　단추구멍에 달아도 머리핀 대신 꽂아도 좋을 사랑아
　여우가 우는 추분(秋分) 도깨비불이 스러진 자리에 피는 사랑아
　그 누이야 가을이 오는 길목 매디 매디 눈물 비친 사랑아
　　　　　　　　　　　　　　　　　　　―「구절초」 전문

③ 검정치마, 흰 저고리, 옆가르마 젊어 죽은 홍래(鴻來)누이 생각도 난다
                                                        —「담장」 전문

④ 어머니 젊었을 때
   눈썹 그리며 아끼던
   달
   감 떨어지면 친정(親庭)집 달 보러 갈꺼나
   손거울
                                                      —「손거울」 부분

⑤ 손톱 발톱
   하나만
   깎고
   연지곤지
   하나만
   찍고
   할매
   안개같은
   울 할매
                                                        —「할매」 부분

　시 ①의 '소녀', 시 ②와 ③의 '누이', 시 ④의 '어머니', 그리고 시 ⑤의 '할매'
는 모두 여성이 시의 핵심으로 등장한다. 다시 말하면, 여성이 시의 주체로서
혹은 객체로서 시와 중심내용을 이루고 있다는 것이다. 이러한 여성편향은
또한 '외가·친정' 등의 시어와 연관되어 박용래의 짙은 여성 콤플렉스의 증상
으로 해석된다. 실상 그의 시집에는 남성적인 이미지의 시어 내지는 주체가
거의 나타나지 않는다는 점에서도 이러한 진단은 적절한 것으로 판단된다.
　또한 그의 시가 앞에서 언급한 눈물과 슬픔의 애상적 정서에 침윤돼 있음
과 뒤에서 언급할 과거적·식물적 상상력에 뿌리박고 있는 점도 이러한 여성

편향 내지 여성 콤플렉스의 증상과 무관하지 않은 것으로 해석할 수 있다. 박용래의 이러한 여성주의가 한국 시 전통의 한 주류인 여성주의에 접맥되어 나타나고 있는지 아니면 개인적인 체질이나 성벽에 기인하는지 아직 확실히 판별하기는 쉽지 않지만, 적어도 확실한 것은 그의 시가 이러한 여성주의의 선병질적인 나약함에서 벗어나는 것이 그의 시에 있어 깊이의 심화나 지평의 확대를 위하여 긴요하다는 사실이다. 왜냐하면 그의 시에 보이는 특유의 여성성이 자연의 생생력과 결부되는 것이 아니라 오히려 소멸로서의 불임적인 모습으로만 나타나고 있기 때문이다. 그의 시에 있어서의 전원과 여성이 보다 생명력 있는 생성의 힘을 지니게 될 때 그의 소멸의 시학은 비로소 시적 탄력성과 긴장의 깊이를 획득할 수 있을 것이 확실하다.

4. 낙하의 상상력 또는 소멸의 미학

박용래 시의 상상력은 크게 보아 세 가지로 나누어진다. 그것은 낙하의 상상력과 과거적 상상력, 그리고 식물적 상상력으로 볼 수 있다.

> 나리는 사람만 있고
> 오르는 이 하나 없는
> 보름 장날 막버스
> 차창 밖 꽂히는 기러기떼
> 기러기떼 보아라
> 아 어느 강마을
> 잔광(殘光)부신 그곳에
> 떨어지는가
>
> —「막버스」 전문

벗가리 하나하나 걷힌

논두렁
남은 발자국에
딩구는
우렁껍질
수레바퀴로 끼는 살얼음
바닥에 지는 햇무리의
하관(下棺)
선상(線上)에서 운다
첫 기러기떼

―「하관(下棺)」 전문

낙하의 상상력이란 떨어지는 것, 없어지는 것, 가라앉는 것으로서의 형상을 구성하는 하강적인 상상력의 경향성을 말한다. 인용시에서 보듯이 '나리는/잔광/막버스/떨어지는 것/남는 것/껍질/지는 것/하관(下棺)' 등의 이미지는 박용래의 시가 낙하적인 소멸의 상상력에 그 중요한 뿌리를 두고 있음을 말해준다. 그의 시 도처에서 볼 수 있는 '가랑잎 지는 소리/살구꽃 또 지다/날리는 눈발/눈금이 떨어지는/잔 한 잔 비우고' 등등 낙하 또는 소멸의 이미지는 바로 박용래의 시가 이러한 낙하의 상상력에 바탕을 두고 있음을 확인시켜 주는 것이 된다.

두 번째로 들 수 있는 것은 과거적 상상력의 유형이다.

오동나무 밑둥
한쪽만 적시는
가랑비
지난날을 울어

―「곡(曲)」 부분

오동(梧桐)꽃 우러르면 함부로 노(怒)한일 뉘우쳐진다

잊었던 무덤 생각난다
……중략……
젊어 죽은 홍래누이 생각도 난다.

—「담장」 부분

　　중학교 하급반 땐 온실 당번였어라 질펀히 진눈깨비라도 오는 늦
은 하오(下午)라치면 겨운 석탄통 들고 비틀대던 몇 발자국 안의 설핏
한 어둠 지우고 지워진지 오래건만 강술 한 잔에 떠오누나

—「진눈깨비」 부분

　　인용시에서 '지난날을 울어, 함부로 노한 일 뉘우쳐진다'라는 과거적 회한
과 '잊었던 무덤, 젊어 죽은 홍래 누이 생각도 난다'라는 과거적 회상, 그리고
"중학교 하급반 땐 온실 당번였어라"라는 회고적 모티프는 모두 박용래 시의
중요한 상상력의 한 면모를 제시해준다. 이른바 과거적 상상력이라 부를 수
있는 이러한 발상법은 그의 시를 형성하고 전개하는 중요한 모티베이션이 되
는 것이다. '어머니 젊었을 때/젊은 날을 앓다가/추수도 끝난/어느덧 우정의
잎지고/젊어서 울었듯 서서 울어' 등 많은 시의 이미저리가 과거적인 상상력
에 연원을 두고 있기 때문이다.
　　이것은 그의 시정신이 밝은 현실이나 건강한 미래지향의 요소보다는 애상
적인 과거지향이나 회상의 미학에 뿌리를 두고 있기 때문인 것으로 판단된
다. 항상 그의 시에서 현실은 우수로 가득찬 세계이고 과거지향의 향수와 그
리움만이 그의 삶과 시를 지탱해주는 힘으로 작용하고 있다는 사실로도 짐작
할 수 있기 때문이다.
　　세 번째로 지적할 수 있는 것은 식물적인 상상력의 모습이다.

　　① 낙엽(落葉)져
　　　벌거숭이

잡목림(雜木林)은
조석(朝夕)으로

쓸쓸한 마을
초가지붕

―「잡목림(雜木林)」 부분

② 반쯤은 둔병에 묻힌
　창포(菖蒲) 실뿌리 눈물지네
　맨드라미 꽃판 총총 여물어
　그늘만 길어가네
　절구에 깻단을 털으시던
　어머니 생시(生時)같이
　오솔길에 낮달도 섰네.

―「낮달」 부분

③ 눈보라 휘돌아간 밤
　얼룩진 벽(壁)에
　한참이나
　맷돌 가는 소리
　고산식물(高山植物)처럼
　늙으신 어머니가 돌리시던
　오리 오리
　맷돌 가는 소리

―「설야(雪夜)」 전문

시 ①의 총체적 이미저리는 식물적인 상상력에 근거를 두고 있다. 시 ②와 ③에 있어서도 식물적 이미저리가 특징적으로 드러나는데, 특히 여기서는 어머니, 즉 여성적인 상상력과 결합되어 있다. ③에서는 비유적 보조관념으로 대상을 묘사하고 있는바 그의 많은 시에서 색채를 표현하는 데에 식물이나 꽃의 이미지를 활용하고 있는 것과도 연관되어진다. 그의 시 도처에 나타나는 '탱자울/강아지풀/엉겅퀴/미나리/버들잎/살구꽃/등나무/파초' 등 헤아릴 수 없이 많은 야생 식물적인 이미지군은 그의 상상력이 식물적인 것에 뿌리박고 있음과, 바로 이 이름 모를 식물처럼 담담히 살아가는 시인 자신의 삶의 모습을 반영하고 있는 것이다.

아울러 음식 이름조차 동물성은 거의 나타나지 않고 '열무김치/상칫단/콩나물/골파/시락죽/비름/호박잎/목과차(木瓜茶)/오이' 등 거의 채소류의 식물성이 주류를 이루고 있는 것도 이의 예증이 된다. 이러한 식물적 상상력은 박용래의 시가 자연 현상의 오묘한 순환질서에 섬세한 반응을 보이고 있다는 점을 말해주는 것이며 또한 그의 시가 전원 시학에 근거하고 있음을 입증해주는 것이기도 하다.

5.

지금까지 살펴본 것처럼 박용래의 시는 전원상징의 향토적 리리시즘 및 애상과 달관의 휴머니즘을 바탕으로 여성 편향성의 소멸의 미학, 회상의 시학을 형성하고 있다. 특히 그의 시는 낙하의 상상력과 과거적 상상력, 그리고 식물적 상상력을 근간으로 이루어지며, 또한 압축된 시형의 몽타주 수법과 각운의 활용으로 섬세한 형태미를 구축하고 있다. 이러한 몇 가지 점에서 박용래의 시는 근년에 유행하는 난해시류와는 달리 폭넓은 공감대의 형성에 성공하고 있는 것이다. 과도한 메타포와 상징으로 짜여진 현대시의 난해성에 식상한 많은 독자들에게 그의 시는 안온한 해방감과 향수의 애잔함을 통해 감동을 불러일으키고 있기 때문이다.

그럼에도 불구하고 그의 시는 몇 가지의 문제점을 내포하고 있는 것도 사실이다. 무엇보다도 먼저 그의 시는 유사한 이미지의 시어들이 여러 시편에서 반복되는 단점을 지니고 있다. 예를 들면 "기러기떼 보아라/아 어느 강마을/잔광(殘光)부신 그곳에/떨어지는가", 이미지가 다른 시에선 "잔광(殘光)이 눈부신 마을이 있다"(「울타리 밖」)와 같이 중복되어 나타나므로 오히려 빛을 잃는 것 등이 그것이다. 그의 많은 시가 개성을 잃고 비슷비슷한 인상을 주는 것도 바로 이런 이유에서 비롯된다.

두 번째는 감상의 범람을 들 수 있다. 천부적인 애수의 시인으로서 그의 허적과 고독의 깊이는 빈번하게 흔히 나타나는 눈물과 슬픔 때문에 정결한 모습을 잃는 경우가 많다. 그의 시형태에서 볼 수 있는 예리한 지적 절제가 그의 애상의 정서에도 가해져야만 정서로 충만한 그의 시에 정신의 단단함이 자리잡을 수 있을 것으로 판단되기 때문이다.

세 번째는 그의 시에 생동성이 결여되고 탄력이 부족한 점을 지적할 수 있다. 아무리 그의 시가 소멸의 시학, 향수와 애수의 회상미학을 추구한다 하더라도 그의 시가 스스로의 소재주의에 자폐되어서는 안될 것이다. 소재의 적절한 배치에서 오는 정서적 매혹보다는 그러한 소재들이 정신과의 충돌을 통해 시적 탄력과 생동력을 획득해야 할 것이다. 진정한 의미의 정서, 정신의 충돌과 화해, 그리고 과감한 시적 전신과 극적 변모를 통한 시적 승화(sublimation)가 있어야 할 것이다. 고전과의 접맥 혹은 사회·역사적인 조우 및 종교적인 세계에의 탐구도 이러한 한 지평을 열어갈 수 있을 것이다. 이처럼 보다 과감한 변신의 노력만이 그를 감수성만으로 시를 쓰는 시인이라는 인상으로부터 벗어나게 할 수 있을 것이며, 그가 보다 완벽한 시인이기를 소망하는 우리 모두의 바람에 응답하는 길이 될 것이다.

(『심상』, 1980. 2)

박정만, 한(恨)의 시인 떠돌이 시인

이마를 짚어다오,
산허리에 걸린 꽃같은 무지개의
술에 젖으며
잠자는 돌처럼 나도 눕고 싶구나.

가시풀 지천으로 흐드러진 이승의
단근질 세월에 두 눈이 멀고
　　　　　　　　　　―「잠자는 돌」 부분

1. 애원성(哀怨聲) 한가락

시인 박정만, 그는 이미 내게 낡고 흘러가 버린 옛 이름으로 기억된다. 그렇지만 그 이름은 내게 있어서 저 젊은 날을 지배하던 알지 못할 광기와 그리움을 함께 불러일으키는 한 대명사이기도 하다. 60년대 후반 '서울 1964년 겨울'의 음울한 기류가 이 땅을 뒤덮고 있던 우리의 문청(文靑) 시절, 명동 뒷골목에 허물어져 가던 술집 '은성'이나 '청일집' 부근을 허기져 헤매던 저 목마름 속에서, 시가 어떻고 인생이 어떻고 주절거리던 그때의 유치함과 맹목의 순수를 일깨워주는 소중한 이름의 하나가 바로 박정만인 것이다.

그사이에 벌써 온갖 소용돌이 속에서 시간이 흘러 20년이나 지나가 버렸고, 그 시절은 '희미한 옛사랑의 그림자'로만 남아 안타까움을 더해준다. 그때 시를 논하던 많은 친구들은 성공한 사업가가 되고, 이름 높은 명사들이 되고, 날렵하고 솜씨 있게 살아가는 그 무엇들이 되어 우리의 곁을 떠나가 버렸다. 그렇지만 유독 한 사람 박정만, 그만은 아직도 옛 모습 그대로 정읍에서 갓 올라온 것처럼 무모하고 순진한 채로, 남루한 입성과 어렴풋한 취기를 그냥 데불고, 그냥 그렇게 살아가고 있는 모양이다. 그렇지만 그가 낡은 옛 이름처럼 어느 산모퉁이 헐벗은 골목길 속에서 읊어대는 애끓는 애원성(哀怨聲) 한 가락은 끊어질 듯 끊어질 듯 이어져 그를 아끼고 있는 우리를 애타게 한다.

2. 허무와 절망이라는 천형(天刑)의 수인(囚人)

근년의 박정만은 80년대의 어둔 뒤안길에서 허무와 절망이라는 천형의 병고를 앓으면서 서서히 무너져 가고 있다.

> 이마를 짚어다오,
> 산허리에 걸린 꽃같은 무지개의
> 술에 젖으며
> 잠자는 돌처럼 나도 눕고 싶구나.
>
> 가시풀 지천으로 흐드러진 이승의
> 단근질 세월에 두 눈이 멀고
> 뿌리없는 어금니로 어둠을 짚어가는
> 마을마다 떠다니는 슬픈 귀동냥.
>
> ―「잠자는 돌」 부분

그의 시에 길게 흐르는 것은 "가시풀 지천으로 흐드러진 이승의/단근질"에 대한 절망이며, 그에 대한 필사적인 항거의 노력이다. 그가 앓고 있는 것은 단지 육신의 병만은 아니다. 물론 그의 시에는 "간(肝)이 점점 무거워 온다/검푸른 저녁 연기 사라진 하늘 끝으로/오늘은 저승새가 날아와서/하루내내 울음을 대신 울다 갔다"(「죽음을 위하여」)라는 한 시에서 보듯이 육신의 병고, 죽음의 그림자가 짙게 드리워져 있다. 그렇지만 그의 시에 나타나는 아픔은 육신의 병고보다도 기계문명과 상업주의의 폭력 아래서 인간적 존엄성과 자존심, 그리고 생명의식을 상실해가는 데서 연유하는 절망과 허무라 할 수 있다.

> 모든 것이 부질없구나.
> 잠자는 남명(南冥)의 바다 위에 눈꽃은 지고
> 젊은 날의 내 야심도
> 저 바다의 꽃잎같이 스러졌구나.
>
> 한창때는 나도
> 불같이 뜨거운 사랑을 품었는데요.
> 눈에도 가슴에도
> 불같이 뜨거운 사랑을 품었는데요.
>
> 내가 탐한 하늘은 어디로 지고
> 가슴에는 한 평의 적막만 살아
> 아서라, 이 몹쓸놈의 병(病),
> 한 바다 뒤채이는 고요의 병을 얻어
> 몇 점 새소리로 애간장을 삭이는도다.
> ─「요즈음의 날씨」 부분

이러한 시구 속에는 비인간적인 온갖 폭력과 공해가 판을 치는 세상에서 생의 본질인 허무와 격투를 벌이는 고독한 한 시인의 참담한 절망이 아로새겨져 있다고 할 수 있다. 그렇다면 이러한 절망의 근원은 무엇일 것인가? 아마도 그것은 세상의 모순과 허위에 대한 좌절에서 기인하는 것으로 보인다. "판을 쓸고 다시금 돌을 놓는다/돌을 놓아도 다시금 돌이 지고/망한 나라, 망한 형세는/그러나 끝끝내 회복하지 못한다"(「돌을 하나 놓을 때마다」)라는 구절이 상징하듯이 세계상의 모순, 인간상의 허위에 대한 탄식에서 비롯되는 것으로 이해된다. 아울러 그러한 절망의 보다 근원적인 이유는 무(無)로서의 생, 죽음으로서의 인생의 본질에 대한 확연한 깨달음에서 비롯된다 하겠다.

> 헛되이 살아온 목숨 하나가
> 죽어서도 못 만날 너를 그리며
> 오늘도 무덤가에 관(棺)처럼 꽂혀 있어라
>
> — 「그리운 저 무덤」 부분

> 제 목에 칼을 놓아 두견이 울고
> 제 피에 불을 질러 모란이 지면
> 사랑이여, 나는 한 자루의 촛불로 서서
> 불꽃처럼 찬란한 죽음을 기다린다.
>
> — 「어느 날의 촛불」 부분

> 살아서 못 가졌던 한 평의 땅을
> 나는 죽어서 비로소 내 것으로 가질지니
> 인간의 뼈와 살도 다 삭고 나면
> 흙과 대지의 이름으로 날 불러다오
>
> — 「정읍별사(井邑別詞)·Ⅲ」 부분

죽음과 죽음의식은 박정만의 시를 관류하는 한 핵심이라 할 수 있다. 그만큼 그의 시는 죽음과 친숙해져 있으며, 죽음을 길들이기에 익숙해져 있는 것이다. 아마도 이러한 죽음과 그에 대한 죽음의식에의 깊은 경도는 박정만의 시세계가 허무주의와 깊숙이 연관되어 있음을 말해 주는 것이 분명하다고 생각한다.

그러나 문제는 바로 여기에 놓여진다. 그가 삶을 바라보는 자세는 비극적인 세계관과 허무주의에 깊이 물들어 있는 것이 사실이다. 그렇지만 그의 시가 더욱 집요하게 추구하는 것은 죽음을 두려워하고 그에 연연해 하는 것이 아니다. 오히려 죽음을 전신으로 감싸 안으면서, 자신 속에 죽음을 통과시키려는 지난한 몸부림을 보여준다는 점이다.

> 사랑이여,
> 한 번의 죽음이 영원을 노래 부르고
> 한 웅큼의 흙이 흙을 노래 부르니
> 죽음이 보(褓)에 줄 것 다 주어 버린 후
> 애간장도 푸석푸석 태워 버린 후
> 나머지 없는 것 한 톨씩 서로 보태어
> 잃은 피로써 잃은 피로써 살아야 하리.
> 우리가 죽어 무지개가 되기까지는.
> ―「우리가 죽어 무지개가 되기까지는」 부분

박정만의 시가 지닌 강점은 바로 여기에 놓여진다. 그것은 죽음에 머물거나 그에 대해 공포심을 갖는 두려움의 세계 그 자체가 아니다. 이것들을 넘어서서 '죽음을 통과(通過)'하고 있기 때문에 그의 시는 그 누구의 시보다 강할 수밖에 없는 것이다. 죽음을 전신으로 껴안고 있는 자, 죽음을 이미 그의 속에서 통과시키고 있는 자가 어찌, 무엇을 두려워하랴? 바로 이 점에서 박정만 시의 본질은 허무주의 자체가 아니라, 그를 뛰어넘어 보다 삶을 총체적으로 껴안으려는 능동적인 삶에의 열망이며, 부활에 이르려는 몸부림이다. 그의 시에 짙게 드러나는 비애미와 비장미야말로 그러한 열망과 몸부림이 빚어내는 향그러운 목숨의 향기인 것이다.

죽음을 능동적으로 감싸 안고 살아가는 시인 박정만에게 과연 두려운 것이 무엇이겠는가? 바로 이 점에서 우리는 그가 뿌리 없는 삶 속에서 걸립패처럼 떠돌면서도 모든 허욕을 과감히 버릴 수 있으며, 한 올 한 올 절망의 피륙으로 전심전력 시만을 짜면서 시인으로서의 자존심과 위의를 지켜나갈 수 있으리라는 점을 이해할 수 있게 된다.

3. 비극적 세계관 또는 남도창(南道唱) 가락에 흔들리며

박정만의 시가 지닌 또 하나의 강점은 그의 시가 전통적인 한의 정감 또는 민중적인 정서를 생생하게 드러내 보여준다는 점이다. 이즈음의 많은 시들은 머리로만 쓰여지거나 손끝으로 쓰여져서 아예 감동을 불러일으키는 일과는 무관한 경우가 비일비재하다 하겠다. 박정만의 시가 천착하고 있는 고전 정서와 한의 정감은 그것이 현실적 삶의 고통에서 비롯된 생생한 육성으로 부딪쳐 옴으로써 짙은 감동을 유발한다. 그러면서도 이 시대의 허무주의적인 기류를 전통 시의 그것과 내밀하게 연결하여 공허한 관념의 유희에서 벗어나고 있는 데 그 특징이 놓여지는 것이다.

"어찌하랴, 어찌하랴, 어찌하랴/애젊은 나이의 타는 간장과/꼭두서니빛으로 일어서는 애원성(哀怨聖) 하나/푸르디 푸른 목숨 위에/제 죽음 제가 묶는 제(祭)의 사슬이 내려/한 자루 향불에 녹아드는 애원성(哀怨聲) 하나"라는 그의 시를 읊조리노라면 이 땅의 험난한 역사 속에서 한과 눈물로 살아가던 민초(民草)들의 삶이 생각나고, 요절한 청상(靑喪)이며, 예인들의 슬픈 생애가 떠오른다. 적막하고 답답하기만 하던 그들의 비극적인 한 생애가 유장하면서도 애처로운 남도창의 가락 속에 푸들푸들 살아나고 있는 것이다. 그만큼 박정만의 시에는 토속적인 한의 정서가 깊이 아로새겨져 있으며, 육성으로 솟구쳐 오르고 있다 하겠다.

목을 감고 징징징 우는 병(病)이여,

아무도 듣는 이 없이

현(絃)을 하나 고르는 데 십년이 흘러갔거니

누가 꿈결같은 십년을 다 기억하리요.

눈멀고 귀멀어

팍팍한 가슴팍에 잔별도 내려

손끝에 도끼날 시퍼렇게 티눈도 박여

원수의 칼로써 아픔도 구했었거니,

아아 아무도 보는 이 없이

한가락 잡는데 바친 나머지 십년을

또 누가 기억하리요.

　　　　　　　　　—「어느 악공(樂工)의 생애」 부분

　그의 시에는 어느 일에고 우직하니 생애를 바치는 인물들의 비극적 삶이 주로 그려져 있다. 그리고 시의 제목에서부터 「정읍별사(井邑別詞)」, 「정읍후사(井邑後詞)」, 「처래후가(處來後歌)」, 「청산별곡(靑山別曲)」 등의 고전적인 이별의 노래들이 주조를 이룬다. 아울러 대부분의 주제가 이별, 소멸, 죽음 등 부정적 비관적인 색채로 물들어 있다. 무엇보다도 그의 시에는 "지고 말리니/지워버린다/가버렸구나/우는가 보다/저문다/떠나간다/흔들린다/떨어진다/젖다/갇힌다/흘러간다/사라진다" 등과 같은 하강적인 시어 또는 낙하의 상상력이 강하게 작용하고 있는 것이 큰 특징이다.

　이렇게 본다면 박정만의 시세계는 비관적인 현실 인식과 낙하의 상상력이 주류를 이룬다는 점에서 전통 시의 그것과 깊이 접맥되어 있다고 할 것이다. 특히 "망초꽃 피는 날의 슬픔에 젖어/머언 산 바라던 젊은 각시 어디로 갔나//그대 발등 위에/한가지 복사꽃을 던져놓고/내 사랑, 내 사랑, 슬피 울었다/머나먼 서역만리/기다리던 대불(大佛)의 눈은 감기고/날 저무는 하늘가에 오늘도/잃어버린 심사처럼 별꽃이 핀다"(「투화(投花)」)라는 한 시에서 보듯이 이별의 모티브와 소멸의 미학이야말로 한국시의 중요한 원형이 되기 때문이다.

초롱의 불빛도 제풀에 잦아들고
어둠이 처마 밑에 제물로 것을 치는 밤,
머언 산 뻐꾹새 울음 속을 달려와
누군가 자꾸 내 이름을 부르고 있다.

문을 열고 내어다보면
천지는 아득한 흰 눈발로 가리워지고
보이는 건 흰눈이 흰눈으로 소리없이 오는 소리뿐.
한 마장 거리의 기원사(祈願詞) 가는 길도
산허리 중간쯤에서 빈 하늘을 감고 있다.

허공의 저 너머엔 무엇이 있는가.
행복한 사람들은 모두 다 풀뿌리같이
저마다 더 깊은 잠에 곯아 떨어지고
나는 꿈마저 오지 않는 폭설에 갇혀
빈 산이 우는 소리를 저홀로 듣고 있다.

아마도 삶이 그러하리라.
은밀한 꿈들이 순금의 등불을 켜들고
어느 쓸쓸한 벌판길을 지날 때마다
그것이 비록 빈 들에 놓여 상(傷)할지라도
내 육신의 허물과 부스러기와 청춘의 저 푸른 때가
어찌 그리 따뜻하고 눈물겹지 않았더냐.

사랑이여,
그대 아직도 저승까지 가려면 멀었는가.
제 아무리 밤이 깊어도 잠은 오지 아니하고
제 아무리 잠이 깊어도 꿈은 아니오는 밤,

그칠 새 없이 내리는 눈발은
부칠 곳 없는 한 사람의 꿈없는 꿈을 덮노라.
　　　　　　　　　　　　　　　—「오지 않는 꿈」 전문

　그의 한 대표작으로 생각할 수 있는 이 작품은 박정만의 시세계를 요약적으로 보여준다. 그것은 한국적인 소멸의 미학이며, 부정적인 생의 인식이자 비극적인 세계관이다. 그리고 빛나는 비애의 감각이며, 섬세한 은유의 아름다움이자 치렁치렁한 애조의 가락이다. '어둠'과 '울음', '빈 산'과 '빈 하늘' 그리고 '잠'과 '꿈'이 포괄적으로 상징하는 소멸의 미학과 비극적 세계관은 한국시의 중심부를 관류하는 기본 정조라 할 수 있다. 아울러 "한 마장 거리의 기원사(祈願寺) 가는 길도/산허리 중간쯤에서 빈 하늘을 감고 있다"라거나 "은밀한 꿈들이 순금의 등불을 켜고/어느 쓸쓸한 벌판길을 지날 때마다"라는 활물변질의 은유와 빛나는 감각의 구사능력이야말로 박정만의 깊디깊은 애상이 센티멘탈리즘으로 떨어지고 말 위험을 예리하게 절제해주는 박정만 시학의 황금 부분인 것이다. 그와 함께 "허공의 저 너머엔 무엇이 있는가/아마도 삶이 그러하리라/어찌 그리 따뜻하고 눈물겹지 않았더냐/사랑이여" 등의 다양한 율문 교차는 시 속에 치렁치렁한 정감의 율조를 살려줌으로써 그의 시로 하여금 비애미의 따뜻함을 불러일으키게 하는 힘이 되어준다.

　이렇게 본다면 우리는 박정만의 시에서 우리의 전통적인 정서와 율감이 생생하게 살아 숨 쉬고 있음을 확인할 수 있게 된다. 그리고 그러한 것들이 예리한 절제와 극기의 아름다움으로 고양되어 있음을 알 수 있게 된다. 비극적인 세계관의 아스라한 깊이를 심도 있게 드러내면서도 그것을 극기의 미학으로 아름답게 이끌어 올리려는 가난한 작업을 통해서 개인적인 허무와 시대적인 적막을 이겨내려는 안간힘을 보여주고 있는 것이다. 실상 박정만의 이러한 참담한 절망의 시편, 황홀한 한의 시편들이 한국 현대시에 있어서 한 중심 부분을 형성하고 있다고 해도 크게 지나친 말은 아니리라.

4

그 어느 곳에 가서라도 정상적으로 직장생활을 이어가지 못하는 비정상인 박정만, 그러면서도 지은 죄 그리 없이 이리 터지고 저리 얻어맞아 아주 별 볼 일 없는 사내(?)가 되어 버린 그이고 보면 새삼 산다는 게 무엇이며 또 시를 쓴다는 것이 무엇인가 의문이 든다. 그리곤 문득 이 세상에서 부귀와 권세를 누리고 산다는 일이, 또 그러려고 몸부림치는 일들이 왜 그리도 허망해 보이고 부끄럽게 보이는지 알 수 없는 일이다. 내가 그보다 조금(?) 더 잘 먹고 잘살고 있다는 것은 아마도 세상 사는 일에서 내가 그만큼 더 때가 많이 묻었고, 눈치 보며 살기에 익숙해져 있다는 사실 이외에 아무것도 아니리라.

실상 몇 년에 한 번 만날 수 있을까 말까 하는 그와 나 사이이지만, 몇 년 만이고 만나면 오히려 덤덤할 뿐이고, 또 못 만나면 문득 나쁜 소식이라도 들려오지 않을까 걱정이 되기도 하는 그이다. 그렇지만 최근에 들어 그는 "한세상 살다보니 병(病)도 홀적삼 같다"(「죽음을 위하여」)라고 노래하는 걸 보니 쉬 포기하지는 않을 모양이다. 실상 우리 현대시사를 위해서도 그가 오래 살아 목숨 걸고 시를 쓴다는 일은 소중한 일이 아닐 수 없다. 연전에 첫 시집 『잠자는 돌』해설에서도 지적했지만, 그의 시에는 생래적인 강인한 부활 의지가 지속적으로 분출되고 있음을 볼 수 있음은 물론이다.

현대시사에서 그리 많지 않았던 괴팍한 시인 박정만, 고 박용래, 김종삼, 천상병처럼 진짜 순종 한국 서정시인의 한 사람으로서 그는 이제부터 죽음을 통과하여, 죽음을 뛰어넘어 시를 쓰는 이 땅에서 가장 강한 시인의 한 사람이 될 것으로 믿어 의심치 않는다.

(시집 『무지개가 되기까지는』 발문, 문학사상사, 1987)

■ 보유(補遺): 박정만 죽음에 부쳐

바람 한 점 없는데 온 세상의 풀꽃들이 일제히 시들어 버렸구나. 박정만(朴正萬)! 그대 또한 저와 같아서 적막한 그대의 한 생애가 가을 들풀처럼 저물어 버렸구나. 바로 그 얼마 전만 해도 그대 생애 처음이자 마지막이 되어 버린 시화전을 하며 "살인적으로 행복하다"던 그대, "한세상 살다보니 병도 그만 홑적삼 같다"고 조그맣게 행복해하던 그대가 그토록 쉽게 무너져 갔구나. 정만(正萬)아! 사람의 운명이란 것이, 이것이 서로 엇갈린다는 것이 정녕 백지 한 장 차이라더니 그게 바로 이런 것이구나.

시인 박정만(朴正萬)! 그대 이름은 우리에게 저 무모하기만 하던 60년대 후반의 낮고 우울한 그 겨울을 생각나게 한다네. 4·19와 5·16의 뒤끝에서 어둔 기류가 안개처럼 이 땅을 뒤덮고 있던 우리의 문청(文靑)시절, 무너져 가던 명동 '은성'이나 무교동 낡은 골목 주점을 허기져 기웃거리던 저 목마름 속에서, 함께 시를 논하고 인생을 다투던 그때 우리의 그 유치하고 맹목의 순수함이 새삼 생각난다네. 그대는 옛 모습 그대로 남루한 입성과 어렴풋한 취기로 순수 하나만을 그냥 데불고 살아가고 있더니만 이렇게 그대 먼저 인가의 불빛 하나 없을 저 차운 바람 속 저승의 어둔 모퉁길을 홀로 걸어가고 있을 것인가. 저 고통스러운 70년대와 참혹하기만 하던 80년대의 뒤안길, 헐벗은 가로 어느 골목길에서 홀로 절망과 허무라는 천형(天刑)의 병고(病苦)를 통음하면서, 모든 허욕을 떨쳐버리고 한 올 한 올 절망의 실로 처절하게 시의 피륙을 짜내면서 시인의 자존심과 시의 위의를 지켜 나아가려던 그대 박정만! "이마를 짚어다오/산허리에 걸린 꽃 같은 무지개의/술에 젖으며/잠자는 돌처럼/나도 눕고 싶구나/가시풀 지천으로 흐드러진 이승의/단근질 세월에 두 눈이 멀고/뿌리 없는 어금니로 어둠을 짚어 가는/마을마다 떠다니는 슬픈 귀동냥"이라는 그대 시구 하나가 끝내 아픈 화살이 되어 우리 심장에 날카롭게 박혀오는구나.

과연 그 무엇이 그대를 그토록 아득한 절망에 이르게 하였고, 마침내 저 죽음의 세계로 치닫게 하였던가? 아마도 그것은 무엇보다도 천성이 자유인이었던 그대 성격 탓이 클 것이려니와 직접적으로는 저 참혹했던 80년대 초의 어이없는 횡액과 뒤이은 방황 때문이 아닐는지, 그 무자비한 군사정권의 폭력과 온갖 상업주의가 판치는 이 불모의 연대에 그대는 인간적인 자존심과 시인의 양심을 지켜 보려다가 처참하게 좌초해 간 것이 아닐까 말일세. 그렇기에 자네의 시구에는 온통 시퍼런 허무와 한의 칼날이 섬뜩섬뜩 빛나고 있었던 게 아니었겠나? 우리 뜻 있는 사람들이 모두 아끼고 사랑하던 그대 시인 박정만! 그대 깊고 깊은 잠의 머리맡에 끝없이 떠돌고 있는 초록별 하나 보이고, 그 곁에 살아서 그리도 고단하던 목숨 하나가 비로소 편안히 놓이는구나. 그래 이승에서의 그대 삶이 얼마나 고달프고 힘겨웠길래 그대는 '그리운 저 무덤'을 생각하면서 죽음과 그리도 가까워지려 했었는가? 그대만큼 죽음을 따뜻하게 감싸 안으면서, 처절하게 허무를 전신으로 끌어안고 싸워 간 진짜 시인들이 우리 시사에 과연 몇 사람이나 있었던가? 이제 이미 죽음을 그대 속에 통과시킨 그대, 죽음보다 강한 그대가 어찌 무엇을 더 두려워하랴, "침잠하는 돌 속에 산이 잠기고/산자락에 엎드린 수정 무지개/잘 있거라 눈부신 잠의 목관(木棺)위에서/생은 다만 옥(玉) 같은 어둠의 부표(浮標)였으니"라고 자넨 노래하지 않았던가. 어쩌면 그대는 소월(素月)보다 깊은 한과, 말라르메보다도 더 그윽한 허무를 간직하고 있지는 않았는지. 새삼 아프고 안타까울 뿐이네.

부디 편안히 잠들거라, 우주 저편으로 아스라히 사라져 간 그대 박정만! 우리 모두 아끼던 자유인, 천부적인 서정시인 박정만! 지금쯤 그대 죽어 홀로 걸어가고 있을 저승길 모롱이 천지 가득 오늘처럼 함박눈 나리여 이승에서 그토록 고단했던 그대 목숨 하나 포근하게 위무해 주려니.

"사랑이여, 보아라/꽃초롱 하나가 불을 밝힌다/꽃초롱 하나로 천리 밖까지/너와 나의 사랑을 모두 밝히고/해질녘에 저무는 강가에 와 닿는다/저녁 어스름내리는 서쪽으로/유수(流水)와 같이 흘러가는 별이 보인다/우리도 별을 하나 얻어서/꽃초롱 불밝히듯 눈을 밝힐까/눈 밝히고 가다가다 밤이 와/우리가 마지막 어둠이 되면/바람도 풀도 땅에 눕고/사랑아, 그러면 저 초롱을 누가 끄리"라고 노래하던 「작은 연가(戀歌)」가 문득 아프게 되살아오네.

그대 부디 이승에 못다 한 사랑, 그곳에서 꽃피워 보게. 그리고 시의 별로 떠올라 우리 어둔 지상의 삶을 비춰주게. 이제 마른 눈물로 간구하노니, 그대 고혼의 명복을 빌 따름이로다.

(뒷부분 보유는 1988. 10. 4. 영결식에서 필자의 추도사 개고)

김재홍

1947년 충남 천안 출생으로 서울대학교 사범대학 국어교육과를 졸업한 후, 동 대학원 국어국문학과에서 박사학위를 취득했다. 1972년 육군사관학교 전임강사 를 시작으로 충북대학교, 인하대학교, 경희대학교에서 교수로 재직했으며, 2012 년 경희대학교 문과대학에서 정년 연장 명예교수로 퇴직하였다. 현재는 경희대학 교 명예교수이자 백석대학교 석좌교수로 있다.

1969년 서울신문 신춘문예에 평론이 당선되면서 본격적인 문단활동을 시작했 다. 이후 시인론, 작품론 등의 실제비평 및 문학사와 문학이론 연구 분야에서 독자 적인 학문적 영역을 구축했다. 이 과정에서 『한국 현대 시인 연구 1,2,3』, 『카프시 인 비평』, 『한국 현대 시인 비판』, 『한국 현대시의 사적 탐구』, 『현대시와 삶의 진 실』, 『생명·사랑·평등의 시학 탐구』, 『한국 현대시 시어사전』을 비롯한 40여권의 저서를 발표했다. 이외에도 국내 최장수 시전문지 계간 『시와시학』과 한국현대시 박물관을 창간 및 설립, 사단법인 만해사상실천선양회 상임대표와 만해학술원장 등을 역임하며 시의 대중화 작업 및 인문정신의 실천적 활동을 주도했다.

<제1회 녹원문학상>, <제33회 현대문학상>, <제1회 편운문학상>, <김환 태문학상>, <후광문학상>, <현대불교문학상>, <유심문학상>, <만해대상>, <서울특별시 문화상> <보관문화훈장> 등을 수상했다.

한국현대시인비판

김재홍 문학전집 ⑧

초판 1쇄 인쇄일	2020년 3월 05일
초판 1쇄 발행일	2020년 3월 14일

엮은이	김재홍 문학전집 간행위원회
펴낸이	정진이
편집/디자인	우정민 우민지
마케팅	정찬용 정구형
영업관리	한선희 최재희
책임편집	정구형
인쇄처	으뜸사
펴낸곳	국학자료원 새미(주)
	등록일 2005 03 15 제25100−2005−000008호
	경기도 고양시 일산동구 중앙로 1261번길 79 하이베라스 405호
	Tel 442−4623 Fax 6499−3082
	www.kookhak.co.kr
	kookhak2001@hanmail.net

ISBN	979-11-90476-20-1 *94800
	979-11-90476-12-6 (set)
가격	300,000원